GEORGES LANGLOIS

JEAN BOISMENU

LUC LEFEBVRE

PATRICE RÉGIMBALD

D1003177

HISTOIRE DU 20e SIECLE

Beauchemin

HISTOIRE DU 20ᵉ SIÈCLE

Georges Langlois avec la collaboration de Jean Boismenu,
Luc Lefebvre et Patrice Régimbald

© 1994   Éditions Beauchemin ltée
3281, avenue Jean-Béraud
Chomedey, Laval
H7T 2L2
Téléphone : (514) 334-5912
Télécopieur : (514) 688-6269
Téléphone : 1-800-361-4504

Tous droits de traduction et d'adaptation, en totalité ou en partie, réservés pour tous les pays. La reproduction d'un extrait quelconque de ce livre, par quelque procédé que ce soit, tant électronique que mécanique, en particulier par photocopie ou par microfilm, est interdite sans l'autorisation écrite de l'éditeur.

Il a été impossible de rejoindre certains détenteurs de droits d'auteur. Une entente pourra être conclue avec ces personnes dès qu'elles prendront contact avec l'éditeur.

ISBN : 2-7616-0525-X

Dépôt légal 2ᵉ trimestre 1994
Bibliothèque nationale du Québec
Bibliothèque nationale du Canada

Imprimé au Canada
1 2 3 4 5   98 97 96 95 94

Supervision éditoriale : Isabelle Quentin
Direction de la production : Robert Gaboury
Révision scientifique : Jean Boismenu, Luc Lefebvre et Patrice Régimbald
Révision linguistique : François Morin
Correction d'épreuves : Andrée Lacombe
Maquette de la couverture : André-Jean Deslauriers
Conception graphique et mise en pages : Linda Tennier, André-Jean Deslauriers, Marie-Claude Chalifoux et Chantal Lefebvre de l'équipe de l'Artographe inc. (Mont-Laurier)
Cartes : Interscript
Impression : Imprimerie Gagné ltée

TABLE DES MATIÈRES

1re PARTIE

LE DÉCLIN DE L'EUROPE (1900-1945)

1re

P A R T I E

LE DÉCLIN DE L'EUROPE

(1900-1945)

1

LE MONDE AU TOURNANT DU SIÈCLE

U TOURNANT DU XXᴱ SIÈCLE, C'EST LA DOMINATION MONDIALE DE L'EUROPE QUI FRAPPE AU PREMIER COUP D'ŒIL ❧ LES BASES DE CETTE DOMINATION ONT ÉTÉ MISES EN PLACE PLUS DE DEUX SIÈCLES AUPARAVANT AVEC LA RÉVOLUTION SCIENTIFIQUE, LA « GRANDE RÉVOLUTION ATLANTIQUE » ET LA RÉVOLUTION INDUSTRIELLE, QUI ONT DÉCLENCHÉ UNE IRRÉSISTIBLE DYNAMIQUE OÙ SE MÊLENT INNOVATIONS TECHNOLOGIQUES, ÉLARGISSEMENT DE LA VIE DÉMOCRATIQUE, POUSSÉE DU NATIONALISME ET APPÉTIT DE CONQUÊTES ❧ À LA FOIS TECHNIQUE, FINANCIÈRE, POLITIQUE, INTELLECTUELLE ET, BIEN SÛR, MILITAIRE, CETTE SUPRÉMATIE COMMENCE TOUTEFOIS À ÊTRE MISE EN ÉCHEC PAR LA MONTÉE DES FUTURS GÉANTS QUE SONT LA RUSSIE, LES ÉTATS-UNIS ET LE JAPON ❧ LES MONDES DOMINÉS, QUANT À EUX, CONNAISSENT DES ÉVOLUTIONS CONTRASTÉES À TRAVERS LESQUELLES UN OBSERVATEUR ATTENTIF POURRAIT DÉJÀ PERCEVOIR L'AMORCE DE GRANDS CRAQUEMENTS À VENIR ❧ CEPENDANT, UNE NOUVELLE RÉVOLUTION SCIENTIFIQUE BOULEVERSE LES CERTITUDES HÉRITÉES DE NEWTON, TANDIS QU'EN OCCIDENT L'ART « MODERNE » S'ENRICHIT D'APPORTS ESTHÉTIQUES PUISÉS À UNE MULTITUDE D'AUTRES CULTURES ❧

LE MONDE VERS 1900

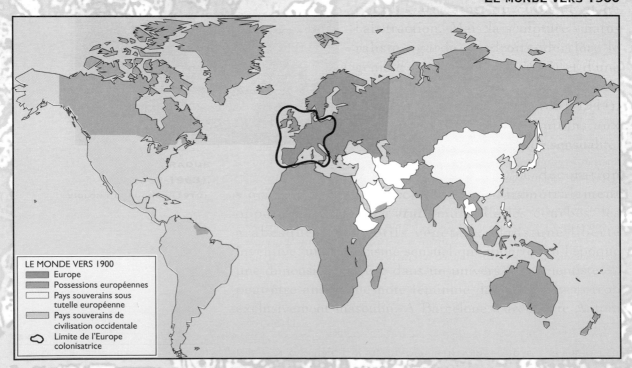

LE MONDE VERS 1900
- Europe
- Possessions européennes
- Pays souverains sous tutelle européenne
- Pays souverains de civilisation occidentale
- Limite de l'Europe colonisatrice

Deux traits concourent à justifier que l'attention se porte en priorité sur les événements qui se déroulent en Europe. D'une part, c'est en Europe que s'accomplissent les transformations les plus décisives, celles qui changent la société, qui modifient l'existence. C'est en Europe aussi que les grands courants d'idées ont pris naissance, que surgissent révolution technique, transformation économique, expérience politique qui sont autant de forces neuves. Le rythme de l'histoire y est plus rapide et les autres continents, par comparaison, paraissent immobiles, et comme endormis dans le respect de traditions millénaires. Leur histoire ne se renouvelle guère ; celle de l'Europe, au contraire, se déroule sous le signe de la nouveauté.

D'autre part, ce qui se passe en Europe retentit dans le monde entier. L'inverse n'est pas vrai, au moins au XIXᵉ siècle. Aussi, parlant de l'Europe, on est amené à parler indirectement des autres continents dans la mesure où les événements d'Europe ont eu des répercussions en Afrique ou en Amérique, où l'influence de son histoire ne s'arrête pas aux limites du continent mais déborde largement jusqu'à recouvrir presque l'universalité du globe. L'Europe, au XIXᵉ siècle, n'est pas isolée, elle étend son action au monde entier.

RENÉ RÉMOND
Introduction à l'histoire de notre temps, t.2 :
Le XIXᵉ siècle, Paris, Seuil, 1974.

CHRONOLOGIE

1881
Tutelle internationale sur la dette ottomane

1889
Constitution à l'occidentale au Japon

1890
Fin de la « frontière » aux États-Unis
Loi anti-trusts aux États-Unis

1894 - 1895
Guerre sino-japonaise

1895
Première projection de cinéma
Röntgen : les rayons X

1896
Becquerel : la radioactivité

1897
Thomson : l'électron

1898
Guerre hispano-américaine

1899
Guerre anglo-boer

1900
Planck : les quanta
Révolte des Boxers en Chine

1904 - 1905
Guerre russo-japonaise

1905
Einstein : la relativité
Fauvisme en peinture (Vlaminck, Matisse)

1907
Début du cubisme (Picasso, Braque)

1908
Révolte des « Jeunes Turcs »

1910
Début de la Révolution mexicaine
Naissance de l'art abstrait (Kandinsky)

1911
Proclamation de la République de Chine

1913
Stravinsky : *Le Sacre du Printemps*

L'Europe au sommet de sa puissance

U MOMENT OÙ ELLE ATTEINT L'APOGÉE DE SA PUISSANCE, L'EUROPE PRÉSENTE LES CARACTÈRES D'UNE ÉCONOMIE INDUSTRIELLE, D'UNE SOCIÉTÉ OÙ PRÉDOMINE LA BOURGEOISIE, D'UN ENSEMBLE TRÈS DIVERSIFIÉ D'ÉTATS NATIONAUX PLUS OU MOINS SOUMIS AU JEU DOMINANT DES GRANDES PUISSANCES, ET D'UN IMPÉRIALISME ÉTENDU PRATIQUEMENT À L'ENSEMBLE DU MONDE.

L'ÉCONOMIE INDUSTRIELLE

La fin du XIXᵉ siècle et le début du XXᵉ amènent de profondes transformations dans les techniques et les modes de production et d'échange. C'est ce qu'on qualifie communément de « **seconde révolution industrielle** », mais qui n'est en fait qu'une nouvelle phase de la grande révolution industrielle amorcée plus d'un siècle auparavant.

De **nouveaux matériaux** apparaissent, surtout l'acier, que l'on peut produire désormais dans une grande diversité d'alliages, et les produits de la chimie de synthèse : colorants, fibres synthétiques, engrais chimiques, explosifs. La **production d'énergie** est bouleversée par le moteur à explosion et surtout par l'**électricité**, la « fée », la plus spectaculaire des innovations, grâce à laquelle la vie quotidienne des humains sera profondément transformée : téléphone, phonographe, télégraphie sans fil (TSF), lampe à incandescence, tramway, métro, cinéma et combien d'autres sortent de cette véritable « boîte à surprises ». La **machine** elle-même se répand hors de l'usine où elle était largement confinée et devient partie du décor familier : machine à coudre, machine à écrire, voire bicyclette, bientôt l'automobile, sont appelées à une large diffusion.

Le progrès technique au tournant du siècle

Date	Inventeur/Innovateur	Procédé	Pays
Énergie			
1871	Gramme	Dynamo	Belgique
1869-1873	Bergès	Hydroélectricité	France
1879	Edison	Lampe à filament	États-Unis
1882	Desprez	Transport de l'énergie électrique	France
1884	Gaulard	Transformateur	France
1888	Tesla	Alternateur	États-Unis
Sidérurgie-Métallurgie			
1875	Pourcel, Boussingault	Ferro-alliages	France
1878	Thomas-Gilchrist	Fonte à partir de minerais phosphoreux	Royaume-Uni
1884	Héroult	Électrométallurgie	France
Moyens de transport			
1878-1886	Daimler	Moteur à explosion	Allemagne
1884-1889	Parsons et Laval	Turbine à vapeur	R.U./Suède
1893	Diesel	Moteur à huile lourde	Allemagne
1903	Wright	Vol en aéroplane à moteur	États-Unis
1908	H. Ford	Ford T : première automobile en grande série	États-Unis
1909	Blériot	Traversée de la Manche en avion	France
1912	R. Garros	Traversée de la Méditerranée en avion	France
Chimie			
1884	Chardonnet	Soie artificielle	France
1899	Bayer	Aspirine	Allemagne
1909	Steams	Viscose	Royaume-Uni
Audiovisuel			
1877	Edison	Phonographe	États-Unis
1887	Berliner	Gramophone	États-Unis
1888	Eastman	Pellicule photo	États-Unis
1895	Lumière	Cinématographe	France

L'organisation du travail est profondément marquée par une rationalisation de plus en plus poussée qu'on appelle **taylorisme**, du nom de son principal propagandiste, l'ingénieur américain F.W. Taylor (1856-1915). L'ouvrier d'usine n'aura bientôt plus qu'un nombre extrêmement limité de gestes rigoureusement chronométrés à répéter indéfiniment jusqu'à l'hébétude. L'image de la **chaîne de montage**, installée dès 1908 chez Ford, devient le symbole de **l'asservissement de l'homme par la machine**. Il faut dire cependant que la hausse de la productivité entraînée par cette rationalisation permet une **hausse du salaire**, qui atteint chez Ford en 1914 le niveau, exceptionnel pour l'époque, de cinq dollars par jour.

LE TAYLORISME EN ACTION

Mise au point de nouveaux outils

Nous avons pris deux très bons pelleteurs [...]. Nous essayâmes ces deux hommes séparément, avec, chacun, un homme pour étudier et chronométrer leur travail [...]. À la fin de la journée, nous savions combien chaque homme avait fait de pelletées, et le poids par pelletée: c'était 38 livres, ce qui représentait environ 25 tonnes manipulées par homme et par jour. Là-dessus, nous avons diminué la surface de la pelle [...] jusqu'à ce que, avec une pelletée d'environ 21 ou 22 livres, nous ayons trouvé que nous obtenions le rendement maximum (32 tonnes par ouvrier et par jour) [...]. Ceci nous a amenés naturellement à faire différentes dimensions de pelles portant 21 livres et demie. Ces pelles étaient petites avec des matériaux lourds comme le minerai, très grandes pour des matériaux légers comme les cendres.

Étude des gestes

Pour bien rentrer la pelle dans le tas de matériaux, il n'y a qu'un bon procédé: appuyer l'avant-bras contre la cuisse droite, juste au-dessous de la hanche; puis prendre la pelle de la main droite, et lorsqu'on pousse la pelle dans le tas, au lieu de faire travailler les bras - ce qui est fatigant - jeter le poids du corps sur la pelle. On obtient ainsi le résultat cherché sans fatiguer les bras le moins du monde. Neuf ouvriers sur dix essaient de pousser la pelle à la force des bras; cela représente plus de deux fois l'effort nécessaire. [...] Le surmenage est incompatible avec l'organisation scientifique.

Dans la métallurgie aussi

Vous pouvez vous demander si, dans le cas d'ouvriers intelligents comme le sont les mécaniciens, l'étude détaillée par un ingénieur donne des résultats supérieurs à la vieille expérience de l'ouvrier compétent aidé de son contremaître. [...] Dans les industries plus complexes, comme la métallurgie, l'étude prend des années, c'est vrai. En ce qui concerne la coupe des métaux, qui est un cas extrême, on a travaillé pendant 26 ans [...]. Il n'est pas un mouvement fait par un ouvrier dans l'atelier qui ne devienne tôt ou tard le sujet d'une étude précise destinée à déterminer si ce mouvement est le meilleur et le plus rapide qui puisse être fait. Aussitôt que l'ouvrier se rend compte que le chronométrage est une étape vers l'augmentation du salaire, son opposition tombe et il devient rapidement enthousiaste.

Ce que Taylor dit de sa méthode,
Paris, Éd. Michelin, 1927.

Toutes ces innovations provoquent un accroissement phénoménal de la production et une **croissance économique généralisée**, surtout après 1896, année qui voit le retour à la prospérité après deux décennies de ralentissement économique. Toutefois, cette croissance n'est pas répartie également entre les pays, et de **nouvelles puissances** économiques (Allemagne, États-Unis) menacent la position jusque-là dominante de la Grande-Bretagne.

Cette croissance s'accompagne par ailleurs d'une **concentration** de plus en plus forte des entreprises, à tel point qu'on peut considérer qu'à la fin du XIXe siècle la libre concurrence, base philosophique essentielle du capitalisme libéral, n'existe plus dans la plupart des industries lourdes. Dans ce secteur, c'est le capitalisme de monopole▪ ou d'oligopole▪ qui domine, avec les grands trusts▪ américains ou les cartels▪ allemands. On assiste même à la naissance des premières firmes multinationales (Siemens, Nobel, Nestlé) qui s'implanteront dans plusieurs pays pour mieux pénétrer leur marché.

Enfin, cette nouvelle phase de l'industrialisation se caractérise par la **mondialisation des marchés**, qui tisse à l'échelle de la planète un écheveau serré de relations

Les grandes puissances économiques

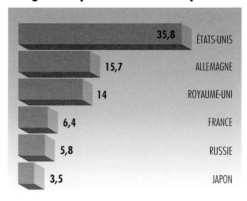

Répartition de la production industrielle dans le monde (1913), en % de la production industrielle totale

▪ **Monopole**
Marché dans lequel l'offre est contrôlée par un vendeur unique.

▪ **Oligopole**
Marché dans lequel l'offre est contrôlée par un très petit nombre de vendeurs.

▪ **Trust**
Groupe d'entreprises réunies sous une direction unique (ou grande entreprise concentrée) exerçant une influence prépondérante dans un secteur économique.

▪ **Cartel**
Entente entre producteurs pour limiter la concurrence.

La mondialisation des marchés

Les chiffres indiquent le déficit ou l'excédent de la balance d'un pays par rapport à un autre, en millions de livres sterling.

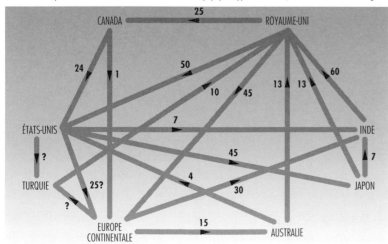

Les échanges mondiaux en 1910

commerciales et financières entremêlées. Et pourtant, la fin du XIXᵉ siècle voit l'ensemble des pays industrialisés, à l'exception notable de la Grande-Bretagne, revenir au **protectionnisme** qu'ils avaient quelque peu délaissé depuis un demi-siècle. Mais l'élévation des droits de douane et les contingentements qui marquent ce mouvement n'empêchent pas le commerce international de poursuivre sa croissance, appuyée sur un système monétaire international stable, l'**étalon or**■. Par ailleurs, ce retour au protectionnisme marque un rôle accru, bien que toujours très limité, des États dans l'économie et donc une concurrence de plus en plus vive entre ceux-ci, laquelle contribue à la **course aux colonies** et à l'affrontement des impérialismes d'où sortira la guerre de 1914.

LA SOCIÉTÉ BOURGEOISE

L'Europe de cette époque, si on la survole d'Est en Ouest et du Sud au Nord, présente une **extrême diversité** dans les structures sociales. En Europe méditerranéenne (Espagne, Italie, Grèce), comme en Europe orientale (Hongrie, Russie), on est encore dans une **société presque féodale**, où l'activité agricole domine très largement et où la richesse foncière, encore parfois de type seigneurial, constitue la base du pouvoir social. Même les **méthodes de culture** n'ont guère évolué depuis des siècles, comme si la révolution agricole du XIXᵉ siècle avait oublié ces régions, où les rendements sont toujours de l'ordre de 3 à 5 quintaux■ de céréales à l'hectare.

En revanche, dans l'**Europe du Nord-Ouest** (Allemagne, France, Grande-Bretagne), **le secteur agricole perd partout de son importance relative dans l'économie**, tandis que l'amélioration des rendements (jusqu'à 25 quintaux à l'hectare) dégage une masse de bras disponibles qui vient gonfler la population des villes (en 1913, le « Grand Londres » dépasse les 7 millions d'habitants). La **croissance tentaculaire des villes** pose des problèmes d'une ampleur nouvelle : logement, hygiène, approvisionnement, transports, qui requièrent d'immenses travaux (métro, par exemple). La spéculation urbaine chasse les classes moins aisées vers les faubourgs,

■ Quintal
Masse de 100 kilogrammes.

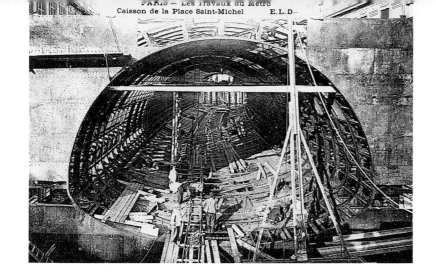

Caisson de la Place Saint-Michel   E.L.D.

LA CONSTRUCTION DU MÉTRO PARISIEN, 1906

tandis que les distractions nouvelles offertes par la ville (cinéma, café-concert) constituent un puissant foyer d'attraction pour ceux qui rêvent d'ascension sociale.

Le peuple des villes est d'une très grande diversité. Les quartiers populaires regroupent à la fois les ouvriers d'usine et les travailleurs de l'artisanat ou des petits métiers ambulants (porteurs d'eau, aiguiseurs). La **condition matérielle des ouvriers s'améliore** dans l'ensemble, le pouvoir d'achat de leur salaire étant généralement en progression, résultat entre autres d'une présence de plus en plus marquée des **syndicats** et des **partis socialistes**. Cette action ouvrière a contribué à faire adopter, particulièrement en Allemagne et dans les pays scandinaves, des **législations sociales** visant à protéger les ouvriers des abus les plus criants (travail des enfants, accidents de travail).

Les **classes moyennes** constituent un amalgame complexe et disparate où l'on retrouve à la fois les petits indépendants (boutiquiers, artisans), les membres les plus modestes des professions libérales■, les petits rentiers■, les salariés du secteur tertiaire (employés de bureau, commis de banque, vendeurs), les fonctionnaires, les instituteurs et institutrices. Ce qui les sépare du « peuple », ce n'est pas tant leur niveau de vie qu'un certain seuil minimum d'**éducation**, une certaine **sécurité** dans l'emploi, et surtout leur désir d'accéder aux rangs de la bourgeoisie et leur adhésion aux **valeurs** de cette dernière. En ce sens, elles sont un **facteur important de la stabilité sociale**.

■ **Professions libérales**
Occupation à caractère intellectuel (médecin, avocat, architecte, ingénieur) exercée librement sous le seul contrôle d'un organisme formé de professionnels eux-mêmes.

■ **Rentier**
Personne qui vit de revenus tirés de placements ou de biens mis en location.

LES MÉTIERS TABOUS POUR LES BOURGEOIS

Le bourgeois estime qu'il y a beaucoup de sots métiers, de métiers bas ou ridicules, fort bons tout de même et fort honorables, mais pour d'autres que pour lui. Quelques-uns le tenteraient peut-être parce qu'ils sont lucratifs et conviendraient à ses goûts et aptitudes; mais sa dignité les lui interdit. Quels sont ces métiers qui sont tabous pour le bourgeois?

D'abord ceux qui sont répugnants, salissent les mains ou les vêtements. Les mains du bourgeois ne sont pas altérées par les souillures, les mâchures, les callosités du travail. Leur délicatesse est un signe de classe. Il les soigne. Il porte des gants. Puis les métiers pénibles: porter des fardeaux, manier des outils pesants, garder une attitude fatigante, répéter machinalement un mouvement monotone, ne sont point travaux de bourgeois. Enfin, les métiers manuels en général, même si l'outil est aussi léger qu'une plume ou une aiguille, sont au-dessous de sa dignité dès qu'ils sont la main qui exécute, non l'esprit qui conçoit et la volonté qui commande.

Le bourgeois se sépare aussi de ceux qui le servent en dehors de la maison. Une dame parle de ses fournisseurs avec une certaine nuance de ton, à peu près comme une grande «dame» de l'Ancien Régime disait: «Mes gens». Elle n'aime pas à se rencontrer en société avec eux ou avec leurs femmes; elle n'est pas du même rang social que ceux à qui elle donne des ordres. Ces fournisseurs peuvent être capitalistes, faire d'excellentes affaires, être beaucoup plus riches que leurs clients. Ils ne sont pas bourgeois s'ils servent eux-mêmes les clients dans leur boutique. Le bourgeois ne craint pas plus qu'un autre l'effort physique, à condition qu'il soit volontaire et gratuit. Il rougirait d'y trouver ses moyens d'existence.

E. GOBLOT
La Barrière et le niveau,
Paris, P.U.F., 1925.

En haut de l'échelle, les **classes dirigeantes** regroupent bourgeoisie et aristocratie dans des proportions variables selon les pays. Dans les pays industrialisés, la **bourgeoisie** est puissante, réunissant les chefs des grandes entreprises industrielles, commerciales et financières, les hauts fonctionnaires, les membres éminents des grandes professions libérales (médecins, avocats), les rentiers et propriétaires riches qui vivent, oisifs, des revenus de leur patrimoine. Plus que la richesse, c'est le style de vie qui définit le bourgeois et, dans ce domaine, il n'a de cesse d'imiter la vieille aristocratie (domesticité■ nombreuse, vie de château).

Car **la vieille aristocratie n'est pas morte** et domine encore largement dans les sociétés moins industrialisées d'Europe méditerranéenne et orientale. Dans les sociétés plus «avancées» d'Europe occidentale, bien que l'aristocratie soit en voie d'extinction, elle conserve des privilèges et un rôle fort importants. L'historien Arno Mayer avance même la thèse selon laquelle l'Ancien Régime issu de la féodalité a su se maintenir solidement au pouvoir, en

■ **Domesticité**
Ensemble des employés consacrés au service dans une maison.

faisant quelques ajustements inévitables, dans toute l'Europe jusqu'en 1914, et que c'est la « guerre de Trente Ans » du XXᵉ siècle (1914-1945) qui a marqué sa disparition définitive (A. Mayer, *La persistance de l'Ancien Régime*, Paris, Flammarion, 1983).

Mais l'un des clivages fondamentaux de la société de l'époque se retrouve dans toutes les catégories sociales : c'est celui qui **fait des femmes**, quelle que soit leur appartenance de classe, **des êtres de seconde zone**. Bonnes à tout faire chargées de lourdes tâches domestiques dans les maisons bourgeoises, ouvrières à domicile payées à la pièce, voire même institutrices, partout **leur salaire est largement inférieur** à celui des hommes pour un travail équivalent. Dans les classes aisées, les femmes ne travaillent pas, mais elles n'en sont pas moins, à cause de leur sexe, **traitées en mineures** comme les autres : absence de droits politiques (droit de vote, droit d'être élue), incapacité légale, nécessité permanente d'une « tutelle » masculine (père ou mari). Mais là aussi une révolution est en marche, favorisée par les révolutions politiques et par l'industrialisation. Le **mouvement féministe**, qui commence à s'organiser, concentre pour l'heure ses revendications sur le droit de vote, avec de nombreuses manifestations de « suffragettes » qui soulèvent, au-delà des quolibets faciles, le rejet, voire la colère des membres les plus conservateurs de la société.

UNE MANIFESTATION DE SUFFRAGETTES (G.-B.)

■ République
Forme de gouvernement dans laquelle les fonctions politiques sont exercées par des personnes élues par les citoyens, jusqu'au niveau du pouvoir suprême (chef de l'État).

■ Pouvoir législatif
Pouvoir d'État relatif à l'établissement, à la création, à la « fabrication » des lois.

■ Pouvoir exécutif
Pouvoir d'État relatif à l'exécution, à la mise en œuvre des lois.

■ Responsable
Se dit d'un gouvernement (pouvoir exécutif■) qui doit rendre compte de ses actes devant une Chambre élue (pouvoir législatif■) et recevoir la confiance de la majorité de cette Chambre.

■ Pouvoir judiciaire
Pouvoir d'État relatif à l'interprétation des lois et à leur application dans les cas particuliers.

LES GRANDES PUISSANCES

Un des traits essentiels de l'histoire européenne depuis la fin du Moyen Âge a certainement été l'émergence des États nationaux et, depuis la « grande révolution atlantique », l'extension progressive de la démocratie dans un nombre croissant de ces États. Au début du XXᵉ siècle, on est pourtant encore loin du compte : la France est le seul pays constitué en république■. Quelques monarchies constitutionnelles l'entourent, au premier rang desquelles se place la Grande-Bretagne. Dans ces **démocraties parlementaires**, où la souveraineté réside dans le peuple, des chambres élues au suffrage universel masculin assurent le pouvoir législatif■ et contrôlent un exécutif■ qui est responsable■ devant les élus ; les libertés fondamentales de pensée, d'opinion et de presse sont reconnues ; le pouvoir judiciaire■ s'exerce dans une relative autonomie face à l'exécutif.

Le **Royaume-Uni de Grande-Bretagne et d'Irlande** se situe d'emblée à la tête des grandes puissances, grâce à son **empire** habilement rassemblé à travers trois siècles et

L'EMPIRE BRITANNIQUE EN 1914

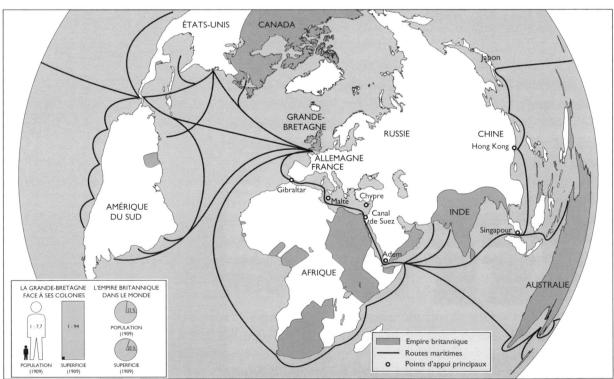

qui est devenu le plus vaste de l'histoire. L'Union Jack flotte en effet sur 33 millions de kilomètres carrés —le **quart des terres émergées** de la planète— regroupant **un humain sur cinq**. La **livre sterling** est le premier moyen de paiement international et la **City** de Londres est le **cœur financier** du monde. En politique intérieure, le régime poursuit sa **démocratisation** en limitant le pouvoir de la Chambre des lords et en élargissant le droit de vote, tandis que la **question irlandaise** constitue un abcès majeur. Irlandais nationalistes et protestants « unionistes » font valoir des réclamations contradictoires entre lesquelles Londres hésite perpétuellement, préparant ainsi le terrain d'une terrible guerre civile.

La **France**, second empire colonial en importance mais loin derrière la Grande-Bretagne, est secouée jusque dans ses fondements par l'**affaire Dreyfus**, du nom d'un officier français d'origine juive faussement condamné pour trahison en faveur de l'Allemagne. La révision de son procès entraîne une **cassure profonde de la société** entre dreyfusards, issus principalement des milieux intellectuels et de gauche, et anti-dreyfusards, recrutés dans les milieux conservateurs et antisémites. « L'Affaire » laisse une profonde cicatrice et favorise l'arrivée au pouvoir du « Bloc des gauches », qui se lance aussitôt dans une **politique anticléricale■** radicale dirigée contre les congrégations■ religieuses (interdiction d'enseigner, voire expulsion pure et simple). Plusieurs des victimes de cette politique viendront se réfugier au Québec, où leur présence accroîtra encore la méfiance traditionnelle du clergé face au pouvoir politique.

À côté des grandes démocraties libérales britannique et française, la plupart des États européens ont encore des **régimes autoritaires**, plus ou moins tempérés par une constitution et quelques oripeaux de parlementarisme de façade (Italie, Autriche-Hongrie, Allemagne), où le chef de l'État, roi ou empereur, exerce toujours l'ensemble des pouvoirs, directement ou par des ministres qui ne rendent compte qu'à lui. En **Russie**, c'est l'autocratie■ séculaire des tsars qui tente tant bien que mal de résister à de formidables pressions bientôt victorieuses. L'**Empire**

■ **Anticlérical**

Caractère de ce qui est opposé à l'ingérence du clergé■ dans les affaires publiques.

■ **Clergé**

Ensemble des personnes occupant certaines fonctions et revêtues d'une certaine dignité au sein d'une Église (prêtres catholiques, pasteurs protestants, mollahs musulmans, etc.). S'oppose à laïc■.

■ **Laïc, laïque**

N.m. et f. Tout croyant qui ne fait pas parti du clergé.

■ **Congrégation**

Communauté de prêtres, de religieux ou de religieuses (ex. : jésuites).

■ **Autocratie**

Forme de gouvernement où le souverain (roi, empereur) exerce lui-même un pouvoir illimité.

ottoman, de son côté, cherche lui aussi, malgré les immenses reculs territoriaux, diplomatiques et financiers qu'il doit subir, à maintenir intact le système vermoulu du sultanat, au milieu des vastes convoitises que suscite un peu partout la perspective de sa désintégration prochaine.

C'est sans doute l'**Allemagne** qui fait ici figure de **géant**. Son territoire, qui couvre toute le centre-nord de l'Europe, sa population, très éduquée et la plus nombreuse d'Europe hors la Russie, ses ressources naturelles immenses, son développement économique foudroyant font de cet empire tout neuf (il a été fondé en 1871) la **première puissance d'Europe continentale**. L'Allemagne est en voie d'arracher à ses concurrents français et surtout britanniques de lucratifs **marchés extérieurs** (Europe centrale, Empire ottoman, Amérique du Sud). Elle s'engage même dans une politique d'**expansion coloniale** où, tard venue, elle a quelque difficulté à se contenter des « restes » de la course aux colonies, soulevant méfiance et hostilité auprès des empires déjà établis.

À la notable exception de l'Allemagne, la plupart de ces régimes plus ou moins autoritaires sont aux prises avec un problème qui va devenir **une véritable bombe à retardement : le nationalisme**. Dans l'Empire russe, les Polonais entrent régulièrement en soulèvement contre une politique de russification brutale qui veut interdire les

---

LA RUSSIFICATION EN POLOGNE (1905)

Appel polonais à tous les gouvernements, partis et cercles politiques, hommes d'État, journaux et associations.

Notre langue [...] est non seulement bannie de toutes les institutions publiques et de beaucoup d'institutions privées, exclue en tant qu'enseignement obligatoire de toutes nos écoles, mais interdite, même aux c-i-series enfantines dans les corridors et les préaux des établis-

sements d'éducation. [...] Il est permis de s'adresser au gouvernement dans toutes les langues européennes, à l'exception seulement de la langue polonaise.
La proportion, dans les emplois publics, entre les Îlotes polonais et les Spartiates russes, montre qu'aucune fonction supérieure, influente, bien rétribuée, n'est accessible aux Polonais. [...] Sur 11 003 fonctionnaires du Royaume, on compte 3 285 Polonais (soit 29 %). [...] Sur 558 présidents et vice-présidents de tribunal, juges et procureurs, il

n'y a que 21 Polonais. [...] Dans le chiffre total de 1 516 professeurs [...] on ne relève que 164 Polonais. [...]
L'idéal de la politique russe en Pologne est d'entretenir une haine qui pénètre par tous les pores de l'organisme social. À chaque soulèvement populaire, le gouvernement russe incite les masses à piller les Juifs.

Cité dans *Histoire-première*, Paris, Bordas, coll. « Quétel », 1988.

langues nationales jusque dans les écoles. En Autriche-Hongrie, les Slaves (Tchèques, Slovaques, Slovènes, Croates, Serbes, etc.) menacent de faire éclater de l'intérieur l'empire millénaire des Habsbourg. Quant à l'Empire ottoman, il n'est déjà plus que l'ombre de lui-même, ayant été pratiquement chassé des Balkans par des soulèvements nationalistes.

Les nationalités en Autriche-Hongrie (en milliers de ressortissants)

	Autriche	Hongrie	Bosnie-Herzégovine	Total
Allemands	9 950	2 037	23	12 010
Magyars	11	10 051	6	10 068
Slaves du Nord				
Tchèques et Moraves	6 436	—	—	6 436
Slovaques	—	1 968	7	1 975
Polonais	4 968	—	11	4 979
Slaves du Sud				
Slovènes	1 253	—	—	1 253
Serbes et Croates	783	2 940	1 882	5 545
Slaves (total)	13 440	4 908	1 900	20 188
Italiens	768	—	—	768
Roumains	275	2 949	—	3 224

D'après le recensement de 1910.

Entre ces États, la période de paix générale qui a suivi, un siècle durant, le Congrès de Vienne (1815), n'a été troublée qu'à quelques reprises sans conséquences trop graves. Mais au tournant du XXe siècle, **les équilibres délicats sur lesquels reposait cette paix générale sont en voie de bouleversement**. La montée fulgurante de l'Allemagne, l'affaiblissement de l'Autriche-Hongrie, le déclin relatif de la Grande-Bretagne, préparent une **période de tensions** d'où sortira la guerre de 1914.

L'IMPÉRIALISME

La plupart de ces États, même les plus petits (Belgique), se sont engagés, derrière l'Angleterre et la France, dans une course aux colonies qui a permis aux Européens d'installer leur suprématie sur l'ensemble du globe.

LA MISSION CIVILISATRICE

Il y a un second point que je dois aborder [...]; c'est le côté humanitaire et civilisateur de la question [coloniale]. [...] Les races supérieures ont un droit vis-à-vis des races inférieures. Je dis qu'il y a pour elles un droit parce qu'il y a un devoir pour elles. Elles ont le devoir de civiliser les races inférieures. [...]

Ces devoirs ont été souvent méconnus dans l'histoire des siècles précédents, et certainement quand les soldats et les explorateurs espagnols introduisaient l'esclavage dans l'Amérique centrale, ils n'accomplissaient pas leur devoir d'hommes de race supérieure. Mais, de nos jours, je soutiens que les nations européennes s'acquittent avec largeur, avec grandeur et honnêteté de ce devoir supérieur de la civilisation. [...]

Est-il possible de nier que dans l'Inde [...] il y a aujourd'hui plus de justice, plus de lumière, d'ordre, de vertus publiques et privées depuis la conquête anglaise qu'auparavant? Est-il possible de nier que ce soit une bonne fortune pour ces malheureuses populations de l'Afrique équatoriale de tomber sous le protectorat de la nation française ou de la nation anglaise?

JULES FERRY
(ministre français), 1885.

■ **Métropole**
Pays dont dépend une colonie.

Les **mobiles** de cette expansion sont divers. Sur le plan **économique**, il s'agissait d'aller trouver les matières premières nécessaires à l'industrie européenne, d'ouvrir les marchés pour écouler la production excédentaire des métropoles■, ou d'assurer un meilleur rendement aux investissements de capitaux. **Stratégiquement**, il fallait assurer la protection des lignes de communication et de négoce (par exemple, pour la Grande-Bretagne, la route des Indes par Gibraltar, Malte, Chypre, Suez, Aden). **Politiquement**, la simple volonté de puissance justifiait qu'on ne laisse pas un pays voisin se grossir de trop de colonies. **Socialement**, l'aventure coloniale procurait un exutoire aux difficultés internes des métropoles. Enfin, sur le plan **idéologique**, on prétendait qu'il fallait accepter courageusement le « fardeau de l'Homme blanc », c'est-à-dire la responsabilité qu'il avait reçue, de la nature ou de Dieu, de civiliser le genre humain et de lui apporter tous les bienfaits du Progrès.

Cette expansion a été rendue possible par l'insurmontable avance technique que la Révolution industrielle a donnée à l'Europe, par l'émigration massive des Européens vers les « terres nouvelles » et, bien sûr, par l'écrasante supériorité militaire des armées européennes, dotées de moyens énormes de mort et de destruction.

Au tournant du XXᵉ siècle, cette course aux colonies prend une teinte de plus en plus frénétique, les territoires disponibles se raréfiant d'année en année et les candidats à l'expansion se multipliant (Allemagne, Italie, États-Unis, Japon). Affrontements anglo-russes en Perse, en Afghanistan et en Inde, anglo-français aux sources du Nil, russo-japonais en Corée et en Mandchourie, anglo-allemands en Afrique : la tension monte, les **conflits entre pays impérialistes** se multiplient et l'éclatement d'une guerre générale devient une possibilité qu'on ne peut plus écarter.

Les futurs géants

DANS CE MONDE DOMINÉ PAR L'EUROPE, TROIS PUISSANCES EN PLEINE EX-PANSION ANNONCENT DÉJÀ D'IM-PORTANTS BOULEVERSEMENTS À VENIR SUR L'ÉCHIQUIER PLANÉTAIRE : LA RUSSIE, IMMENSE RÉSERVOIR DE RESSOURCES MATÉRIELLES ET HUMAINES TOUCHANT À LA FOIS À L'EUROPE ET À L'ASIE, LES ÉTATS-UNIS, UNE EUROPE D'AMÉRIQUE EN VOIE DE DÉPASSER SA FONDATRICE, ET LE JAPON, SEUL ÉTAT NON OCCIDENTAL CAPABLE DE FAIRE ÉCHEC À LA SUPRÉMATIE DE L'HOMME BLANC.

LA RUSSIE : UN « COLOSSE SANS TÊTE »

La Russie du début du XXe siècle présente des traits violemment contrastés : une économie en pleine ex-pansion, face à une société bloquée et à un pouvoir politique en dégénérescence.

La **croissance économique** de la Russie se concentre dans le secteur industriel, où elle bat tous les records avec un taux de 8 % par année. L'industrie frappe par son gigantisme : plus de la moitié des ouvriers russes travaillent dans des usines de plus de 500 salariés, situation unique en Europe, et plusieurs usines emploient plus de 10 000 ouvriers. Le réseau ferroviaire totalise 74 000 kilomètres de voies ferrées, dont le fameux Transsibérien, qui a nécessité dix ans de travaux. Or, cette croissance industrielle est **déséquilibrée**, trop concentrée dans quelques régions mal rattachées les unes aux autres, et contrôlée par des investissements massifs de l'étranger (53 % du total).

Le développement économique en Russie

ANNÉES	POPULATION en millions d'habitants	CÉRÉALES en millions de tonnes	CHARBON en millions de tonnes	VOIES FERRÉES en milliers de kilomètres	EXPORTATIONS en millions de roubles
1890	117,8	—	6,01	30,6	692
1895	123,9	42	8,9	37	689
1900	132,9	49	16,1	53,2	716
1905	143,9	47,5	18,6	58,4	1001
1909	157,1	62,1	25,8	66,3	1077
1913	170,9	68,7	35,9	70,2	1520
1890/1913	+ 45 %	+ 63 %	+ 488 %	+ 129 %	+119 %

Malgré cette phénoménale croissance industrielle, la **Russie demeure un pays agricole**, avec 85 % de population rurale et plus de 50 % des exportations formées par les céréales. Cette agriculture est particulièrement archaïque, reposant encore largement sur la jachère■, et les disettes■ sont monnaie courante.

Écartelée entre ces deux pôles économiques antinomiques■, la **société russe souffre de blocages de plus en plus explosifs**. Alors que dans les campagnes l'immense majorité des paysans vit misérablement, dans les régions industrialisées, de grandes masses d'ouvriers connaissent les pires conditions d'exploitation, qui accompagnent

■ **Jachère**
Terre labourable laissée temporairement au repos (non cultivée) pour permettre la reconstitution du sol.

■ **Disette**
Manque de vivres.

■ **Antinomique**
Caractère de ce qui contient une contradiction entre deux éléments.

toujours la phase initiale de l'industrialisation. À l'autre extrémité de l'échelle sociale, une bourgeoisie capitaliste fraîchement créée entre en conflit avec la vieille aristocratie foncière, jalouse de ses prérogatives séculaires.

Quant au pouvoir politique, il est en pleine dégénérescence. La vieille autocratie, appuyée sur l'Église orthodoxe, l'armée, la police, la noblesse et la bureaucratie, ne peut plus répondre aux besoins nouveaux de la société, et les **oppositions** se multiplient, depuis les **libéraux** qui se contenteraient d'un régime à l'occidentale jusqu'aux **socialistes** qui parlent de bouleverser toute la société par une révolution violente, en passant par les **anarchistes** et « nihilistes »■ qui veulent « tempérer l'autocratie par l'assassinat ».

Toute cette effervescence explose en 1905, année où se déclenche la véritable **première révolution russe**. À l'occasion d'une guerre impopulaire et désastreuse contre le Japon, et à la suite du massacre du « Dimanche rouge » (22 janvier), où les cosaques ont mitraillé une foule paisible venue porter une supplique au tsar à Saint-Pétersbourg, des **soulèvements paysans** embrasent les campagnes, d'immenses **grèves ouvrières** paralysent toute l'industrie, des **mutineries** éclatent dans la marine (cuirassé Potemkine), des **soviets**■, déjà, se constituent dans quelques villes.

La répression est sanglante, mais le tsar, après avoir « pardonné à son peuple » (!), se voit contraint de réunir une sorte de parlement élu, appelé douma. Bien qu'il s'ingénie par la suite à rendre cette douma totalement impuissante, **l'autocratie est bien morte**, et la révolution de 1917 reprendra exactement là où celle de 1905 s'était arrêtée.

■ **Nihiliste**
Partisan de la destruction complète des structures sociales, quelles qu'elles soient.

■ **Soviet**
Mot russe désignant un conseil de délégués ouvriers, paysans ou soldats.

LE « DIMANCHE ROUGE » (SAINT-PÉTERSBOURG, 22 JANVIER 1905.)
L'armée tire sur une foule paisible et fait 300 morts.

LES ÉTATS-UNIS : L'ESSOR D'UNE GRANDE PUISSANCE

Au début du XXᵉ siècle, les États-Unis deviennent la **première puissance agricole et industrielle du monde**. Ils fournissent le quart du blé, la moitié du coton, les trois quarts du maïs mondial. Leur production industrielle est égale à celles de la Grande-Bretagne, de la France et de l'Allemagne réunies, avec un sous-sol qui livre entre le tiers et la moitié du charbon, du fer, du plomb, du zinc, du cuivre, et 70 % du pétrole, produits dans le monde. Plus du tiers de tous les produits fabriqués sur la Terre le sont aux États-Unis.

Cette énorme puissance économique repose sur toute une série de facteurs favorables. Importantes **ressources naturelles**, énorme **marché intérieur** de 100 millions de consommateurs continuellement gonflé par l'**immigration** et sévèrement **protégé** de la concurrence étrangère, système de production efficace marqué par une **mécanisation** poussée et la **standardisation** des produits, grande **concentration des entreprises** (trusts Morgan et Rockefeller), **investissements étrangers** très importants : tout concourt à l'essor phénoménal de cette économie.

La société américaine, pendant ce temps, arrive à une sorte de « tournant ». Vers 1890, en même temps que se terminent la « conquête de l'Ouest » et l'ère des pionniers *cow-boys* ou *farmers*, la population s'urbanise rapidement, tandis que l'immigration déverse maintenant, après les Anglo-Saxons, les Allemands et les Scandinaves du début, une majorité de Slaves, de Juifs et de Latins, le plus souvent pauvres et sans instruction, qui se fixent dans les villes et dont l'assimilation dans le *melting pot*■ sera plus lente.

■ **Melting pot**
Expression anglaise désignant la fusion des différentes cultures d'origine des immigrants dans le « creuset » de la nation que forment les États-Unis.

La composition de l'immigration aux États-Unis

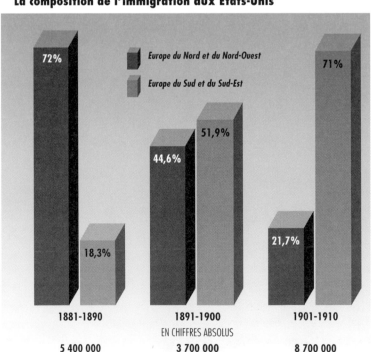

Europe du Nord et du Nord-Ouest

Europe du Sud et du Sud-Est

	1881-1890	1891-1900	1901-1910
Europe du Nord et du Nord-Ouest	72%	44,6%	71%
Europe du Sud et du Sud-Est	18,3%	51,9%	21,7%
EN CHIFFRES ABSOLUS	5 400 000	3 700 000	8 700 000

JACK LONDON CRITIQUE LES « MONEY-MAKERS »

J'ai rencontré des hommes qui, dans leurs diatribes contre la guerre, invoquaient le nom du Dieu de paix, et qui distribuaient des fusils entre les mains des Pinkertons pour abattre les grévistes dans leurs propres usines. J'ai connu des gens que la brutalité des assauts de boxe mettait hors d'eux-mêmes, mais qui se faisaient complices de fraudes alimentaires par lesquelles périssaient chaque année plus d'innocents que n'en massacra l'Hérode aux mains rouges. J'ai vu des piliers d'église qui souscrivaient de grosses sommes aux Missions étrangères, mais qui faisaient travailler des jeunes filles dix heures par jour dans leurs ateliers pour des salaires de famine, et par le fait encourageaient directement la prostitution.

Tel monsieur respectable, aux traits affinés d'aristocrate, n'était qu'un homme de paille prêtant son nom à des sociétés dont le but secret était de dépouiller la veuve et l'orphelin. Tel autre qui parlait posément et sérieusement des beautés de l'idéalisme et de la bonté de Dieu, venait de rouler et de trahir ses associés dans une grosse affaire. Tel autre encore qui dotait de chaires les universités et contribuait à l'érection de magnifiques chapelles, n'hésitait pas à se parjurer devant les tribunaux pour des questions de dollars et de gros sous.

JACK LONDON
Le Talon de fer, 1907.

Les abus du capitalisme sauvage amènent par ailleurs des protestations de plus en plus nombreuses, particulièrement dans les milieux intellectuels (écrivains, journalistes, Églises). De là naît le **mouvement progressiste**, qui réussit à faire adopter toute une série de réformes (lois anti-trusts, arbitrage des conflits de travail, parcs nationaux contre la spéculation foncière, démocratisation de la vie publique, etc.), particulièrement sous les présidents Theodore Roosevelt (1901-1908) et Woodrow Wilson (1912-1920).

Conséquence du développement économique, un **impérialisme américain** émerge, qui n'ose pas dire son nom mais qui s'exerce avec autant de vigueur que celui des autres puissances, bien qu'il soit en contradiction avec l'isolationnisme traditionnel du pays. C'est une guerre courte et victorieuse en vue de « libérer » Cuba de l'emprise espagnole qui sonne la charge : en 1898, en plus du protectorat sur Cuba, les États-Unis prennent possession, entre autres, de Porto-Rico, de Hawaii et des Philippines. Puis, leurs interventions se multiplient dans la zone des Caraïbes : Panama, Cuba, Saint-Domingue, Haïti, Nicaragua, Venezuela, Honduras, Mexique, etc. En 1905, ils jouent même les médiateurs dans la guerre russo-japonaise. Encore attachés en principe à l'isolationnisme, les États-Unis deviennent ainsi, au tournant du siècle, une **puissance mondiale**.

LE JAPON ENTRE FÉODALISME ET MODERNITÉ

Le Japon constitue un cas à part, dans ce monde du tournant du XXe siècle. Il est en effet le seul, hors du monde occidental, à avoir entrepris de s'industrialiser à l'occidentale mais sans abdiquer son indépendance politique et en préservant l'essentiel de sa civilisation et de sa culture.

L'industrialisation est déclenchée « par le haut » : c'est l'État impérial lui-même qui lance le mouvement, dans le souci premier de préserver l'indépendance nationale et d'éviter le sort de tous les pays confrontés au « défi européen ». Malgré la surpopulation, malgré le manque de ressources, c'est à coups de volonté politique que le Japon moderne va se forger, favorisé par les habitudes de frugalité puisées dans la religion shintoïste, l'orgueil national, la fidélité à l'Empereur divinisé et la transformation rapide des samouraïs en capitaines d'industrie.

Cependant, la faiblesse des ressources disponibles est cruciale, et l'**expansionnisme** devient un moyen essentiel pour se les procurer. Le Japon entre donc dans la ronde des impérialismes par deux victoires aussi spectaculaires qu'inattendues contre les deux grandes puissances asiatiques, la Chine en 1895 et la Russie en 1905. La déroute, à la fois terrestre et navale de la Russie, crée un véritable choc : pour la première fois depuis le XVIe siècle, un peuple non occidental a remporté une écrasante victoire militaire sur une puissance européenne. Lourd présage d'avenir...

Les mondes dominés

A U FAÎTE DE SA PUISSANCE, L'EUROPE EXERCE SA DOMINATION, DIRECTE OU INDIRECTE, DANS PRESQUE TOUTES LES RÉGIONS DU MONDE, ET CELA SUR TOUS LES PLANS : ÉCONOMIQUE, POLITIQUE, CULTUREL.

LES COLONIES ET LES PROTECTORATS

C'est dans les différentes formes de colonialisme direct que cette domination est la plus poussée.

Certains territoires sont, à titre de colonies, de **véritables possessions** des pays dominateurs, où l'autorité de ces derniers s'exerce librement, parfois sans même la moindre apparence d'autonomie locale. L'Afrique noire tout entière, à l'exception du Liberia, de l'Éthiopie et de l'Union sud-africaine, est dans cette situation, de même que l'Algérie et la Libye en Afrique du Nord. Près de 60 % du continent asiatique est également colonisé sous cette forme, la Russie se taillant ici la part du lion avec la Sibérie, loin devant la Grande-Bretagne avec la « perle » de son empire : les Indes.

Malgré leur statut général de colonies au sens strict, tous ces territoires sont **diversement administrés**, depuis l'*indirect rule* pratiquée par les Anglais et laissant une certaine marge de manœuvre à l'administration locale, jusqu'à la politique officielle française de l'assimilation qui, sous couvert d'intégration totale des populations indigènes, maintient ces dernières dans une situation réelle de rigoureuse infériorité. Mais qu'il soit en territoire britannique, français, allemand, belge, hollandais ou autre, **partout l'indigène est un être de seconde zone**, assujetti à des lois particulières. Par exemple, il est

UN PROTECTORAT : L'ÉGYPTE

Le vrai maître de l'Égypte était le ministre d'Angleterre [...]. Lord Cromer était, en effet, proconsul d'Égypte ; et il l'était sans autre titre que celui d'agent diplomatique et consul général de Grande-Bretagne, ni plus ni moins que celui du Danemark ou du Portugal.

C'est lui qui avait institué en Égypte ce régime sans précédent et sans analogue qu'un de ses collaborateurs, sir Alfred Milner (depuis lord Milner), a spirituellement qualifié d'« aussi indéfinissable qu'indéfini ». Régime de fait s'il en fut. En droit, rien n'était changé au statut de l'Égypte, toujours province turque dotée de l'autonomie. Mais, en fait, l'Angleterre tenait ou maniait tout. À la base, une occupation militaire britannique, officiellement provisoire, mais ne comportant pas de terme défini, donc bénéficiaire de cette vertu du provisoire, qui est de durer. Au sommet, un diplomate représentant l'Angleterre, diffuseur d'une influence anglaise omnipotente, inspirateur des actes du khédive et de la politique de ses ministres, au besoin interprète des volontés impératives de Londres. À côté de chacun des principaux ministres égyptiens, un conseiller britannique, fonctionnaire khédivial, mentor de l'Excellence indigène, comme lord Cromer l'était de l'Altesse régnante. Au-dessous, dans les administrations de l'État, des fonctionnaires anglais au service égyptien, en nombre croissant. Dans l'armée égyptienne, commandée par un sirdar de nationalité britannique, des officiers anglais, généralement instructeurs. Au Soudan, un condominium anglo-égyptien réservant à un Anglais le poste de gouverneur général.

F. CHARLES-ROUX
Souvenirs diplomatiques d'un âge révolu.
Cité dans *Les Mémoires de l'Europe*, t. V,
Paris, Robert Laffont, 1973.

astreint au travail forcé sous forme de corvées, contraint à des cultures obligatoires, interdit de syndicalisation et de grève.

L'autre forme de colonialisme, mieux déguisée, se nomme **protectorat**. Tunisie, Maroc, Cambodge pour la France, Égypte pour la Grande-Bretagne, portent cette appellation. Il s'agit de territoires où se maintiennent la plupart des apparences d'une autorité indigène (sultan au Maroc, khédive en Égypte, roi au Cambodge), mais où cette administration traditionnelle est systématiquement « doublée » par **une structure métropolitaine qui détient la réalité du pouvoir**.

En Inde, la Grande-Bretagne mêle colonialisme « pur » et protectorat, en préservant l'existence de plus de 550 États princiers qui forment, avec les territoires directement reliés à la couronne, un inextricable enchevêtrement dont la seule unité est l'appartenance à l'Empire. L'Angleterre suscite, à travers toute cette mosaïque, la naissance d'une élite éduquée à la britannique et qui doit servir au maintien de sa domination.

LES DOMINIONS BRITANNIQUES

Pour ses **colonies de peuplement** (Canada, Australie, Nouvelle-Zélande, Union sud-africaine), la Grande-Bretagne a mis au point un régime spécial qui leur assure une très **large mesure d'autonomie interne** et ne réserve guère à la mère patrie que l'autorité sur les relations extérieures. On a donné à ce statut le titre de *dominion*, inventé de toutes pièces, pour la création du Canada fédéral en 1867, d'après un verset biblique : *He shall have dominion from sea to sea* (Il exercera son pouvoir d'une mer à l'autre).

Au tournant du XXᵉ siècle, le **Canada se consolide** en faisant largement appel à l'**immigration**, attirée par des programmes alléchants d'installation sur les terres de l'Ouest récemment ouvertes par la construction du chemin de fer transcontinental. Le Parti libéral de **Wilfrid Laurier**, qui met fin en 1896 à trente années presque ininterrompues de régime conservateur au niveau fédéral, se heurte bientôt au problème des relations, toujours délicates, avec le grand voisin américain d'une part et avec la métropole anglaise d'autre part. La Grande-Bretagne fait même assez souvent bon marché des intérêts de sa colonie pour se ménager l'amitié de ce puissant voisin (frontières de l'Alaska). Sévèrement critiqué par les « nationalistes » canadiens-français pour sa participation à la guerre anglo-bœr en Afrique du Sud, puis par les « impérialistes » canadiens-anglais pour son refus de toute idée de fédération impériale et pour son projet de libre-échange limité avec les États-Unis, Laurier est chassé du pouvoir en 1911.

Au **Québec**, le tournant du siècle est marqué par le **véritable début de la grande industrie**. Délaissé par la première phase de l'industrialisation à cause de son manque de charbon et de minerai de fer, le Québec entre de plain-pied dans la seconde, grâce à l'abondance de ses **ressources hydroélectriques** et de ses **métaux non ferreux** (cuivre, amiante). Le **mouvement nationaliste canadien-français**, durement secoué par l'échec de la rébellion de 1837, renaît de ses cendres et se mobilise

LA PROPAGANDE CANADIENNE POUR ATTIRER L'IMMIGRATION
(Archives nationales du Canada, C-63428.)

LE QUÉBEC ENTRE DANS L'ÂGE
DE L'HYDROÉLECTRICITÉ

*Le barrage de Shawinigan en 1929.
(Archives publiques du Canada,
PA15576.)*

pour défendre les écoles françaises et catholiques en voie de suppression dans toutes les provinces. Mais le **Parti libéral**, qui inaugure en 1897 quarante années de règne ininterrompu, ne parvient pas, devant le refus obstiné du clergé catholique, à instaurer l'école primaire obligatoire, tandis qu'il met pratiquement la province en coupe réglée au bénéfice des capitaux américains qui commencent à déferler sur tout le pays.

LES PAYS SOUS TUTELLE

Dans quelques pays, la plupart du temps vieux empires vermoulus jadis puissants, les Européens dominent à travers une sorte de tutelle qui leur permet de contrôler des secteurs clés de l'économie et donc du pouvoir politique. Tel est le cas, à des degrés divers, de l'Empire ottoman, de la Perse ou de la Chine.

L'Empire ottoman, qui a dominé jusqu'au XVIIIe siècle presque toute la région du Danube et des Balkans, est devenu « le vieillard malade de l'Europe ». Ébranlé par des soulèvements nationalistes, il a peu à peu, au cours du XIXe siècle, **perdu pratiquement toutes ses possessions européennes**, sa frontière ayant reculé depuis les environs de Vienne, où il avait été bloqué en 1683, jusqu'à ceux de Constantinople, où il se retrouve confiné en 1913. Cette lente désintégration s'est accompagnée d'un **endettement** de plus en plus important face aux puissances européennes. En 1875, cette dette atteint 275 millions de livres sterling et son coût représente 50 % de tous les revenus de l'État. Les pays créanciers imposent alors, en 1881, une administration internationale qui **s'empare directement des revenus** générés par les monopoles et les douanes pour rembourser la dette de l'Empire.

Cette **tutelle financière** s'accompagne d'une **pénétration économique** de plus en plus forte dans les banques, les chemins de fer (Berlin - Byzance - Bagdad), les mines, les services publics, et de **privilèges d'exterritorialité** en faveur des ressortissants européens, qui échappent ainsi aux lois et aux taxes imposées aux sujets de l'empire.

Paradoxalement, la désagrégation de la puissance ottomane jadis glorieuse y provoque une véritable **renaissance littéraire et intellectuelle,** ainsi que des **aspirations de réforme** qui se heurtent à l'immobilisme du pouvoir. En 1908, une révolte de ceux qu'on appelle les « **Jeunes Turcs** » amène au pouvoir un nouveau sultan (Mohammed V). Mais la centralisation et la « turquification » intempestives déclenchées par les insurgés victorieux ne font que provoquer une résistance de plus en plus vive chez les peuples soumis (Arabes, Kurdes), et l'inexorable déclin n'en est qu'accéléré. À travers la révolte des Jeunes Turcs commence cependant à se profiler la Turquie moderne.

La Chine constitue un cas d'espèce dans ces mondes dominés du tournant du siècle. Trois guerres désastreuses, au cours du XIXe siècle, l'ont forcée à s'ouvrir aux puissances occidentales et même au Japon (politique dite de la « Porte ouverte »), et elle apparaît maintenant dépecée par une pléthore de grands appétits, au premier rang desquels se placent la Russie, la Grande-Bretagne et la France. Les « traités inégaux » qui lui ont été imposés prévoient des « **territoires à bail** », morceaux de Chine totalement contrôlés par tel ou tel pays dominant, des **ports et villes « ouverts »** à tous, avec des quartiers réservés que les étrangers administrent en toute indépendance, et des **concessions** qui abandonnent aux Européens, entre autres, les chemins de fer, les mines, la navigation, voire la douane et le service postal! Partout s'applique le principe

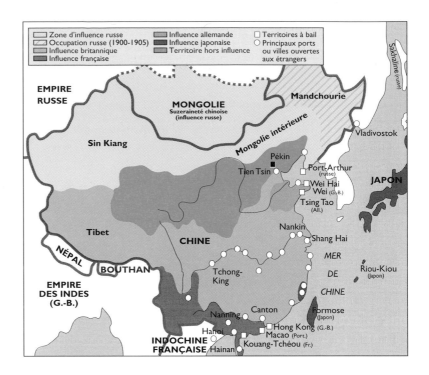

de l'exterritorialité : l'étranger n'est pas soumis aux lois chinoises, mais à celles de son propre pays.

Cette situation va provoquer, au tournant du siècle, un vaste soulèvement anti-occidental, la révolte des Boxers, noyée dans le sang par l'intervention combinée de huit pays étrangers, dont le Japon. Après cet ultime sursaut d'une Chine traditionaliste qui refuse toute modernisation, la **révolution véritable éclate en 1911**, avec le renversement de l'empereur et la proclamation de la République par Sun Yat Sen. Mais ce dernier est incapable de contrôler cet immense pays, et la Chine entre dans une longue et sanglante anarchie. Mais, là aussi, la domination européenne est, à terme, condamnée.

L'AMÉRIQUE LATINE

Au tournant du XXe siècle, l'immense sous-continent sud-américain, avec ses prolongements caraïbes, est dans une situation quelque peu contradictoire, avec une vingtaine de pays théoriquement souverains mais dans lesquels l'influence étrangère, au premier chef celle des États-Unis, joue un rôle d'importance souvent capitale.

Économiquement parlant, l'Amérique latine est encore **très majoritairement agricole** à la fin du XIXe siècle. Mais des investissements étrangers de plus en plus importants, d'origine anglaise puis surtout américaine, créent des **enclaves industrielles** tournées vers l'extérieur (extraction minière, pétrole) ou encore des services publics modernes (transports, électricité) et un réseau bancaire tentaculaire qui couvre l'ensemble du sous-continent. **La zone caraïbe**, plus spécialement, devient ainsi rapidement la **chasse gardée** des États-Unis, paradis bananier (Amérique centrale) ou sucrier (Cuba) contrôlé par quelques entreprises géantes (United Fruit) et régulièrement soumis à l'**intervention armée** du « grand frère » pour protéger ou restaurer ses privilèges et ses profits.

Politiquement, le **caudillisme** issu de la phase des indépendances au début du XIXe siècle continue à dominer à travers l'ensemble du continent. On désigne, par ce vocable, « un régime de pouvoir personnel entre les mains d'un autocrate souvent charismatique■ [appelé le caudillo] disposant de la force matérielle (garde prétorienne■), appuyé sur une clientèle personnelle et habile à se perpétuer au pouvoir en excluant la contestation politique et en assurant un arbitrage politique et social qui garantit aux amis et partisans, en échange de leur fidélité, la protection du pouvoir, les fonctions, la richesse et les honneurs » (L. Manigat, *L'Amérique latine au XXe siècle*, Paris, Seuil, 1991, t. 1, p. 86). Mais ce caudillisme doit maintenant s'ajuster à des **aspirations nouvelles**, tant du côté de la démocratisation que de celui des réformes sociales, de même qu'aux conditions nouvelles engendrées par une industrialisation mise sur pied et contrôlée de l'étranger. On assiste donc à l'apparition de **caudillos nouveau genre**, chefs de partis politiques, arrivés au pouvoir par voie électorale, experts en constitutions taillées sur mesure, voire teintés d'anti-américanisme (Zelaya au Nicaragua, 1893-1909). Mais ce ne sont que ravalements de façade.

C'est du **Mexique** que vient l'éruption la plus grave de ce volcan encore en dormance. La révolution qui éclate en

■ **Charismatique**
Se dit d'une personnalité jouissant d'une grande popularité, d'un grand prestige, d'une grande influence sur les masses.

■ **Garde prétorienne**
Éléments militaires qui soutiennent et protègent un dictateur, un tyran (par référence à la garde personnelle des empereurs romains de l'Antiquité).

1910, et dont les soubresauts dureront une trentaine d'années, constitue « l'un des événements les plus importants du XXe siècle latino-américain » (L. Manigat, *op. cit.*). **Révolution libérale**, elle amènera l'instauration d'un régime présidentiel démocratique (au moins sur papier), de même que la séparation de l'Église et de l'État et l'exclusion de l'Église de la propriété foncière et de l'instruction publique ; **révolution sociale**, elle mettra en place une véritable charte du travail et, surtout, le début d'une réforme agraire en faveur des paysans ; **révolution nationale**, elle proclamera la pleine propriété de la nation mexicaine sur les richesses naturelles du pays. Mais tous ces résultats ne viendront qu'à la suite d'une longue période de confusion et de violences.

La vie intellectuelle et artistique en Occident

C'EST LE PROGRÈS SCIENTIFIQUE QUI DOMINE PRATIQUEMENT TOUTE LA VIE INTELLECTUELLE ET ARTISTIQUE DE L'ÉPOQUE, PROVOQUANT DES REMISES EN QUESTION NON SEULEMENT PARMI LES SCIENTIFIQUES EUX-MÊMES, MAIS AUSSI CHEZ LES PHILOSOPHES ET JUSQUE CHEZ LES ARTISTES.

LES RAYONS X

La perplexité du savant

— Est-ce de la lumière ?

— Non...

— Est-ce donc de l'électricité ?

— Pas sous une forme connue.

— Qu'est-ce que c'est donc ?

— Je n'en sais rien. Ayant découvert l'existence d'une nouvelle espèce de rayons, je me mis à examiner quelles pouvaient être leurs propriétés. L'expérience montra bientôt qu'ils possédaient une puissance de pénétration dont la grandeur n'était comparable à rien de connu. Ils traversaient le papier, le bois et les étoffes avec facilité, l'épaisseur de ces substances ne produisant aucune différence perceptible, jusqu'à une certaine limite. Ils passaient à travers tous les métaux expérimentés, avec une facilité qui variait, grossièrement parlant, avec la densité du métal (raison inverse !).

(Interview de Röntgen)

L'enthousiasme du public

Quoi qu'il en soit de ces vues théoriques sur les rayons et les radia-

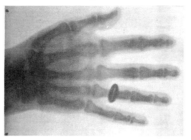

LA PHOTO QUI A STUPÉFIÉ L'EUROPE : PREMIÈRE RADIOGRAPHIE (MAIN DE Mme RÖNTGEN)

tions invisibles, il faut bien avouer que la découverte de M. Röntgen a fait dans le monde un bruit inaccoutumé, surtout parce qu'elle s'est présentée sous forme d'une expérience saisissante : la fameuse photographie du squelette d'une main vivante ! Quoi ! on peut pénétrer l'invisible ! Il y a des rayons qui « voient » ce que l'homme ne peut apercevoir ! on peut distinguer ce qui existe à travers les tissus ! des rayons doués de la double vue ! la photographie à travers les corps opaques, etc. ! Et la photographie de la main décharnée a fait vite le tour de l'Europe...

(Journal *Le Correspondant*, cité dans *Les Mémoires de l'Europe*, t. VI, Paris, Robert Laffont, 1973.)

UNE SECONDE RÉVOLUTION SCIENTIFIQUE

Le tournant du XXe siècle voit une telle accumulation de découvertes scientifiques qu'on peut parler d'une deuxième révolution dans ce domaine, après celle des XVIe et XVIIe siècles illustrée par Newton et qui avait, depuis lors, constitué la base de l'évolution des sciences.

Et c'est précisément l'univers newtonien, fondé sur une vision continue du monde, qui va voler en éclats, devant l'**hypothèse capitale de la discontinuité de la matière**, seule capable d'expliquer des phénomènes jusque-là inconnus comme les **rayons X**, découverts par Röntgen en 1895, la **radioactivité** (Becquerel, 1896) et l'**électron** (Thomson, 1897). En 1900, Max Planck étend ce principe de discontinuité à l'énergie elle-même, par sa théorie des **quanta**, puis en 1905 Einstein pousse jusqu'à la discontinuité de la lumière, par la découverte des **photons**. En 1911, Rutherford découvre la **structure de l'atome**, semblable à un micro-système solaire avec son noyau autour duquel gravitent les électrons.

À partir de là, la synthèse newtonienne ne tient plus, et il revient à Albert Einstein d'en proposer une nouvelle, la **théorie de la relativité**, qui fonde la physique du XXe siècle. Le temps, l'espace et le mouvement ne sont pas absolus, mais relatifs à la position de l'observateur et à son propre mouvement dans l'espace. La matière et l'énergie ne sont pas des catégories distinctes, mais deux expressions d'une même réalité physique (c'est la célèbre formule $E = mc^2$). Le temps est la quatrième dimension de l'espace. Sur ces bases nouvelles s'édifient tout à la fois la physique atomique et l'exploration spatiale, secteurs fondamentaux de la physique du XXe siècle.

Mais la seconde révolution scientifique ne se limite pas à ces avancées, aussi spectaculaires que décisives, de la physique. D'autres sciences sont touchées : les sciences biologiques, entre autres, avec l'apparition de la **génétique** (Morgan) et de la **microbiologie** (Pasteur, Koch), et les sciences de l'homme, avec la **psychanalyse** (Freud) et la **sociologie** (Weber, Durkheim), voire les « vieilles » sciences, comme la géographie ou l'histoire, cette dernière marquée par un **positivisme** qui rejette toute interprétation qui ne soit pas rigoureusement appuyée sur des sources documentaires absolument sûres.

Paradoxalement, c'est au moment où la science effectue ces progrès capitaux que la vision scientifique du monde est remise en cause par une **réaction idéaliste** dont le

---

BERGSON : LES LIMITES DE LA SCIENCE

Notre pensée, sous sa forme purement logique, est incapable de se représenter la vraie nature de la vie, la signification profonde du mouvement évolutif. Créée par la vie, dans des circonstances déterminées, pour agir sur des choses déterminées, comment embrasserait-elle la vie, dont elle n'est qu'une émanation ou un aspect ? Déposée, en cours de route, par le mouvement évolutif, comment s'appliquerait-elle le long du mouvement évolutif lui-même ? Autant vaudrait prétendre que la partie égale le tout, que l'effet peut résorber en lui sa cause, ou que le galet laissé sur la plage dessine la forme de la vague qui l'apporta. De fait, nous sentons bien qu'aucune des catégories de notre pensée, unité, multiplicité, causalité mécanique, finalité intelligente, etc., ne s'applique exactement aux choses de la vie : qui dira où commence et où finit l'individualité, si l'être vivant est un ou plusieurs, si ce sont les cellules qui s'associent en organismes, ou si c'est l'organisme qui se dissocie en cellules ? En vain nous poussons le vivant dans tel ou tel de nos cadres. Tous les cadres craquent. Ils sont trop étroits, trop rigides surtout pour ce que nous voudrions y mettre.

HENRI BERGSON
L'Évolution créatrice.

théoricien le plus illustre est le Français Henri Bergson (1859-1941). Contre les tenants du positivisme qui ne voient d'avenir que dans la stricte application de la méthode scientifique à tous les champs du savoir, Bergson **réhabilite les valeurs de l'imagination, de l'intuition créatrice et de la conscience du sujet.** Il définit l'intuition comme « cette sphère de sympathie intellectuelle par laquelle on se transporte à l'intérieur d'un objet pour coïncider avec ce qu'il a d'unique et par conséquent d'inexprimable ». Par l'intuition, l'esprit peut connaître le réel de façon plus directe, plus immédiate, que ne le permettent les calculs scientifiques.

AUX ORIGINES DE L'ART CONTEMPORAIN

EDWARD MUNCH (1863-1944), « LE CRI » (1893).
La distorsion des formes traduit l'angoisse intérieure.

Un des traits communs les plus marquants du début du siècle, dans l'art occidental, est l'influence des **formes « exotiques »**, avec lesquelles les Européens sont entrés en contact par l'impérialisme. Des formes plus raffinées, comme la peinture chinoise, ou plus « primitives », comme la sculpture ou la musique africaines, sont intégrées, à des degrés divers, à l'esthétique occidentale.

En peinture, l'impressionnisme, qui s'éteint vers 1886 après avoir « libéré la couleur », laisse la place à un foisonnement d'écoles aussi diverses que passagères. Le **fauvisme**, qui dure à peine plus que le temps d'une exposition (1905), recourt à l'utilisation de tons purs, dans des coloris parfois totalement irréalistes (Vlaminck : *Paysage aux arbres rouges*). L'**expressionnisme**, né en Allemagne, traduit l'angoisse par le fantastique, la distorsion des formes, la dérision (Kokoschka, Munch). Le **futurisme** se présente comme un rassemblement de tous les arts autour d'un modernisme exacerbé (Boccioni).

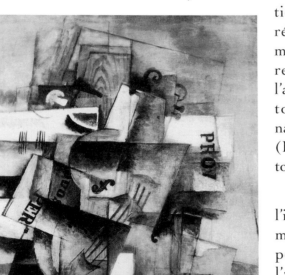

UMBERTO BOCCIONI
(1882-1916),
« FORMES UNIQUES
DANS LA CONTINUITÉ
DE L'ESPACE ».

GEORGES BRAQUE
(1882-1963),
« VIOLON ET CRUCHE » (1910).

Mais la rupture radicale avec toute la tradition occidentale est apportée par le **cubisme**, lancé autour de 1910 par Pablo Picasso (1881-1973), l'un des plus grands artistes du XXᵉ siècle, et par Georges Braque (1882-1963). Abandon complet de la perspective, vision rationnelle et analytique d'objets sans référence à l'espace ou à la lumière, multiplication d'angles de vision différents d'un même objet, influence de l'art nègre marquent le renouvellement total du langage pictural. Avec la naissance, en parallèle, de l'**art abstrait** (Kandinsky), la porte est ouverte à toute la peinture contemporaine.

La sculpture aussi se renouvelle, sous l'influence tout à la fois de formes « primitives » découvertes au contact de peuples africains, du cubisme et de l'abstraction. Mais la sculpture « naturaliste » garde ses droits, derrière le génie d'un Rodin (1840-1917) et d'une Camille Claudel (1864-1943), auxquels succède Aristide Maillol (1861-1944), qui façonne des corps féminins aux formes généreuses pleines de sensualité.

L'architecture et la décoration s'orientent dans deux directions diamétralement opposées. Le *modern style* multiplie les courbes, les arabesques, les motifs végétaux, dans une liberté inventive, un mysticisme sensuel qui apportent à l'époque une dimension de rêve dans un univers trop scientiste et, peut-être aussi, une note féminine dans un univers trop exclusivement masculin. À Barcelone, l'architecte Antoni

ANTONI GAUDÍ
« LA PEDRERA »
Édifice d'habitation Barcelone.

Gaudí (1852-1926) pousse cet « art nouveau » jusqu'à un baroquisme dont l'Espagne a toujours été une terre d'élection.

Mais en même temps que se déploient les fastes du *modern style*, le **béton armé** donne naissance à une tout autre architecture, dépouillée, fonctionnelle, qui va parfois jusqu'à laisser le matériau brut, tel qu'il apparaît avec les marques du coffrage, sans aucun recouvrement.

LE SACRE DU PRINTEMPS, 29 MAI 1913

Peu après qu'eut débuté l'introduction orchestrale, on entendit quelques protestations, encore timides, qui venaient d'une partie du public. Et les manifestations de mécontentement se renouvelèrent lorsque le rideau se leva sur les danseurs [...] et le chahut redoubla lorsqu'une autre partie du public se mit à protester contre les fauteurs de troubles et à les rappeler à l'ordre. Le vacarme était tel - cela paraît incroyable, mais presque tous les témoins l'attestent - qu'on n'entendait pratiquement pas une note de musique [...].

Peu après le début des incidents, Stravinsky quitta la salle, furieux, et se rendit en coulisse, où il trouva Nijinski debout sur une chaise, qui comptait à voix haute pour aider les danseurs à garder la mesure. Diaghilev, qui se trouvait également dans la coulisse, était dans un état d'agitation extrême; à la fin de la première partie du ballet, il fit allumer dans la salle pendant l'introduction de la deuxième partie « afin que la police, qu'on avait appelée, pût isoler et éjecter certains des pires trublions. Mais à peine les lumières furent-elles éteintes pour la deuxième scène, que le chahut éclatait à nouveau, et n'eut de cesse que le ballet ne

fût achevé ». Les seules personnes qui semblent être restées relativement insensibles au comportement du public sont les danseurs, lesquels, après tant de mois de répétitions, exécutèrent remarquablement le ballet. [...] Jean Cocteau vit « debout dans sa loge, son diadème de travers, la vieille comtesse de Pourtalès » qui « brandissait son éventail, et criait avec rage: « C'est la première fois depuis soixante ans qu'on ose se moquer de moi. »

E.W. WHITE
Stravinsky, Paris, Flammarion, 1983.

La musique, enfin, va connaître elle aussi sa « révolution » post-romantique. Influencée par les timbres et les rythmes venus de cultures lointaines, cette révolution éclate —littéralement— le 29 mai 1913, lors de la présentation, dans une atmosphère presque d'émeute, du ballet *Le Sacre du Printemps*, chorégraphié par Diaghilev sur une musique de **Stravinsky** (un esprit malin parlera de « massacre du tympan »). Dans des conditions moins spectaculaires, l'Autrichien Arnold **Schœnberg** (1874-1951) rompt avec cinq siècles d'héritage occidental par ses recherches sur l'atonalité (musique sérielle, musique dodécaphonique), tandis que naît, à la Nouvelle-Orléans, le premier orchestre de **jazz**.

Mais par-dessus tout, dans le domaine artistique, l'événement capital de cette époque reste, sans contredit, l'invention du **cinéma**, dont la première projection publique a lieu à Paris en 1895. Le « divertissement de foire » des frères Lumière va connaître dès le départ une ascension absolument foudroyante. En quinze ans, les grandes sociétés de production, comme Pathé et Gaumont en France, et Fox et Goldwyn aux États-Unis, ouvrent leurs studios, et les cinéastes abordent tous les genres, depuis le documentaire jusqu'au dessin animé en passant par les films comiques, historiques, policiers, westerns, les adaptations de pièces de théâtre, etc. L'Américain D.W. Griffith (1875-1948) va bientôt donner au cinéma ses lettres de noblesse en portant la technique du montage à des sommets jamais dépassés (*Intolérance*, 1916).

Conclusion

Au tournant du XXᵉ siècle, notre monde est donc marqué par la suprématie de l'Europe, où se déploie une deuxième phase d'industrialisation dans des sociétés en voie d'urbanisation. Les États s'ouvrent, à des degrés très divers, aux mécanismes démocratiques, tout en étendant partout dans le monde leurs réseaux d'influence et de domination multiforme.

À côté de cette Europe au faîte de sa puissance, trois futurs géants se dessinent, qui viendront bientôt modifier considérablement les grands équilibres planétaires.

Tandis que la Grande-Bretagne inaugure, dans ses colonies de peuplement, une solution progressive et originale au problème des rapports colonie/métropole, dans les mondes dominés éclatent çà et là des mouvements révolutionnaires annonciateurs de profonds changements à venir. Une Turquie, une Chine, une Amérique latine nouvelles se profilent derrière ces mouvements encore confus et embryonnaires.

Une nouvelle révolution scientifique amène une nouvelle théorie générale de l'univers, la relativité, tandis qu'éclate un art « moderne » influencé par des esthétiques parfois fort éloignées de l'héritage occidental.

Sur cette Europe apparemment vouée à un développement continu sinon harmonieux, les nuages, cependant, s'amoncellent : montée des nationalismes, conflit des impérialismes, remise en cause du rationalisme et du scientisme, agitation des peuples dominés préparent les conditions d'un immense bouleversement qui, à travers une nouvelle « guerre de Trente Ans » (1914-1945), changera la face du monde.

Questions de révision

1. Décrivez les principaux aspects de la deuxième phase de la Révolution industrielle.

2. Décrivez la hiérarchie des classes sociales dans l'Europe industrialisée du tournant du siècle.

3. Quels sont les grands mécanismes de la démocratie parlementaire à l'époque ?

4. Quels sont les mobiles de l'expansion coloniale européenne ?

5. Quels sont les aspects essentiels de l'économie, de la société et de l'État russes au tournant du siècle ?

6. Quels facteurs favorisent la puissance économique des États-Unis, et comment ces derniers se lancent-ils dans l'impérialisme à la fin du XIXe siècle ?

7. Comment le Japon échappe-t-il à la domination européenne, et avec quel résultat ?

8. Quelles sont les deux formes majeures que prend le colonialisme ?

9. Qu'est-ce qu'un dominion, et quels sont les éléments importants de l'évolution du Canada et du Québec au tournant du siècle ?

10. Pourquoi dit-on de l'empire ottoman qu'il est le « vieillard malade de l'Europe », et qu'est-ce que la révolution « jeune turque » ?

11. Dans quelle situation la Chine se trouve-t-elle au début du siècle ?

12. Qu'est-ce que le caudillisme, et comment évolue-t-il au tournant du siècle ?

13. Quels sont les aspects fondamentaux de la Révolution mexicaine ?

14. Énumérez les grandes découvertes qui marquent la « deuxième révolution scientifique », et énoncez les grands principes de la théorie de la relativité.

15. Montrez comment l'art du début du siècle est en rupture profonde avec toute la tradition esthétique occidentale.

2

LA «GRANDE GUERRE», 1914-1919

N 1914 ÉCLATE LE PLUS GRAND CONFLIT MILITAIRE QUI AIT MARQUÉ L'HISTOIRE HUMAINE JUSQUE-LÀ BIEN QUE LES FACTEURS INITIAUX ET LES ZONES DE COMBAT EN SOIENT ESSENTIELLEMENT EUROPÉENS, CE CONFLIT PREND DES DIMENSIONS MONDIALES PAR L'IMPLICATION DES COLONIES, NE SERAIT-CE QUE POUR FOURNIR LA CHAIR À CANON NÉCESSAIRE, ET PAR L'ENTRÉE CONTINUELLE DE NOUVEAUX BELLIGÉRANTS DANS L'UN OU L'AUTRE CAMP MONDIAL, LE CONFLIT L'EST SURTOUT PAR SES RÉPERCUSSIONS, CAPITALES, SUR L'HISTOIRE UNIVERSELLE IL MARQUE LE DÉBUT D'UN MONDE NOUVEAU, À LA FOIS DANS LE DÉCLIN RELATIF DE L'EUROPE ET LA MONTÉE DE PUISSANCES NOUVELLES, ET DANS LES PROFONDES REMISES EN CAUSE POLITIQUES, ÉCONOMIQUES, SOCIALES, CULTURELLES ET MORALES QU'IL ENTRAÎNE DANS SON SILLAGE

Symbole dramatique de l'aveuglement des dirigeants et même des peuples en 1914: file de soldats aveuglés par les gaz toxiques après la bataille d'Estaires (avril 1918).

L'explication historique ne peut pas être plus simple que ne l'est le comportement des groupes humains. Lorsqu'elle isole un des aspects de ce comportement, elle le dénature, car, entre la sollicitation des intérêts matériels et l'impulsion des nationalismes, les influences sont réciproques. En 1914, l'allure des relations entre les États ou les peuples aurait été, certes, bien différente si la vie économique du monde n'avait pas subi, au cours du demi-siècle précédent, des transformations profondes. Mais la guerre européenne a-t-elle été le résultat nécessaire de ce heurt entre les intérêts matériels ? En fait, le conflit n'est survenu qu'à l'heure où se sont heurtés violemment les desseins politiques : souci de sauvegarder la sécurité, ou désir de puissance. Sans doute, dans ces desseins mêmes, les intérêts économiques pouvaient-ils avoir une place, car les gouvernements et les peuples n'ignoraient pas les avantages matériels que leur vaudrait un succès. Mais ce n'est pas ce calcul qui a guidé leur résignation ou leur choix. L'impulsion efficace a été celle du sentiment national et des mouvements de passion.

PIERRE RENOUVIN
Histoire des relations internationales, t. VI, vol. II, Paris, Hachette, 1955.

CHRONOLOGIE

1914

28 JUIN	Attentat de Sarajevo
23 JUILLET	Ultimatum austro-hongrois à la Serbie
28 JUILLET	Déclaration de guerre de l'Autriche-Hongrie à la Serbie
1er AOÛT	Déclaration de guerre de l'Allemagne à la Russie
3 AOÛT	Déclaration de guerre de l'Allemagne à la France
4 AOÛT	Déclaration de guerre de la Grande-Bretagne à l'Allemagne
SEPTEMBRE	Début de la guerre des tranchées
OCTOBRE	Départ du premier contingent canadien vers l'Europe
NOVEMBRE	Entrée en guerre de l'Empire ottoman

1915

Entrée en guerre de l'Italie et de la Bulgarie

1916

Entrée en guerre de la Roumanie

1917

Entrée en guerre de la Grèce et des États-Unis

Grèves et mutineries chez les belligérants

Conscription au Canada

Révolutions en Russie ; armistice germano-russe

1918

Traité de Brest-Litovsk entre la Russie et l'Allemagne

Émeutes à Québec

Éclatement de l'Empire austro-hongrois

11 novembre, 11 h GMT : arrêt des combats

1919

Conférence de Paris

Traité de Versailles avec l'Allemagne

Traité de Saint-Germain-en-Laye avec l'Autriche

Traité de Neuilly avec la Bulgarie

Création de la Société des Nations

1920

Traité de Sèvres avec la Turquie

Traité de Trianon avec la Hongrie

Les origines

L'analyse des causes générales de la Grande Guerre fait toujours l'objet de controverses entre les historiens. Trois grandes explications globales en ressortent.

L'une d'elles attribue aux **facteurs économiques** le rôle moteur : la guerre serait le résultat inévitable du **développement du capitalisme** européen. Ce dernier, en effet, cherche fébrilement des sources de matières premières et des débouchés commerciaux toujours plus importants, entraînant ainsi une **compétition étendue au monde entier**. Or, on soutient que cette compétition s'est traduite par un recours aux armes. D'ailleurs, ce recours aux armes serait lui-même un facteur d'abord économique, rattaché aux intérêts de puissants groupes de fabricants et de marchands de canons (Krupp en Allemagne, Schneider en France) avides de maximiser leurs profits.

Prenant acte du fait que la plupart des dirigeants économiques des grandes puissances sont plutôt défavorables à la guerre, une autre explication accorde au **phénomène du nationalisme** la responsabilité première.

Nationalisme expansionniste d'une Allemagne jeune et dynamique, nationalisme revanchard d'une France en perte de vitesse face à sa puissante voisine, et surtout **nationalismes opprimés** dans les grands empires, particulièrement en Autriche-Hongrie menacée d'éclatement interne par la pression de plus d'une demi-douzaine de minorités, slaves pour la plupart. Le sentiment national serait ainsi le principal porteur de la « psychose de guerre » qui s'empare de l'Europe dès le début du siècle.

D'autres, enfin, font ressortir le délicat échafaudage des **systèmes d'alliances**, tellement serrées en 1914 que le moindre conflit local pouvait très rapidement s'étendre à toute l'Europe par le simple jeu des engagements diplomatiques — la plupart secrets — qui liaient entre elles les différentes puissances. Ces engagements diplomatiques ont suscité à leur tour, en plus d'une folle **course aux armements**, de savants **plans de mobilisation** destinés à assurer la plus grande rapidité dans le déclenchement des opérations militaires et qui, mis en œuvre de façon quasi automatique, pouvaient difficilement être annulés par les autorités politiques, une fois la crise déclenchée.

En fait, **aucune de ces explications globales n'est satisfaisante par elle-même**. Chacune aide à faire comprendre les origines de la guerre par un point d'insistance différent, mais c'est vraiment la **conjonction et l'interaction de tous ces facteurs** qui créent la situation globale explosive d'où va jaillir la conflagration, à travers trois rivalités fondamentales.

TROIS GRANDES RIVALITÉS

Trois antagonismes majeurs opposent les principales puissances européennes au début du siècle.

La rivalité entre **l'empire d'Autriche-Hongrie et l'Empire russe** se concentre dans la région des **Balkans**, véritable « poudrière de l'Europe ». C'est de là en effet que provient ce que l'Empire austro-hongrois considère comme la plus grande menace à sa sécurité, tant intérieure qu'extérieure : l'**agitation nationaliste serbe**.

Encouragés par la Serbie récemment libérée d'une domination turque vieille de plusieurs siècles, les Serbes de la province autrichienne de Bosnie-Herzégovine sont en état de rébellion larvée contre Vienne, et cette agitation ne fait qu'encourager les autres minorités slaves de l'empire (Croates, Tchèques, Slovaques) à secouer elles aussi le joug austro-hongrois.

Or les Serbes trouvent appui, dans leur lutte, sur la **Russie**, qui se présente comme le grand protecteur de tous les Slaves mais qui est surtout intéressée aux **détroits du Bosphore et des Dardanelles**, sous juridiction ottomane. Ces détroits sont en effet la porte de sortie essentielle de la Russie vers l'Ouest, et l'Empire russe a donc intérêt à affaiblir les grandes puissances de la région en y soutenant les revendications nationalistes afin d'y imposer sa suprématie et d'y bloquer l'impérialisme de son rival austro-hongrois. Dès lors, **tout affrontement austro-serbe devient inévitablement austro-russe**. D'autant plus qu'en 1914, le régime tsariste au bord de l'effondrement cherche une diversion qui permettrait d'éloigner l'explosion sociale qui le menace et de refaire autour de lui l'unité du peuple russe. De plus, il ne pourrait tolérer la nouvelle humiliation que lui vaudrait l'écrasement de son allié serbe.

La rivalité **franco-allemande** plonge ses racines dans une histoire plusieurs fois séculaire, et elle a été dramatiquement ravivée par la guerre de 1870-1871, où une France vaincue a dû accepter un humiliant traité par lequel, entre autres, elle devait payer des réparations de guerre à l'Allemagne et lui céder deux riches provinces du nord-est : l'Alsace et la Lorraine. Mais au-delà de la volonté de laver cet affront et de **récupérer ses provinces perdues**, la France est surtout marquée par l'**inquiétude** que suscite la simple existence, tout à côté d'elle, de cette énorme puissance qu'est devenu l'Empire allemand depuis sa création en 1871. La masse de sa population, l'abondance de ses richesses, le développement de son industrie et, surtout, la formidable puissance de ses forces armées, ne peuvent qu'inquiéter une France déclassée sur presque tous les plans et isolée diplomatiquement par la politique du chancelier Bismarck.

Pour faire face à ce danger, la France n'a d'autre choix que de se rapprocher de la Russie, seule capable de faire contrepoids et de prendre l'Allemagne à revers. **Ce rapprochement franco-russe**, scellé par une alliance

L'ALLEMAGNE SOLIDAIRE DE L'AUTRICHE-HONGRIE

(Lettre du secrétaire d'État aux affaires étrangères allemand à l'ambassadeur d'Allemagne à Londres, 18 juillet 1914.)

L'Autriche ne veut plus supporter ce travail souterrain de la Serbie ni tolérer l'attitude de provocation continuelle de ses petits voisins de Belgrade [...] L'Autriche veut maintenant régler ses comptes avec la Serbie et elle nous fait part de ses intentions [...] Ce n'est pas nous qui avons poussé l'Autriche à sa résolution actuelle. Mais nous ne devons et ne pouvons arrêter son bras. Si nous le faisions, l'Autriche (et nous-même) pourrions nous reprocher avec raison de lui avoir enlevé la dernière possibilité de réhabilitation politique. Son abaissement et ses divisions intérieures en seraient encore accélérés, sa situation dans les Balkans serait pour toujours compromise. Vous conviendrez bien avec moi que l'affermissement absolu de l'hégémonie russe dans les Balkans n'est pas admissible pour nous. La conservation de l'Autriche et, même, d'une Autriche aussi forte que possible est pour nous une nécessité, pour des motifs d'ordre extérieur comme intérieur.

formelle en 1895, engendre à son tour l'inquiétude en Allemagne et pousse cette dernière à se rapprocher de l'Autriche-Hongrie et de l'Empire ottoman afin de briser la menace d'encerclement. Devenue solidaire des intérêts de ses alliés autrichiens et turcs, l'Allemagne bloque donc indirectement les visées russes dans les Balkans, tandis qu'une politique coloniale intempestive la remet encore en conflit avec la France, cette fois au sujet du Maroc.

La rivalité **anglo-allemande** a des dimensions à la fois européennes et mondiales, à la fois économiques et stratégiques.

Face au **continent européen**, la politique de la Grande-Bretagne a toujours été déterminée par un principe fondamental : l'**équilibre**. Plusieurs fois menacée d'invasion par une puissance continentale hégémonique (l'Espagne au XVIe siècle, la France de Napoléon), l'Angleterre a voulu éviter ce danger en structurant le continent sur la base de trois ou quatre grandes puissances à peu près équilibrées. Ainsi assurée de la sécurité des îles britanniques, l'Angleterre a pu se lancer à la conquête d'un **vaste empire colonial** aux dimensions planétaires et dominer de très haut l'ensemble des **marchés mondiaux** grâce à son avance technologique (Révolution industrielle) et à l'abondance de ses capitaux. Tout cet édifice repose sur un facteur essentiel : la **maîtrise des mers**.

Or, au début du siècle, l'**Allemagne met en péril** à la fois l'équilibre continental européen, la position dominante de la Grande-Bretagne sur les marchés mondiaux et la maîtrise britannique des mers. Sur le continent, en effet, elle est en passe de devenir **puissance hégémonique** et de constituer une « *Mitteleuropa*■ » (Europe médiane) à son profit, à laquelle même l'alliance entre la France et une Russie, somme toute peu sûre, ne pourrait offrir de contrepoids suffisant. Et sur les mers, l'Allemagne s'est lancée, depuis 1890, dans la construction accélérée d'une formidable **marine de guerre** dont le Royaume-Uni estime qu'elle n'a pas besoin, vu son peu de possessions outre-mer. Effectivement, cette marine répond d'abord à une nécessité économique, celle

■ **Mitteleuropa**
Mot allemand désignant l'ensemble des territoires autrefois regroupés dans l'Empire austro-hongrois ou soumis à son influence (Autriche, Hongrie, Yougoslavie, Tchécoslovaquie, sud de la Pologne).

d'écouler les immenses surplus d'acier que l'industrie allemande produit sans pouvoir les écouler sur les marchés mondiaux, toujours dominés par la Grande-Bretagne. Pour rétablir l'équilibre continental, la **Grande-Bretagne doit donc se rapprocher à la fois de la France et de la Russie** et affaiblir l'Allemagne, tandis que la menace allemande sur mer pourrait être éliminée par une **guerre navale préventive** qui aurait d'autant plus de chances de réussir qu'elle ne serait pas trop longtemps retardée...

Les systèmes d'alliances et la course aux armements

Ainsi se mettent en place, au début du siècle, les grands systèmes d'alliances qui président au déclenchement de la guerre.

LES ALLIANCES, 1914 - 1918

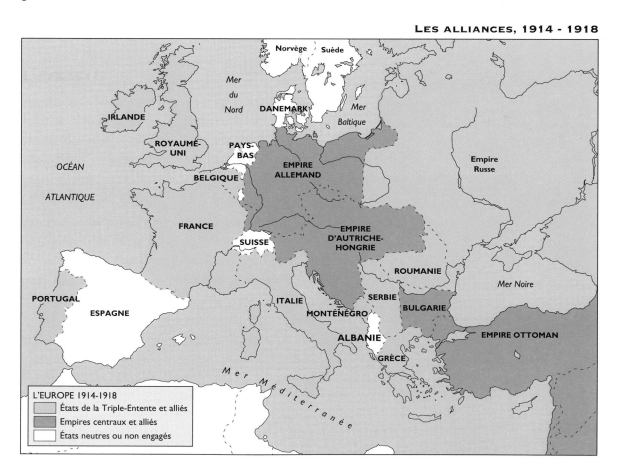

L'EUROPE 1914-1918
- États de la Triple-Entente et alliés
- Empires centraux et alliés
- États neutres ou non engagés

La **Triple-Alliance**, ou Triplice, regroupe déjà depuis 1882 l'Allemagne et l'Autriche-Hongrie avec un troisième partenaire, l'Italie, à vrai dire assez peu enthousiaste. Elle a, en effet, un contentieux lancinant avec l'Autriche à propos des « terres irrédentes », territoires peuplés d'Italiens mais sous domination autrichienne. De fait, l'Italie s'engage secrètement envers la France, dès 1902, à demeurer neutre en cas de conflit franco-allemand. Ce sera plutôt l'Empire ottoman qui, venant s'aligner avec l'Allemagne et l'Autriche-Hongrie quelques mois après le début du conflit, deviendra le véritable troisième pilier de cette alliance.

Face à cette Triple-Alliance, la **Triple-Entente** a d'abord été lancée par une alliance **franco-russe** conclue en 1893, puis complétée par une « Entente cordiale » **franco-britannique** en 1904. Le rapprochement **anglo-russe**, plus difficile du fait des affrontements entre les deux pays en Perse et en Afghanistan, est finalement réalisé en 1907 par un partage des zones d'influence.

Dès lors, les deux systèmes d'alliances bien en place, la moindre crise locale peut déclencher un conflit généralisé par simple « réaction en chaîne », et une véritable « **psychose de guerre** » s'empare des gouvernements et des opinions publiques dans toute l'Europe : une sorte de résignation fébrile, d'excitation inquiète, qui insinue dans les esprits l'idée qu'une guerre est inévitable.

À la fois cause et conséquence de cette psychose de guerre, la **course aux armements** déjà en marche depuis le début du siècle s'exacerbe autour de 1910 : les uns après les autres, tous les pays accroissent les effectifs de leurs armées, augmentent leurs budgets militaires, renforcent leurs dispositifs de défense, modernisent leur matériel de guerre. Les dirigeants justifient les sacrifices exigés des peuples pour cette escalade (hausse des impôts, allongement de la durée du service militaire obligatoire) en invoquant justement le danger de guerre, ce qui ne fait qu'**exaspérer le sentiment national** et alimenter encore la psychose de guerre. Les alliances se resserrent, et l'Europe entre dans une période de « paix armée » où la moindre étincelle peut tout déclencher.

La course aux armements

Dépenses militaires par tête d'habitant (en dollars)

	1890	1914
Empire britannique	4,03	8,53
France	4,87	7,33
Allemagne	2,95	8,52
Italie	2,63	3,81
Russie	1,32	2,58
Autriche-Hongrie	1,56	3,48

Dans ce contexte survolté, les **castes militaires** ont tendance à s'imposer aux dirigeants politiques, et cela d'autant plus là où le contrôle démocratique est faible ou inexistant, comme c'est le cas dans les empires allemand, austro-hongrois ou russe. En Allemagne particulièrement, cette caste estime que, la guerre étant devenue inévitable, il ne faut pas la différer, car la réorganisation de l'armée russe et l'extension du service militaire en France risquent de priver l'Allemagne de la supériorité dont elle dispose maintenant.

Ce qui accroît encore la fébrilité de l'Allemagne, c'est la nécessité où elle sera, si la guerre se déclenche, de **faire face sur deux fronts** : la France à l'Ouest et la Russie à l'Est. Pour échapper à cet étau, le général Schlieffen a mis au point dès 1890 un plan grandiose selon lequel toutes les forces allemandes doivent d'abord être concentrées contre la France qui, envahie à travers la Belgique, doit être vaincue en soixante jours, laissant l'Allemagne libre de retourner toute sa puissance contre la Russie. Seule la rapidité d'exécution peut permettre à ce plan audacieux de réussir, et c'est pourquoi l'Allemagne doit déclarer la guerre la première et mettre ses armées en marche dès le moment de la déclaration, sans possibilité de faire demi-tour.

L'ALLEMAGNE ENCERCLÉE

Nous étions encerclés. Notre voisin occidental, le peuple français, est le plus agité, le plus ambitieux, le plus vaniteux de tous les peuples d'Europe, le plus militariste et le plus nationaliste. À l'est, nous sommes entourés de peuples slaves, pleins d'aversion pour les Allemands qui les ont initiés à une civilisation supérieure ; ceci s'applique aux Russes, davantage aux Tchèques et surtout aux Polonais, qui revendiquent une partie de l'Allemagne orientale. Les relations entre Allemands et Anglais ont varié au cours des siècles. John Bull daignait favoriser et protéger son pauvre cousin allemand, et même l'employer, de temps en temps, à quelque grosse besogne, mais il ne voulait pas admettre qu'il eût les mêmes droits que lui. Au fond, personne ne nous aimait.

B. VON BÜLOW
Mémoires, Paris, Plon, 1931.

SARAJEVO, 28 JUIN 1914

L'archiduc François-Ferdinand et son épouse montent dans la voiture où ils vont être assassinés cinq minutes plus tard.

28 JUIN 1914 : L'ENGRENAGE

Le 28 juin 1914, jour même de la fête nationale serbe, l'héritier au trône d'Autriche-Hongrie, l'archiduc François-Ferdinand, effectue une visite officielle à **Sarajevo**, capitale de cette Bosnie peuplée de Serbes que l'Autriche vient tout juste d'annexer en 1908. Un étudiant bosniaque venu de la Serbie voisine, Gavrilo Princip, assassine l'archiduc et sa femme. Vienne réagit d'abord plutôt calmement mais, assurée de l'appui inconditionnel de Berlin, elle décide, froidement, que l'heure a sonné de « régler le problème serbe » et envoie, le 23 juillet, un **ultimatum à la Serbie**, soigneusement rédigé de façon à être inacceptable à cette dernière.

La Serbie accepte pourtant tous les points de l'ultimatum à l'exception d'un seul, qui lui imposerait de renier son indépendance nationale en acceptant l'entrée de la police autrichienne sur son territoire. Cet unique refus suffit néanmoins à l'**Autriche** pour déclarer la **guerre à la Serbie** le 28 juillet. Deux jours plus tard, la **Russie** déclenche la mobilisation générale de toutes ses forces

L'ULTIMATUM AUTRICHIEN

L'Autriche exige que la Serbie s'engage...

À supprimer toute publication qui excite à la haine et au mépris de la monarchie [...].

À éliminer sans délai de l'instruction publique [...] tout ce qui sert ou pourrait servir à fomenter la propagande contre l'Autriche-Hongrie.

À éloigner du service militaire et de l'administration en général tous les officiers et fonctionnaires coupables de la propagande contre la monarchie austro-hongroise [...].

À accepter la collaboration en Serbie des organes du gouvernement impérial et royal dans la suppression du mouvement subversif dirigé contre l'intégrité territoriale de la monarchie[1].

À ouvrir une enquête judiciaire contre les partisans du complot du 28 juin [...].

À procéder d'urgence à l'arrestation de X et Y, compromis dans les résultats de l'instruction [...].

À empêcher [...] le concours des autorités serbes dans le trafic illicite d'armes et d'explosifs à travers la frontière [...].

À donner au gouvernement impérial et royal des explications sur les propos injustifiables de hauts fonctionnaires serbes [...].

Le gouvernement impérial et royal attend la réponse du gouvernement royal au plus tard jusqu'au samedi 25 de ce mois, à cinq heures du soir.

1. C'est ce seul point que la Serbie refuse.

armées, y compris celles postées sur sa frontière avec l'**Allemagne**. Cette dernière déclare la **guerre à la Russie** le 1er août, envahit la Belgique le lendemain et déclare la **guerre à la France** le 3. Le 4 août, la **Grande-Bretagne** déclare la **guerre à l'Allemagne**. Ainsi éclate le plus sanglant conflit jamais vu depuis les origines de l'humanité.

Peut-on en attribuer la **responsabilité première** à un pays en particulier ? Au premier abord, tous les yeux se tournent vers l'**Allemagne**, qui sera d'ailleurs officiellement tenue pour responsable dans les traités de 1919. Et il ne fait pas de doute qu'en donnant un « chèque en blanc » à l'Autriche pour régler une fois pour toutes la question serbe, en déclarant la guerre à la Russie et à la

France, en envahissant la Belgique au mépris de la neutralité de cette dernière, garantie par des accords internationaux, l'Allemagne porte une lourde responsabilité dans le déclenchement du conflit.

Mais l'**Autriche-Hongrie** ? Après tout, c'est elle qui a mis en branle l'engrenage, malgré l'acceptation presque intégrale de son ultimatum par la Serbie. Et **la Russie**, en décrétant une mobilisation générale et non sur sa seule frontière avec l'Autriche, devait savoir qu'elle entraînait fatalement l'Allemagne dans la guerre, ce qui, en raison de l'alliance franco-russe, impliquait nécessairement l'intervention française.

À côté de ces trois responsables principaux, la **France et la Grande-Bretagne** ne peuvent être complètement innocentées, la première pour n'avoir pas su calmer son alliée russe, la seconde pour ses hésitations qui ont pu encourager les empires centraux dans leur politique d'intimidation.

Bien sûr, personne n'a vraiment voulu une guerre générale — et sûrement pas cette guerre-là —, mais l'Autriche-Hongrie ne veut pas laisser passer l'occasion d'éliminer la Serbie, dont les ambitions menacent son intégrité sinon son existence, la Russie ne veut pas être une nouvelle fois humiliée en laissant les Serbes se faire écraser, l'Allemagne ne veut pas voir son alliée l'Autriche-Hongrie constamment affaiblie par l'agitation des nationalités encouragées par les Russes, la France ne veut pas voir une Allemagne encore renforcée par une éventuelle victoire sur la Russie, et la Grande-Bretagne ne veut pas laisser grossir sur le continent une puissance qui pourrait un jour lui contester sa suprématie mondiale. Et tous sont entrés allègrement dans un impérialisme dominateur, dans une exaltation du nationalisme et dans une course aux armements dont l'issue finale ne pouvait guère faire de doute.

Mais personne ne peut soupçonner que ce que l'écho transmet, à travers toute l'Europe, en ce début d'août 1914, ce n'est pas tant le clairon des rassemblements militaires que le glas de l'Europe elle-même.

Le conflit

ETTE GUERRE NE SERA PAS CELLE QUE TOUT LE MONDE PRÉVOYAIT, C'EST-À-DIRE « FRAÎCHE ET JOYEUSE », COURTE ET RAPIDE, AVEC DÉCISION EMPORTÉE « À L'ARRACHÉE » ET RETOUR À LA PAIX POUR NOËL.

DE LA GUERRE DE MOUVEMENT À LA GUERRE DE POSITION

Entre le « plan Schlieffen » qui exigeait des avancées de dizaines de kilomètres par jour et le « rouleau compresseur » de la cavalerie russe qui devait déferler à travers les plaines de l'Allemagne orientale, tout était prévu pour une **guerre de mouvement**, facilitée d'ailleurs par le réseau ferroviaire, devenu pour la première fois un élément crucial de la stratégie militaire.

LA GUERRE FRAÎCHE ET JOYEUSE

« NACHT PARIS ! »
Départ de soldats allemands pour le front.

« À BERLIN ! »
Départ de soldats français pour le front.

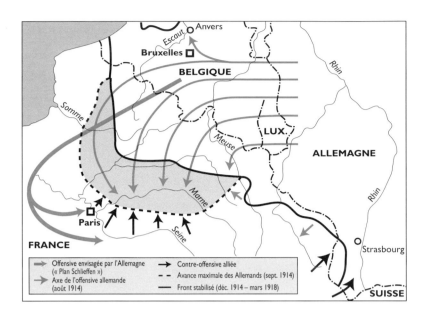

Mais après des départs fulgurants, les deux offensives sont stoppées net au bout de quelques semaines, les Allemands au nord de Paris (bataille de la Marne) et les Russes en Prusse orientale (Tannenberg). Alors commence une guerre imprévue : la **guerre des tranchées**. C'est le retour à la guerre de siège des siècles passés, mais étendue cette fois sur des centaines de kilomètres, depuis la mer du Nord jusqu'à la frontière suisse, depuis la Baltique jusqu'aux Carpates, et opposant des millions de combattants.

LA GUERRE DES TRANCHÉES

Tranchée allemande occupée par des soldats français (1915).

Ainsi s'organise une guerre de position dans laquelle les armées se font face, tapies dans de profondes tranchées qui zigzaguent sur des kilomètres de long et sur plusieurs rangs de profondeur et d'où l'on ne sort pour se lancer à l'assaut qu'avec des pertes effroyables. Car, au début de la guerre, l'**armement favorise plutôt la défensive** : canons lourds, mitrailleuses, fils barbelés, champs de mines. Dans le nord de la France, le front ainsi délimité ne se déplacera pas de plus de dix kilomètres dans les trois années suivantes, et sur ces dix kilomètres tomberont plus de quatre millions d'hommes, fauchés dans leur plus bel âge.

LA VIE DANS LES TRANCHÉES

Dehors, [...] je secoue les paquets de boue glaciale qui pèsent autour de mes deux mains. C'est la désolation. Des corvées égrenées hors des boyaux impraticables, et qui tâtonnent entre les trous d'obus. Quant à ma tranchée, c'est un bourbier ignoble... écroulée de partout, où la boue molle, triturée jusqu'à profondeur de genou, alterne avec l'eau sale, semée d'épaves flottantes...

J'entreprends de franchir les cinquante mètres de boyau qui me séparent de la première ligne...

Justement, voilà le téléphoniste qui répare les lignes : « Vous parlez d'un fourbi !... Rien ne veut tenir là-dedans. C'est de la boue et du cadavre. » Oui, du cadavre. Les vieux morts des combats d'automne, qu'on avait enterrés sommairement dans le parapet, réapparaissent par morceaux...

Tout à coup, un mouvement se fait, une file d'êtres fangeux et suants apparaît, ployant sous des sacs énormes ou des marmites : les cuistots.

« On est crevés, on n'en peut plus. Pas de café, on l'a chaviré en route. Et Martin est tombé dans un trou plein d'eau avec le sac de boules[1]. » [...]

Ils ne protestent pas. [...] Ils remplissent leur gamelle et mangent silencieusement leur ratatouille froide, bœuf bouilli, pommes de terre vinaigrées, en se penchant dessus pour la préserver de l'eau et de la terre ; mais ils ont les mains glaiseuses, et le pain qu'il ont touché crisse sous leurs dents...

PAUL TUFFRAU
Carnet d'un combattant, (Payot, 1917)
cité dans Meyer Ducasse, Perreux,
Vie et mort des Français, 1914 - 1918,
Paris, Payot, 1960.

1. De pain.

La guerre sera longue : le système de défense de ces tranchées rend toute « percée » impossible. Les armes nouvelles : mortier à tir courbe, gaz asphyxiants, aviation, ne modifient pas fondamentalement cette situation. Seul le char d'assaut y parviendra, mais pas avant 1918 de façon décisive.

La longueur du conflit entraîne son **extension géographique**. Peu à peu, simplement par désir de profiter de la situation pour s'assurer certains avantages, ou sous la pression des belligérants ou de leur propre opinion publique, pratiquement tous les pays d'Europe y sont entraînés : l'**Empire ottoman** dès novembre 1914, ce qui étend tout de suite la guerre au Moyen-Orient, l'**Italie** et la **Bulgarie** en 1915, la **Roumanie** en 1916, la **Grèce** en 1917. Quatorze pays d'Europe sont finalement entrés dans le conflit. Et la guerre déborde du continent : on se bat au Moyen-Orient et, quoique moins intensément, dans les colonies d'Afrique ; dès août 1914, le **Japon** a déclaré la guerre à l'Allemagne pour s'emparer de ses bases en Chine, et la **Chine** elle-même suit en 1917, pour ne pas être en reste. Onze pays d'Amérique vont même entrer dans la danse, la plupart de façon évidemment tout à fait symbolique, sauf dans le cas des **États-Unis**, dont l'entrée en guerre en 1917 est capitale (voir plus bas).

La nature et la durée de ce conflit en font **le plus sanglant de l'histoire**, plus que la Deuxième Guerre mondiale, étant donné l'aire des combats et les effectifs engagés. Encore aujourd'hui, on reste incrédule devant des chiffres qui ont profondément traumatisé les contemporains : dans la bataille de Verdun, de février à décembre 1916, plus de 500 000 morts pour un résultat nul sur le terrain ; sur la Somme, de juillet à novembre 1916, 600 000 morts encore pour un déplacement de onze kilomètres de la ligne de front ; en avril 1917, l'« offensive Nivelle » fait 30 000 morts et 80 000 blessés en deux jours ! Dès la fin de 1914, la Russie a déjà perdu 1 300 000 hommes...

Une guerre totale

La durée du conflit et l'effroyable saignée qu'il occasionne en font la **première véritable guerre totale de l'histoire**, en rupture profonde avec les guerres traditionnelles, qui avaient somme toute un impact assez limité sur la vie civile.

Ce qui frappe dès l'abord, c'est la **mobilisation des effectifs**, poussée à un degré jamais vu. Dès le début du conflit, 12 millions de soldats sont déjà à pied d'œuvre, et ce nombre se gonfle de mois en mois, à mesure que les décrets de mobilisation sont appliqués et que de nouveaux pays s'ajoutent, jusqu'à dépasser les 80 millions. La généralisation du **service militaire obligatoire** fait ainsi rassembler sous les drapeaux des masses de combattants dont l'habillement, le transport, le ravitaillement en nourriture et en munitions pose des problèmes imprévus. Par exemple, au début de la guerre, chaque pièce d'artillerie française est approvisionnée d'environ 1 400 projectiles et une production de 10 000 obus par jour est considérée comme suffisante. En 1918, c'est 300 000 obus par jour dont on aura besoin, et une grosse bataille fait tirer jusqu'à 20 millions de projectiles en quelques jours.

Il faut donc forger de toutes pièces une **industrie de guerre**, et afin qu'elle réponde adéquatement aux nécessités des combats, l'**État** est appelé à réglementer, contrôler, rationner des ressources qui s'épuisent. Les énormes dépenses occasionnées par cet effort de guerre exigent des sources de **financement** sans cesse croissantes. Tous les gouvernements se rabattent alors sur l'**impôt sur le revenu**, jusqu'alors considéré comme illégitime dans le cadre de l'idéologie libérale, sur l'**emprunt** (les fameux « bons de la Victoire ») et, évidemment, sur la « **planche à billets** », ce qui favorise l'inflation, phénomène alors tout nouveau. Ces faits seront d'une portée incalculable sur l'évolution des institutions et des mentalités dans les sociétés capitalistes.

Emprunts et « planche à billets » :
le financement de la guerre en France (en milliards de francs)

EMPRUNTS			
	intérieurs	extérieurs	Total
1914	2,323	51	2,374
1915	16,752	2,853	19,605
1916	18,433	8,847	27,690
1917	18,588	11,885	30,473
1918	24,293	8,695	32,988
1919	27,653	11,348	39,001

MASSE MONÉTAIRE		
	1912	1919
Billets de banque	5,7	37,3
Masse totale	27,0	67,2

Par ailleurs, cette industrie de guerre a besoin de main-d'œuvre, et il faudra la recruter en grande partie chez les femmes, qui prennent la relève des hommes envoyés au front. Ce développement soudain et massif du **travail des femmes** va faire plus que toutes les campagnes des suffragettes dans le sens de l'émancipation de celles que

LES FEMMES PRENNENT LA RELÈVE

Femmes travaillant à l'usine au Québec.

l'on considérait, à toutes fins utiles, comme des mineures. Le droit de vote, par exemple, leur sera finalement accordé dans de nombreux pays (au niveau fédéral canadien en 1917).

L'économie de guerre entraîne la **guerre économique**, qui vise à atteindre l'adversaire dans ses capacités de production en tarissant ses approvisionnements venant de l'extérieur. Les franco-britanniques mettent ainsi les empires centraux en état de **blocus**, la flotte britannique bouclant l'Atlantique Nord et la flotte française, la Méditerranée. L'Allemagne riposte avec la **guerre sous-marine**, à la fois pour pratiquer des brèches dans ce blocus et pour effectuer un contre-blocus en s'attaquant à tous les navires, même neutres, se dirigeant vers la France ou la Grande-Bretagne. Cette guerre sous-marine est tellement efficace qu'au début de 1917, les Allemands entrevoient la possibilité d'arracher à l'Angleterre cette maîtrise des mers sans laquelle elle ne saurait maintenir son statut de grande puissance.

Les succès de la guerre sous-marine

Les pertes des alliés et des neutres (en milliers de tonnes)

	1914	1915	1916	1917	1918
R.-U.	253	885	1 232	3 660	1 632
France	147	94	170	459	178
États-Unis	—	16	15	166	142
Total (alliés + neutres)	319	1 312	2 305	6 078	2 528

Toute cette mobilisation, matérielle et humaine, tous ces sacrifices, de sang ou de conditions de vie, la durée même de la guerre, donnent au **facteur moral** une importance de plus en plus grande. Le perdant sera celui qui « craquera » le premier. Il faut donc soutenir le moral, sur le front et derrière le front, et c'est le rôle de la **propagande** et de la **censure**. Tous les États, même les plus démocratiques, y ont recours. Parlements muselés, presse bâillonnée, opinions publiques soumises au « bourrage de crâne » marquent la volonté des gouvernements d'échapper à toute critique et de maintenir l'« union sacrée » contre un ennemi diabolisé dont on exagère à plaisir les atrocités et dont on minimise les succès. Les communiqués de guerre sont enthousiastes, voire triomphalistes, les mauvaises nouvelles, supprimées. Ces pratiques ne seront pas, non plus, sans conséquence sur l'évolution des sociétés dites « libérales ».

> ## LA CENSURE EN FRANCE
>
> *Interdiction de publier des renseignements de nature à nuire à nos relations avec les pays alliés, les neutres, ou relatifs aux négociations politiques.*
>
> *Interdiction en outre d'attaquer les officiers, de parler des formations nouvelles, de reproduire des articles parus dans les journaux étrangers.*
>
> *Avis de décès : ne doivent pas indiquer le lieu où le défunt est tombé.*
>
> *Interdiction de publier des articles concernant expériences ou mise en service d'engins nouveaux, des cartes postales ou illustrations reproduisant des canons ou des engins de guerre nouveaux ou du matériel ancien modèle, dans un paysage pouvant faire découvrir le lieu de l'emploi.*
>
> *Interdiction de publier des interviews de généraux.*
>
> *Surveiller tout ce qui pourrait sembler une propagande pour la paix.*
>
> *Interdiction de publier cartes postales renfermant scènes ou légendes de nature à avoir une fâcheuse influence sur l'esprit de l'armée ou de la population, cartes postales représentant matériel nouveau, armes, engins de toute nature.*
>
> *Suppression des manchettes en tête des communiqués officiels.*
>
> D'après J.J. Becker, *Les Français dans la Grande Guerre*, Paris, Robert Laffont, 1980.

LE CANADA ET LE QUÉBEC FACE À LA GUERRE

La déclaration de guerre de la Grande-Bretagne à l'Allemagne, le 4 août 1914, a pour effet de mettre **tout l'Empire britannique** en état de guerre, et le Parlement canadien vote aussitôt un crédit de 50 millions de dollars pour la formation d'une armée canadienne à intégrer dans le dispositif des armées britanniques. Un premier contingent de 32 000 hommes traverse l'Atlantique en octobre 1914, et les effectifs totaliseront près de 500 000 soldats en 1917, dont 60 000 ne reviendront pas, ce qui constitue, toutes proportions gardées, un chiffre plutôt élevé pour une population d'environ huit millions d'habitants.

L'effort de guerre canadien est aussi **économique**, avec une augmentation marquée de la production agricole, la mise en valeur des mines de métaux non ferreux (cuivre, zinc, nickel) et la création d'une industrie d'armements toute nouvelle. Là aussi le **contrôle étatique** se développe, et le rationnement frappe diverses denrées alimentaires tandis qu'on tente d'enrayer l'inflation en plafonnant les prix. Quant au bourrage de crâne, il est assuré par la fameuse **loi des mesures de guerre** qui, allant bien au-delà de la censure, autorise le gouvernement à s'arroger les pleins pouvoirs, sans aucune limite, de sa seule initiative et sans consultation du Parlement.

Politiquement parlant, la guerre fait éclater la plus grave **crise intérieure** du pays depuis sa fondation en 1867. Elle est due à l'instauration du service militaire obligatoire, la **conscription**, rendue nécessaire en 1917 parce que le seul appel aux volontaires ne permet plus de remplacer les pertes sur les champs de bataille. Pour le mois d'avril 1917, les pertes se chiffrent à plus de 13 000, alors que le nombre de recrues dépasse à peine 5 000. Au cours de l'été, le Parlement canadien vote donc une loi appelant sous les armes tous les hommes célibataires ou veufs sans enfants âgés de 20 à 35 ans.

Cette décision divise le Canada en deux clans irréductibles, sur la base des deux « peuples fondateurs » : **anglophones contre francophones**. Ces derniers, en effet, refusent d'être forcés de verser leur sang pour les intérêts de l'Empire britannique pendant qu'au Canada même, à l'extérieur du Québec, leurs droits sont partout bafoués, particulièrement en matière d'écoles. Le premier ministre Borden déclenche alors une élection générale, regroupe autour de son propre parti conservateur plusieurs libéraux anglophones favorables à la conscription, forme un « gouvernement d'union » et remporte une victoire décisive malgré le Québec qui vote en bloc contre lui (il n'y obtient que trois sièges sur 65). Pour la première fois depuis la Confédération, un gouvernement majoritaire s'installe à Ottawa sans le Québec, et aucun Canadien-français ne fera partie du cabinet des ministres. Les Canadiens-français apprennent avec un certain dépit qu'ils forment une minorité dont l'opinion compte assez peu en temps d'urgence...

En décembre, un député à l'Assemblée législative de Québec propose d'« accepter la **rupture du pacte fédératif** de 1867, si, dans les autres provinces, on croit que [le Québec] est un obstacle à l'union, au progrès et au développement du Canada ». Enterrée sous les discours, cette proposition ne sera jamais mise aux voix, tandis que dans la rue la situation commence à se détériorer rapidement. Après quelques incidents à Montréal, c'est à Québec finalement que la violence explose, le 29 mars 1918.

Un bataillon de soldats anglophones, venu de Toronto, ne fait que jeter de l'huile sur le feu, et **quatre jours d'émeutes** avec fusillades et charges de cavalerie font cinq morts parmi les civils. Le calme revient bientôt, mais le Parti conservateur est pratiquement rayé de la carte électorale du Québec pour plus de 60 ans.

La participation à la guerre va d'autre part amener une évolution importante dans les rapports du Canada et des autres dominions avec la mère patrie. La conférence impériale de 1918 décide que les dominions **participeront à part entière** aux délibérations de paix et signeront en leur nom les éventuels traités qui en sortiront. D'autre part, les premiers ministres des dominions communiqueront désormais directement avec le premier ministre britannique, sans avoir à passer par le gouverneur général ou le ministre des Colonies à Londres. Ainsi se prépare l'accession du Canada à la pleine souveraineté.

LA CRISE DE LA
CONSCRIPTION QUÉBEC,
1ER AVRIL 1918

DE LA CRISE AU DÉNOUEMENT, 1917-1918

L'année 1917 est cruciale. Sur le terrain, l'impasse est totale. L'équilibre des forces est tel que ni la victoire ni la défaite ne semblent possibles, pour qui que ce soit. Alors que des crises internes se développent chez tous les belligérants, deux événements internationaux vont permettre le déblocage : le retrait russe et l'entrée en guerre des États-Unis.

Les **crises internes** se développent à la fois sur le front et à l'arrière. **Sur le front**, le ras-le-bol des combattants, lancés à l'aveuglette dans des assauts stupides et meurtriers, atteint le point de saturation. Les **désertions** se multiplient, des **mutineries** éclatent : 230 dans la seule armée française, touchant la moitié des divisions, plusieurs dans la marine de surface allemande, un nombre incalculable en Russie. Des **fraternisations** spontanées regroupent les soldats par-dessus les lignes de front. **À l'arrière**, l'augmentation des cadences dans les usines et le retard des salaires sur l'inflation suscitent de plus en plus

LE RAS-LE-BOL DES COMBATTANTS

La « chanson de craonne »

Adieu la vie, adieu l'amour,
Adieu toutes les femmes !
C'est bien fini, c'est pour toujours
De cette guerre infâme.
C'est à Craonne, sur le plateau,
Qu'on doit laisser sa peau,
Car nous sommes tous condamnés
Nous sommes les sacrifiés.
C'est malheureux de voir sur les grands boulevards
Tous ces gros qui font la foire
Si pour eux la vie est rose,
Pour nous c'est pas la même chose
Au lieu de s'cacher, tous ces embusqués
Feraient mieux d'monter aux tranchées
Pour défendre leurs biens, car nous n'avons rien
Nous autres les pauvres purotins.
Tous les camarades sont étendus là
Pour défendre les biens de ces messieurs-là.
C'eux qu'ont le pognon, ceux-là reviendront
Car c'est pour eux qu'on crève
Mais c'est fini car les troufions
Vont tous s'mettre en grève.
Ce sera votre tour, messieurs les gros,
De monter sur l'plateau
Car si vous voulez la guerre
Payez-la de votre peau.

LE RAS-LE-BOL DE L'ARRIÈRE

Rapport du Préfet de l'Isère au ministre de l'Intérieur, 17 juin 1917.

C'est aujourd'hui une lassitude qui confine au découragement et qui a pour cause bien moins les restrictions apportées à l'alimentation publique et les difficultés d'approvisionnement que la déception causée par l'échec de l'offensive de nos armées en avril, le sentiment que des fautes militaires ont été commises, que des pertes élevées ont été subies sans profit appréciable, que tout effort nouveau serait sanglant et vain [...]. Les propos tenus par les soldats venant du front sont en grande partie la cause de cet affaissement moral de la population [...].

Dans les campagnes, l'énervement est moins sensible que dans les villes; les paysans travaillent, mais ils ne cachent pas que «ça dure trop»; [...] ils deviennent [...] indifférents aux idées d'efforts collectifs [...] aux appels patriotiques [...].

Dans les villes [...] la population [...] est plus nerveuse: les ouvriers, les gens du peuple s'indignent de la longueur de la lutte, supportent impatiemment la cherté croissante de la vie, s'irritent de voir les gros industriels travaillant pour la guerre faire des profits considérables [...]. Influencés par la révolution russe, ils rêvent déjà de comités d'ouvriers et de soldats, et de révolution sociale [...].

de **grèves**, et les partis socialistes, qui avaient concouru aux enthousiasmes d'août 1914, s'opposent de plus en plus vigoureusement à la guerre. Le Reichstag (Parlement) allemand lui-même vote une motion de paix.

Mais ces manifestations de lassitude, d'ailleurs sévèrement réprimées, comptent bien peu, pour l'issue de la guerre, à côté des deux événements cruciaux que sont le retrait de la Russie et l'intervention des États-Unis, événements qui font de 1917 une année tournante de tout le XXᵉ siècle. C'est en effet à partir de là que se mettent en place les conditions qui mèneront le monde à l'hégémonie des deux superpuissances après 1945.

La Russie, entrée en guerre en 1914, était au bord de l'**effondrement interne**. Son régime politique, totalement déconsidéré malgré les timides réformes décrétées par le tsar en 1905 (voir page 19), se révèle incapable d'organiser l'effort de guerre. L'armée, immense, est fort mal équipée (il n'y a même pas un fusil pour chaque soldat) et encore plus mal commandée par des officiers presque tous issus d'une aristocratie de plus en plus détestée. La réquisition des usines et des chemins de fer pour les besoins militaires désorganise la production et le transport des biens de première nécessité, et la famine frappe dans les villes, mal ravitaillées.

Après quelques victoires initiales, les armées russes sont arrêtées en Prusse orientale dès septembre 1914, après quoi les **défaites s'accumulent**, les désertions et les mutineries se multiplient, le moral s'effondre, les pertes humaines sont effroyables. **Deux révolutions** vont alors secouer cet immense empire jusqu'au tréfonds (voir page 84). La seconde d'entre elles, en·novembre, porte au pouvoir les **bolcheviks** qui ouvrent aussitôt des négociations séparées avec l'Allemagne. Acceptant de payer très cher une paix dont il a besoin pour faire sa révolution, le gouvernement bolchevique retire son pays du conflit par le **traité de Brest-Litovsk** en mars 1918. Dès lors, libérée du front oriental, toute l'armée allemande va refluer vers le front français, où sa supériorité sera telle qu'elle pourra emporter la décision.

C'est l'**entrée en guerre des États-Unis** qui va rendre impossible cette issue. En 1914, ceux-ci s'étaient cantonnés dans leur **isolationnisme** traditionnel face aux conflits européens, à la fois par souci de maximiser les profits qu'ils pourraient retirer de leur commerce avec toutes les parties en conflit, et parce que la composition ethnique de leur population, mélange hétérogène d'immigrés venus de tous les coins de l'Europe, leur interdisait pratiquement de prendre parti pour un côté ou pour l'autre.

La **guerre sous-marine allemande** va renverser la situation. Dès le départ, elle amène les États-Unis à orienter leur commerce extérieur très majoritairement vers les pays de l'Entente, auxquels ils vont consentir des prêts de loin supérieurs à ceux accordés aux empires centraux. Au début de 1917, les premiers atteignent 2,3 milliards de dollars, et les seconds à peine 27 millions.

Les exportations américaines
1914-1917 (premiers trimestres) en pourcentage

Destinataires	1914	1915	1916	1917
Pays de l'Entente et leurs alliés	65	74	87	89
Pays neutres	16	24	12	10
Allemagne et ses alliés	19	2	0,40	0,95

Les États-Unis ne peuvent plus, désormais, prendre le risque d'une victoire allemande : elle leur coûterait beaucoup trop cher.

Au même moment, l'Allemagne déclare la guerre sous-marine « à outrance », abandonnant la relative retenue dont elle avait fait preuve jusque-là envers les bateaux neutres. Cette décision entraîne immédiatement la **paralysie générale** dans les ports américains de la côte Est, et de proche en proche un ralentissement de toute l'économie américaine. L'**opinion publique** bascule, et le président Wilson, qui n'attendait plus que cela, déclare la **guerre à l'Allemagne** le 6 avril 1917.

Désormais, la victoire est hors de portée de l'Allemagne. L'énorme potentiel industriel et financier des États-Unis passe définitivement du côté de l'Entente. Plus lentement, la petite armée américaine de 130 000 soldats se gonfle jusqu'à plus de 3 millions, dont les premiers contingents se déploient sur les champs de bataille juste à temps pour bloquer les grandes offensives allemandes du printemps et de l'été 1918.

Au mois d'août, sentant la victoire leur échapper, les dirigeants militaires allemands quittent subitement le devant de la scène, laissant aux civils le soin de négocier un armistice avant qu'il ne soit trop tard. Les alliés turcs, bulgares, austro-hongrois ayant tour à tour déclaré forfait, la révolution ayant éclaté en Allemagne même et forcé le kaiser à abdiquer, l'**armistice** est finalement conclu et les combats s'arrêtent le 11 novembre à 11 heures du matin.

UNE GUERRE MORALE...

La présente guerre sous-marine que l'Allemagne fait au commerce est une guerre contre l'humanité. [...]
C'est une chose terrible que de conduire ce grand peuple pacifique à la guerre, à la plus effrayante et la plus désastreuse de toutes les guerres, à cette guerre dont la civilisation elle-même semble être l'enjeu. Mais le droit est plus précieux que la paix et nous combattrons pour les biens qui ont toujours été les plus chers à nos cœurs, pour la démocratie, pour le droit de ceux qui, courbés sous l'autorité, doivent avoir enfin voix dans la conduite du gouvernement, pour les droits et les libertés des petites nations, pour que le règne universel du droit, fondé sur une entente entre les peuples libres, assure la paix et la sécurité à toutes les nations et rende le monde lui-même enfin libre.

Message du président Wilson au Congrès, 2 avril 1917.

1919 : la paix ?

UELLE PAIX PEUT-ON ENVISAGER APRÈS UN PAREIL CARNAGE ? L'EUROPE EST MÉCONNAISSABLE : TOUS LES EMPIRES CONTINENTAUX DE 1914 ONT DISPARU DANS LA TOURMENTE ; LES ZONES DE COMBAT SONT RAVAGÉES JUSQU'À REVÊTIR L'APPARENCE DU SOL LUNAIRE ; LES PEUPLES, SAIGNÉS COMME DU BÉTAIL, SONT EN ÉTAT DE CHOC ; LES ÉCONOMIES SONT RUINÉES ; LA PENSÉE ELLE-MÊME EST DÉSEMPARÉE.

LES TRAITÉS

En entrant en guerre, les États-Unis avaient annoncé **une paix d'un type nouveau**, basée sur des principes moraux et politiques de haute tenue : liberté des mers, suppression des barrières économiques, droit des peuples à l'autodétermination, désarmement, création d'une « association générale des nations » pour assurer la paix et la sécurité à tous les États (les « Quatorze Points » du président Wilson). C'est sur cette base que s'ouvre à Paris, en janvier 1919, une énorme conférence internationale réunissant plus de mille délégués de 27 États ou nations, sans compter d'innombrables délégations « officieuses », dont celles des vaincus, qui ne sont pas invités.

Les positions des ex-belligérants sont fort inégales. La **France**, qui fait figure de grand vainqueur, est, en fait, **épuisée**. Sur le front occidental, toute la guerre s'est déroulée sur son sol, dans une région à la fois peu étendue et extrêmement riche qui a été ravagée au point où l'on se demande si les terres ne pourront jamais être remises en culture. Proportionnellement à sa population, elle a perdu

L'APPARENCE DU SOL LUNAIRE...

Photo d'un champ de bataille, 1916.

plus d'hommes que l'Allemagne vaincue. La **Grande-Bretagne**, second grand vainqueur, n'a presque pas connu de destructions chez elle, et a perdu somme toute un nombre plutôt limité de soldats. En revanche, sa **situation financière** est profondément détériorée, elle est lourdement endettée et sa prépondérance mondiale est, à terme, condamnée.

Le grand, l'absolu vainqueur, ce sont les **États-Unis**. Créanciers de l'Europe pour plus de 10 milliards de dollars, ils jouissent d'une économie considérablement développée par l'effort de guerre, d'une armée à peine touchée par les combats, d'un sol inviolé et de marchés extérieurs agrandis par le recul des Britanniques. De plus, ils sont en **position d'arbitrage**, car c'est leur intervention qui a décidé de l'issue de la guerre et ils ont annoncé un programme de paix (les « Quatorze Points ») qui tranche de très loin, par sa hauteur de vues, avec les petites mesquineries territoriales dont l'Europe est friande.

LE PROGRAMME DE PAIX DE WILSON

[...] Ce que nous voulons, c'est que le monde devienne un lieu sûr où tous puissent vivre, un lieu possible spécialement pour toute nation éprise de la paix, comme la nôtre, pour toute nation qui désire vivre librement de sa vie propre, décider de ses propres institutions, et être sûre d'être traitée en toute justice et loyauté par les autres nations au lieu d'être exposée à la violence et aux agressions égoïstes de jadis [...]. C'est donc le programme de la paix du monde qui constitue notre programme. Et ce programme, le seul possible selon nous, est le suivant :

1) Des conventions de paix, préparées au grand jour ; après quoi il n'y aura plus d'en-tentes particulières et secrètes d'aucune sorte entre les nations, mais la diplomatie procédera toujours franchement et en vue de tous.

2) Liberté absolue de la navigation sur mer, en dehors des eaux territoriales, aussi bien en temps de paix qu'en temps de guerre [...].

3) Suppression de toutes les barrières économiques et établissement de conditions commerciales égales pour toutes les nations consentant à la paix et s'associant pour son maintien.

4) Échange de garanties suffisantes que les armements seront réduits au minimum compatible avec la sécurité intérieure.

5) Un arrangement librement débattu de toutes les revendications coloniales, basé sur la stricte observation du principe que, dans le règlement de ces questions de souveraineté, les intérêts des populations en jeu pèseront d'un même poids que les revendications équitables du gouvernement dont le titre sera à définir. [...]

14) Il faut qu'une association générale des nations soit constituée en vertu de conventions formelles ayant pour objet d'offrir des garanties mutuelles d'indépendance politique et d'intégralité territoriale aux petits comme aux grands États.

Discours des « Quatorze Points » de Wilson devant le Congrès des États-Unis, 8 janvier 1918.

Du côté des vaincus, l'**Empire ottoman** a déjà perdu ses possessions arabes, et sa capitale, Constantinople, est occupée par les armées victorieuses. De son côté, l'**Empire austro-hongrois** n'existe plus dans les faits, depuis la proclamation à Prague d'une république tchécoslovaque, la sécession de la Hongrie et la révolution qui a chassé de Vienne l'empereur Charles et proclamé la république d'Autriche.

Quant à l'**Allemagne**, elle se trouve dans une situation assez étrange. Faisant figure de grande vaincue (et de grande accusée), elle **n'a pourtant pas été, sur le terrain, vraiment battue**. Son sol n'a été violé par aucun soldat ennemi, ses destructions sont minimes et ses pertes en hommes sont inférieures à celles de la France en proportion de sa population. Elle est toutefois en état de **révolution intérieure** (les « spartakistes » sont maîtres de Berlin). Dès l'armistice, l'armée allemande, soulagée de la guerre extérieure, est retournée contre l'agitation intérieure, dans une véritable guerre civile qui affaiblit pendant des mois le nouveau gouvernement républicain.

Les négociations, et les traités qui en sortent, sont à l'image de ces rapports de forces et, aussi, de la difficulté d'inscrire concrètement, dans la réalité des choses, un principe comme celui des nationalités, qui exige que chaque nationalité dispose d'un État souverain, ou à tout le moins d'une très large mesure d'autonomie intérieure.

Plusieurs traités sont signés, dont le plus important est celui de **Versailles**, avec l'**Allemagne**. Celle-ci perd un certain nombre de **territoires** (14 % du total), dont au premier chef l'Alsace-Lorraine, remise à la France. Plus grave peut-être : elle est **désarmée**, ses forces étant plafonnées à 100 000 volontaires et dépourvues de matériel lourd, de chars, d'avions et de sous-marins, et toutes ses frontières sont démilitarisées. On lui confisque tous ses avoirs à l'étranger, toute sa flotte de commerce et tous ses brevets. Il y a pire encore : déclarée officiellement **responsable** de la guerre, et forcée à se reconnaître telle puisqu'elle devra signer le traité, l'Allemagne est astreinte à des **réparations** dont le montant n'est pas fixé.

De **nouveaux pays** voient le jour. Aux pays baltes (**Estonie**, **Lettonie**, **Lituanie**) détachés de l'Empire russe s'ajoutent la **Pologne**, dotée d'un corridor d'accès à la mer Baltique qui coupe l'Allemagne en deux morceaux, la **Tchécoslovaquie**, une **Autriche** et une **Hongrie** nouvelles, ainsi que la **Yougoslavie**, qui regroupe, autour des Serbes aux vastes ambitions, plusieurs autres peuples slaves du sud. La Roumanie, battue militairement mais alliée des vainqueurs, voit sa superficie doublée au détriment de la Hongrie. La **Turquie** regroupe les seules possessions turques de l'Empire ottoman disloqué. Au **Moyen Orient**, les territoires arabes de l'Empire ottoman sont répartis entre Français et Britanniques sous la forme de « **mandats** ». Il s'agit d'une sorte de fiction juridique par laquelle un pays reçoit de la communauté internationale le mandat d'administrer, sans limite de temps, un territoire où la population n'est prétendument pas encore « prête » pour l'indépendance. En Afrique et en Asie, toutes les **colonies allemandes** sont également remises sous forme de mandats à l'un ou à l'autre des pays vainqueurs.

Enfin, tous les traités contiennent une même section, portant sur la création d'une **Société des Nations** et pourvoyant à son organisation interne (voir page 102). Assez bizarrement, ils font ainsi de la Société des Nations un des éléments de la « punition » infligée aux vaincus, qui en sont exclus tout en étant soumis à ses règles...

L'EUROPE DES TRAITÉS

Au total, ne serait-ce que du point de vue des nationalités, l'Europe issue des traités de 1919-1920 semble mieux dessinée que celle de 1914. Les populations en situation de minorités nationales ont été réduites de 50 %. Et pourtant, aucune paix, peut-être, ne sera plus critiquée que celle-là, et dans vingt ans seulement l'Europe s'embrasera de nouveau tout entière. C'est que les traités contiennent au moins trois faiblesses qui les rendent caducs dès leur signature.

Une première faiblesse concerne le **tracé des frontières**. On avait annoncé, promis même, que celles-ci suivraient désormais les **lignes des nationalités**. Mais l'accomplissement de cet engagement se révéla une **tâche impossible**, particulièrement en Europe centrale : il aurait fallu diviser des villes, des rues, des maisons même. Finalement, le principe a donc été bafoué à peu près partout et les peuples lésés, justement parce qu'on leur avait fait miroiter de grands espoirs, se sentirent plus frustrés que jamais.

Or, il se trouve que les plus graves entorses au principe des nationalités frappent **les Allemands** : ils se retrouvent, nombreux, dans ce **corridor** donné à la Pologne pour lui permettre l'accès à la mer; ce sont eux qui habitent les **monts de Bohême** incorporés à la Tchécoslovaquie; ce sont eux encore qui peuplent, seuls maintenant, la nouvelle **Autriche**, à qui les traités interdisent pourtant de se réunir à l'Allemagne (Anschluss). Cette interdiction est d'autant plus aberrante que, coupée désormais de l'arrière-pays qui avait fait la force de l'Empire austro-hongrois, l'Autriche n'est plus un pays très viable.

Pour rendre les choses encore plus difficiles, on a multiplié comme à plaisir les **contradictions**. Pour justifier le tracé du corridor polonais, on a invoqué le principe, éminemment valable, de l'accès à la mer. Mais l'Autriche et la Hongrie sont, elles, coupées de tout accès à la mer. Dans les monts de Bohême, on a invoqué le principe, valable également, d'une frontière naturelle plus facile à défendre, principe aussitôt renié pour la frontière entre la Hongrie et la Roumanie. Une telle accumulation de contradictions enlevait au traité toute crédibilité morale.

Une seconde faiblesse touche à la question de la déclaration de **responsabilité de l'Allemagne** et des **paiements de réparation** qui en découlent. D'abord, le fameux article 231 du traité, qui établit la responsabilité première de l'Allemagne dans le déclenchement du conflit est, d'emblée, tout à fait abusif. Et de faire accepter au peuple allemand tout entier, sous la menace de la force, ce qui constitue une grossière distorsion de l'histoire, est encore plus abusif. Surtout que sur cette déclaration « morale » se greffe une série de clauses tout à fait concrètes, selon lesquelles l'Allemagne devra remettre aux vainqueurs d'énormes quantités de matériel (bateaux de pêche, bétail, locomotives et wagons) et, surtout, signer une sorte de **chèque en blanc** pour un montant à fixer ultérieurement par une Commission des réparations où l'Allemagne ne siégera pas.

Toutes ces faiblesses nous amènent finalement à une dernière, la plus globale, la plus irrémissible. Un traité n'est toujours, en fin de compte, que la transcription juridique d'un rapport de force donné, dans telle ou telle conjoncture historique, et ne peut durer que tant que ce rapport reste inchangé. Or, dans le cas de l'Allemagne, le traité de Versailles est déjà, avant même que les chefs d'État y apposent leur signature, en porte-à-faux sur l'état réel des forces.

Car l'Allemagne, il faut bien le répéter, **n'a pas été vraiment battue** en 1918. Son armée se repliait en bon ordre et n'avait pas perdu sa cohésion au moment de l'armistice. Plus important encore : sur le plan psychologique, le peuple allemand n'a absolument pas conscience d'avoir été vaincu, et les manifestations de joie n'ont pas été moins tonitruantes à Berlin qu'à Paris ou à Londres, ce 11 novembre.

Or, en dépit de cette réalité, le traité représente un véritable **écrasement diplomatique**, mis au point sans aucune participation de l'Allemagne et présenté comme un seul bloc, à prendre ou à laisser, sous la menace d'une

RESPONSABILITÉ ET RÉPARATIONS

Extrait du traité de Versailles, partie VIII :

Article 231. Les Gouvernements alliés et associés déclarent et l'Allemagne reconnaît que l'Allemagne et ses alliés sont responsables, pour les avoir causés, de toutes les pertes et de tous les dommages subis par les Gouvernements alliés et associés et leurs nationaux, en conséquence de la guerre qui leur a été imposée par l'agression de l'Allemagne et de ses alliés.
Article 232. Les Gouvernements alliés et associés exigent et l'Allemagne en prend l'engagement que soient réparés tous les dommages causés à la population civile des Puissances alliées et associées et à ses biens.
Art. 233 Le montant des dits dommages, pour lesquels réparation est due par l'Allemagne, sera fixé par une commission interalliée qui prendra le titre de Commission des réparations [...].

UN DIKTAT

Jamais une paix aussi acca-blante et aussi ignominieuse n'a été infligée à un peuple avec plus de brutalité que la paix honteuse de Versailles au peuple alle-mand. Dans toutes les guerres des derniers siècles, des négocia-tions entre vainqueurs et vaincus avaient précédé la conclusion de la paix. Mais une paix sans négociations préalables, une paix dictée comme celle de Versailles, est aussi peu une vraie paix qu'il n'y a transfert de propriété lorsqu'un brigand renverse à terre un malheureux et le contraint ensuite à lui remettre son porte-monnaie.

[...] Pour garder le géant enchaîné, on a mis deux sbires à ses flancs, la Pologne et la Tchécoslovaquie, qui ont reçu le droit, conservé aussi par les vainqueurs, d'augmenter libre-ment leurs forces militaires, tandis que notre armée, autre-fois la plus forte et la plus brave du monde, était réduite à n'être qu'une force de police à peine suffisante pour maintenir l'ordre à l'intérieur.

B. VON BÜLOW
op. cit., p. 49.

reprise de la guerre. Aux yeux des Allemands, ce n'est pas un traité : c'est un **diktat**, imposé par un vainqueur arrogant et cupide. Jamais ils ne pourront l'accepter. Et il se trouve que le gouvernement qui, malgré ses protes-tations, se voit finalement dans l'obligation d'avaler cette humiliation, est le premier gouvernement démocratique et socialiste de l'histoire de l'Allemagne. Mauvais présage.

Allons plus loin. A-t-on même suffisamment affaibli l'Allemagne pour que sa volonté de revanche, inaltérable, ne soit pas en mesure de s'exercer ? Malgré ses pertes territoriales, l'Allemagne demeure, et de loin, le pays le plus peuplé, le plus vaste, et l'un des plus riches de toute l'Europe à l'ouest de la Russie. Les intérêts économiques, de même que la crainte de voir le pays basculer dans le communisme, font que le traité stimule la volonté de revanche de l'Allemagne, mais **sans lui enlever les moyens** de cette revanche. Erreur capitale, irrémédiable.

1919 : la paix ? Le maréchal Foch dira : « Une trêve, pour 20 ans »...

BILAN ET RÉPERCUSSIONS

La Grande Guerre, à la fois par son bilan et par ses répercussions, laisse une marque indélébile sur l'histoire du XXe siècle.

LES MOYENS DE LA REVANCHE

La paix conserve et resserre l'unité de l'État allemand. Voilà ce qu'elle a de doux. Cette concession essentielle n'aggrave pas seulement, pour le désarmement, les difficultés de la surveillance. Nous répétons que la puissance politique engendre toutes les autres, et un État de soixante millions d'hommes, le plus nombreux de l'Europe occidentale et centrale, possède dès main-tenant cette puissance politique. Tôt ou tard, l'Allemagne sera tentée d'en user. Elle y sera même poussée par les justes duretés que les alliés ont mises dans les autres parties de l'acte de Versailles. Tout est disposé pour faire sentir à 60 millions d'Allemands qu'ils subissaient en commun, indivisiblement, un sort pénible. Tout est disposé pour leur donner l'idée et la faculté de s'en affranchir, et les entraves elles-mêmes serviront de stimulant.

J. BAINVILLE
Journal, Paris, Plon.

**LA PAIX ET LA FUTURE
CHAIR À CANON**

*« Curieux, je crois entendre un enfant
pleurer », dit Clemenceau à Orlando,
Lloyd George et Wilson.
Cet enfant aura 20 ans en 1940.
Caricature de Will Dyson dans le
Daily Herald, 1919.*

Le **bilan humain**, d'abord, est effroyable. **Dix millions de morts** et un grave déficit des naissances vont amener un bouleversement démographique sans précédent, immédiatement visible sur la pyramide des âges. La France est la plus durement touchée, et le vieillissement prématuré de sa population engendre une gérontocratie■ peu dynamique et dont l'obsession première sera de revenir à une « Belle Époque » pourtant définitivement révolue. D'autre part, **21 millions de blessés**, que l'État

■ **Gérontocratie**
Gouvernement exercé par des vieillards et généralement marqué par son immobilisme.

Les pertes des principaux belligérants durant la Grande Guerre

Pays	Morts et disparus (en milliers)	Pourcentage des morts et disparus par rapport à la population active	Pourcentage des morts et blessés par rapport au total des appelés
France	1 400	10,5	60
Royaume-Uni	744	5,1	37
Italie	750	6,2	—
États-Unis	68	0,2	—
Allemagne	2 000	9,8	41
Autriche-Hongrie	1 543	9,5	38

Les répercussions démographiques

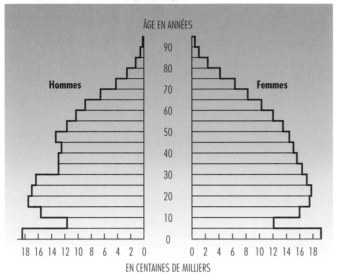

ÂGE EN ANNÉES

Hommes   Femmes

90
80
70
60
50
40
30
20
10
0

18 16 14 12 10 8 6 4 2 0   0 2 4 6 8 10 12 14 16 18

EN CENTAINES DE MILLIERS

PYRAMIDE DES ÂGES EN FRANCE EN 1926

Les effets de la guerre sont visibles dans le déséquilibre entre les hommes et les femmes, dans le déficit des naissances et surtout dans le « creux » de la tranche d'âge des 30-50 chez les hommes.

va s'engager à secourir, vont peser lourdement sur les budgets sociaux, tout autant que sur le maintien à vif de lancinants souvenirs dans la psychologie collective.

Soumise au choc de la guerre, **la société est déstabilisée** par les scandaleux profits engrangés par les profiteurs de guerre, banquiers, commerçants, gros fermiers ou industriels fournisseurs des armées et des gouvernements, qui affichent volontiers leur « réussite », suscitant la rancœur des combattants et de ceux que la guerre a appauvris. Ceux-ci se recrutent chez les rentiers, dont les revenus fixes ont été rongés par l'inflation, et les salariés, dont le pouvoir d'achat s'est considérablement réduit (de 25 % en Italie et en Allemagne). Enfin, la guerre **donne aux femmes une place nouvelle** dans la société. Le travail féminin s'est généralisé, même dans les classes bourgeoises, et les professions libérales s'ouvrent timidement aux femmes, dont l'émancipation se traduit par l'apparition de la « garçonne » aux cheveux courts qui scandalise par sa liberté d'allure.

Le **bilan économique** est lourd. Destructions matérielles inouïes (mais la Seconde Guerre mondiale fera beaucoup mieux...), endettement phénoménal même chez les pays vainqueurs, dévaluation de la monnaie et inflation, démantèlement d'espaces économiques bien intégrés, particulièrement en Europe centrale, perte de marchés internationaux au profit des États-Unis et du Japon : l'économie européenne vient de vivre une secousse dont elle ne se relèvera peut-être jamais, du moins à l'échelle mondiale. Par ailleurs, les nécessités de l'effort de guerre ont amené les États à intervenir de façon massive dans le jeu des forces économiques, innovation capitale pour l'avenir.

Le **bilan politique** n'est pas moins important. Sur le plan des régimes politiques, avec la disparition de tous les empires, la guerre semble se solder par une victoire de la

LES NOUVEAUX RICHES

Le souci du profit individuel, qui est à la base des sociétés modernes, a trouvé dans la guerre prolongée et dans l'après-guerre l'occasion inespérée et facile de se déchaîner furieusement. Tandis que sur les rives boueuses de l'Yser, dans les boyaux humides et gluants de l'Artois, de la Champagne et de l'Argonne, dans les cols neigeux des Vosges, les jeunes hommes et même les territoriaux aux tempes grisonnantes tombaient par milliers, à l'arrière, calfeutrés dans leur luxueux embusquage, féodaux de l'industrie et mercantis du négoce concluaient avec l'Intendance de savants et fructueux contrats de fournitures et pêchaient dans la défense nationale les fortunes les plus rapides et les plus éhontées. Dans l'après-guerre, le même mercantilisme continue. Des intermédiaires parasites, des commerçants occasionnels, des spéculateurs sans vergogne, étrangers à toute production et à tout travail, ne s'emmillionnent-ils pas chaque jour sous nos yeux, profiteurs cyniques et jamais rassasiés auxquels le législateur ne sait pas ou ne veut pas faire rendre gorge et qui, sur les places publiques de la cité, étalent insolemment le scandale de leurs rapines doublées du scandale de leur impunité ? [...] Ainsi derrière le paravent de la grande guerre [...] se profile la ruée formidable et précipitée des appétits, des convoitises et des cupidités.

A. ZEVAES
(historien socialiste),
Histoire de la IIIᵉ République, 1925.

démocratie, ce que les vainqueurs ne manquent pas de célébrer avec ostentation. Et pourtant, avec les entorses à la démocratie parlementaire que la guerre a entraînées, avec la révolution bolchevique dont elle a favorisé l'éclatement, avec les frustrations et les humiliations nationales que les traités ont provoquées, avec la crise idéologique et morale qui se développe au sortir de la guerre, **cette victoire de la démocratie n'est qu'un leurre**. Dans vingt ans, à part quelques rares exceptions, tous les pays d'Europe auront basculé dans des régimes dictatoriaux à côté desquels ceux qui sont disparus pendant la guerre paraîtront comme des paradis de liberté.

À l'échelle mondiale, la Première Guerre marque le **véritable début du déclin de l'Europe**, que la Deuxième mènera à son terme. L'Europe a perdu sa prépondérance économique et a dû se mettre en état de dépendance, particulièrement face aux États-Unis, à la fois pour son ravitaillement, pour sa production industrielle et pour son approvisionnement en capitaux. New York va supplanter Londres comme première place financière du monde, tandis que le dollar américain concurrence la livre sterling comme monnaie de change internationale. Même dans leurs propres colonies, les pays européens ont vu pâlir leur autorité morale, et les sacrifices qu'ils ont exigés des peuples colonisés provoquent chez ces derniers des aspirations nouvelles, peu compatibles avec le maintien des

LE DÉCLIN DE L'EUROPE

Dès 1920, un géographe s'interroge...

Jusqu'ici c'était un fait élémentaire de géographie économique que l'Europe dominait le monde de toute la supériorité de sa haute et antique civilisation. Son influence et son prestige rayonnaient depuis des siècles jusqu'aux extrémités de la terre. Elle dénombrait avec fierté les pays qu'elle avait découverts et lancés dans le courant de la vie générale, les peuples qu'elle avait nourris de sa substance et façonnés à son image, les sociétés qu'elle avait contraintes à l'imiter et à la servir.

Quand on songe aux conséquences de la Grande Guerre, qui vient de se terminer, sur cette prodigieuse fortune, on peut se demander si l'étoile de l'Europe ne pâlit pas et si le conflit dont elle a tant souffert n'a pas commencé pour elle une crise vitale qui présage la décadence. En décimant ses multitudes d'hommes, vastes réserves de la vie où puisait le monde entier; en gaspillant ses richesses matérielles, précieux patrimoine gagné par le travail des générations; en détournant pendant plusieurs années les esprits et les bras du labeur productif vers la destruction barbare; en éveillant par cet abandon les initiatives latentes ou endormies de ses rivaux, la guerre n'aura-t-elle pas porté un coup fatal à l'hégémonie de l'Europe sur le monde?

ALBERT DERNANGEON
Le déclin de l'Europe, 1920.
Cité dans *Les mémoires de l'Europe*,
t. VI, Paris, Robert Laffont, 1973.

vieilles soumissions. Au Moyen-Orient, en Inde, dès 1919, les premières manifestations nationalistes annoncent des temps nouveaux et difficiles (voir chapitre suivant).

Enfin, la guerre provoque une profonde **crise de civilisation**. Toutes les bases idéologiques de la civilisation européenne ont été mises à mal. La croyance dans les capacités de la raison humaine, la foi dans le progrès, la conviction que la science amènerait une vie meilleure, ont été oblitérées par ce long carnage inutile, par l'exaltation du militarisme et de la violence aveugle, par le bourrage de crâne et la censure, par le déchaînement de nationalismes exaspérés jusqu'à l'inconscience. Le **désarroi des esprits** est grand, d'autant plus que ce sont probablement les intellectuels qui, après les paysans, ont payé le plus lourd tribut, du moins en France, où la moitié des dix promotions des « grandes écoles » précédant le conflit ont été fauchées sur les champs de bataille.

Ainsi, privée des certitudes et des espoirs qu'elle portait depuis l'époque des Lumières, l'Europe de 1919 sombre dans un pessimisme qui constitue pour l'avenir immédiat un très lourd présage.

LE DÉSARROI

Il n'a pas suffi à notre génération d'apprendre par sa propre expérience comment les plus belles choses et les plus antiques, et les plus formidables et les mieux ordonnées sont périssables par accident, elle a vu, dans l'ordre de la pensée, du sens commun, et du sentiment, se produire des phénomènes extraordinaires, des réalisations brusques de paradoxes, des déceptions brutales de l'évidence.

Je n'en citerai qu'un exemple: les grandes vertus des peuples allemands ont engendré plus de maux que l'oisiveté jamais n'a créé de vices. Nous avons vu, de nos yeux vu, le travail consciencieux, l'instruction la plus solide, la discipline et l'application les plus sérieuses, adaptés à d'épouvantables desseins.

Tant d'horreurs n'auraient pas été possibles sans tant de vertus. Il a fallu, sans doute, beaucoup de science pour tuer tant d'hommes, dissiper tant de biens, anéantir tant de villes en si peu de temps: mais il a fallu non moins de qualités morales. Savoir et Devoir, vous êtes donc suspects?

P. VALÉRY
« La crise de l'esprit », dans *Variété*, Paris, Gallimard, 1924.

11 novembre 1918...

Les cloches sonnaient. Le canon tonnait. Le travail s'était arrêté net [...]. [...] ne résistant plus à la frénésie des Parisiens que je percevais jusque dans ma retraite, je sortis à mon tour. Bientôt je fus entraînée, bousculée par une foule qui hurlait de joie et de haine. Sans doute était-elle belle cette déferlante mer humaine avec ses drapeaux, ses poilus portés en triomphe, ses armes prises à l'ennemi et traînées le long des trottoirs, ses fanfares, ses embrassades, ses farandoles et ses femmes en deuil. Elle me parut affreuse. Pire ! Imbécile. Elle fêtait une victoire aux vertus de laquelle, certes, j'avais cru, à laquelle j'avais collaboré de toutes mes forces minuscules ; mais, de seconde en seconde, cette victoire me paraissait moins digne d'être célébrée. Ces manifestants étaient des sauvages. Ils glorifiaient leur manque de sagesse, le triomphe de leur agressivité... Une bande de manifestants fit irruption dans le café où je rêvais, le cœur et l'esprit torturés :
– À boire ! hurlèrent-ils au patron. À boire pour cette gueule cassée !
Ils encadraient avec mille précautions un soldat dont la mâchoire fracassée et l'œil atteint avaient été tant bien que mal raccommodés. Le malheureux fut assis sur le comptoir. Un loustic sonna du cor. Les bouchons sautèrent et le rite du champagne les absorba tous.
Mon croissant me resta dans la gorge. J'étais seule.
Je ne pensais comme personne.

LOUISE WEISS
Mémoires d'une Européenne
Cité dans *Les Mémoires de l'Europe*, t. VI, Paris, Robert Laffont, 1973.

Conclusion

Déclenché dans un contexte de domination mondiale de l'Europe, le premier conflit mondial a profondément modifié la géographie politique du continent, déstabilisé ses sociétés, secoué son économie, ébranlé sa civilisation. Ce faisant, il a amorcé de façon irréversible son déclin à l'échelle mondiale, tout en s'achevant sur des solutions diplomatiques qui, par leurs faiblesses même, préparent un autre conflit, plus effroyable encore.

Questions de révision

1. Quelles sont les trois grandes explications globales qui divisent les historiens quant aux origines de la Grande Guerre ?

2. Expliquez les trois rivalités majeures qui opposent les grandes puissances européennes au début du XXe siècle.

3. Décrivez le climat de « paix armée » qui précède le conflit.

4. Comment peut-on départager les responsabilités dans le déclenchement des hostilités ?

5. Quelles sont les caractéristiques qui valent à ce conflit le qualificatif de « guerre totale » ?

6. Expliquez comment la participation du Canada à la guerre déclenche une crise majeure à l'intérieur du pays.

7. Dégagez l'importance de l'année 1917 dans l'évolution du conflit et pour la suite de l'histoire du XXe siècle.

8. Décrivez les positions respectives des ex-belligérants au moment où s'ouvre la conférence de Paris.

9. Quels sont les principaux éléments du traité de Versailles, et comment peut-on affirmer que ce traité « stimule la volonté de revanche de l'Allemagne sans lui enlever les moyens de cette revanche » ?

10. Analysez les grandes faiblesses de la Paix de 1919.

11. Dressez un bilan général de la Grande guerre.

3

L'APRÈS-GUERRE, 1919-1929

L'ÉVÉNEMENT DE LOIN LE PLUS IMPORTANT QUI DÉCOULE DE LA GRANDE GUERRE EST SANS CONTREDIT LA RÉVOLUTION RUSSE, QUI VA MARQUER L'ENSEMBLE DU SIÈCLE D'UNE FAÇON FONDAMENTALE À PARTIR DE 1917, LA VIE DE TOUS LES PEUPLES, DE TOUTES LES SOCIÉTÉS, SERA TOUCHÉE DE PLUS OU MOINS PRÈS PAR CET ÉVÉNEMENT, UNIQUE DANS L'HISTOIRE UNIVERSELLE ❧ PENDANT QUE COMMENCE À SE DÉVELOPPER L'EXPÉRIENCE BOLCHEVIQUE, LE MONDE OCCIDENTAL ESSAIE TANT BIEN QUE MAL DE « REVENIR À LA NORMALE » ET DE SE GRISER POUR OUBLIER L'HÉCATOMBE QUI VIENT DE SE TERMINER ❧ DANS LES MONDES DOMINÉS, LES PREMIERS GRANDS MOUVEMENTS RÉVOLUTIONNAIRES AMORCENT CEPENDANT DES CHANGEMENTS QUI TÉMOIGNENT DÉJÀ DE L'IMPACT DE LA GUERRE SUR LES GRANDS ÉQUILIBRES MONDIAUX ❧

11 NOVEMBRE 1918
*Ces foules en liesse savent-elles a quel
point le monde a changé ?*

*L*a révolution russe ne pouvait pas être un fait purement russe, n'intéressant que l'histoire nationale de
la Russie : c'est en Russie que triomphe un phénomène international par un concours fortuit de
circonstances — la guerre, la défaite, la mauvaise
organisation militaire, l'absence de traditions
démocratiques. Mais elle aurait pu tout aussi bien commencer
ailleurs. C'est une révolution qui se veut universelle. D'emblée, la
révolution russe et son avenir sont solidaires du reste de l'Europe.
Réciproquement, en butte à l'hostilité des Alliés, le gouvernement
bolchevique cherche à se donner de l'air en provoquant des révolutions qui
fassent diversion. Les communistes russes ont la conviction de proposer au
monde un exemple de portée universelle. Une partie des masses ouvrières a les yeux tournés vers ce qui se passe en Russie. C'est une expérience grosse d'espérances. Ces « dix jours qui ébranlèrent le monde » provoquent ailleurs des répercussions et des contre-coups. La révolution russe apparaît à l'opinion démocra-tique ou socialiste de l'Occident comme l'héritière des révolu-tions de 1789 et de 1848. Le mythe de la révolution sovié-tique cristallise les aspirations au renouveau, à la paix, à l'internationalisme.

R. RÉMOND
Introduction à l'histoire de notre temps, t. 3, Paris,
Éd. du Seuil, 1974.
(Coll. « Points-Histoire », H14)

CHRONOLOGIE

1 9 1 7

Révolutions de février (mars) et d'octobre (novembre) en Russie

Déclaration Balfour sur la Palestine

1 9 1 8

Dictature bolchevique en Russie, début de la guerre civile

1 9 1 9

Insurrection spartakiste à Berlin

« Mouvement du 4 mai » en Chine

Instauration des mandats au Moyen-Orient

Constitution de la république de Weimar en Allemagne

Fondation des « Faisceaux italiens de combat » par Mussolini

Rejet du traité de Versailles par le Sénat des États-Unis

1 9 2 0

Retour au pouvoir des républicains aux États-Unis

Traité de Sèvres concernant la Turquie

1 9 2 1

Victoire des bolcheviks, mutinerie de Cronstadt et NEP en Russie

Conférence de Washington

Guerre gréco-turque

1 9 2 2

Naissance de l'URSS

1 9 2 2 - 1 9 2 3

Hyper-inflation en Allemagne

1 9 2 3

Traité de Lausanne avec la Turquie (annulant le traité de Sèvres)

Proclamation de la république de Turquie

1 9 2 4

Plan Dawes pour le paiement des réparations allemandes

Mort de Lénine, début de la lutte pour sa succession

1 9 2 5

Traité de Locarno

Mort de Sun Yat-sen, Tchang Kaï-chek chef du Guomindang

1 9 2 7

Staline installe son pouvoir personnel

Rupture entre le Guomindang et les communistes

1 9 2 8

Pacte Briand-Kellogg

1 9 2 9

Plan Young pour le paiement des réparations allemandes

Krach de Wall Street, début de la crise économique

1 9 3 4 - 1 9 3 5

« Longue Marche » des communistes chinois

La naissance du système soviétique, 1917-1929

L'ÉCLATEMENT ET LE DÉROULEMENT DE LA RÉVOLUTION RUSSE SONT INTIMEMENT LIÉS À LA GUERRE. DÈS LE DÉPART, LES FAIBLESSES ÉCONOMIQUES ET TECHNOLOGIQUES DE LA RUSSIE LA RENDAIENT INCAPABLE DE SOUTENIR L'ÉNORME EFFORT QUE NÉCESSITE UNE GUERRE MODERNE, ET ON A VU COMMENT CETTE GUERRE AVAIT RAPIDEMENT TOURNÉ EN DÉBANDADE GÉNÉRALE DES ARMÉES RUSSES SUR LE FRONT ET EN DÉSORGANISATION COMPLÈTE DE L'ÉCONOMIE INTÉRIEURE (VOIR PAGE 63).

LES RÉVOLUTIONS DE 1917-1918

Plusieurs **foyers d'agitation** contre le tsarisme, déjà à l'œuvre bien avant la guerre, vont être galvanisés par la longue suite de défaites auxquelles le tsar lui-même fait l'erreur de s'associer en assumant personnellement la direction des opérations, sur le front, en 1915. Agitation des **nobles libéraux** et des **bourgeois** pour des réformes constitutionnelles de type parlementaire, agitation des **étudiants** contre la censure, agitation des **ouvriers** pour l'amélioration des conditions de travail et des protections sociales, et surtout, dans cette société où ils forment 85 % de la population, agitation des **paysans** contre les grands propriétaires. S'ajoutent à cela l'agitation des **soldats** sacrifiés sans pitié dans des batailles toujours perdues, et celles de différentes **minorités nationales** ou religieuses contre la russification brutale menée par le pouvoir (Polonais, Ukrainiens, montagnards du Caucase, musulmans). Toutes ces turbulences, alimentées par un grand nombre de mouvements et de partis politiques et fouettées par le désastre militaire, vont culminer et fusionner en 1917.

Après deux années et demie de défaites militaires et de difficultés de ravitaillement qui ont provoqué de graves disettes dans les villes, la première explosion a lieu en

Les partis politiques

COURANT LIBÉRAL	
Parti	Constitutionnel-Démocrate (KD) ou «Cadet»
Principal leader	Milioukov
Audience	Bourgeoisie
Programme	Régime parlementaire de type occidental
Méthode	Opposition parlementaire légale à la douma

COURANT SOCIALISTE 1	
Parti	Socialiste-Révolutionnaire (SR)
Principal leader	Kerensky
Audience	Paysannerie
Programme	Partage gratuit des terres
Méthode	Agitation paysanne, assassinats terroristes

COURANT SOCIALISTE 2		
Parti	Social-Démocrate (SD)	
Principaux leaders	Martov (menchevique)	Lénine (bolchevique)
Audience	Prolétariat ouvrier	
Programme	Collectivisation des terres, des moyens de production et d'échange sans indemnité	
Méthode	Alliance tactique avec les libéraux	Révolution et dictature du prolétariat

mars : c'est la **Révolution de février** (le calendrier russe de cette époque « retarde » de treize jours sur le calendrier occidental, que nous adoptons ici). Le 7 mars, à Petrograd (ex-Saint-Pétersbourg), des émeutes de la faim éclatent, menées surtout par des femmes, dans les interminables files d'attente devant des magasins toujours vides. Le lendemain, journée internationale des femmes, les manifestations continuent, avec cette fois participation des ouvriers, dont le mouvement de grève se généralise rapidement. Le 12 mars, le tsar ordonne à l'armée d'ouvrir le feu, mais les soldats refusent et se joignent aux manifestants. Trois jours plus tard, le tsar abdique et la Russie se retrouve brusquement en république. Une semaine d'émeutes a mis fin à cinq siècles d'autocratie.

Alors, à la vitesse de l'éclair, cet immense empire sombre dans l'**anarchie la plus complète**. Dans les **campagnes**, les paysans procèdent déjà au **partage spontané des terres** ; dans les **usines**, des comités ouvriers prennent la direction des opérations et chassent patrons, cadres et techniciens ; dans l'**armée**, les soldats se constituent en comités et élisent leurs officiers. À Petrograd, un gouvernement provisoire hâtivement constitué par la douma tente de remplir le vide du pouvoir avec un projet de démocratie parlementaire libérale inspiré des modèles occidentaux, et amorce le processus d'élection d'une assemblée constituante.

Cependant, face au **gouvernement provisoire** dirigé par Alexandre Kerenski (1881-1970), un contre-pouvoir se lève aussitôt : le **soviet de Petrograd**, formé de délégués des ouvriers en grève et des soldats mutinés, et qui, se prévalant de la volonté populaire qu'il prétend incarner, prend des décisions qui contredisent ou dépassent celles prises par le gouvernement provisoire. Bientôt, toutes les grandes villes auront leur soviet et personne ne sait plus qui dirige le pays, ou plutôt, personne n'arrive effectivement à le faire.

12 MARS 1917

Les soldats se rallient à la foule.

L'APPEL DU SOVIET DE PETROGRAD (27 FÉVRIER 1917)

L'ancien régime a conduit le pays à la ruine et la population à la famine. Il était impossible de la supporter plus longtemps et les habitants de Petrograd sont sortis dans les rues pour dire leur mécontentement. Ils ont été reçus à coups de fusil. [...]

Mais les soldats n'ont pas voulu agir contre le peuple et ils se sont tournés contre le gouvernement. Ensemble, ils ont saisi les arsenaux, les fusils et d'importants organes du pouvoir.

Le combat continue et doit être mené à sa fin. Le vieux pouvoir doit être vaincu pour laisser la place à un gouvernement populaire. Il y va du salut de la Russie.

Afin de gagner ce combat pour la démocratie, le peuple doit créer ses propres organes de gouvernement. Hier, 26 février, s'est formé un soviet de députés ouvriers composé de représentants des usines, des ateliers, des partis et organisations démocratiques et socialistes. Le Soviet, installé à la Douma, s'est fixé comme tâche essentielle d'organiser les forces populaires et de combattre pour la consolidation de la liberté politique et du gouvernement populaire.

Le Soviet a nommé des commissaires pour établir l'autorité populaire dans les quartiers de la capitale. Nous invitons la population tout entière à se rallier immédiatement au Soviet, à organiser des comités locaux dans les quartiers et à prendre entre ses mains la conduite des affaires locales.

C'est la **guerre**, encore, qui va débloquer l'impasse. Le gouvernement provisoire veut la poursuivre, espérant que la chute du tsarisme va galvaniser les troupes et amener quelques victoires qui permettraient de redresser le front et d'éviter une amputation du pays. Les alliés occidentaux font également pression pour maintenir le front russe en activité. Mais l'armée russe, tout simplement, n'existe plus. Et ce que souhaite avant tout le peuple russe, c'est la paix, et du pain.

Dès lors, les soviets ont le vent dans les voiles, et un groupe prend de plus en plus d'ascendant à l'intérieur des soviets : ce sont les **bolcheviks**, dirigés par Vladimir Oulianov, dit Lénine (1870-1924). Les bolcheviks (mot russe signifiant « partisan du maximum ») constituent l'aile majoritaire du Parti social-démocrate, dont le programme vise à la collectivisation des terres et des moyens de production et qui jouit d'une grande audience auprès du prolétariat ouvrier. Lénine, qui a le sens des formules, lance le slogan capable de rallier tout le monde : « Le pouvoir aux soviets, la terre aux paysans, la paix aux peuples, le pain aux affamés. »

L'anarchie qui se développe pousse Lénine à s'emparer du pouvoir par un **coup d'État**, facilement réalisé dans la nuit du 6 au 7 novembre par les Gardes rouges organisées par Trotsky. Le congrès pan-russe des soviets élit alors un « Conseil des commissaires du peuple » présidé par Lénine, qui annonce : « Nous passons maintenant à l'édification de l'ordre socialiste. » C'est ce qu'on appelle la « révolution d'Octobre ».

Mais qu'est-ce, concrètement, que le socialisme ? Et qu'est-ce que ce nouveau gouvernement « soviétique », sinon un autre gouvernement provisoire aussi impuissant que le précédent ? Les soviets multiplient les décrets, courant au plus pressé, et le mot *socialisme* viendra, après coup, légitimer cette improvisation.

Première priorité : **rallier les paysans**, sur lesquels les bolcheviks, parti essentiellement ouvrier, n'ont à peu près aucun ascendant. Le décret sur la terre **abolit la grande propriété** sans indemnité, mais les paysans, satisfaits sur ce point, refusent de livrer leurs surplus sur le marché parce que la monnaie y perd sa valeur de jour en jour. Il faut donc envoyer dans les campagnes des détachements ouvriers qui **réquisitionnent les surplus**, ce qui amène tout simplement les paysans à limiter leur production. Les ouvriers des villes, menacés de famine, vont alors échanger leurs produits industriels contre des denrées,

MISÈRE DANS LES VILLES ET RÉQUISITIONS DANS LES CAMPAGNES

L'hiver infligeait à la population des villes un véritable supplice. Ni chauffage ni éclairage, et la famine accablante ! Enfants, vieillards faibles mouraient par milliers. Le typhus faisait des coupes claires. Tout cela, je l'ai longuement vu et vécu. Dans les grands appartements désertés de Petrograd, les gens se réunissaient tous dans une seule pièce, vivant les uns sur les autres autour d'un petit poêle en fonte ou en brique, établi sur le parquet et dont la cheminée enfumait un coin de fenêtre. On l'alimentait avec le parquet des pièces voisines, avec le dernier mobilier, avec des livres [...]. On se nourrissait d'un peu d'avoine et de cheval à demi-pourri ; on se partageait, dans le cercle de famille, un morceau de sucre en fragments infimes et chaque bouchée prise hors tour provoquait des drames [...]. Pour entretenir le ravitaillement coopératif, on envoyait dans les campagnes lointaines des détachements de réquisition que les moujiks chassaient souvent à coups de fourche et quelquefois massacraient. Des paysans féroces ouvraient le ventre au commissaire, le remplissaient de blé et le laissaient sur le bord de la route pour que l'on comprît bien.

V. SERGE
Mémoires d'un révolutionnaire (1901-1941), Paris, Seuil, coll. Points Politique, 1978.

établissant un troc à l'échelle locale qui désorganise tous les circuits économiques du pays.

Pour combattre cette socialisation « sauvage », le gouvernement est donc amené à la socialisation « par en haut », c'est-à-dire à l'**étatisation pure et simple de toute l'économie**. Mais l'État russe, comme la société et l'économie, est désintégré. Une seule force répond encore au gouvernement bolchevique, et c'est le **Parti bolchevique**. C'est donc le Parti qui devra assumer la régulation qui, dans une économie capitaliste, est assurée par le marché. C'est encore le Parti qui devra **se substituer aux anciens cadres** disparus pour recréer une société civile, elle aussi dissoute dans l'anarchie.

Mais s'il veut accomplir ces tâches, le Parti ne peut tolérer quelque contestation que ce soit de son pouvoir, ni de l'intérieur (« fractionnisme »), ni de l'extérieur. Tout dissident devient un « ennemi de classe », et dès décembre 1917 est formée la **Tcheka**, redoutable police politique chargée de supprimer toute opposition par tous les moyens, y compris la terreur. L'assemblée constituante élue en janvier 1918 et où les bolcheviks n'ont obtenu que le quart des sièges est dispersée dès sa première séance, tandis que les soviets eux-mêmes sont épurés à l'été, marquant la fin du régime véritablement « soviétique » et le début de la **dictature bolchevique**.

LA « PRIMITIVATION » DE LA SOCIÉTÉ

En 1917, la société civile russe à l'occidentale n'était qu'à moitié constituée. C'était une société civile européenne moderne greffée sur une société de seigneurs et de paysans beaucoup plus archaïque, beaucoup plus primitive qui n'avait pas eu le temps de moderniser et de fortifier le pays tout entier, pour qu'il puisse résister aux tensions créées par une guerre totale moderne. Le résultat de cet état de choses ? L'effondrement complet de cette société, le gouvernement incapable de maîtriser les forces économiques déclenchées par une guerre pareille, la société trop faible pour y résister toute seule provoquent une primitivation exceptionnelle de la société russe.

Ce nivellement social et cet effondrement reviennent à une primitivation de la société russe, mais primitivation qui ne signifie pas un retour à la société russe de l'ancien régime : autocratie, noblesse et paysannerie servile. Dans la société russe de Pierre le Grand et de Nicolas 1er, ce système fonctionnait : c'était une société primaire simple. La primitivation exceptionnelle qu'on retrouve en 1917-1918 n'est donc pas un retour à cet ancien régime, mais une dissolution dans l'anarchie, ce qui est tout à fait autre chose. Cette primitivation est le résultat du nivellement social et de l'effondrement économique, et elle renforce le nivellement social, qui est le caractère unique de la révolution russe, sa « spécificité » dans l'histoire des révolutions européennes.

Dans toutes les autres révolutions européennes, il y a eu changement de la société, mais jamais dissolution de la société existante. En effet, les deux conditions qui ont produit cette dissolution sociale manquaient : la guerre totale moderne et une société civile trop faible pour soutenir la guerre. C'est cette primitivation exceptionnelle de la société qui constitue le facteur unique principal du déroulement de la révolution russe [...].

M. MALIA

Comprendre la Révolution russe, Paris, Seuil, coll. Points Histoire, 1980.

GUERRE CIVILE ET COMMUNISME DE GUERRE

La guerre, encore une fois, va donner une nouvelle impulsion. Mais il ne s'agit plus de la guerre contre l'Allemagne, qui a été finalement réglée dans un traité désastreux (Brest-Litovsk, 1918), après un appel, aussi généreux qu'illusoire de la part d'un vaincu, à une paix « sans annexion ni indemnités » (décret sur la paix). À Brest-Litovsk, la Russie doit abandonner 800 000 km^2 de territoire, le quart de sa population, le tiers de ses ressources agricoles, les trois quarts de son fer et de son charbon. Ce traité permet cependant aux bolcheviks de consolider leur pouvoir en démontrant au peuple russe qu'ils sont capables de tenir leurs engagements. Par ailleurs, le même traité inspirera la sévérité des vainqueurs occidentaux envers l'Allemagne un an plus tard.

Mais, sitôt liquidé ce conflit d'où tout était parti, le gouvernement bolchevique se trouve devant une **guerre civile** dans laquelle il risque de sombrer à son tour. Des **révolutionnaires dissidents**, opposés aux bolcheviks ou même au communisme, entrent en rébellion dans certaines régions et s'emparent de quelques villes. Des **généraux fidèles au tsarisme** lèvent des armées « blanches » en Sibérie, en Ukraine, aux portes mêmes de Petrograd. Des **minorités nationales** décident d'aller bien au-delà du « décret sur les peuples » adopté par les soviets et proclament leur indépendance (Baltes, Géorgiens). Les

LA RÉVOLUTION EN DANGER

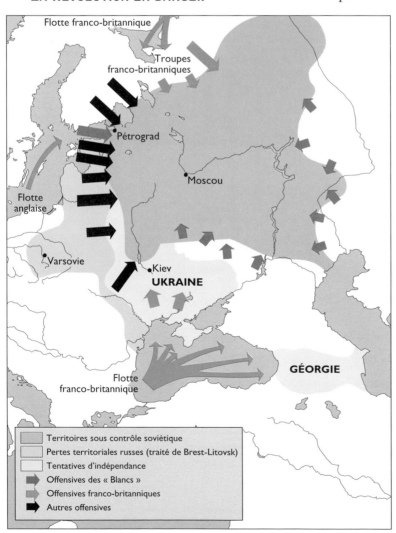

Flotte franco-britannique

Troupes franco-britanniques

Pétrograd

Moscou

Flotte anglaise

Varsovie

Kiev

UKRAINE

GÉORGIE

Flotte franco-britannique

- Territoires sous contrôle soviétique
- Pertes territoriales russes (traité de Brest-Litovsk)
- Tentatives d'indépendance
- Offensives des « Blancs »
- Offensives franco-britanniques
- Autres offensives

Polonais, récemment libérés, veulent profiter du désordre pour arrondir leurs possessions, et enfin, les **puissances de l'Entente**, outrées de la défection russe et inquiètes de la propagation du bolchevisme chez elles, envoient des corps expéditionnaires par la mer Noire, la Baltique, la mer Blanche, et jusqu'à Vladivostok sur le Pacifique.

Au printemps 1919, les bolcheviks ne détiennent plus qu'un bastion central réduit à peu près à l'ancienne Moscovie d'Yvan le Terrible (XVe siècle). Mais ils font face. Le « **communisme de guerre** » accentue la mainmise de l'État, donc du Parti, sur l'économie et la société (suppression de la monnaie, de toute façon pratiquement disparue, militarisation du travail), et l'Armée rouge est créée par Trotsky, avec un service militaire obligatoire qui fournit bientôt 600 000 hommes en état de combattre (et des millions de déserteurs...). Parallèlement, la création du Komintern (IIIe Internationale) permet aux bolcheviks de prendre les pleins pouvoirs sur les partis communistes du monde entier, dans l'espoir qu'une révolution mondiale vienne au secours de la « patrie socialiste ».

Favorisée par sa **position centrale** et par un **réseau ferroviaire** serré qui lui permet de se porter rapidement d'un point à un autre, l'Armée rouge défait l'une après l'autre les armées « blanches » qui attaquent de tous côtés. La victoire des bolcheviks est également favorisée par la **division entre les opposants**, qui vont des socialistes-révolutionnaires aux partisans du retour au tsarisme, et par le **manque total de sens politique** des généraux « blancs » qui, dans les régions qu'ils contrôlent, annulent le partage des terres déjà accompli. Quant aux **puissances étrangères**, sortant tout juste d'une guerre meurtrière, elles hésitent à se lancer dans un nouveau conflit lointain et compliqué et, craignant des mutineries dans leurs propres troupes, elles finissent par se retirer. Mais leur intervention contribue à accentuer la méfiance des bolcheviks à l'égard des puissances capitalistes et à isoler du « concert des nations » la future URSS pendant de longues années.

Au début de 1921, la **victoire bolchevique** est à peu près complète. Mais l'Empire russe n'est plus que l'ombre

LA FAMINE, 1920 - 1921

de lui-même. Les niveaux de production agricole et industrielle sont à 15 % de ceux d'avant 1914, à 2,5 % seulement pour le charbon et l'acier (sur un territoire réduit, il est vrai). C'est « un effondrement unique dans l'histoire des sociétés industrielles modernes » (M. Malia). Après la guerre étrangère et la guerre civile, la **famine** et la maladie font d'effroyables ravages : plus de 12 millions de victimes en tout.

Plus grave encore : la fin de la guerre civile rend la dictature des bolcheviks de plus en plus insupportable à une bonne partie de la population, d'autant plus que le communisme de guerre s'avère une véritable catastrophe, au moins dans l'agriculture. En 1921, une **nouvelle révolution couve sous la cendre**, anti-bolchevique cette fois. Les paysans, décidément les mal-aimés du régime, entrent en révolte dans plusieurs provinces et, comme en 1905, comme en 1917, une mutinerie éclate même dans la flotte où les marins de Cronstadt, la grande base navale près de Petrograd, dénoncent la « confiscation » de la

LA RÉVOLTE DE CRONSTADT

Étant donné que les soviets actuels n'expriment pas la volonté des ouvriers et des paysans, [il faut] : 1° procéder immédiatement à la réélection des soviets au moyen du vote secret ; 2° établir la liberté de parole et de presse ; 3° accorder la liberté de réunion aux syndicats et aux organisations paysannes ; [...] 11° donner aux paysans la pleine liberté d'action en ce qui concerne les terres et aussi le droit de posséder du bétail [...].

(Résolution des escadres de la flotte de la Baltique, 1er mars 1921.)

En faisant la révolution d'Octobre, la classe ouvrière avait espéré obtenir son émancipation. Mais il en résulta un esclavage encore plus grand de l'individualité humaine.

Le pouvoir de la monarchie policière passa aux mains des usurpateurs — les communistes — qui, au lieu de laisser la liberté au peuple, lui réservèrent la peur des geôles de la Tcheka... De fait, le pouvoir communiste a substitué à l'emblème glorieux des travailleurs — la faucille et le marteau — cet autre symbole : la baïonnette et la grille, ce qui a permis à la nouvelle bureaucratie, aux commissaires et aux fonctionnaires communistes de s'assurer une vie facile et confortable. Mais ce qui est le plus abject et le plus criminel, c'est l'esclavage

spirituel instauré par les communistes : ils mirent la main aussi sur la pensée, sur la vie morale des travailleurs, obligeant chacun à penser selon leur formule. À l'aide des syndicats étatisés, ils attachèrent l'ouvrier à la machine et transformèrent le travail en nouvel esclavage. [...] Il devient maintenant évident que le parti communiste n'est pas, comme il feignait de l'être, le défenseur des travailleurs. Les intérêts de la classe ouvrière lui sont étrangers. Après avoir obtenu le pouvoir, il n'a qu'un seul souci : ne pas le perdre [...].

(Extraits des Izvestia, journal publié par le Comité révolutionnaire de Cronstadt.)

révolution soviétique par les bolcheviks. Pour ces derniers, le symbole est accablant : ce sont ces mêmes marins qui ont été le fer de lance de la révolution de 1917...

DE LÉNINE À STALINE

Lénine comprend alors qu'il faut faire une pause (« on ne peut pas édifier le socialisme sur des ruines »). Ayant d'abord fait brutalement réprimer la mutinerie de Cronstadt par les troupes de Trotsky, il décide d'abandonner le communisme de guerre et instaure une « **nouvelle politique économique** » (la NEP, d'après les initiales russes). Il s'agit d'un retour massif au **capitalisme privé** : suppression des réquisitions agricoles et liberté pour les paysans de commercialiser leur production ; dénationalisation de l'artisanat, du petit commerce et des entreprises industrielles de moins de vingt ouvriers ; concessions diverses au capital étranger. En parallèle,

LÉNINE ET LA NEP

La ruine extrême, aggravée par la mauvaise récolte de 1920, a rendu cette transition nécessaire et urgente, vu l'impossibilité de rétablir rapidement la grande industrie. D'où la nécessité d'améliorer avant tout la situation des paysans. Le moyen : l'impôt en nature, le développement des échanges entre l'agriculture et l'industrie, le développement de la petite industrie. L'échange, c'est la liberté du commerce, c'est le capitalisme. Il nous est utile dans la mesure où il nous aidera à combattre l'éparpillement des petits producteurs. [...] Il n'y a rien là de dangereux pour le pouvoir prolétarien, tant que le prolétariat détient fermement le pouvoir, tant qu'il tient solidement le pouvoir, tant qu'il tient fermement en main les transports et la grande industrie. [...] Les communistes ne doivent pas avoir peur « d'apprendre » auprès des spécialistes bourgeois, y compris les négociants, les petits capitalistes coopérateurs et les capitalistes. [...] Les résultats de cet apprentissage devront être vérifiés par la seule expérience pratique : fais mieux que les spécialistes bourgeois qui travaillent à côté de toi ; sache obtenir par ce moyen-ci, et puis par ce moyen-là, un relèvement de l'agriculture, un relèvement de l'industrie, le développement des échanges entre l'agriculture et l'industrie.

LÉNINE

Œuvres complètes, Paris-Moscou, Éditions sociales - Éditions du Progrès, 1964.

cependant, l'État conserve la haute main sur les banques, les transports et les grandes usines, et maintient un « secteur socialiste » dans les autres domaines, la NEP n'étant qu'un **compromis temporaire** destiné à permettre à long terme le retour en force du bolchevisme.

Très rapidement, la **situation économique se redresse**. La production agricole retrouve en 1925 son niveau de 1913, tandis que la production industrielle est remise en marche et que la monnaie, rétablie, se stabilise. Mais l'**embellie est de courte durée** : dès 1925 se développe, inexorable, une « crise des ciseaux » entre des prix agricoles en baisse constante et des prix industriels toujours à la hausse. L'industrie se voit donc menacée de perdre ses principaux clients, tandis que les agriculteurs ne peuvent plus moderniser leur outillage. À cela s'ajoute la nécessité d'investir massivement pour renouveler une machinerie qui date du début du siècle et dont la détérioration est irréversible.

Les résultats de la NEP dans l'agriculture

Années de la récolte	Surfaces ensemencées (millions d'hectares)	Production totale (millions de tonnes)	Population (millions d'hab.)	Consommation théorique par habitant
1922	66,2	56,3	132	4,6
1923	78,6	57,4	135,5	4,25
1924	82,9	51,4	139	3,69
1925	87,3	74,7	143	5,22
1926	93,7	78,3	147	5,32
1927	94,7	72,8	149	4,88
1928	92,2	73,3	150,5	4,87

Mais où trouver les capitaux nécessaires ? Selon le schéma traditionnel de la Révolution industrielle en Occident, c'est l'expropriation des paysans (mouvement des enclosures en Angleterre) qui en a fourni l'essentiel. L'État soviétique va donc se lancer bientôt dans une entreprise d'expropriation massive de la paysannerie, nouvel avatar qui viendra ajouter sa marque peu glorieuse sur le « socialisme réel » (voir page 175).

L'ÉMANCIPATION DES FEMMES

Tableau de propagande à destination des femmes musulmanes.
Tournant le dos à l'ordre ancien (famille, village, minaret), foulant son voile aux pieds, la femme émancipée porte son étendard vers la société nouvelle.

Par ailleurs, la NEP soulève de plus en plus d'opposition en favorisant le développement d'une **classe aisée** de paysans (les koulaks) et de commerçants et d'industriels (appelés « nepmen »), dont le niveau et le style de vie contredisent l'idéologie officielle et scandalisent un grand nombre de communistes sincères tout en suscitant la simple jalousie des envieux.

Entre-temps, le vieil Empire russe, amputé mais toujours immense, est transformé en fédération et devient en 1922 l'**Union des Républiques socialistes soviétiques** (URSS), rassemblant une trentaine d'entités territoriales aux statuts diversifiés (républiques socialistes, républiques autonomes, républiques démocratiques, régions autonomes). L'Union combine une très grande **centralisation économique et politique** avec une large **autonomie culturelle** pour les républiques, le tout étroitement encadré par le Parti communiste de l'Union soviétique, **parti unique** auquel la Constitution réserve le rôle dirigeant.

Lénine mort en 1924, une longue **crise de succession** met aux prises deux aspirants farouchement opposés, Léon **Trotsky** (de son vrai nom Lev Davidovitch Bronstein, 1879-1940) et Joseph Vissarionovitch Djougatchvili, dit **Stalin**e (1879-1953). Le premier représente l'aile radicale des bolcheviks, peu enthousiaste

---

LÉGISLATION EN FAVEUR DES FEMMES

1er novembre 1917
Décret sur la Sécurité sociale : congés payés de maternité 8 semaines avant et après l'accouchement.

18 décembre 1917
Institution du mariage civil, du divorce ; abolition de toute discrimination entre enfants légitimes et illégitimes.

10 juillet 1918
1re Constitution soviétique rendant les femmes électrices et éligibles.

1er septembre 1918
Égalité de salaires pour les ouvriers et les employés sans discrimination de sexe.

17 octobre 1918
Promulgation du 1er Code de la Famille.

18 novembre 1920
Décret autorisant l'avortement.

28 décembre 1920
Décret recommandant instamment d'attirer les femmes dans la vie économique du pays.

TROTSKY ET STALINE

Trotsky à l'extrême gauche, Staline à l'extrême droite : photo symbolique ?...

pour la NEP, méfiante face à la bureau-cratisation croissante du régime et con-vaincue qu'une révolution socialiste ne peut pas se faire dans un seul pays. Le second est avant tout un homme d'appareil. Il a joué un rôle plutôt effacé dans la révolution et la guerre civile, mais il a pris solidement la direction du Parti à travers son poste de secrétaire général et ne croit guère à la révolution mondiale. Après plusieurs années de luttes intestines parfois violentes, Staline triomphe de tous ses adversaires, fait expulser Trotsky d'URSS et instaure, en 1927, un régime personnel qui va durer un quart de siècle et laisser dans son sillage une marque qu'il sera difficile d'effacer.

À l'Ouest : l'impossible retour à la stabilité

PENDANT QUE LA RUSSIE VIT LES SOU-BRESAUTS DE SA RÉVOLUTION, LE MONDE OCCIDENTAL ESSAIE TANT BIEN QUE MAL DE FAIRE FACE AUX SÉQUELLES DE LA GRANDE GUERRE.

L'EUROPE EN DIFFICULTÉ

C'est d'abord l'**impact de la Révolution russe** qui déferle sur presque toute l'Europe. Épuisés par des années de privations, trompés par leurs dirigeants, galvanisés par la victoire des communistes russes, libérés des servitudes anciennes par l'éclatement des empires, les peuples d'Europe entrent en effervescence.

Nulle part le mouvement n'est plus profond qu'en **Allemagne**, qui portait, encore mieux que la Russie, les espoirs des révolutionnaires, car la classe ouvrière y était beaucoup plus développée. Quelques jours avant l'armistice, les marins de la base de Kiel hissent le drapeau rouge et le mouvement se déploie rapidement dans les ports de la Baltique et jusqu'à Berlin, où un soviet d'ouvriers et de soldats (les « spartakistes ») se rend maître de la ville après l'abdication du kaiser, tandis qu'en Bavière s'installe une « république des conseils ». En **Hongrie**, Bela Kun instaure une véritable république soviétique qui nationalise les moyens de production et procède à la distribution des terres. La Grande-Bretagne, la France et l'Italie sont touchées par d'immenses mouvements de grève dans les usines et, surtout en Italie, par des agitations paysannes.

La **réaction**, féroce, ne se fait pas attendre. En Allemagne, le gouvernement social-démocrate dirige sur Berlin l'armée et les « corps francs », bandes de soldats démobilisés en quête de vengeance qui reprennent la ville après une « semaine sanglante » et assassinent les leaders spartakistes Karl Liebknecht et Rosa Luxembourg. Les uns après les autres, les gouvernements révolutionnaires installés à Munich, Bade, Brunswick, sont dissous. En **Hongrie**, envahie et pillée par la Roumanie avec l'approbation des Occidentaux, l'amiral Horty abolit la république et instaure une dictature personnelle qui durera près de 20 ans. Dans toute l'**Europe centrale** s'installent progressivement des **régimes autoritaires** marqués d'un anticommunisme obsessif.

L'Allemagne, évidemment, n'avait rien de commun avec la Russie de 1917. Les ouvriers et même les paysans y jouissaient d'une situation matérielle bien meilleure et d'une protection sociale très avancée pour l'époque, l'armée était tout à fait opérationnelle et la paix était acquise, quoique au prix d'une certaine humiliation.

LES SPARTAKISTES À BERLIN (5 JANVIER 1919)

Une fois écartée la menace révolutionnaire, l'Allemagne se dote d'une constitution impeccablement démocratique, avec suffrage universel et représentation proportionnelle, et sa capitale est symboliquement réinstallée à Weimar, ville de Gœthe et de Schiller. La **république de Weimar** ainsi créée s'ouvre sur une période de troubles de bien mauvais augure. La **violence politique** se déploie dans toute l'Allemagne : deux tentatives de coup d'État, dont celle de Hitler à Munich en 1923, plus de 350 assassinats politiques, des mouvements séparatistes en Rhénanie et en Bavière, marquent le développement d'une intense agitation d'extrémistes de toutes tendances. Née des dépenses de la guerre et du versement des réparations dues aux vainqueurs, une **inflation galopante** réduit à zéro la valeur de la monnaie en quelques mois (le dollar américain vaut 4 200 milliards de marks en 1922 !). Ce phénomène traumatise profondément les classes moyennes, pour qui le régime de Weimar n'est qu'impuissance et désunion.

Les vainqueurs occidentaux, quant à eux, sont aux prises avec de grandes difficultés et parviennent mal à retrouver leur stabilité.

La **France** doit faire face aux énormes coûts de sa reconstruction, de même qu'aux charges sociales que représentent ses centaines de milliers de mutilés de guerre. De plus, un très grand nombre de petits épargnants ont été durement touchés par le refus du gouvernement soviétique de rembourser les emprunts effectués sous le régime tsariste. Le franc amorce une dégringolade dans laquelle il va perdre 90 % de sa valeur en cinq ans. L'instabilité politique reflète la situation économique et sociale, et les gouvernements ont peine à se maintenir au pouvoir.

La **Grande-Bretagn**e entre en dépression dès 1920. Sa suprématie mondiale a sombré dans la guerre. Les États-Unis et le Japon lui ont arraché des **marchés** qu'elle ne pouvait plus maintenir, les destructions subies par sa flotte de commerce la privent de **revenus** importants, son rôle financier est sérieusement compromis par son **endettement** envers les États-Unis et le **vieillissement** de

La valeur du dollar en marks	
juillet 1914	4,2
janvier 1920	64,8
juillet 1920	39,5
janvier 1921	76,7
janvier 1922	191,8
juillet 1922	493,2
janvier 1923	17 792,0
juillet 1923	353 410,0
août 1923	4 620 455,0
septembre 1923	98 860 000,0
octobre 1923	25 260 203 000,0
15 novembre 1923	4 200 000 000 000,0

ses équipements industriels lui donne plusieurs années de retard sur ses concurrents. En 1921, il y a déjà deux millions de chômeurs qui ne survivent que par l'assistance sociale. Sur la scène politique, le **Parti travailliste**, fondé au début du siècle par le mouvement syndical, est en passe de supplanter le vieux Parti libéral dans le système bipartisan britannique, tandis que l'**Irlande** insurgée mène une longue guérilla de quatre ans qui s'achève par la « partition » de l'île et la naissance de l'État libre d'Irlande, ou Eire (1921).

C'est en **Italie** que la situation se révèle le plus explosive. Au début des années vingt, un mouvement massif d'**occupation des terres** se répand dans toute la péninsule et jusqu'en Sicile, tandis que dans le Nord industrialisé des milliers d'**usines** sont occupées par leurs ouvriers. Afin de combattre cette menace révolutionnaire, un journaliste, ancien socialiste, Benito Mussolini, fonde en 1919 les « Faisceaux italiens de combat » (en italien *Fasci...*, d'où *fascisme*). Ces fascistes adoptent la chemise noire comme uniforme et se ruent dans les campagnes ou dans les usines occupées pour y mener des expéditions punitives marquées d'incendies, de pillages et de meurtres. En 1922, après avoir menacé de « marcher sur Rome » avec ses troupes, Mussolini se voit confier le pouvoir par le roi lui-même, avec l'approbation du grand patronat. Il lui

---

LA VIOLENCE FASCISTE

Dans la vallée du Pô, la ville est, en général, moins « rouge » que la campagne, parce qu'en ville se trouvent les seigneurs agrariens, les officiers des garnisons, les étudiants des universités, les fonctionnaires, les rentiers, les membres des professions libérales, les commerçants. C'est dans ces catégories que se recrutent les fascistes et ce sont elles qui fournissent les cadres des premières escouades armées. L'expédition punitive part donc presque toujours d'un centre urbain et rayonne dans la campagne environnante. Montées sur des camions [...], les « Chemises noires » se dirigent vers l'endroit qui est le but de l'expédition. Une fois arrivé, on commence par frapper à coups de bâton tous ceux qu'on rencontre dans les rues, qui ne se découvrent pas au passage des fanions ou qui portent une cravate, un mouchoir, un corsage rouge. Si quelqu'un se révolte, s'il y a un geste de défense, si un fasciste est blessé ou un peu bousculé, la « punition » s'amplifie. On se précipite au siège de la Bourse du travail, du Syndicat, de la coopérative, à la Maison du Peuple, on enfonce les portes, on jette dans la rue mobilier, livres, marchandises et on verse des bidons d'essence : quelques minutes après, tout flambe. Ceux qu'on trouve dans le local sont frappés sauvagement ou tués.

A. TASCA
Naissance du Fascisme,
Paris, Gallimard, 1967.

faudra quatre années pour faire descendre sur l'Italie la chape de plomb d'un régime tout à fait nouveau : le fascisme (voir chapitre 5).

LES ÉTATS-UNIS : ISOLATIONNISME ET PROSPÉRITÉ

Les *roaring twenties* marquent, pour les États-Unis, à la fois un repli vers l'isolationnisme traditionnel, une réaction contre le progressisme du début du siècle incarné par le Parti démocrate, et une vague de prospérité sans précédent.

Ironiquement, c'est l'activité fébrile déployée par le président Wilson au cours des négociations de 1919 qui va amener sa chute. Méfiants face à son internationalisme, opposés aux mesures interventionnistes prises pendant la guerre, inquiets de la propagation du bolchevisme

---

« RETOUR À LA NORMALE »

Ce dont l'Amérique a besoin actuellement, ce n'est pas d'héroïsme, mais de convalescence ; pas de révolution, mais de restauration ; pas d'agitation, mais d'adaptation ; pas d'opération chirurgicale, mais de calme et de sérénité ; pas de dramatisation, mais d'absence de passion ; pas d'expérimentation, mais d'équilibre ; pas de plongée dans l'internationalisme, mais de maintien dans un nationalisme triomphant.

PRÉSIDENT HARDING

Pendant la guerre [...], le gouvernement fédéral est devenu un despotisme centralisateur qui prit en charge des responsabilités sans précédent, assuma des pouvoirs autocratiques et s'empara de certaines entreprises privées. [...]
Dès le début, le Parti républicain s'est résolument détourné de ces idées et de ces pratiques du temps de guerre [...] Quand le Parti républicain a repris le contrôle complet du pouvoir, il est revenu immédiatement et résolument à notre conception fondamentale de l'État et des droits et responsabilités de l'individu. Ainsi, il rétablit la confiance et l'espoir dans le peuple américain, il libéra et stimula l'esprit d'entreprise, il replaça le gouvernement dans sa fonction d'arbitre et non de joueur dans le jeu économique. Pour ces raisons, le peuple américain est allé de l'avant, sur la route du progrès, alors que le reste du monde s'est arrêté et que quelques pays ont même reculé.

PRÉSIDENT HOOVER

symbolisée par la naissance de deux partis communistes, les milieux conservateurs réussissent à faire basculer la majorité au Sénat dans le camp républicain aux élections de 1918. Or, la Constitution des États-Unis exige que les traités soient ratifiés par le Sénat à une majorité des deux tiers. Wilson, incapable de rallier des appuis suffisants, voit donc « son » **traité rejeté par le Sénat**, et les États-Unis refusent ainsi de devenir membre de la Société des Nations.

En 1921, les **Républicains reviennent à la Maison Blanche** pour douze ans, avec le slogan « l'Amérique d'abord ». Pendant qu'une véritable **chasse aux sorcières** se déclenche contre les « rouges » (affaire Sacco et Vanzetti), de nouveaux **quotas d'immigration** réduisent sévèrement l'arrivée d'éléments « indésirables » (Italiens, Slaves, Juifs), au profit du vieux fonds anglo-saxon et protestant. Pour protéger l'Amérique traditionnelle contre la poussée des Noirs, des Juifs, des bolcheviks, le vieux Ku Klux Klan des années 1870 refait surface dans tout le Sud, pratiquant l'incendie et le lynchage.

La restriction de l'immigration aux États-Unis

	Europe du Nord et de l'Ouest	Europe du Sud et de l'Est
Nombre annuel d'immigrants, 1907-1914	176 893	685 531
Quotas annuels selon la loi de 1921 (3 % des nationaux installés en 1910)	198 082	158 367
Quotas annuels selon la loi de 1924 (2 % des nationaux installés en 1890)	140 999	21 847

Dans le Sud aussi se développe le **fondamentalisme biblique**, qui défend une interprétation littérale des Écritures saintes contre l'assaut des conceptions « modernistes ». En 1925, un célèbre procès vite baptisé « procès du singe » est intenté à un jeune professeur qui expose devant ses élèves la théorie évolutionniste de Darwin. Le procès devient une affaire nationale, drainant vers le Tennessee une pléthore de journalistes, de scientifiques, de prédicateurs de toutes tendances qui y voient l'occasion d'une bataille décisive entre le Bien et le Mal, la Vérité et l'Erreur, Dieu et Satan...

La recherche de la pureté morale va aussi mener jusqu'à la **prohibition** complète, à travers tout le territoire, de la fabrication, de la vente et de la consommation de toute boisson alcoolique. Et c'est même par la voie d'un amendement à la Constitution (le 18e) que cette interdiction est promulguée ! Sommet de puritanisme naïf ou de bêtise, la prohibition n'aura finalement pour effet que de multiplier les ateliers et les débits clandestins et de développer le gangstérisme à une échelle jamais vue. On ne peut pas impunément forcer toute une société à vivre hors-la-loi, et les années de prohibition forment la base de l'ascension rapide du crime organisé aux États-Unis.

Au milieu de cette recherche de rectitude morale et de retour à l'Amérique des pionniers, se développe une **prospérité économique** remarquable. Les États-Unis disposent de **capitaux** considérables, provenant en partie des intérêts perçus sur les prêts consentis pendant la guerre et sur les placements de capitaux à l'étranger (17 milliards de dollars en 1929), ainsi que des surplus de leur balance commerciale. Le pouvoir d'achat augmente par l'**amélioration des salaires** et surtout par le développement du **crédit à la consommation**. La **concentration** des entreprises et des capitaux se poursuit, les lois antitrusts ne sont à peu près plus appliquées, tandis que la **standardisation** des produits et la **taylorisation** du travail entraînent une phénoménale **hausse de productivité** : en 1925, les usines Ford produisent une automobile toutes les dix secondes. Cette prospérité est d'ailleurs soigneusement **protégée par des tarifs douaniers** renforcés.

En fait, la société américaine entre, la première, dans l'ère de la **consommation de masse**, alimentée par la

LA PROHIBITION

Destruction de tonneaux de bière.

La productivité aux États-Unis dans l'industrie (base : 100 = 1929)

Années	Indices de production	Production	
		par travailleur	*par heure*
1914	56,6	71,6	66,1
1919	63,4	63,0	61,5
1929	100	100	100

publicité qui couvre plus de la moitié de la surface des journaux et envahit la radio naissante. La population vit maintenant à 56 % dans les villes, dont les plus grandes entrent dans l'ère du gratte-ciel, qui atteint presque les 400 mètres de hauteur avec le Chrysler Building à New York. Mais dans ces villes qui effraient et fascinent tout à la fois, comme dans les campagnes, bon nombre d'Américains demeurent en marge de cette société de consommation, et les chômeurs, les nouveaux immigrés, les Noirs, les petits agriculteurs, les Amérindiens, subissent le **renforcement des inégalités** que la prospérité laisse dans son sillage.

LA SÉCURITÉ COLLECTIVE : À LA RECHERCHE DE LA PAIX

Sur le plan des relations internationales, les années vingt sont dominées par la recherche de la sécurité collective et l'apaisement des tensions.

LES EXCLUS DE LA PROSPÉRITÉ

À cette fin, les traités de 1919-1920 contenaient tous une section commune portant création d'une **Société des Nations**, objectif central du président Wilson qui avait sacrifié beaucoup de ses principes pour sauver ce qu'il considérait comme la clé essentielle de la paix future. À la base, il s'agissait de placer les relations internationales sous le contrôle permanent de l'opinion publique, de régler préventivement les conflits par un **arbitrage multilatéral permanent** et d'amorcer un **désarmement général** auquel celui des seuls vaincus ne devait être qu'un prélude.

Établie à Genève, la SDN comprend alors une **Assemblée générale** où siègent tous les membres avec une voix chacun (les membres ne peuvent être que des États souverains, selon le sens anglais du mot *nation*), doublée d'un Conseil réunissant quatre membres permanents (France, Royaume-Uni, Italie, Japon, les États-Unis s'étant désistés). Or, des **vices structurels** rendent assez aléatoire l'efficacité de la SDN. Afin de respecter scrupuleusement la souveraineté des États-membres, une disposition exige l'**unanimité** pour la plupart des votes importants, ce qui semble bien idéaliste dans des rapports étatiques à l'échelle mondiale. De plus, les sanctions contre les membres qui violent le Pacte sont d'application facultative et la Société est dépourvue de toute force armée.

D'autre part, il manque dès le départ plusieurs joueurs essentiels : les pays vaincus, exclus provisoirement, la Russie soviétique, qui n'a pas signé les traités, et les États-Unis, qui ont annulé la signature de leur président. Tout cela est de mauvais augure pour l'avenir de cette première tentative d'assurer la paix sur des bases nouvelles.

D'ailleurs, dès 1921-1922, c'est en dehors de la SDN que se négocient une série d'accords sur les problèmes soulevés par la montée de la puissance japonaise dans le Pacifique. À la **Conférence de Washington**, les grandes puissances, tentant de préserver le statu quo, se garantissent mutuellement leurs possessions dans la région, s'engagent à maintenir l'indépendance et l'intégrité territoriale de la Chine, où la liberté de commerce sera totale, et acceptent de limiter le tonnage de leurs flottes de guerre (États-Unis et Grande-Bretagne : 525 000 tonnes chacune ; Japon : 315 000 tonnes ; France et Italie : 175 000 tonnes chacune). En échange de quelques territoires d'où il se retire (Shantoung, Sakhaline), le Japon se voit ainsi consacré **troisième puissance navale du monde**.

Mais le problème le plus ardu, c'est celui des **réparations allemandes**. On a vu que le traité de Versailles énonçait le principe des réparations, mais sans en chiffrer le montant. Il faudra deux ans à une commission spéciale, où l'Allemagne ne siégera pas, pour fixer l'état des paiements à **132 milliards de marks-or**, somme énorme bien qu'inférieure aux coûts de reconstruction des régions dévastées. L'Allemagne ayant manqué à ses versements annuels, la France occupe militairement la Ruhr en 1923, ce à quoi l'État allemand réplique par un ordre de grève générale dans la région occupée et la suspension de tout paiement.

Alors qu'on s'achemine vers une crise grave, les États-Unis font accepter leur arbitrage en 1924 : le **plan Dawes** diminue les annuités pour cinq ans, l'Allemagne recevra des capitaux américains pour lui venir en aide et la France évacuera la Ruhr. En 1929, on adopte un plan définitif, le **plan Young**, qui réduit le montant total des réparations à 38 milliards de marks-or, payables en 59 annuités (jusqu'en 1988 !). Deux mois plus tard éclate le krach de Wall Street, qui rendra inopérant tout cet échafaudage.

> **UNE FACTURE TROP ÉLEVÉE ?**
>
> *Un total de 132 milliards [de marks-or] représente environ 2 ans 1/2 de revenu national allemand avant la guerre [...]. À première vue, le chiffre demandé ne paraît pas présenter un caractère exorbitant. Amorti sur 30 ans avec un taux de 4 %, il doit correspondre à une annuité de 7,5 milliards de marks-or, soit 14 % du revenu national. Autrement dit, les Allemands devraient payer, pendant 30 ans, 14 % de leur production de richesses [...]. Voyons maintenant en termes de commerce extérieur : les exportations allemandes s'élevant, en 1913, à 10 800 millions de marks, une annuité de 7 500 millions oblige à relever de 65 % le volume exporté.*
>
> *Là est la grande difficulté : [...] pour que [l'] adversaire acquitte son dû, il faut qu'il soit économiquement fort, qu'il produise beaucoup et exporte beaucoup, au détriment peut-être des créanciers. En outre, cette force économique risque tôt ou tard de se convertir en potentiel militaire.*
>
> **A. SAUVY**
> *Histoire économique de la France (1918-1959)*, Paris, Fayard, 1965.

Une facture trop basse?

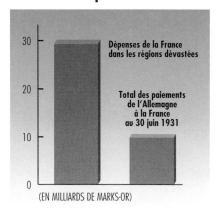

(EN MILLIARDS DE MARKS-OR)

D'après GREHG, *Histoire de 1890 à 1945*, Paris, Hachette, 1988.

À l'Ouest : l'impossible retour à la stabilité

Néanmoins, le règlement du contentieux franco-allemand sur les réparations, ainsi que le souci des dirigeants allemands d'honorer leurs obligations conformément au plan Dawes, ont amené un **climat de détente** qui se généralise. En 1925, le **pacte de Locarno** établit une garantie mutuelle des frontières entre la France, la Belgique et l'Allemagne, qui reconnaît ainsi librement, pour la première fois, une partie au moins du traité de Versailles, en échange de quoi elle est admise à la SDN en 1926.

Dans un grand élan généreux — et plutôt naïf —, 60 États adhèrent alors au **pacte Briand-Kellog**, signé à Paris en 1928 entre la France et les États-Unis. Il s'agit d'une renonciation solennelle à la guerre comme moyen d'action entre les États. Mais aucune sanction n'est prévue, et cette sorte d'apogée du pacifisme va bientôt sombrer dans la crise qui éclatera en 1929.

LES ANNÉES FOLLES

LA RAGE DE VIVRE

Otto Dix, Les Noctambules *(1928). L'artiste transcrit avec force le climat des Années folles : à côté du dancing où le « beau monde » cherche à s'étourdir dans le charleston, des mutilés de guerre hantent les bas-fonds et leurs prostituées, harcelés par des chiens...*

Au travers des difficultés d'un impossible retour à la stabilité, l'après-guerre est marqué par une frénésie de consommation et une **recherche de plaisirs** qui servent de **compensation** aux privations, aux angoisses et aux horreurs du conflit.

Ce phénomène ne touche finalement qu'une couche assez mince de la population (bourgeoisie aisée disposant de temps et d'argent pour les loisirs) et seulement quelques pays occidentaux (France, Allemagne, Grande-Bretagne, États-Unis). Il donne néanmoins aux années vingt un aspect scintillant qui a gardé jusqu'à nos jours son pouvoir de séduction et de nostalgie. Ce sont les « Années folles ».

L'obsession de la vitesse s'empare des esprits. On la poursuit sur les routes, où l'automobile chasse la voiture à chevaux, et surtout dans les airs avec le développement spectaculaire de l'aviation illustré par l'accueil inouï que reçoit Charles Lindbergh au terme de la première traversée de l'Atlantique.

Les « vieux » ayant fait la preuve de leur ineptie tout au long de l'interminable carnage, la jeunesse cherche l'**émancipation face à toutes les valeurs** intellectuelles et morales des aînés, d'ailleurs sérieusement déboulonnées par la psychanalyse freudienne. Les **comportements sexuels** fracassent le voile trompeur de puritanisme derrière lequel l'ère victorienne s'était réfugiée. L'émancipation — toute relative — des femmes, du moins de certaines d'entre elles, accentue ce mouvement.

On entre dans l'**ère du jazz** venu d'Amérique, qui introduit dans la musique occidentale des influences « nègres » plus primitives. Le tango, le charleston, imposent des rythmes nouveaux, langoureux ou survoltés. Le spectacle de music-hall devient extravagant, avec ses girls empanachées de plumes exécutant des chorégraphies au caractère sexuel sans équivoque.

FREUD ET JOSÉPHINE BAKER...

Le jazz devenait langoureux, les guitares hawaïennes faisaient entendre leurs miaulements, et déjà c'en était fini des premières danses sommaires de l'après-guerre, et l'on se déhanchait à la mode nègre. L'exotisme à bas prix pénétrait les milieux les plus simples : [...] on dansait le charleston et la upa-upa, et les dominos avaient laissé la place au mahjong, où l'on jonglait avec les vents et les fleurs. Les femmes portaient la robe au genou, en forme de chemise, la taille basse, les cheveux souvent coupés à « la garçonne », comme on disait alors [...] cependant que se levait une étoile nouvelle, bien faite pour cette époque : les vingt ans crépus, agiles et noirs de Joséphine Baker. Aux carrefours de Montparnasse, la foule cosmopolite continuait d'affluer, on montrait aux étrangers la place de Lénine, tous les chauffeurs de taxi étaient princes russes [...] on employait à force les expressions « climat » et « sous le signe de », on disait de toute chose qu'elle était « formidable », on découvrait encore la drogue, la pédérastie, le voyage, Freud, la fuite et le suicide. Bref, tous les éléments de la douceur de vivre.

R. BRASILLACH
Notre avant-guerre, Paris, Plon, 1949.

Mais cette façade où rutile le reflet des paillettes ne saurait rendre compte de la dure réalité des conditions de vie de l'immense majorité des populations européennes, et encore moins des bouillonnements qui agitent les mondes dominés hors de l'Europe.

Hors de l'Europe : des signes annonciateurs

À L'ÉCHELLE MONDIALE, L'EFFET LE PLUS IMPORTANT DE LA GRANDE GUERRE EST D'AVOIR MIS EN BRANLE DES FORCES QUI FINIRONT PAR FAIRE ÉCLATER LA SUPRÉMATIE EUROPÉENNE. LE POINT D'ABOUTISSEMENT DE CE PROCESSUS NE SURVIENDRA QU'APRÈS LA SECONDE GUERRE MONDIALE, MAIS LES ANNÉES VINGT EN VOIENT DÉJÀ POINDRE ÇA ET LÀ DES SIGNES ANNONCIATEURS.

LE MONDE ARABO-MUSULMAN

Pendant la guerre, la Grande-Bretagne s'était placée en position de force pour toutes les questions reliées au Moyen-Orient, et particulièrement au sort de l'Empire ottoman. Une série d'entretiens, de promesses plus ou moins voilées, d'accords secrets, voire de simples lettres, avait créé un enchevêtrement inextricable entre des intérêts contradictoires, prévoyant à la fois le démantèlement de l'Empire, l'indépendance du peuple arabe, la création d'un foyer national juif en Palestine et le renforcement des intérêts français et britanniques dans la région.

Seule la **Turquie** réussira à échapper partiellement au sort qu'on lui réservait, et il est particulièrement significatif que, de tous les vaincus de 1918, elle ait été le seul pays à faire annuler le traité qui lui avait été imposé (traité de Sèvres, 1920), elle qui était pourtant considérée comme une entité négligeable.

Ce renversement de la situation turque est dû particulièrement à l'action d'un homme, **Mustafa Kemal**, dit Atatürk (« père des Turcs », 1881-1938), fondateur de la Turquie moderne. Déjà immensément populaire par sa défense victorieuse des Dardanelles contre une expédition franco-britannique pendant la guerre, il est expulsé de Constantinople, lors de l'occupation de la ville en 1918, par un sultan trop complaisant envers les vainqueurs, et part vers l'intérieur du pays pour organiser la résistance. Il forme bientôt un parti politique qui obtient la majorité aux élections de 1919, et établit à Ankara, en plein centre de l'Anatolie, un gouvernement provisoire qui désavoue le sultan en avril 1920.

MUSTAFA KEMAL ATATÜRK

Là-dessus arrive le **traité de Sèvres**, reçu comme un camouflet arrogant de l'Occident : non seulement les territoires arabes sont-ils détachés de l'ex-empire, ce que Kemal est prêt à accepter, mais l'Arménie devient indépendante, le Kurdistan sera soumis à un plébiscite, l'Italie et la Grèce reçoivent des morceaux de territoire turc, et les détroits de Constantinople sont démilitarisés et placés sous contrôle international. Appuyé par la masse du peuple turc, Kemal décide de faire face. Refusant carrément le traité, jouant habilement sur les mésententes entre les vainqueurs, il s'en prend directement aux Grecs qui ont occupé Smyrne et les rejette à la mer après plusieurs mois de furieux combats (1921).

Kemal est maintenant en position d'exiger un **nouveau traité**, signé à **Lausanne** en 1923. La Turquie recouvre l'ensemble des territoires turcs et le contrôle des détroits, tandis que l'Arménie, déjà soumise à un véritable génocide pendant la guerre, perd l'indépendance promise.

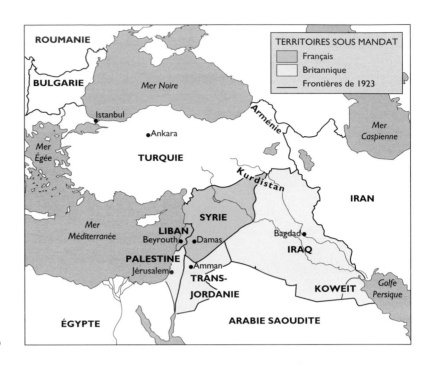

LE PROCHE-ORIENT VERS 1930

Un accord secondaire prévoit le déplacement obligatoire des minorités grecque de Turquie (1 300 000) et turque de Grèce (500 000), première expérience de cette « purification ethnique » dont le vingtième siècle offrira bien d'autres exemples.

Au sommet de sa popularité et de sa puissance, Kemal entreprend alors de **faire de la Turquie un État moderne, industriel et laïque**, sur le modèle européen. À l'instar des « despotes éclairés », il impose d'autorité, parfois avec brutalité, un torrent de réformes qui marquent l'émergence d'une Turquie nouvelle. Proclamation de la République (Kemal devient président) et transfert de la capitale à Ankara (1923), suppression des ordres et communautés religieuses et interdiction de porter leurs costumes (1925), réforme complète du droit civil et criminel sur des modèles occidentaux et abolition de la polygamie (1926), introduction de l'alphabet latin (1928), changement du nom de Constantinople en Istanbul (1930), droit de voter et d'être élues accordé aux femmes (1934) : rien n'échappe à cette volonté insatiable de réforme. Sauf, peut-être, les mentalités d'une grande partie de la population, surtout dans les campagnes, qui demeure attachée à ses traditions et voit le fossé s'agrandir qui la sépare d'une élite de plus en plus européanisée.

Le mécontentement gronde aussi contre l'Occident, mais sans grand succès, dans les **territoires arabes de l'ex-Empire ottoman**. Pendant la guerre, la Grande-Bretagne avait activement soutenu (Lawrence d'Arabie) la révolte arabe dirigée par le shérif Hussein de la Mecque, y allant même d'une promesse plutôt vague d'indépendance au peuple arabe. Mais les traités de 1919 divisent le territoire entre la France et la Grande-Bretagne, sous la fiction juridique de « **mandats** » confiés par la Société des Nations pour « assister » les peuples indigènes dans leur marche vers l'indépendance, pour laquelle les Européens ne les considèrent pas encore prêts.

En Syrie et au Liban, sous mandat français, et en Palestine et en Irak, sous mandats britanniques, l'agitation se développe jusqu'à de véritables révoltes armées, sévèrement réprimées. Une fois l'ordre restauré,

LE RÉGIME DES MANDATS

Article 22

Territoires qui ont cessé d'être sous la domination des États qui les gouvernaient précédemment et qui sont habités par des peuples incapables de se diriger eux-mêmes.

Le bien-être et le développement de ces peuples forment une mission sacrée de civilisation. [...] Il convient de confier la tutelle de ces peuples aux nations développées qui sont le mieux à même d'assumer cette responsabilité : elles exerceraient cette tutelle au nom de la Société des Nations.

Le caractère du mandat doit différer selon le degré de développement du peuple, la situation géographique du territoire, ses conditions économiques :

A. *Certaines communautés qui appartenaient autrefois à l'Empire ottoman ont atteint un degré de développement tel que leur existence comme nations indépendantes peut être reconnue provisoirement, à condition que les conseils et l'aide d'un mandataire guident leur administration jusqu'au moment où elles pourront se conduire toutes seules.*

B. *Le degré de développement d'autres peuples, spécialement ceux d'Afrique centrale, exige que le mandataire y assume l'administration du territoire à des conditions qui, avec la prohibition de la traite des esclaves, le trafic d'armes et d'alcool, garantiront la liberté de conscience et de religion, sans autres limitations que le maintien de l'ordre public, l'interdiction d'établir des fortifications et de donner aux indigènes une instruction militaire si ce n'est pour la police ou la défense, et qui assureront aux autres membres de la Société l'égalité des échanges et du commerce.*

C. *Enfin des territoires tels que le Sud-Ouest africain ou les îles du Pacifique austral, éloignés de tout centre de civilisation et de superficie restreinte, ne sauraient mieux être administrés que sous les lois du mandataire comme une partie intégrante de son territoire.*

(Extrait du traité de Versailles.)

les puissances mandataires tentent la conciliation (les Anglais installent Fayçal, fils de Hussein, comme roi d'Irak en 1921), mais avec un succès mitigé. **Les Arabes ne veulent tout simplement pas du régime des mandats.** Ils secouent même le protectorat britannique en Égypte, qui devient théoriquement indépendante en 1922, tandis que le protectorat français au Maroc est mis à mal par le soulèvement du Rif (1925).

C'est en **Palestine** que s'installent les conditions d'une tragédie qui, aujourd'hui encore, continue jour après jour à faire verser le sang. En 1917, sous la pression du mouvement sioniste préconisant le retour des Juifs en Palestine, le gouvernement britannique s'était engagé, dans ce qu'on appelle la **déclaration Balfour**, à « favoriser l'établissement d'un foyer national juif en Palestine, sans préjudice des droits civils et religieux des communautés

---

MÉMORANDUM DU CONGRÈS GÉNÉRAL DE SYRIE[1] À LA CONFÉRENCE DE LA PAIX 2 JUILLET 1919

1. Nous demandons l'indépendance politique complète et absolue de la Syrie [...].

2. Nous demandons que le gouvernement de cette Syrie soit une Monarchie constitutionnelle démocratique, largement décentralisée et respectant les droits des minorités, et que le roi soit l'émir Fayçal, qui a conduit notre glorieuse lutte de libération et mérité notre entière confiance [...].

3. Considérant que les Arabes de Syrie ne sont pas naturellement moins doués que d'autres races plus avancées et qu'ils ne sont d'aucune façon moins développés que

les Bulgares, Serbes, Grecs et Roumains au moment de leurs indépendances, nous protestons contre l'Article 22 du Pacte de la Société des Nations, qui nous relègue parmi les nations à demi développées requérant les soins d'une puissance mandataire. [...]

5. [...] nous chercherons l'assistance de la Grande-Bretagne, pourvu que cette assistance ne viole pas l'indépendance complète et l'unité de notre pays et que la durée de cette assistance n'excède pas [20 ans].

6. Nous ne reconnaissons aucun droit au gouvernement français sur aucune partie de notre territoire syrien et nous refusons qu'il nous porte assistance ou qu'il ait quelque pouvoir que ce soit dans notre pays, en quelque

circonstance ou lieu que ce soit.

7. Nous nous opposons aux ambitions des Sionistes de créer un foyer (Commonwealth) juif dans la partie sud de la Syrie, appelée Palestine, de même qu'à l'immigration sioniste où que ce soit dans notre pays; car nous ne reconnaissons pas leur titre mais les considérons comme un grave danger pour notre peuple aux points de vue national, économique et politique. Nos compatriotes Juifs jouiront de nos droits communs et assumeront nos responsabilités communes.

Cité dans L. Stavrianos, *The World since 1500*, New York, Prentice-Hall, 1982. (Trad. G.L.)

1. La Syrie d'alors comprend les États actuels de Syrie, Liban, Jordanie et Israël.

non juives ». Langage volontairement vague, mais tout de même assez contradictoire avec les promesses faites aux Arabes. Dès l'instauration du mandat britannique, l'**immigration juive** en Palestine s'accélère, et elle deviendra encore plus forte après l'arrivée au pouvoir de Hitler en Allemagne en 1933. De 1919 à 1939, la population juive de Palestine passe de 65 000 à 450 000.

L'ampleur de ce mouvement inquiète bientôt les Arabes de la région, qui accusent l'Occident de se débarrasser sur leur dos de son antisémitisme séculaire. Les **attaques contre les Juifs** se multiplient, ces derniers organisent leur autodéfense, et la Grande-Bretagne, après avoir créé de toutes pièces un État arabe de Transjordanie soustrait à l'application de la déclaration Balfour, ne parvient pas à imaginer un compromis acceptable pour la Palestine proprement dite.

En fait, le Moyen-Orient est en train de devenir cette poudrière qu'il restera jusqu'à la fin du siècle et peut-être même au-delà.

L'ASIE

Sur le continent asiatique, c'est en Inde et en Chine que se situent les changements les plus importants.

L'immense **Empire britannique des Indes** a déjà vu la naissance, dès la fin du XIXᵉ siècle, de divers mouvements d'opposition à la tutelle britannique, et le **parti du Congrès** a été créé en 1885 par des dirigeants nationalistes modérés, cherchant plus à obtenir des réformes touchant leur propre société (abolition de la coutume de l'immolation des femmes sur le bûcher avec leurs maris décédés) que la fin du « british rule ». Mais au tournant du siècle une nouvelle génération, plus radicale, prend la tête du mouvement et n'hésite plus à recourir au terrorisme à l'occasion.

LA CIVILISATION EUROPÉENNE VUE D'ASIE

La civilisation d'Europe est une machine à broyer. Elle consume les peuples qu'elle envahit, elle extermine ou anéantit les races qui gênent sa marche conquérante. C'est une civilisation de cannibales ; elle opprime les faibles et s'enrichit à leurs dépens. Elle sème partout les jalousies et les haines ; elle fait le vide devant elle. C'est une civilisation scientifique et non humaine. Sa puissance lui vient de ce qu'elle concentre toutes ses forces vers l'unique but de s'enrichir [...]. Sous le nom de patriotisme, elle manque à la parole donnée, elle tend sans honte ses filets, tissus de mensonges, elle dresse de gigantesques et monstrueuses idoles dans les temples élevés au Gain, le Dieu qu'elle adore. Nous prophétisons que cela ne durera pas toujours.

RABINDRANATH TAGORE
Discours prononcé à l'Université de Tokyo le 18 juin 1916.

Après avoir fourni plus d'un million de soldats pour la guerre en Europe, l'Inde est ravagée en 1918-1919 par une épouvantable famine qui fait quelque 13 millions de morts. Alors apparaît un petit homme à la figure devenue légendaire, Mohandas **Gandhi**, dit le Mahatma («la Grande Âme», 1869-1948), qui donne l'impulsion décisive en faisant pénétrer dans les **masses paysannes** l'aspiration à l'indépendance. Son programme est simple: boycottage général des produits britanniques (il donne l'exemple en s'habillant d'un tissu qu'il fabrique de ses propres mains), résistance passive et indépendance, et cela, s'il le faut, dans le cadre du Commonwealth qui est justement en voie de succéder à l'Empire.

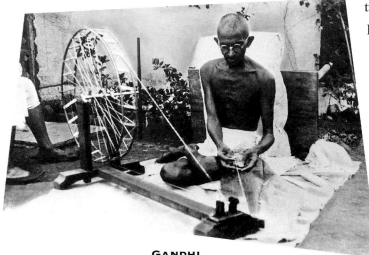

GANDHI

Par ce filage artisanal qu'il pratiquait tous les jours, le Mahatma voulait redonner aux paysans le sens de leur dignité et montrer qu'on pouvait se passer des produits anglais.

Cette fois, l'agitation devient tellement générale que, malgré l'emprisonnement de Gandhi et après quelques «bavures» comme le massacre d'Amritsar, où l'armée britannique a fait 400 morts en tirant dans une foule sans défense (13 avril 1919), la Grande-Bretagne doit lâcher du lest. En 1929, elle annonce qu'elle accordera le **statut de dominion** à l'Inde. Mais c'est trop tard: le **Congrès refuse l'offre et exige l'indépendance**. L'agitation reprend, de moins en moins «passive», la violence croît, Gandhi est une nouvelle fois emprisonné puis relâché, et une nouvelle réforme en 1937 permet aux nationalistes de remporter sept des onze provinces aux élections. Cependant, la guerre qui éclate en 1939 va stopper brutalement cette évolution.

En **Chine**, la révolution de 1911 avait bien destitué l'empereur et proclamé la République, mais le gouvernement de Souen Tchongchan (Sun Yat-sen) ne contrôlait qu'un petit territoire autour de Guangzhou (Canton), tandis que le reste de l'«Empire du milieu» avait éclaté en dizaines de principautés féodales sous l'autorité de

LES « TROIS PRINCIPES DU PEUPLE » DE SUN YAT-SEN

Pour l'élite du pays, Sun Yat-sen, père de la République, fondateur du Parti national populaire, ou Guomindang, est le seul chef de la révolution nationale. Lui seul aurait sauvé la Chine de la misère et de l'anarchie.

Sa doctrine est simple : elle est fondée essentiellement sur les « Trois principes » : il est une nation chinoise qui doit prendre conscience d'elle-même et de son unité, et qui doit s'affirmer. Le peuple est souverain. Chaque citoyen se doit à son pays, à la « société chinoise ». Par l'application de ces trois règles, Sun Yat-sen entend réaliser l'unité chinoise et contribuer à l'har-monie universelle, dogme de la philosophie politique de Confucius.

Le peuple chinois est un.

Il faut tout d'abord libérer la Chine à jamais du joug impérial. Il faut une Chine libre et unifiée, à l'abri des empiètements économiques et territoriaux des puissances étrangères. Le droit du peuple à disposer de lui-même et l'entente entre toutes les nations sont des nécessités absolues. Le nationalisme chinois est essentiellement pacifique. Il est, au plus, défensif.

Le peuple est souverain.

Le gouvernement démocratique est le seul système politique qu'un peuple parvenu à un certain développement peut admettre. L'égalité politique entre les citoyens est nécessaire. Ceux-ci ont le droit de contrôler les gouvernements centraux et les autorités locales. [...]

Tout citoyen se doit à la nation, à la « société » dont il est membre.

Le socialisme de Sun Yat-sen prétend assurer le bien-être du peuple par une répartition rationnelle des richesses du pays (partage des terres), par la lutte contre la coalition (limitation des concentrations de capitaux).

H. G. CHIU
Préface à l'édition française des *Souvenirs d'un révolutionnaire chinois*, de Sun Yat-sen, NRC, 1933.

« seigneurs de la guerre », qui pillaient sans vergogne les provinces.

La Chine, entrée en guerre du côté de l'Entente à la suite du Japon, s'était néanmoins vu imposer par ce dernier un véritable protectorat économique (ultimatum des « 21 demandes », 1915), que les traités de 1919 laissent intouché malgré les protestations chinoises. **Cette humiliation fouette le nationalisme chinois** et d'immenses manifestations étudiantes se tiennent dans toutes les grandes villes le 4 mai 1919 pour dénoncer à la fois les appétits du Japon et les traités de paix. Sun Yat-sen ne voit alors d'autre issue que de se **rapprocher de l'URSS**, qui lui envoie des conseillers militaires et politiques grâce auxquels son parti, le Guomindang, devient bientôt, avec ses 600 000 membres encadrés à la soviétique, le parti le plus puissant du pays. Sur ordre de Moscou, le petit parti communiste chinois de Mao Zedong doit s'allier avec le Guomindang.

TCHANG KAÏ-CHEK ET SUN YAT-SEN LORS D'UNE CÉRÉMONIE À L'ACADÉMIE MILITAIRE DE WAMPOAH, MAI 1924

La mort de Sun Yat-sen en 1925 amène au pouvoir **Tchang Kaï-chek** (1887-1975), soutenu par les milieux capitalistes, qui part à la reconquête du pays, réunifié presque complètement sous son égide avec la prise de Beijing (Pékin) en 1928. Victorieuse, la **coalition Guomindang-communistes éclate**, et une lutte implacable et féroce s'engage entre les deux groupes, marquée par de véritables massacres de communistes à Shanghaï et à Guangzhou (Canton) en 1927. Pendant que Tchang développe le capitalisme industriel et commercial au détriment du prolétariat urbain et des masses paysannes, les communistes créent dans le Sud-Est, dans les campagnes, une « **République populaire chinoise** » qui regroupe bientôt plus de 10 millions d'habitants et où les grandes propriétés sont partagées entre les paysans pauvres, sans indemnisation des propriétaires. À la différence du bolchevisme soviétique, le communisme chinois s'implante donc d'abord chez les paysans, ce qui lui donne une base sociale autrement plus solide.

LA GUERRE CIVILE EN CHINE

Territoire contrôlé par le Guomindang (1935)

Mandchoukouo (1932) sous contrôle japonais

Japon

Base communiste en 1934

Itinéraire de la Longue Marche

Base d'arrivée de la Longue Marche (1936)

Craignant la contagion du mouvement, Tchang attaque les « bases rouges » et force les communistes à entreprendre leur célèbre « **Longue Marche** » (1934-1935), véritable odyssée de 12 000 kilomètres qui ne laissera que 20 000 survivants sur 135 000 partants quand elle s'arrêtera finalement, au bout d'un an, dans les montagnes du Shenxi. Autour de la ville de Yanan s'installe alors solidement le noyau d'où les communistes repartiront après 1945 pour l'étape ultime de la conquête du pouvoir.

Conclusion

Les années qui suivent le premier conflit mondial sont marquées par le thème de la révolution. Révolution bolchevique qui instaure en Russie la première tentative de « socialisme réel », à la fois source d'immenses espoirs pour les défavorisés et de panique chez les possédants dans tous les pays occidentaux ; tentatives diverses et toutes vouées à l'échec de révolution de type bolchevique en Europe centrale et occidentale, particulièrement en Allemagne ; révolution « par en haut » dans la Turquie kémaliste ; révolte arabe avortée ; agitation pas aussi « non violente » que Gandhi l'aurait souhaité en Inde ; révolution chinoise marquée au coin de la guerre civile.

Pendant que d'immenses masses sont ainsi agitées, l'Europe se remet lentement de l'hécatombe en essayant tant bien que mal d'en liquider les contentieux les plus aigus, tandis que les États-Unis, premiers et plus grands bénéficiaires du conflit mondial, se replient sur leur isolationnisme traditionnel et entrent dans l'ère de la consommation de masse. Années folles, euphoriques, marquées par une sorte de rage de plaisir et de frivolité après quatre années de carnage incompréhensible, et qui vont s'écrouler avec fracas, un certain jour d'octobre 1929.

Questions de révision

1. Décrivez l'évolution générale du mouvement révolutionnaire de 1917 en Russie, en faisant ressortir les conséquences de la guerre sur cette évolution.

2. Expliquez pourquoi et comment la révolution des soviets se transforme en dictature du Parti bolchevique.

3. Décrivez les principales forces en présence dans la guerre civile en Russie et expliquez les facteurs de la victoire de l'Armée rouge.

4. En quoi consiste la NEP ?

5. À quels facteurs peut-on attribuer l'échec de la révolution spartakiste en Allemagne, et quels éléments importants marquent les premières années de la République de Weimar ?

6. Dans quelles circonstances Mussolini arrive-t-il au pouvoir en Italie ?

7. Comment se manifeste le « retour à la normale » aux États-Unis après la guerre, et quelles sont les bases de la prospérité américaine ?

8. Qu'est-ce que la Société des Nations, et quelles sont les raisons de sa relative inefficacité ?

9. Décrivez l'évolution du problème des réparations allemandes de 1919 à 1929.

10. Dans quelles circonstances naît la Turquie moderne ?

11. Quels problèmes agitent le Moyen-Orient dans les années vingt ?

12. Décrivez l'évolution du mouvement révolutionnaire en Chine entre 1919 et 1935.

4

LA GRANDE DÉPRESSION, 1929-1939

LE GRAND COUP DE TONNERRE QUI ÉCLATE À LA BOURSE DE NEW YORK EN OCTOBRE 1929, ET QUI DÉCOULE EN DROITE LIGNE DES SÉQUELLES DE LA GRANDE GUERRE, ANNONCE LA CRISE ÉCONOMIQUE LA PLUS PROFONDE, LA PLUS ÉTENDUE ET LA PLUS LONGUE DE TOUS LES TEMPS CRISE GÉNÉRALISÉE DE TOUTE L'ÉCONOMIE (AGRICOLE, INDUSTRIELLE, COMMERCIALE ET FINANCIÈRE), CRISE SOCIALE, CRISE POLITIQUE, ELLE S'ÉTEND À TOUS LES PAYS À L'EXCEPTION DE L'URSS, DURE SANS RÉMISSION PENDANT DIX LONGUES ANNÉES, ET N'EST PAS ENCORE RÉSOLUE AU MOMENT OÙ SE DÉCLENCHE LA SECONDE GUERRE MONDIALE QUI, D'AILLEURS, Y TROUVE POUR UNE LARGE PART SES ORIGINES LA GRANDE DÉPRESSION APPARAÎT AINSI COMME UNE SORTE DE TRAIT D'UNION ENTRE LES DEUX GUERRES MONDIALES

LE REFUGE MEURLING À MONTRÉAL EN 1932

i l'on cherche avec des yeux d'historien les causes du formidable ébranlement économique qui commence en 1929, on constate bien vite que les éléments constitutifs ordinaires des crises [...] sont estompés, sinon effacés, par un événement historique : la Première Guerre mondiale et ses répercussions.

Répercussions sur les appareils de production et les courants commerciaux, sans doute ; mais ce ne sont pas les plus graves. [...] Moins bien aperçu d'abord, et surtout beaucoup moins compris, le dérèglement du système monétaire mondial du XIXᵉ siècle s'est avéré finalement beaucoup plus dangereux. En fait, l'inaptitude à faire face à ce problème peut être considérée comme un des drames majeurs de l'entre-deux-guerres.

Cette inaptitude a pris bien des aspects divers. Ce fut d'abord, dans les premières années, l'obstination de bien des dirigeants à vouloir appliquer les idées et les recettes traditionnelles à une situation entièrement inédite. [...] Mais aussi les effets de l'inflation sur la psychologie des foules eurent des conséquences amples et durables. Il ne faut pas oublier non plus [...] que les théoriciens les plus brillants et les plus en avance sur leur époque [...] jouèrent un rôle d'apprentis sorciers. En maintenant par des moyens artificiels la stabilité des prix, on remettait en cause l'ensemble des mécanismes économiques, et c'est l'ensemble de la politique économique qu'il eût fallu, du même coup, repenser.

JACQUES NÉRÉ
La crise de 1929, Paris, Armand Colin, 1968.

CHRONOLOGIE

1929
OCTOBRE   Krach de Wall Street

1930
Hausse des tarifs douaniers (É.-U., Canada)
Assurance-chômage en Grande-Bretagne
Défaite du Parti libéral aux élections fédérales canadiennes

1931
MARS   Faillite du Kredit-Anstalt en Autriche
JUIN   Fermeture des banques en Allemagne
    Suspension des paiements de réparations
JUILLET   Moratoire du président Hoover sur les réparations et les dettes de guerre
SEPTEMBRE   Abandon de l'étalon-or par la Grande-Bretagne

1932
Conférence d'Ottawa, retour au protectionnisme en Grande-Bretagne
Défaite du président Hoover aux élections américaines

1933
F.D. Roosevelt, président des États-Unis
Adolf Hitler, chancelier d'Allemagne
Conférence de Londres

1934
Dévaluation du dollar US

1935
Fondation de l'Action libérale nationale au Québec
Défaite du Parti conservateur aux élections fédérales canadiennes

1936
Victoire du Front populaire aux élections françaises
J.M. Keynes : *Théorie générale de l'emploi, de l'intérêt et de la monnaie*
Réélection de Roosevelt
Défaite du Parti libéral aux élections québécoises

1938
Fin du Front populaire en France

1939
Défaite de l'Union nationale aux élections québécoises

Le krach de Wall Street et la crise économique américaine

■ **Krach**
Effondrement du prix des valeurs cotées en Bourse.

BIEN QUE CERTAINS ÉLÉMENTS DE LA CRISE ÉCONOMIQUE PUISSENT ÊTRE DÉCELÉS DANS PLUSIEURS PAYS, PARTICULIÈREMENT EN EUROPE, DÈS LE DÉBUT DES ANNÉES VINGT, C'EST VRAIMENT LE KRACH■ DE WALL STREET QUI EN CONSTITUE L'ÉLÉMENT DÉCLENCHEUR, ET C'EST DEPUIS LES ÉTATS-UNIS QUE LA CRISE VA SE RÉPANDRE DANS LE MONDE.

LES ORIGINES

On a vu à quel point la Grande Guerre a été favorable à l'économie américaine. Les États-Unis ont en effet, d'une part, renversé complètement leur **situation financière** extérieure, en effaçant leur dette et en devenant prêteurs à peu près au même niveau qu'ils étaient emprunteurs avant 1914. D'autre part, ils ont énormément développé leur **capacité de production**, tant agricole qu'industrielle, pour venir en aide aux pays en guerre, et cela avant même leur entrée directe dans le conflit en 1917.

La paix revenue, cette situation «idéale» alimente une **prospérité inouïe**, accentuée encore par la soif de consommer avivée par les restrictions du temps de guerre. Les «roaring twenties» ont conservé jusqu'à nos jours l'image (en partie fausse, assurément) d'une vaste farandole insouciante et heureuse et de la plongée dans les délectations de la société de consommation.

Mais, si l'on y regarde d'un peu plus près, on s'aperçoit que cette prospérité souffre de **faiblesses** assez graves.

Tout d'abord, elle est pratiquement inexistante dans tout le **secteur agricole**. En fait, la crise est déjà commencée, dans ce secteur, dès le début des années vingt. C'est que les agriculteurs américains, qui ont beaucoup accru leur production pour nourrir les pays en guerre, se retrouvent, après le retour des soldats sur leurs terres à la fin du conflit, avec de **gros surplus** qu'ils tentent d'écouler en baissant leurs prix. Mais les **dettes** contractées pendant la guerre pour accroître leur production ne leur laissent pas de marge de manœuvre, et plusieurs doivent déclarer forfait, entraînant dans leur chute fournisseurs et créanciers.

Dans le **secteur industriel**, la prospérité est **très mal répartie**, ne touchant qu'un très petit nombre d'industries de pointe (automobile surtout, électro-ménager) pendant que les piliers traditionnels de l'économie américaine (charbon, textile, chemins de fer) sont en plein marasme. Mais surtout, pendant qu'entre 1921 et 1925 la production s'accroît de 26 %, les salaires n'augmentent que de 14 %, ce qui fait que la production ne peut plus s'écouler que par

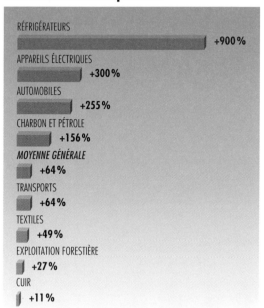

Une croissance déséquilibrée

La hausse de la production dans les années vingt

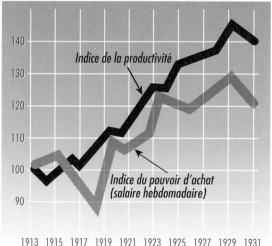

L'indice du pouvoir d'achat et de la productivité aux États-Unis (100 : 1913)

l'**extension indéfinie du crédit**, soutenue par l'appât de la publicité. Il y a donc **sous-consommation** relative, et tout l'appareil de production devient peu à peu en porte-à-faux vis-à-vis du pouvoir d'achat.

Or, pendant que le pouvoir d'achat tire ainsi de l'arrière, les **profits font un bond spectaculaire** de 85 %. Hésitant à investir ces énormes capitaux dans une production déjà excédentaire, leurs détenteurs vont se tourner vers le marché boursier et y déclencher un **boom spéculatif** comme on en a rarement vu. À partir de 1925, la cote boursière s'envole en folie, favorisée par l'achat sur marge■ et les prêts aux courtiers, qui dépassent les huit milliards de dollars, drainant tout l'argent disponible (même les fonds de trésorerie des sociétés industrielles) vers la spéculation au détriment des activités de production. Le **marché boursier a perdu tout contact avec les réalités économiques** : pendant que le prix des actions est multiplié par quatre, la production n'arrive même pas à doubler, et le revenu national n'augmente que d'un tiers seulement. La moindre perturbation peut faire s'écrouler ce château de cartes.

À l'été 1929, les **autorités monétaires** américaines, inquiètes de la surchauffe, décident de **restreindre le crédit** par divers moyens (hausse du taux d'escompte■, vente de titres). Relativement insignifiante par elles-mêmes, ces mesures semblent avoir été suffisantes pour déclencher le **retournement psychologique** nécessaire à l'amorce du krach.

Celui-ci éclate finalement le 23 octobre 1929. Pendant 22 jours consécutifs, les **cours s'effondrent**. Après le Jeudi noir du 24, où 12 millions d'actions sont offertes en vente, le Mardi noir du 29 atteint le record absolu avec

■ **Achat sur marge**
Action d'acheter des titres en Bourse en ne réglant qu'une petite partie du prix et en donnant les actions elles-mêmes en garantie sur le solde.

■ **Taux d'escompte**
Taux d'intérêt fixé par une banque centrale (ex. : Banque du Canada) pour orienter le marché monétaire à la hausse ou à la baisse.

La Bourse en folie

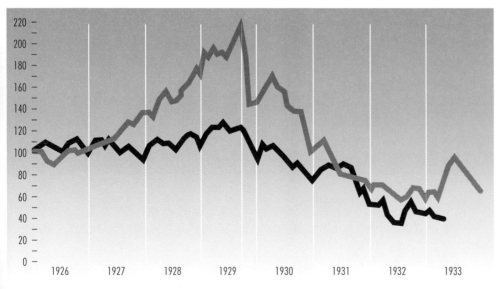

▬▬▬ *Indice de la production industrielle (1926-1934)*
(base 100 en juin 1925)
▬▬▬ *Indice des cours des valeurs (1926-1933)*
(base 100 en juillet 1926)

WALL STREET

*Le quartier de la Bourse, à New York,
grouille d'hommes d'affaires fébriles.*

plus de 16 millions de titres liquidés en catastrophe. Après ces trois semaines infernales, la baisse va se poursuivre, bien qu'à un rythme plus modéré, jusqu'en 1932, et les actions auront alors perdu les **trois quarts** de leur valeur de 1925, soit près de 74 milliards de dollars aux livres. Jamais marché boursier n'a été frappé d'une telle commotion.

KRACH

L'orage a éclaté le mardi 22 octobre pendant la dernière heure d'ouverture; le lendemain matin, les ordres de vente s'accumulaient sans que l'on pût se rendre compte exactement d'où ils provenaient et pourquoi.

Cependant il y avait encore assez d'acheteurs pour absorber avec 5 et 10% de baisse, «à très bon marché», les six millions d'actions jetées sur le marché.

Le jeudi suivant, le 24 octobre, le coup mortel était donné au boom de Wall Street et en même temps à la prosperity *américaine. [...] Les cours s'effondraient d'une minute à l'autre, car on ne trouvait pas d'acheteurs à des prix que, la veille, on aurait considérés comme absolument insensés.*

Ce qui se passait dans l'enceinte de la Bourse à Wall Street n'était qu'un réflexe de la panique qui avait brusquement éclaté dans tout le pays; les hommes et les femmes se bousculaient devant les milliers d'appareils enregistreurs, se pressaient dans les succursales des bureaux des brokers *(courtiers) pour suivre de leurs propres yeux le naufrage du navire sur lequel ils avaient mis tous leurs espoirs. Que pouvaient-ils faire pour se sauver? Vendre. Mais de «leurs» actions ils n'étaient propriétaires que de 20 % ou peut-être 30 %, et les cours avaient déjà baissé d'autant avant qu'ils pussent seulement rédiger leur ordre de vente. Le système de transmission télégraphique des cours établi à*

Wall Street et dont la perfection technique est admirable se révélait, maintenant que chaque seconde avait sa valeur, comme un véritable instrument de torture. Car la machine la plus perfectionnée était insuffisante pour enregistrer les ordres massifs à Wall Street. Pendant des heures, les indications de l'appareil enregistreur restaient en retard sur la réalité et, manquant des renseignements rapides sur les cours auxquels il était habitué, le public jetait inconsidérément son avoir par-dessus bord et vendait les actions à n'importe quel prix.

RICHARD LEWINSOHN
Histoire de la crise, Paris, Payot, 1934.

LES ÉTATS-UNIS DE KRACH EN CRISE

Bien qu'il n'y ait pas de relation automatique entre un krach, phénomène purement boursier, et une crise économique générale, celui de 1929 est le point de départ de la plus grande crise jamais vue. Le mécanisme de transmission doit en être cherché dans le **système de crédit** sur lequel repose l'économie américaine à l'époque.

Un des aspects majeurs de ce système est l'**extraordinaire émiettement du réseau bancaire**, comptant plus de 30 000 établissements, de très petite envergure dans leur majorité, et liés entre eux par un inextricable treillis de relations entrecroisées. Morcellement extrême, mauvaise circulation de l'information, implication parfois très poussée dans la spéculation boursière par les prêts aux courtiers, font de cet ensemble un **échafaudage fragile** et incapable de faire face à l'ouragan qui se déchaîne.

Car que se passe-t-il au moment du krach ? Les **spéculateurs ruinés ne peuvent pas rembourser** leurs créanciers, qu'ils soient banques ou sociétés industrielles. Aussitôt, pris de panique, les **déposants se ruent sur les banques** pour en retirer leurs fonds. Les banques les plus faibles, incapables de couvrir le montant des dépôts, s'écroulent tout simplement, faisant disparaître dans leur chute les avoirs de leurs clients. Les plus fortes, qui se maintiennent, sont malgré tout privées de liquidités, et doivent **suspendre leurs opérations de crédit**.

Et alors, tout s'enchaîne implacablement. Sans crédit à la consommation, l'achat des produits manufacturés s'arrête et les **stocks s'empilent** dans les entrepôts. Sans crédit aux entreprises, les opérations industrielles et commerciales ralentissent et les **entreprises licencient** leur personnel. Les faillites bancaires entraînent donc des **faillites** en cascade dans les entreprises commerciales et industrielles (plus de 100 000 en quatre ans). Le **chômage massif** qui se développe à toute vitesse accentue encore la baisse de la consommation, renforçant les effets de l'effondrement du système de crédit.

La crise américaine

	1929	1930	1931	1932
Indice de la cote boursière (1935-1939 = 100)	(sept.) 238	(juin) 175	—	(juin) 36
Indice des prix de gros (1926 = 100)	95,3	86,4	73	64
Indice de la production industrielle (1928 = 100)	(avril) 111 (nov.) 96	—	(fév.) 78	(fév.) 62 (avril) 54
Nombre de faillites : • d'établissements bancaires • d'entreprises industrielles et commerciales	642 22 909	1 345 26 355	2 298 28 285	31 822
Nombre de chômeurs (en millions)	1,5	4,5	7,7	11,9
Commerce extérieur (en millions de $) Exportations Importations	5 241 4 399	3 843 3 061	2 424 2 091	1 611 1 323
Revenu national (en milliards de $)	87,4	75	59	41,7

Le désastre économique entraîne une immense **crise sociale**. Après la classe agricole déjà sinistrée, toutes les catégories sociales sont touchées, à des niveaux, il est vrai, fort inégaux. Ouvriers « cols bleus » et employés « cols blancs » sont frappés de plein fouet, mais le chômage atteint aussi les classes moyennes qui basculent dans la misère. En mars 1933, avec **12 800 000 chômeurs**, c'est un quart de la population active des États-Unis qui se trouve sans travail, pendant qu'une bonne partie du reste voit diminuer tant ses heures de travail que son salaire horaire.

Terres abandonnées (une sécheresse catastrophique, le « Dust Bowl », a encore aggravé la détresse des agriculteurs), usines fermées, bureaux et cabinets professionnels déserts, familles réfugiées dans des bidonvilles de cabanes goudronnées (on les appelle « hoovervilles », du nom du président !), deux millions d'Américains partis, sur les routes ou accrochés à des wagons de marchandises, à la poursuite du mirage californien : le visage de l'Amérique devient pathétique, relayé par la littérature (John Steinbeck, *Les raisins de la colère*), la photographie (Dorothea Lange), le cinéma.

LE DÉRÈGLEMENT DE
L'AGRICULTURE

Les petits fermiers voyaient leurs dettes augmenter, et derrière les dettes, le spectre de la faillite. Ils soignaient les arbres mais ne vendaient pas la récolte; ils émondaient, taillaient, greffaient et ne pouvaient pas faire cueillir les fruits. Des savants s'étaient attelés à la tâche, avaient travaillé à faire rendre aux arbres le maximum, et les fruits pourrissaient sur le sol. [...]

Le travail de l'homme et de la nature, le produit des ceps, des arbres, doit être détruit pour que se maintiennent les cours, et c'est là une abomination qui dépasse toutes les autres. Des chargements d'oranges jetés n'importe où. Les gens viennent de loin pour en prendre, mais cela ne se peut pas. Pourquoi achèteraient-ils des oranges à vingt cents *la douzaine, s'il leur suffit de prendre leur voiture et d'aller en ramasser pour rien? Alors des hommes armés de lances d'arrosage aspergent de pétrole les tas d'oranges, et ces hommes sont furieux d'avoir à commettre ce crime et leur colère se tourne contre les gens qui sont venus pour ramasser les oranges. Un million d'affamés ont besoin de fruits, et on arrose de pétrole les montagnes dorées. [...]*

On brûle du café dans les chaumières. On brûle le maïs pour se chauffer — le maïs fait du bon feu. On jette les pommes de terre à la rivière et on poste des gardes sur les rives pour interdire aux malheureux de les repêcher. On saigne les cochons et on les enterre, et la pourriture s'infiltre dans le sol.

Il y a là un crime si monstrueux qu'il dépasse l'entendement.

[...] Dans l'âme des gens, les raisins de la colère se gonflent et mûrissent, annonçant les vendanges prochaines.

JOHN STEINBECK
Les raisins de la colère,
Paris, Gallimard, 1947.

De la crise américaine à la crise mondiale

LA CRISE AMÉRICAINE SE RÉPERCUTE, FOUDROYANTE, DANS LE MONDE ENTIER, À L'EXCEPTION DE L'URSS, ENTRÉE RÉSOLUMENT DANS UN RÉGIME D'ÉCONOMIE PLANIFIÉE JUSTE AVANT SON ÉCLATEMENT.

Les mécanismes de transmission

Deux mécanismes de base assurent la propagation de la crise dans tous les pays : le prix des **matières premières** et la dépendance à l'égard des **capitaux** américains.

La crise américaine a pour effet immédiat l'**abaissement des prix** des produits américains sur les marchés mondiaux. Comme les États-Unis sont, et de loin, le premier exportateur mondial, tous les concurrents doivent rapidement s'aligner sur leurs prix. Le phénomène, déjà présent depuis plusieurs années dans le secteur agricole, se généralise maintenant aux matières premières et même aux produits manufacturés. Les pays fournisseurs de produits agricoles ou de matières premières sont les plus durement touchés : Canada, Argentine, pays d'Europe centrale.

En même temps, la **politique protectionniste** traditionnelle des États-Unis, déjà sévère, est encore renforcée en 1930 par un relèvement des droits de douane, ce qui frappe de plein fouet les fournisseurs des États-Unis, en particulier le Japon, qui y exporte le tiers de sa production de soie.

À cela s'ajoute l'état de **dépendance** dans lequel se trouve l'ensemble du monde, et particulièrement les pays d'Europe, à l'**égard des capitaux américains**. Les dettes contractées envers les États-Unis pendant la guerre par les belligérants, de même que les investissements américains dans le monde et les prêts à l'Allemagne ont profondément transformé les flux de capitaux. Ayant accumulé près de la moitié du stock d'or monétaire de la planète, les États-Unis n'ont pourtant pas voulu accroître proportionnellement le volume de papier-monnaie en circulation, car cet accroissement aurait entraîné une hausse des prix intérieurs qui aurait stimulé les importations, grâce à quoi les pays européens auraient pu payer leurs dettes à moindre coût. L'Europe se trouve donc placée, par la politique anti-inflationniste et protectionniste des États-Unis, dans la nécessité d'obtenir de ces derniers des **crédits à court terme** dont le retrait précipité favorisera la propagation rapide des difficultés économiques américaines.

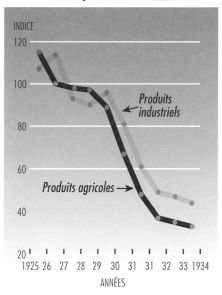

La baisse des prix mondiaux

INDICE

Produits industriels

Produits agricoles →

1925 26 27 28 29 30 31 31 32 33 1934

ANNÉES

Les flux de capitaux

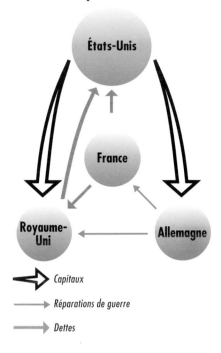

États-Unis

France

Royaume-Uni

Allemagne

➡ *Capitaux*

➡ *Réparations de guerre*

➡ *Dettes*

■ **Contrôle des changes**
Réglementation par l'État des opérations de change entre la monnaie nationale et les monnaies étrangères.

Déjà, avant même le krach, le boom spéculatif de la Bourse de New York avait **raréfié les crédits américains à l'Europe**, au profit de la spéculation boursière. Avec le krach, les financiers américains interrompent d'abord leurs exportations de capitaux, puis tentent de récupérer les capitaux placés à l'extérieur. Ce **retrait massif** met en difficulté un grand nombre de banques européennes, acculant certaines d'entre elles à la faillite. Cette **crise du crédit** va dès lors, comme aux États-Unis, se répercuter très rapidement sur l'ensemble des activités industrielles et commerciales.

LA PROPAGATION DE LA CRISE

La crise économique frappe d'abord les pays les plus dépendants des capitaux américains à court terme, et en tout premier lieu l'**Autriche**, État relativement artificiel créé par les traités de 1919. Privée de toutes les ressources qui avaient fait la force de l'Empire austro-hongrois, l'Autriche était, dès sa création, peu viable économiquement, et avait été portée depuis lors à bout de bras par un **afflux continuel de dollars américains**. L'onde de choc du krach de Wall Street y déferle avec toute sa puissance, provoquant la faillite de la plus grande banque autrichienne (mai 1931).

De là, la crise gagne l'**Allemagne**, déjà frappée à titre d'exportateur de céréales, et où le système bancaire est en étroite relation avec les banques autrichiennes. Après la faillite d'une des plus grandes banques du pays (la Danat Bank), l'État allemand décide la **fermeture de toutes les banques** et caisses d'épargne, instaure le **contrôle des changes**■ et annonce qu'il ne peut plus honorer ses obligations au titre des réparations de guerre (juin 1931).

Cette décision aggrave la situation générale, en désarticulant tout le système des **flux de capitaux** entre l'Europe et les États-Unis. Depuis le plan Dawes, en effet (1924, voir page 103), l'Allemagne reçoit des crédits américains pour l'aider à honorer ses **paiements de réparations** aux vainqueurs de 1918. La France et la Grande-Bretagne utilisent à leur tour une partie de ces paiements allemands pour rembourser leurs lourdes **dettes de guerre** envers les États-Unis. L'Allemagne mettant fin à ses versements, France et Grande-Bretagne suspendent les leurs aux États-Unis, ce qui a pour effet de tarir le retour des capitaux vers l'Amérique et de contribuer ainsi à y approfondir le désastre. Le **moratoire** d'un an sur les réparations et les dettes de guerre, annoncé par le président Hoover en juillet 1931, ne peut guère que prendre acte de la situation, sans rien y changer.

Derrière les États-Unis et l'Allemagne, la **Grande-Bretagne** est secouée à son tour. Déjà plongée dans le marasme depuis la fin de la guerre, elle voit maintenant son stock d'or grugé par des sorties massives dues au déficit de sa balance commerciale, et doit se résoudre à **abandonner l'étalon-or** et à suspendre la convertibilité de la livre sterling, qui perd aussitôt 25 % de sa valeur (septembre 1931), amorçant ainsi la fin de sa suprématie mondiale. En 1932, le Royaume-Uni revient même au **protectionnisme douanier**, abandonné depuis le milieu du XIXᵉ siècle et toujours combattu depuis lors.

La crise atteint finalement la **France**, bien que plus tardivement (début 1932) et moins profondément à cause d'une moins grande dépendance de l'économie française vis-à-vis de l'extérieur.

Quant aux « pays neufs » (Canada, Australie, Nouvelle-Zélande) et aux pays des mondes dominés d'Asie et d'Amérique latine, c'est la chute du cours des matières premières et des prix agricoles qui y fait des ravages. Blé, laine, minéraux voient leurs prix s'effondrer. La débâcle particulièrement grave des « produits de dessert », cacao ou café, précipite la ruine des planteurs brésiliens et de leurs ouvriers agricoles. Les exportations de la plupart de ces pays chutent de 50 % entre 1929 et 1932, proportion qui atteint 70 % pour la Bolivie et la Chine, et plus de 80 % pour le Chili. Même l'URSS est indirectement touchée par le cyclone, car elle ne pourra pas mettre à exécution la forte exportation de produits bruts sur laquelle elle mise, dans le cadre du premier plan quinquennal, pour gonfler l'excédent de sa balance commerciale.

L'évolution du taux de chômage dans les principaux pays industrialisés, de 1920 à 1938

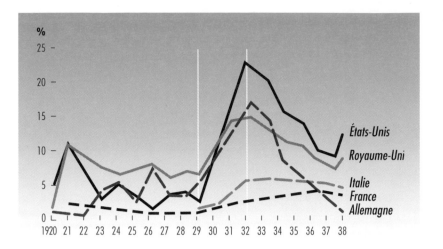

Partout, la crise se traduit par les mêmes symptômes : baisse de la consommation, de la production, de l'investissement et des prix, faillites d'entreprises, hausse spectaculaire du chômage, extension de la misère. En 1933, il y a plus de 30 millions de chômeurs complets dans le monde en dehors de l'URSS.

LA CRISE INTERNATIONALE

La crise internationale est d'abord **financière et monétaire**. L'arrêt des crédits américains, combiné à l'abandon de l'étalon-or et à la dépréciation de la livre sterling puis à la dévaluation du dollar américain lui-même (41 % en janvier 1934), engendre une **crise des moyens de paiement internationaux**. Plusieurs pays, en effet, particulièrement les nouveaux États créés par les traités de paix, n'ont pas d'encaisse-or, et gagent leur monnaie sur les devises, prétendument solides, des pays détenteurs d'importants stocks d'or : États-Unis au premier chef, France et Grande-Bretagne.

L'anarchie qui s'installe dans le système monétaire international entraîne une véritable **guerre des monnaies**, où s'affrontent trois ou quatre blocs d'importance inégale : la zone sterling qui regroupe autour du Royaume-Uni une quarantaine de pays, la zone dollar qui s'étend sur les Amériques et la zone franc français qui ne dépasse guère les limites de l'État français et de son empire colonial. À

De la crise monétaire à la crise commerciale

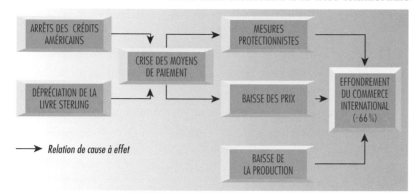

côté de ces zones relativement vastes autour de « **nations nanties** », disposant encore de réserves (or monétaire, marchés coloniaux), se crée le bloc des « **nations prolétaires** », dépourvues de ces réserves, où existe un sévère contrôle des changes et qui tentent de pallier la faiblesse de leur monnaie par le troc■. Ce bloc réunit, autour de l'Allemagne et de l'Italie, la plupart des pays d'Europe centrale et orientale, en voie de devenir de véritables satellites de la puissance allemande dominante.

La désintégration du système monétaire international entraîne celle du **commerce international**. Aux prises avec la crise des moyens de paiement, tous les pays ont recours aux **mesures protectionnistes** pour défendre leur marché intérieur. Il y a donc forte contraction de la quantité de produits offerts sur le marché, ce qui, combiné à la baisse des prix due à l'abondance des stocks invendus, amène un véritable **effondrement** du commerce international, qui perd 66 % de sa valeur-or entre 1929 et 1933.

■ **Troc**
Échange direct d'un produit contre un autre, sans utilisation de monnaie.

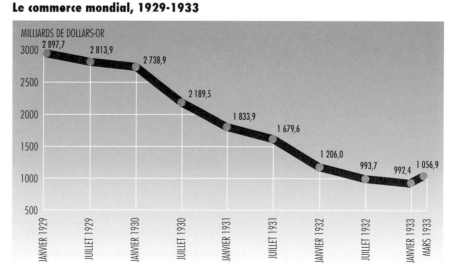

Le commerce mondial, 1929-1933

Après celle du marché intérieur, cette débandade des marchés mondiaux semble rendre rigoureusement impossible, à tout pays, une sortie de crise quelconque en dehors d'une **concertation internationale**. Une vaste conférence est donc convoquée à Londres en 1933 pour proclamer une « trêve douanière » et restaurer la stabilité des changes, mais elle échoue misérablement sur l'écueil d'**égoïsmes nationaux exacerbés**. Désormais, chaque pays va s'occuper de régler en solitaire sa propre crise — ce qui est bien le meilleur moyen de n'y jamais parvenir et de se rapprocher plutôt, dangereusement, du bruit des canons...

Les tentatives de réponse à la crise économique

À CAUSE DES PESANTEURS DE L'IDÉOLOGIE LIBÉRALE CLASSIQUE, LES PREMIÈRES RÉPONSES À LA CRISE VONT DANS LE SENS DE LA DÉFLATION. L'ÉCHEC DE CETTE POLITIQUE AMÈNE DES TENTATIVES DE RELANCE DONT LE BILAN, POUR PLUS POSITIF QU'IL SOIT, N'APPARAÎT PAS SUFFISANT POUR PARLER D'UNE VÉRITABLE SORTIE DE CRISE.

LES PESANTEURS DE L'IDÉOLOGIE

La **théorie libérale classique** considère la crise comme un **mal nécessaire**, voire comme un bien souhaitable dans certaines situations. La crise permet en effet une **relance** de l'investissement par la baisse des taux d'intérêt, pendant que l'accroissement du chômage, en rendant les salariés moins exigeants et moins combatifs, permet une **baisse substantielle du coût de production** et la **restauration des taux de profit** peu à peu grugés pendant la période d'expansion précédente. La crise balaie également les entreprises les moins solides, et les faillites ont un effet d'**assainissement général des affaires** en éliminant les « canards boiteux ». Seules survivent les entreprises les plus performantes. Par ailleurs, la chute des prix incite les producteurs à l'**innovation technique** et à la recherche de nouveaux produits ou de nouveaux secteurs, ce qui permet, une fois passée la phase difficile, de nouveaux départs prometteurs.

La crise est donc, en général, « créatrice » et, après une « adaptation douloureuse », la **reprise est automatique** et inéluctable, à une condition essentielle : il faut que l'**État** respecte rigoureusement les règles du marché et n'**intervienne surtout pas** pour relancer l'économie avant que celle-ci n'ait atteint son point de reprise « naturelle ». Une

---

LA DÉFLATION VUE PAR UN PARTISAN

D'une façon générale, il est vrai de dire que si les taux des salaires étaient moins rigides, le chômage se trouverait sensiblement réduit ; dans les industries qui sont atteintes les premières par les changements économiques, en particulier, une souplesse plus grande de ces taux atténuerait certainement l'ampleur de la violence des répercussions d'une telle évolution. N'eût été la prédominance de l'opinion d'après laquelle les taux des salaires devaient être maintenus à tout prix afin de sauvegarder le pouvoir d'achat du consommateur, la rigueur de la crise actuelle et l'intensité du chômage qui en est résulté eussent été sensiblement moindres. [...]

C'est une vérité pénible et il n'est pas surprenant que des hommes humanitaires, et spécialement ceux qui, n'appartenant pas eux-mêmes à la classe des salariés, éprouvent une répugnance naturelle à dire quoi que ce soit qui aille jusqu'à impliquer un désir de voir la situation d'autres individus s'aggraver temporairement, se montrent peu disposés à l'admettre. Mais on ne saurait la repousser que si l'on est incapable de se rendre compte de la place qu'occupe le contrat de salaire dans l'industrie moderne. [...] Si la demande se réduit, ce sont les bénéfices qui en subissent les premières conséquences. Il est juste qu'il en soit ainsi, car il appartient à l'entrepreneur d'assumer les principaux risques de l'entreprise.

Mais les bénéfices ne sont pas indéfiniment compressibles, pas plus d'ailleurs que les éléments de coût autres que les salaires. De sorte que si le changement survenu est quelque peu profond, il faut, soit modifier les taux des salaires, dans le sens de la réduction, soit laisser inemployée une partie de la main-d'œuvre offerte à l'ancien prix.

L. ROBBINS
La Grande Dépression, 1929-1934, Paris, Payot, 1935.

telle intervention ne saurait déboucher que sur une reprise artificielle et éphémère, prolongeant finalement la crise au lieu de l'enrayer.

L'État ne doit cependant pas se contenter d'un rôle purement passif. Il doit favoriser les mécanismes correcteurs qui restaureront la confiance des investisseurs, au besoin en imposant d'autorité les assainissements préalables à toute reprise. Entre autres, l'État doit mettre en place une politique de **baisse des salaires**, en réduisant d'abord ceux de ses propres salariés, ce qui lui permettra par ailleurs de **réduire ses dépenses**. Car l'autre priorité absolue, c'est l'**équilibre budgétaire**, mis à mal par la réduction des rentrées fiscales et l'accroissement des dépenses sociales. Il faut donc à la fois augmenter les impôts et surtout sabrer dans les dépenses, en particulier éviter de secourir les chômeurs, ce qui ne contribuerait qu'à prolonger la crise. C'est ce qu'on appelle une politique de déflation.

Un effet des politiques de déflation: nombre et situation des chômeurs en Allemagne (1930-1933)

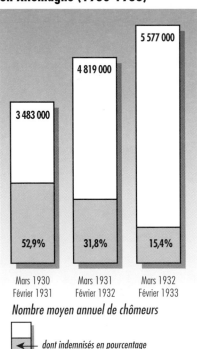

Mars 1930 / Février 1931 — 3 483 000 — 52,9%
Mars 1931 / Février 1932 — 4 819 000 — 31,8%
Mars 1932 / Février 1933 — 5 577 000 — 15,4%

Nombre moyen annuel de chômeurs

dont indemnisés en pourcentage

L'ÉCHEC DES POLITIQUES DE DÉFLATION

Sous l'emprise de cette théorie libérale, tous les pays vont donc pratiquer d'abord une politique de déflation. Aux **États-Unis**, le président Hoover, bien qu'il lance quelques initiatives timides de relance, reste obstinément attaché à l'objectif de l'équilibre budgétaire. Il multiplie par ailleurs les maladresses politiques, par exemple en déclarant en 1930 que « la prospérité est au coin de la rue » ou, plus grave, en faisant disperser par l'armée en 1932 un rassemblement d'anciens combattants campant aux abords de la Maison-Blanche.

En septembre 1931, le **Royaume-Uni** décrète une baisse générale des salaires de 5 % à 20 %, réduit de 10 % les prestations de chômage et augmente tous les impôts. En décembre, l'État **allemand** réduit de 10 % les salaires et de 50 % les prestations de chômage, distribuées en outre de façon nettement plus restrictive, alors que précisément le nombre de chômeurs grimpe sans arrêt. La **France**, dernière touchée par la crise, ne demeure pas en reste, et adopte en 1935-1936 des mesures particuliè-rement brutales pour les classes populaires.

Au bout de quelque temps, toutes ces politiques débouchent sur un échec monumental. **Échec budgétaire** dès l'abord, la dépression réduisant les revenus des gouvernements bien au-delà de la réduction de leurs dépenses. **Échec économique** indiscutable, la réduction des dépenses publiques asphyxiant l'appareil de production. **Échec social**, évidemment, les sacrifices les plus lourds pesant sur les plus démunis et le chômage

LA DÉFLATION VUE PAR UN ADVERSAIRE

[...] les ministres des Finances et à leur suite les présidents du Conseil, rarement spécialisés en matière économique, furent tous hypnotisés par le déficit budgétaire, qui atteignait environ six milliards par an, au début de la législature.

Ils n'ont vu que lui, ont diagnostiqué en lui l'infirmité à guérir alors qu'il n'en était que la conséquence. Pour tenter de le résorber, ils ont appliqué des remèdes fiscaux qui, aggravant le mal écono-mique, cause du mal budgétaire, allaient droit à l'encontre du but poursuivi et faisaient renaître le déficit qu'ils prétendaient combler. Ce fut la politique dite de « déflation budgétaire », de réduction des dépenses de l'État, c'est-à-dire de baisse de salaires des travailleurs publics et par voie de conséquence de bien des salariés, les patrons se hâtant de suivre l'exemple de l'État quand ils ne s'étaient pas, avant celui-ci, engagés dans la même voie.

Inutile d'insister sur les méfaits de la déflation à la ville. Le cantonnier, le lampiste, le facteur, le retraité, le mutilé et avec eux l'ouvrier d'usine ou l'employé de bureau voient leurs salaires réduits, sans que baisse en proportion le coût de la vie, sans que diminuent les impôts. N'ayant d'autres ressources que leurs sa-laires, ils sont contraints de dépenser moins, c'est-à-dire d'acheter moins de produits aux commerçants et aux agriculteurs, et d'économiser sur la nourriture et les vêtements puisque le prix des denrées a moins diminué que les salaires, quand il a diminué.

L'acheteur a supporté certes le premier les conséquences. Mais le vendeur également. Les petits commerçants, les transporteurs, les cafetiers même se rendent compte aujourd'hui qu'ils sont victimes des décrets-lois par ricochet. Nous voici engrenés dans le cycle infernal [...] la misère des uns entraîne la détresse des autres [...] Et l'on voudrait, par la ruine générale des citoyens, équilibrer les finances de l'État ? Allons donc.

J. MOCH

Arguments et Documents contre capitalisme, crise, déflation, Paris, Éditions du Parti socialiste SFIO, 1936.

continuant de grimper en flèche. **Échec politique** enfin, l'approfondissement des difficultés des peuples se répercutant sur les gouvernements frappés d'instabilité, voire sur la vie démocratique elle-même, menacée par la montée des extrémismes.

LES POLITIQUES DE RELANCE : LE NEW DEAL AUX ÉTATS-UNIS

Les solutions traditionnelles de déflation ayant échoué, peu à peu les gouvernements en viennent à inventer empiriquement, dans le feu de l'action, en rupture avec les dogmes libéraux, des solutions de remplacement que l'on peut regrouper sous le vocable de « politiques de relance ».

Ce sont ici les États-Unis qui ouvrent la voie, avec le célèbre *New Deal* proposé et mis en œuvre par un nouveau président, Franklin Delano Roosevelt, qui s'installe à la Maison-Blanche en mars 1933 et y restera, réélu quatre fois de suite, jusqu'à sa mort en 1945. Entouré d'une équipe particulièrement dynamique et compétente (le « *brain trust* »), Roosevelt propose des **mesures interventionnistes** : c'est l'État qui doit prendre l'initiative et rechercher des solutions que l'entreprise est incapable de mettre en œuvre.

Appuyé à fond par une opinion publique qu'il a su galvaniser par son charisme personnel et ses promesses de renouveau, Roosevelt lance ainsi, dès le début de son mandat, une **série ininterrompue d'initiatives** dans tous les domaines, destinées autant à frapper les esprits qu'à relever l'économie : renforcement du système bancaire et protection des déposants, embauche massive de chômeurs par l'administration fédérale (jusqu'à quatre millions en six mois !) pour d'immenses travaux d'équipement comme la *Tennessee Valley Authority*, déficit budgétaire énorme pour l'époque, dévaluation du dollar, création de la *Securities and Exchange Commission* pour surveiller la Bourse. De grandes législations marquent l'intervention nouvelle de l'État dans l'économie américaine : *National Industrial Recovery Act* instaurant des conventions

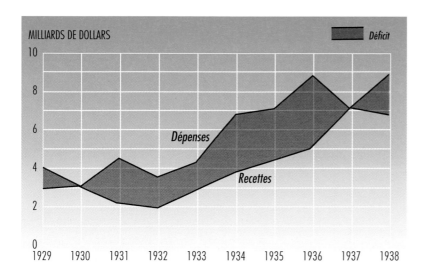

MILLIARDS DE DOLLARS

Déficit

Dépenses

Recettes

collectives et un salaire minimum dans chaque branche de l'industrie, *Agricultural Adjustment Act* assurant un niveau de prix garantis aux agriculteurs, *Social Security Act* créant, pour la première fois aux États-Unis, un régime d'assurance-chômage et de retraite.

Cette activité inépuisable, qui se heurte d'ailleurs à de puissantes oppositions jusqu'en Cour suprême (abrogation de plusieurs mesures jugées inconstitutionnelles), transforme de façon profonde et durable le système politique et économique des États-Unis. Le **pouvoir présidentiel** en sort renforcé, au détriment du délicat équilibre mis en place par la constitution de 1787. Le fédéralisme évolue dans le sens d'une **centralisation** plus grande. Sur le plan social, le **syndicalisme** se développe avec la création d'une deuxième centrale syndicale (Congress of Industrial Organization, CIO, 1936). Bien que bruyamment dénoncé par le patronat, le *New Deal* sert pourtant assez bien les intérêts du capitalisme privé, favorisant même la **concertation industrielle** en suspendant la législation antitrust.

Quant à la crise elle-même, on doit reconnaître que, malgré tous ses efforts, Roosevelt **ne réussit pas vraiment à la juguler**. La descente est stoppée, la production industrielle retrouve en 1937 son niveau de 1929, mais pour repartir aussitôt à la baisse tandis que le chômage repart à la hausse. Mais c'est en quelque sorte psychologiquement que quelque chose a changé : le *New Deal* a permis à la société américaine, dans son ensemble, de **renouer avec l'espoir**, à l'image de son président qui sait si bien insuffler autour de lui la confiance et l'optimisme.

Le New Deal : des résultats mitigés

	1929	1933	1936	1938	1939
PNB par tête (indice)	100	67	91	89	96
Production (indice)	100	63	95	82	100
Population active au travail (indice)	100	81	93	93	96
Taux de chômage	3,2 %	24 %	16,8 %	19 %	17,2 %

LES POLITIQUES DE RELANCE DANS D'AUTRES PAYS

La **Grande-Bretagne** a déjà, dès 1931, pris l'initiative de deux mesures contraires à l'orthodoxie libérale : abandon de l'étalon-or et retour au protectionnisme. L'**État intervient** ensuite pour favoriser la **concentration des entreprises**, amorçant un redressement économique réel bien qu'inégal selon les régions et les industries. Dans le domaine social, la **stabilité des salaires** et la construction de quatre millions de **logements** amènent une amélioration du niveau de vie jusque parmi les pauvres, tandis que le chômage régresse de 50 % entre 1933 et 1937. Mais la société anglaise demeure fortement marquée par l'inégalité, le tiers supérieur des familles disposant de 96 % de la richesse nationale.

En **France**, la crise amène au pouvoir en 1936 le **Front populaire**, coalition quelque peu fragile entre communistes, socialistes et radicaux. Confronté dès le premier jour à un immense mouvement de grèves et d'occupations d'usines, le gouvernement négocie avec patronat et syndicat un **relèvement substantiel des salaires** (de 7 % à 15 % selon les secteurs) complété par un ensemble de lois sociales dont la plus importante institue des **vacances payées** obligatoires de 15 jours par année et la semaine de 40 heures. L'été 1936 voit pour la première fois des masses d'ouvriers partir à la campagne dans une

L'IMPORTANCE DU NEW DEAL

Les années du New Deal ont vu la réalisation de réformes sur lesquelles on ne reviendra plus parce qu'elles ont été acceptées par les deux partis : réformes sociales (reconnaissance du salaire minimum vital, du droit syndical), réformes des marchés agricoles et du système bancaire. Or, toutes ces réformes ont été atteintes sans toucher au cadre démocratique et capitaliste. Roosevelt a donc sauvé le système américain dont ses ennemis lui reprochent d'avoir été le fossoyeur. Aussi est-ce sous l'angle de la politique et non de l'économie qu'il faut juger le New Deal : pendant ces six années, les États-Unis ont retrouvé foi en eux-mêmes ; ils ont puisé une force nouvelle pour affronter le monde extérieur.

DENISE ARTAUD ET ANDRÉ KASPI
Histoire des États-Unis, Paris, Armand Colin, 1971.

atmosphère inoubliable de fête joyeuse et ensoleillée. Mais les grands intérêts lésés réagissent durement : fuite des capitaux, freinage de la production, refus d'embauche maintiennent l'économie dans son marasme, pendant que se déchaîne l'agitation de la droite. En moins de deux ans, l'**échec** est patent : le Front populaire est rompu et la loi des 40 heures, abrogée.

C'est cependant dans des pays périphériques que se réalisent, loin du feu des projecteurs, les politiques de relance les plus audacieuses et les plus durables. En Scandinavie, la **Suède** réoriente massivement sa production vers le marché intérieur et utilise à fond le déficit budgétaire pour relancer la consommation. En Australasie, la **Nouvelle-Zélande** met sur pied la première tentative globale et cohérente d'**État-providence** par le *Social Security Act* de 1938. Ainsi, aux antipodes de l'Europe éprouvée, d'anciennes colonies (Australie et Nouvelle-Zélande) en viennent à incarner le bien-être social et voient s'élever leur niveau de vie général : l'espérance de vie y dépasse de dix ans celle des pays européens.

L'ÉTÉ 1936 EN FRANCE

Partout, on entendait les mêmes réflexions.
— Pensez, Monsieur, me dit une ouvrière, qu'avec mon mari et les enfants on va pouvoir enfin aller « chez nous » en Bretagne. Il y a si longtemps qu'on n'a pas vu les « vieux ».
— Vous êtes bien contente, alors ?
— Ah ! oui, et les petits aussi.
Et chacun de parler de « son » voyage avec les camarades d'atelier, car beaucoup sont venus en groupe.
— Vous voyez, clame bien haut un rude travailleur, cela c'est grâce au gouvernement de Front populaire que vous l'avez !
— C'est que, vous savez, me confie un autre, nous n'avons jamais eu de vacances, nous.
Dans la soirée, nous avons pu assister à la sortie d'une grande usine de la banlieue. On eût dit une sortie d'école après la dernière classe. Comme des gosses qui partent en vacances, tous, plus ou moins bruyamment, exprimaient leur joie faite tout à la fois d'espoirs contenus et d'étonnement. Au milieu des rires, les adieux se faisaient comme au départ d'un lointain voyage.
Le Populaire (organe du Parti socialiste), juillet 1936.

PROPAGANDE CONTRE LE FRONT POPULAIRE EN FRANCE

■ **Autarcie**
État d'un pays qui n a pas besoin de ressources extérieures pour suffire à ses besoins ; économie fermée.

■ **Compensation**
Accord bilatéral de paiement entre deux pays, par lequel les achats et les ventes sont équilibrés pour éviter les déplacements d'argent.

Certains pays vont cependant adopter des politiques de relance d'un tout autre type, fondées sur la recherche de l'**autarcie**■. C'est le cas, particulièrement, de l'Allemagne, de l'Italie et du Japon. La volonté de réduire au minimum les échanges avec l'extérieur conduit à une politique de grands travaux axés sur le **réarmement**, au développement du **troc** et des accords de **compensation**■ avec l'étranger réduisant autant que possible le besoin de devises et au contrôle de sources de matières premières et de marchés. Cette orientation rend nécessaire la **consolidation d'un espace** suffisamment important pour fournir tout ce dont le pays a besoin. L'autarcie débouche ainsi inévitablement sur la **guerre de conquête**, lancée dès 1931 par le Japon en Mandchourie et qui mènera le monde entier à l'abîme.

Bilan et leçons de la crise

IX ANS APRÈS LE COUP DE TONNERRE DE WALL STREET, OÙ EN EST-ON ?

LE BILAN ÉCONOMIQUE ET SOCIAL

Sur le plan strictement économique, la **crise n'est toujours pas vraiment résolue**, sauf peut-être dans le cas de l'Allemagne (mais à quel prix, immédiat et futur...). Au début de 1937, la plupart des pays ont retrouvé un niveau de production équivalent à celui de 1929. Mais, dès la fin de l'année, l'économie mondiale connaît une rechute brutale et le chômage reprend sa course vers le haut, tandis que le commerce international stagne toujours, victime de l'aggravation du protectionnisme et des politiques d'autarcie. La recherche de solutions nationales à une crise mondiale encourage

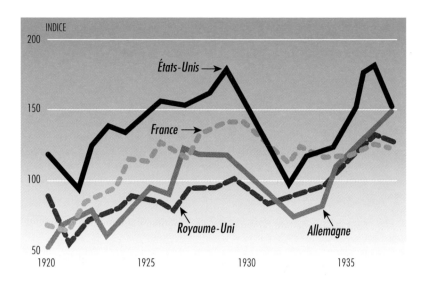

Une crise non résolue
*L'évolution de la production manufacturière
(indice 100 : 1913).*

certains États à recourir à l'agression systématique, et c'est le **réarmement**, en train de se généraliser devant ces menaces, qui permettra, en définitive, de régler les problèmes de production et de chômage et de sortir de la crise. Piteux résultat...

Sur le plan social, la crise a un énorme impact. Toutes les catégories sociales sont touchées, inégalement il est vrai. À côté des **ruraux** et des **salariés** de l'industrie et du commerce, les **classes moyennes** ont été frappées de tous côtés. Les dévaluations ont fait fondre leurs modestes économies, l'effondrement de la consommation a poussé à la faillite artisans et boutiquiers, les politiques de déflation se sont attaquées aux fonctionnaires. C'est d'ailleurs parmi ces divers groupes que la mise en cause de la démocratie libérale est la plus répandue et la plus radicale, et que le fascisme recrute la majorité de ses adhérents.

Car les impacts politiques ne sont pas moins profonds. Devant l'**incapacité des régimes démocratiques** à résoudre la crise, les solutions de remplacement apparaissent de plus en plus séduisantes. Le communisme fait d'importants progrès en France et en Allemagne, tandis que la crainte d'une nouvelle flambée révolutionnaire pousse les classes dirigeantes et les milieux d'affaires à soutenir les mouvements de type fasciste vers lesquels se tournent les classes moyennes. Même dans les pays où ces solutions extrêmes n'exercent pas beaucoup d'attrait (Grande-Bretagne, États-Unis, Canada), l'**instabilité des gouvernements** devient la règle, la longévité du président Roosevelt apparaissant comme une exception.

C'est surtout la politique économique qui, du fait de la crise, subit une véritable mutation, d'abord dans la pratique puis dans l'élaboration d'une nouvelle théorie générale qu'on qualifie de « néolibéralisme ».

UN LIBÉRALISME RENOUVELÉ

C'est à un économiste anglais, John Maynard **Keynes** (1883-1946), qu'on doit la mise au point d'une **nouvelle synthèse théorique** permettant d'ajuster le capitalisme libéral aux nécessités nouvelles (*Théorie générale de l'emploi, de l'intérêt et de la monnaie*, 1936).

Keynes rejette d'emblée la vision traditionnelle d'une crise « bienfaitrice » et d'une relance inévitable lorsque les « lois » du marché sont respectées. Il ne croit guère à un automatisme du marché s'exerçant dans une sorte de monde intemporel. L'offre ne crée pas automatiquement une demande suffisante pour absorber la production. En un certain sens, Keynes « humanise » l'économie en la faisant dépendre essentiellement des **décisions des hommes**, qu'ils soient producteurs ou consommateurs. Et pour les grands équilibres économiques, c'est la demande effective qui prime (consommation des ménages et investissements des entreprises). C'est son insuffisance qui crée et qui prolonge la crise des années trente.

Il faut donc **restaurer la demande effective globale**, et Keynes propose à cette fin des moyens qui sont aux antipodes de ceux des économistes classiques. Selon lui, c'**est l'État qui doit jouer le rôle clé** dans le « réamorçage de la pompe ». Au lieu de licencier du personnel et de baisser

Un circuit keynésien très simplifié

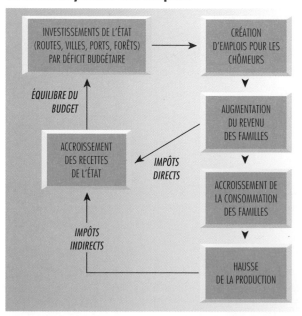

les salaires, il doit au contraire maintenir le pouvoir d'achat des salaires, secourir les chômeurs et **embaucher**. Il doit abaisser les taux d'intérêt pour **stimuler l'investissement**. Il doit baisser les impôts et hausser ses dépenses pour **stimuler la consommation**. Il faut par conséquent ne pas hésiter à créer des **déficits budgétaires** pour les affecter à des investissements créateurs d'emploi, et non pas rechercher coûte que coûte l'équilibre dans ce domaine. Ou plutôt, l'équilibre budgétaire doit se comprendre à l'échelle d'un cycle économique complet et non d'une seule année fiscale. Les déficits subis pendant la phase de dépression seront comblés par les surplus de la phase d'expansion, au cours de laquelle le temps viendra de hausser les impôts et de réduire les dépenses.

En d'autres termes, Keynes demande à l'État de mettre en place une **politique anti-cyclique**, destinée à réduire l'ampleur des fluctuations et la durée de la phase dépressive, ce qu'il est le seul à pouvoir faire. Mais, tout en préconisant une large intervention de l'État dans l'ajustement des mécanismes économiques, Keynes **ne remet pas en question les bases fondamentales du capitalisme** fondé sur l'entreprise privée et la libre concurrence. Sa théorie vise au contraire à fournir à l'entreprise privée les moyens de s'exercer plus efficacement, mais non à permettre à l'État de se substituer à elle. C'est pourquoi on peut qualifier sa théorie de **libéralisme renouvelé**, ou néolibéralisme, que tous les États capitalistes vont adopter après 1945, non sans succès, avant de le remettre en cause dans les années quatre-vingt.

UN NOUVEAU LIBÉRALISME

La théorie qui précède apparaît assez conservatrice sous l'angle de ses répercussions en d'autres domaines. Tout en indiquant l'importance vitale que présente la création d'un contrôle central sur certaines activités aujourd'hui confiées en grande partie à l'initiative privée, elle laisse inchangés de vastes secteurs de la vie économique.

[...] aucune argumentation convaincante n'a été développée qui justifierait un socialisme d'État embrassant la majeure partie de la vie économique de la communauté. Ce n'est pas la propriété des moyens de production dont il importe que l'État se charge. S'il est en mesure de déterminer le volume global des ressources consacrées à l'augmentation de ces moyens et le taux de base de la rémunération allouée à leurs possesseurs, il aura accompli tout le nécessaire. Les mesures nécessaires de socialisation peuvent d'ailleurs être introduites par étapes et sans interrompre les traditions générales de la société. [...] L'élargissement des fonctions de l'État, qu'implique la responsabilité d'ajuster l'une à l'autre la propension à consommer et l'incitation à investir, semblerait à un publiciste du XIXᵉ siècle ou à un financier américain d'aujourd'hui une horrible infraction aux principes individualistes. Cet élargissement nous apparaît au contraire et comme le seul moyen possible d'éviter une complète destruction des institutions économiques actuelles et comme la condition d'un fructueux exercice de l'initiative individuelle.

Car, lorsque la demande effective est insuffisante, non seulement le gaspillage de ressources cause dans le public un scandale intolérable, mais encore l'individu entreprenant qui cherche à mettre ces ressources en œuvre a les chances contre lui.

J.M. KEYNES
Théorie générale de l'emploi, de l'intérêt et de la monnaie,
Paris, Payot, 1939, (dernière édition : 1988).

La crise au Canada et au Québec

E CAS CANADIEN FOURNIT UNE BONNE ILLUSTRATION DES GRANDS SCHÉMAS QUE NOUS VENONS D'ESQUISSER.

LA CRISE À L'ÉCHELLE CANADIENNE

L'économie canadienne de l'époque, reposant sur trois produits d'exportation, est particulièrement sensible à la conjoncture internationale. Le **blé**, qui représente à lui seul 32 % des exportations, les **métaux non ferreux** et les **pâtes et papiers** sont touchés de plein fouet par la baisse des prix internationaux consécutive à la crise américaine. Le prix du boisseau de blé, par exemple, passe de 1,60 $ en 1929 à 38 cents en 1932, entraînant une diminution de 50 % du revenu des agriculteurs des Prairies. La mévente du blé amène une forte diminution dans toutes les activités connexes, en particulier dans le **transport ferroviaire**, où les grandes compagnies (Canadien National, Canadien

Le produit national brut (PNB) du Canada, 1929-1945
(en millions de dollars)

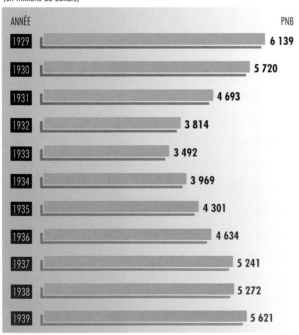

ANNÉE	PNB
1929	6 139
1930	5 720
1931	4 693
1932	3 814
1933	3 492
1934	3 969
1935	4 301
1936	4 634
1937	5 241
1938	5 272
1939	5 621

Pacifique) accusent de lourds déficits. Le papier journal canadien, exporté à 80 % aux États-Unis, voit lui aussi son marché se refermer brusquement.

À partir de là, la crise se développe au Canada selon le même schéma que dans les autres pays : réduction brutale de la demande, contraction de la production, faillites en cascade, hausse vertigineuse du chômage qui atteint un taux de 25 % en 1933. Dépassé comme les autres par l'ampleur du mouvement, le gouvernement fédéral réagit d'abord en haussant de façon radicale les droits de douane dès 1930. Mais la généralisation des mesures protectionnistes dans le monde accentue la crise dans cette économie canadienne si dépendante du commerce extérieur. Le Canada entre alors en négociations et signe des ententes, d'abord avec la Grande-Bretagne et les pays du Commonwealth (Conférence d'Ottawa, 1932), puis avec les États-Unis (1935, entente ayant pour effet de réduire les droits sur certains produits).

Mais il faut aussi stimuler la consommation intérieure, en venant au secours des provinces et des municipalités qui, selon la Constitution, sont responsables des dépenses sociales. Ces **subventions** sont destinées aux travaux publics entrepris pour réduire le chômage ou au « secours direct », prestations aux familles sans exigence de travail en contrepartie.

Devant l'échec de cette politique timide et peu cohérente, le premier ministre Bennett, stimulé par l'échéance électorale, amorce en 1935 son propre *New Deal* : régime d'assurance-chômage, salaire minimum, semaine de travail de 48 heures avec une journée de repos, amélioration du crédit agricole. La plupart de ces lois sont cependant jugées inconstitutionnelles par le Conseil privé de Londres, tribunal de dernière instance pour le Canada, et Bennett lui-même perd le pouvoir aux élections de 1935.

Car la politique canadienne traduit les remous de l'économie. Le premier ministre **Mackenzie King**, qui avait annoncé son refus de payer la moindre pièce de cinq cents aux chômeurs, a été chassé du pouvoir à l'élection de 1930. Le conservateur **Bennett** qui lui succède alors ne parvient pas mieux à refermer la plaie du chômage malgré

La baisse du revenu par habitant entre 1928-1929 et 1933

Province	Baisse en %
Saskatchewan	72
Alberta	61
Manitoba	49
Canada	48
Colombie-Britannique	47
Île-du-Prince-Édouard	45
Ontario	44
Québec	44
Nouveau-Brunswick	39
Nouvelle-Écosse	36

Source : Rapport de la Commission Rowell-Sirois, 1940.

ses initiatives et perd bientôt la faveur populaire. Un nouveau parti, le **CCF** (*Co-operative Commonwealth Federation*) est fondé dans l'Ouest par J. S. Woodsworth avec un programme de profondes réformes sociales : étatisation des services de santé, nouvelle répartition de l'impôt, socialisation de l'appareil financier, adoption d'un code du travail. Un autre parti nouveau, le *Social Credit* préconise la distribution mensuelle de « dividendes » aux citoyens.

En 1935, les conservateurs subissent une humiliante défaite électorale et **King revient au pouvoir**. Dépourvu de la moindre solution de rechange aux politiques si décriées de Bennett, il lance une grande enquête sur les relations entre le gouvernement fédéral et les gouvernements provinciaux (Commission Rowell-Sirois), laquelle recommande à Ottawa d'assumer l'ensemble des besoins sociaux et, pour cela, de se faire transférer par les provinces leur pouvoir de taxation. La crise se traduit ainsi, sur le plan constitutionnel, par un **rééquilibrage du fédéralisme** canadien dans le sens d'une centralisation accrue.

CRISE ET CENTRALISATION

Seul le gouvernement fédéral peut assurer, d'une façon équitable et efficace, les dépenses variables, mais élevées, nécessitées par le chômage. Ses pouvoirs fiscaux illimités mettent à sa portée tous les revenus d'un caractère national dérivés de toutes sources, et il peut y puiser les sommes nécessaires par les méthodes les moins dommageables aux œuvres de prévoyance sociale et entreprises productives. Le contrôle que le gouvernement fédéral exerce sur le régime monétaire lui permet de financer les déficits temporaires résultant de l'augmentation soudaine des dépenses, sans que son crédit en souffre au même point que celui des gouvernements locaux dont le budget est en sérieux déséquilibre. Les pouvoirs monétaires et fiscaux du Dominion lui permettent d'adopter, pendant les crises économiques, une politique budgétaire volontairement déficitaire et de rembourser la dette à même les surplus des périodes de prospérité ; en général, une telle politique n'est à la portée ni des provinces ni des municipalités.

[...] s'il est donné suite aux recommandations de la Commission, le pouvoir fédéral assumerait aujourd'hui la responsabilité de dettes provinciales tout comme il l'a fait en 1867. Ensuite, de même qu'en 1867 on tenait à ce que le Dominion possédât la principale autorité fiscale de l'époque (douane et accise), ainsi, en vertu des propositions de la Commission, on s'attend aujourd'hui que l'État fédéral prenne à son compte la perception des autres impôts majeurs de notre époque (impôt sur le revenu personnel, impôt sur les corporations et droits successoraux).

Rapport de la Commission Rowell-Sirois, 1940.

LA CRISE AU QUÉBEC

Le Québec est entraîné dans la crise de multiples façons. D'abord la baisse des exportations de blé de l'Ouest canadien frappe l'activité des **élévateurs de grains** de la vallée du Saint-Laurent, particulièrement dans le port de Montréal, de même que la **production manufacturière** destinée aux besoins des agriculteurs. La réduction du **transport ferroviaire** se répercute lourdement sur l'importante production de matériel roulant concentrée à Montréal, laquelle tombe de 70 à 11 millions de dollars entre 1929 et 1933, réduisant de 50 % la main-d'œuvre de cette industrie.

Tout le secteur des **pâtes et papiers**, dont le Québec est l'un des plus importants producteurs mondiaux, est particulièrement touché. De 1929 à 1933, la valeur de la production y passe de 129 à 56 millions de dollars, pendant que le nombre d'emplois baisse de 40 %. Ces baisses sont dues essentiellement à la réduction du tirage des journaux aux États-Unis. Par ailleurs, la construction, tant résidentielle que commerciale, étant pratiquement stoppée, l'industrie du **sciage** entre en chute libre : la production passe de 23,3 à 6,6 millions de dollars, l'emploi fond de plus des deux tiers. Il n'y a qu'un secteur qui, loin d'être mis en danger par les circonstances, connaît au contraire une bonne expansion : c'est la **production d'or**, dont la valeur passe de 2 à 34 millions de dollars entre 1929 et 1939. Évidemment, comme toujours en période de crise, le métal précieux sert de valeur refuge...

En 1929, le Québec n'a **aucun système public de sécurité sociale**. Cette responsabilité est laissée entre les mains des familles, du clergé, des organismes de charité et, en ultime recours, aux municipalités, avec l'aide fort timide du gouvernement aux termes de la Loi de l'assistance publique de 1921. Devant la catastrophe qui suit 1929, gouvernement et municipalités conjuguent leurs efforts dans la mise en marche de **grands travaux publics** dont l'utilité économique n'est pas toujours évidente (par exemple la construction de toilettes publiques à Montréal, vite appelées « camiliennes », du nom du maire Camilien Houde, à l'instar des « vespasiennes » de l'empereur

La crise dans le secteur manufacturier (Québec)

	Salariés	Valeur de la production (en millions de $)
1929	206 580	1 109,0
1930	197 207	973,2
1931	173 605	801,6
1932	155 025	619,1
1933	157 481	604,5
1934	175 248	715,5
1935	182 987	769,1
1936	194 876	863,7
1937	219 033	1 046,0
1938	214 397	983,1
1939	220 321	1 046,0

DES TRAVAUX DE CHÔMAGE À LACHINE, 1938

Vespasien à Rome...). Mais les solutions de ce genre révèlent vite leurs insuffisances devant l'ampleur du chômage et risquent d'ailleurs de mettre en faillite nombre de municipalités.

À partir de 1932, les politiques gouvernementales s'orientent vers les **secours directs**, financés par les trois ordres de gouvernements (fédéral, provincial, municipal). Ils doivent servir à subvenir aux besoins essentiels (nourriture, vêtements, chauffage), et ne dépassent guère 18 $ par semaine pour une famille de cinq membres à Montréal.

D'autres mesures complètent ce tableau somme toute peu impressionnant, surtout les **programmes de colonisation** qui tentent d'attirer sur des terres nouvelles les chômeurs des villes. Toute une série de primes les y invitent : prime à l'installation, prime au défrichement, prime à la construction d'une maison, prime à la mise en culture, etc. Ces programmes de retour à la terre,

Les sommes affectées à l'aide aux chômeurs, Québec 1930-1940 (en millions de dollars)

Ordre de gouvernement	Secours directs	Travaux publics	Total
Fédéral	45,9	17,1	83,0
Provincial	59,6	56,4	116,0
Municipal	39,4	9,7	49,1
Total	145,0	83,2	248,1

soutenus par une **intense propagande** tant gouvernementale que religieuse, touchent à peine 56 000 personnes, alors que la ville de Montréal, à elle seule, doit en
secourir 250 000, soit le tiers de sa population. Ce retour à
la terre s'effectue également dans de **mauvaises
conditions**, sur des **terres pauvres et isolées** (Abitibi,
arrière-pays du Bas-Saint-Laurent et de la Gaspésie) que
plusieurs « colons » (en fait, les deux tiers) trouveront plus
rentable d'abandonner au bout de quelques années pour
revenir à la ville ou s'engager dans les mines ou les usines.

Même en ajoutant à tout cela l'acceptation du programme fédéral des pensions de vieillesse et l'adoption de
pensions aux aveugles et aux « mères nécessiteuses », la
politique sociale québécoise de lutte contre les effets de la
crise apparaît **extrêmement limitée** et toujours dominée
par la vision traditionnelle d'un État dépourvu de responsabilités.

Sur le plan **politique**, l'**instabilité** provoquée par la
crise se développe également au Québec. Le régime libéral qui dure sans interruption depuis 1897 apparaît de
plus en plus corrompu, vendu aux intérêts du capitalisme
américain ou anglo-canadien et incapable de faire face à la
situation de crise. Une intense réflexion intellectuelle
pousse d'abord l'École sociale populaire de Montréal,
sous la direction des Jésuites, à publier un *Programme de
restauration sociale* qui condamne les abus du capitalisme et
exige l'intervention de l'État pour secourir les indigents.

Sur cette lancée, un groupe de libéraux mécontents,
dirigé par Paul Gouin, quittent leur parti pour fonder
l'**Action libérale nationale**, qui reprend largement le

---

7 CENTS PAR REPAS

*Pouvez-vous imaginer, chers
lecteurs, 8,00 $ par semaine
pour huit personnes ou plus et
5,00 $ par semaine pour quatre
personnes et avec ça payer le
loyer, l'éclairage, le combustible,
les vêtements et les aliments
(pardonnez-moi, j'ai presque dit
l'assurance).*

*[...] Oui monsieur, pour une
famille de quatre personnes, cela
donne 7 cents par repas par
personne et pas de loyer, pas
d'éclairage, pas de souliers, pas
de vêtements, pas de tabac pour
papa et pas de pommes cara-
mélisées pour les enfants. Et
n'oubliez pas qu'avec ma ration
de nourriture, je dois trouver
assez d'énergie pour soulever un
pic ou une pelle de la municipalité pendant quatre heures par
jour, cinq jours par semaine.*

*Je mets au défi toute personne
siégeant à la Commission de
secours ou ailleurs et qui a été
mêlée à la confection de ces taux
de salaire, de nous montrer à
nous, les chômeurs avec des familles, comment nous pouvons
éviter de nous laisser tranquil-
lement mourir de faim.*

Le Messager de Verdun, septembre 1932.

RÉFORMER LE CAPITALISME, SELON L'ÉCOLE SOCIALE POPULAIRE

Capitalisme

Le régime capitaliste, dans lequel les hommes contribuent à l'activité économique, les uns par les capitaux, les autres par le travail, n'est pas à condamner en lui-même. Ce sont les abus du capitalisme qu'il faut condamner : la concentration excessive des capitaux entre les mains d'un petit nombre d'hommes qui deviennent, par suite, les maîtres du commerce et de l'industrie, imposent leur loi au monde du travail et dirigent les entreprises trop exclusivement en fonction d'intérêts financiers. Ce qu'il faut combattre, ce sont les excès qui ont fait dégénérer le régime actuel en une sorte de dictature économique [...].

Évolution

La restauration sociale se fera par une évolution, mais non pas par la révolution. Il faut réformer, amender le capitalisme. Vouloir le détruire brusquement, c'est une utopie malfaisante [...]. Mais il s'agit de réaliser un capitalisme humain, dirigé par la loi chrétienne de justice et de charité, socialement aménagé, contrôlé par l'action de l'État et l'organisation professionnelle.

LOUIS CHAGNON
« Directives sociales catholiques », *L'École sociale populaire*, nos 232-233.

programme de l'École sociale populaire, en particulier la **nationalisation de l'électricité**. Pendant la campagne électorale de 1935, l'ALN conclut une alliance tactique avec le Parti conservateur de Maurice Duplessis, et le gouvernement Taschereau n'est réélu qu'avec six sièges de majorité. Galvanisée par Duplessis, qui prend de plus en plus la vedette sur Gouin, l'opposition entre alors dans une lutte féroce qui aboutit, après la révélation d'une pléthore de scandales, à la démission du premier ministre Taschereau et au déclenchement d'élections anticipées en 1936.

Cette fois, Duplessis, sûr de son ascendant, joue son va-tout. Il rompt avec l'Action libérale nationale mais récupère la majeure partie des disciples de Gouin pour fonder l'**Union nationale**, qui obtient un véritable triomphe en faisant élire 76 députés, n'en laissant que 14 aux libéraux et aucun à l'ALN. Mais quelques semaines plus tard, devant le refus de Duplessis de réaliser certaines de ses promesses, quelques démissions fracassantes jettent déjà une ombre sur cette victoire où plusieurs avaient entrevu l'amorce d'une solution à la crise, voire d'une libération nationale encore mal affirmée. En fait, l'Union nationale poursuit les **mêmes politiques** que le Parti libéral, échouant comme lui à sortir le Québec de la crise. En 1939, Duplessis sera chassé du pouvoir de façon aussi humiliante que les libéraux l'avaient été trois ans plus tôt.

Conclusion

Les années trente ont vu se déployer dans le monde entier, à l'exception de l'URSS, la plus grave et la plus longue crise économique et sociale de l'histoire moderne. Issue des suites de la Grande Guerre, déclenchée par le fameux krach de Wall Street, propagée depuis les États-Unis par le relais des prix internationaux et des flux de capitaux, la crise frappe indistinctement tous les pays et tous les secteurs de l'économie, et se traduit par une contraction générale de la consommation, de la production, de l'investissement, des prix et des salaires et par la hausse phénoménale du chômage, entraînant dans la misère des millions d'hommes et de femmes dans toutes les catégories sociales.

Empêtrés dans les pesanteurs des théories libérales classiques qui leur laissent fort peu de marge d'intervention, tous les États réagissent d'abord par des politiques de déflation qui ne font qu'aggraver la situation, puis mettent sur pied, non sans incohérences parfois, des programmes de relance qui amènent une véritable redéfinition de l'État libéral, désormais investi de responsabilités et de pouvoirs d'intervention nouveaux.

Sur le plan politique, la crise se traduit par une certaine instabilité dans les gouvernements démocratiques, soumis aux sautes d'humeur de l'électorat. Mais au-delà des sautes d'humeur, c'est tout le système de la démocratie libérale qui est remis en cause, ce qui favorise le développement de partis ou de mouvements préconisant son renversement pur et simple. La crise affaiblit donc les démocraties et renforce les dictatures. Or, l'option communiste n'ayant pratiquement aucune chance de s'imposer en Occident, c'est le fascisme qui y est appelé aux plus grands succès dans quelques pays, entraînant sur le destin de toute l'humanité des malheurs encore plus vastes.

QUESTIONS DE RÉVISION

1. Décrivez les faiblesses de la prospérité américaine des années vingt et montrez comment ces faiblesses déclenchent le boom spéculatif de la bourse de New York.

2. Par quel mécanisme le krach boursier entraîne-t-il une crise économique généralisée aux États-Unis, et quels sont les aspects essentiels de cette crise ?

3. Quels sont les mécanismes de transmission de la crise américaine vers le monde et particulièrement vers l'Europe ?

4. Décrivez la propagation de la crise à travers les principaux pays d'Europe.

5. Expliquez l'aspect monétaire et l'aspect commercial de la crise internationale.

6. Comment la théorie libérale classique voit-elle le phénomène des crises économiques en général ?

7. Donnez des exemples de politiques de déflation et montrez l'échec de ces politiques.

8. Décrivez quelques aspects du *New Deal* et faites-en le bilan.

9. Par quoi le gouvernement du Front populaire en France s'est-il fait surtout remarquer ?

10. Quel bilan économique, social et politique peut-on dresser de la crise, dix ans après son éclatement ?

11. Expliquez comment la recherche de solutions nationales entre en contradiction avec la dimension mondiale de la crise. Donnez des exemples concrets.

12. Expliquez les aspects majeurs de la théorie keynésienne. Pourquoi peut-on la qualifier de « néolibéralisme » ?

13. Comment l'économie canadienne et québécoise est-elle d'abord frappée par la crise ?

14. Quelles politiques le Canada et le Québec adoptent-ils pour combattre la crise ?

15. Montrez comment la crise entraîne l'instabilité des gouvernements au Canada et au Québec.

5

LA MONTÉE DES DICTATURES

Derrière l'apparente victoire des grandes démocraties contre les empires autoritaires, la Grande Guerre a favorisé, dans les faits, des entorses de toutes sortes aux principes démocratiques et un net renforcement du pouvoir exécutif, seul capable d'assurer la cohésion et la rapidité de décision exigées par la conduite de la guerre. Aussi les années vingt ont-elles vu disparaître, sous la pression des frustrations dues aux traités et des nationalismes exacerbés, la plupart des régimes démocratiques instaurés dans les nouveaux États.

La crise des années trente accentue encore la dérive antidémocratique et fait triompher, dans deux pays, une idéologie et un système sociopolitique qui s'affirment aux antipodes de la démocratie : le fascisme. Au même moment s'installe dans la Russie bolchevique un régime stalinien qui a peu à envier à l'autocratie des tsars, tandis qu'à travers toute l'Europe l'aire démocratique rétrécit comme une peau de chagrin devant la poussée de dictatures plus traditionnelles.

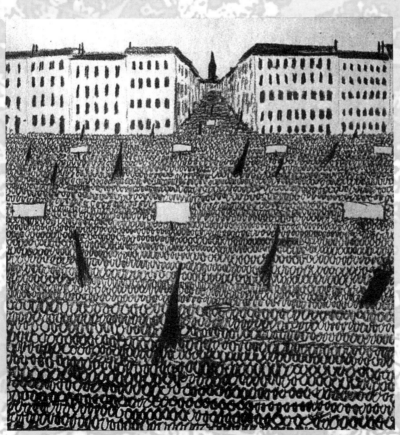

L'AVÈNEMENT DE LA SOCIÉTÉ DE MASSE, PRÉLUDE AU TOTALITARISME

Werner Heldt, La marche des zéros, 1935

*R*évolutionnaire, le fascisme ? Oui, si la « révolution » consiste à jeter bas ce qui lui est immédiatement antérieur. À savoir la démocratie libérale bourgeoise, fille de l'Europe des Lumières et très médiocrement implantée dans les pays où il triomphe à la faveur de la guerre et de la crise. Oui, si l'on prend le mot « révolution » au sens de rotation dans le temps, ce qui implique fondamentalement un retour aux « sources », une régression dont est porteuse à bien des égards la mythologie de « l'homme nouveau », ce guerrier rendu à l'état de nature qu'incarne le SS ou ce soldat-laboureur conçu sur le modèle du légionnaire romain dont rêve Mussolini à l'heure de la « révolution culturelle » fasciste. En ce sens de retour à la barbarie qui est présent dans les premiers balbutiements du fascisme, la guerre dont il s'est nourri et qu'il nourrit à son tour paraît être la conclusion logique de cette « révolution conservatrice ». Que celle-ci ait été balayée avec l'effondrement des puissances de l'Axe ne signifie pas que nous soyons à l'abri d'autres formes de totalitarismes rouges et noirs empruntant au modèle défunt une partie de sa thématique. L'ethnologisation n'exclut pas la vigilance.

P. MILZA

« Penser le fascisme », dans Versaille (dir.), *Penser le XXᵉ siècle*, Paris, Complexe, 1990.

CHRONOLOGIE

	Italie	Allemagne	Union soviétique
1919	Formation des Faisceaux italiens de combat		
1921	Fondation du Parti national fasciste	Fondation du Parti national socialiste des ouvriers allemands (NSDAP)	
1922	Mussolini appelé au gouvernement		
1924		Hitler rédige *Mein Kampf*	
1925	Mussolini annonce la dictature	Formation des SS	
1926	Lois « fascistissimes »		
1928			Dictature personnelle de Staline Premier plan quinquennal Collectivisation des campagnes
1929	Accords de Latran avec l'Église catholique		
1930		Spectaculaire poussée électorale des nazis	Premiers procès contre les « saboteurs »
1932		Recul électoral des nazis	Passeport intérieur obligatoire
1933		Hitler nommé Chancelier Interdiction des partis et des syndicats Ouverture du camp de Dachau	Deuxième plan quinquennal Début des purges à l'intérieur du Parti communiste
1934	Intégration des syndicats dans les corporations	Hitler devient Reichsfurher	
1935		Lois de Nuremberg contre les Juifs	Lopin privé et marché libre pour les kolkhosiens
1936			Grands procès de Moscou (jusqu'en 1939)
1938	Création de la Chambre des faisceaux et corporations Législation anti-juive	« Nuit de Cristal » : pogrom général contre les Juifs	Troisième plan quinquennal Généralisation du livret ouvrier
1939		Lois eugéniques : élimination des malades mentaux	

Le fascisme, origine et idéologie

E MOT FASCISME PEUT DÉSIGNER UNE FOULE DE RÉALITÉS EXTRÊMEMENT DIVERSIFIÉES ET PERD PEU À PEU SON SENS À MESURE QU'ON L'ACCOLE À PRESQUE N'IMPORTE QUOI. IL EST ESSENTIEL DE LUI REDONNER ICI TOUT SON SENS EN LE DISTINGUANT DES PHÉNOMÈNES QUI N'ONT AVEC LUI QU'UN RAPPORT PARFOIS FORT LOINTAIN.

UN PHÉNOMÈNE DÉTERMINÉ

On a vu (page 97) l'origine du mot : il vient du nom des « Fasci italiani di combattimento », groupes fondés par Mussolini dans l'immédiat après-guerre et qui lui ont permis d'accéder au pouvoir. Dans son sens le plus restreint, le mot fascisme désigne donc le régime mis en place en **Italie** au début des années vingt et qui va progressivement, de façon quelque peu improvisée, prendre son visage définitif au bout de plusieurs années de tâtonnements.

Mais ce régime va très vite inspirer, ne serait-ce qu'au niveau des manifestations externes (salut à main levée), un autre mouvement, d'une tout autre dimension, qui prendra le pouvoir en **Allemagne** en 1933 et marquera à jamais l'histoire de l'humanité : le nazisme, ou hitlérisme. **Dans son sens le plus fort**, le mot *fascisme* réunit, sur la base de leur identité fondamentale et malgré leurs différences parfois assez grandes, les **deux régimes de Mussolini et d'Hitler**, qui présentent des caractères communs qu'on ne retrouve pas dans les autres régimes dictatoriaux qui se multiplient tout autour d'eux ou qui fleurissent encore à notre époque.

C'est donc dans ce sens que nous emploierons ici le mot fascisme et ce sont les traits particuliers communs aux deux régimes que nous étudierons, quitte à faire ressortir les principales différences entre les deux.

LES ORIGINES

Le fascisme est d'abord la manifestation la plus extrême d'une **crise de civilisation** qui remonte à la deuxième moitié du XIXe siècle. La Révolution industrielle, qui atteint sa pleine maturité à cette époque, a un effet destructeur sur les sociétés traditionnelles en brisant les réseaux d'intégration qui en assuraient la stabilité : communauté villageoise, atelier artisanal, corporation de métier, groupe religieux. La déqualification de la main-d'œuvre devenue simple force de travail, la concentration de cette force de travail dans les manufactures, autour d'énormes machines dont elle a perdu et la propriété et le contrôle, l'exode vers des villes mal équipées où l'on s'entasse dans les conditions les plus sordides ont **déstructuré les sociétés traditionnelles** et provoqué l'avènement de la **société de masse**, c'est-à-dire d'une société formée essentiellement d'individus isolés et déracinés, qui cherchent confusément de nouvelles formes d'intégration dans le tissu social.

Parallèlement à ce bouleversement économique et social, l'industrialisation, de par ses excès peut-être, a déclenché une **remise en cause radicale de tout l'héritage des Lumières** : confiance dans les capacités de la Raison, certitude que la science amène le bien-être général, foi dans le Progrès, aspirations démocratiques. À la fin du XIXᵉ siècle, tout ce credo est sérieusement contesté par de **nouveaux courants philosophiques** qui réhabilitent les valeurs de l'**instinct**, exaltent l'**inégalité** entre les humains, rejettent le scientisme au profit de la **foi** aveugle, et, dans le cas de Nietzsche, appellent de leurs vœux l'apparition d'un groupe de **surhommes**, destiné à « se hausser à ses devoirs supérieurs, à la réalisation d'un être plus élevé » en réduisant à l'esclavage la foule immense des humains inférieurs.

La Première Guerre mondiale et la crise économique et sociale qui s'ensuit renforcent ce mouvement. La **guerre** exalte le militarisme et les vertus guerrières, soulève les passions nationales et renforce les antagonismes sociaux en frappant de façon très inégale les différentes catégories sociales. La **crise** dévoile l'impuissance des États démocratiques à combattre les abus les plus criants du libéralisme économique et amène une dégradation des conditions de vie qui frappe de façon particulièrement

---

SURHOMMES ET ESCLAVES

Jusqu'ici toute élévation du type humain a été l'oeuvre d'une société aristocratique, et il en sera toujours ainsi ; autrement dit elle a été l'oeuvre d'une société hiérarchique qui croit à l'existence de fortes différences entre les hommes et qui a besoin d'une forme quelconque d'esclavage. [...]

Une aristocratie saine [...] devra prendre sur elle de sacrifier sans mauvaise conscience une foule d'êtres humains qu'elle réduira et rabaissera, dans son intérêt, à l'état d'hommes diminués, d'esclaves, d'instruments. Sa croyance fondamentale doit être que la société n'a pas le droit d'exister pour elle-même, mais qu'elle ne doit être que le soubassement et la charpente qui permettront à une élite de se hausser à ses devoirs supérieurs, à la réalisation d'un être plus élevé [...].

[...] vivre, c'est essentiellement dépouiller, blesser, dominer ce qui est étranger et plus faible, l'opprimer, lui imposer durement sa propre forme, l'englober et au moins, au mieux, l'exploiter [...] ; de nos jours on s'exalte partout [...] sur l'état futur de la société où « l'exploitation n'existera plus » : de tels mots sonnent à mes oreilles comme si l'on promettait d'inventer une forme de vie qui s'abstiendrait volontairement de toute fonction organique. L'« exploitation » n'est pas le propre d'une société vicieuse ou d'une société imparfaite et primitive : elle est inhérente à la vie dont elle constitue une fonction primordiale, elle découle très exactement de la volonté de puissance, qui est la volonté de la vie.

F. NIETZSCHE
Par-delà le bien et le mal, 1886.

brutale les classes moyennes, humiliées de perdre leur statut et de basculer dans le prolétariat.

À cela s'ajoute la **menace révolutionnaire** incarnée depuis 1917 par le bolchevisme russe et qui risque de faire rapidement tache d'huile dans les pays où l'industrialisation est beaucoup plus poussée, et donc la classe ouvrière beaucoup plus nombreuse, que dans l'ex-empire des tsars. Menacées dans leur pouvoir et dans leurs biens, les classes possédantes cherchent un bouclier pour les protéger du danger et suivent d'un œil bienveillant le développement des formations paramilitaires fascistes.

Tous ces facteurs sont en place dans tous les pays d'Europe, et pourtant le fascisme ne se hissera jusqu'au pouvoir que dans deux d'entre eux : l'Italie et l'Allemagne. C'est que, dans ces pays, deux facteurs particuliers ajoutent leur poids et achèvent la préparation du terrain.

D'une part, la crise de civilisation et la crise économique et sociale s'y conjuguent avec l'**humiliation nationale** issue des traités de 1919. Les thèmes de la « victoire mutilée » en Italie (bien que victorieuse, elle a été frustrée par les traités) et du « coup de poignard dans le dos » en Allemagne (les civils ont trahi l'armée en arrêtant le combat) touchent de profondes résonances dans les opinions publiques et sont cultivés, enrichis, développés par la propagande fasciste.

D'autre part, ces deux pays **n'ont guère de profonde tradition démocratique**. Nés dans les années 1870, ils n'ont connu que des régimes autoritaires masqués sous des apparences de vie parlementaire. Paradoxalement, la situation est encore pire, de ce point de vue, après l'avènement en Allemagne de la république de Weimar, aux structures pourtant démocratiques (voir page 96). C'est que cette république est, jusqu'à un certain point, imposée de l'extérieur par les vainqueurs de la guerre et que, dès sa naissance, elle est mise dans l'obligation d'accepter l'humiliation du traité de Versailles. Dès le départ, les **institutions démocratiques sont donc, en Allemagne, associées à la défaite et à l'opprobre**, et il sera facile pour les fascistes de convaincre les Allemands de rejeter l'ensemble de cet héritage empoisonné...

LES MILITANTS

À l'origine, les militants des mouvements fascistes se recrutent essentiellement dans les **classes moyennes**. Petits paysans propriétaires, petits et moyens commerçants des campagnes et des villes, petits industriels, membres de professions libérales, étudiants en très grand nombre, employés, fonctionnaires, forment les éléments proportionnellement les plus nombreux et les plus déterminés du fascisme. En 1921, par exemple, en Italie, les 150 000 inscrits au parti de Mussolini comptent 22 000 employés (dont 1/3 de fonctionnaires), près de 20 000 étudiants, 18 000 propriétaires terriens, 14 000 commerçants et 10 000 membres de professions libérales, ces groupes représentant près des deux tiers du total des adhérents. Les **ouvriers,** quant à eux, restent **très réticents** devant l'option fasciste : en Allemagne, les élections aux conseils d'usines en 1931 ne donnent que 0,5 % des voix aux nazis, qui en récoltent pourtant 37,4 % dans l'ensemble de la population aux élections générales de 1932.

Deux facteurs, surtout, expliquent ce phénomène. D'abord, ce sont les classes moyennes qui, proportionnellement, ont été les **plus durement touchées** par l'inflation des années vingt et surtout par la crise des années trente. Paysans, la chute des prix agricoles les a acculés à la ruine et ils ont même parfois dû abandonner leur terre, reprise par les créanciers ; commerçants ou professionnels, ils ont vu la clientèle les déserter ; petits industriels, ils ont dû fermer leurs usines ; employés ou fonction-

Le Parti nazi dans la société allemande

Comparaison entre la structure sociale de la société et celle du Parti en 1930 (en pourcentages)

Groupes professionnels	Société allemande	Parti nazi	Indice (société = 100)
Ouvriers	45,9	28,1	61,2
Employés	12,0	25,6	213,5
Paysans	10,6	14,0	132,0
Indépendants	9,0	20,7	230,0
Fonctionnaires	4,2	6,6	157,1
Enseignants	0,9	1,7	188,8

naires, ils ont été réduits au chômage par l'approfondissement de la crise et les politiques de déflation ; épargnants, leurs modestes placements ont été réduits à néant par la tornade inflationniste qui a suivi la guerre ; étudiants, ils se retrouvent devant un avenir bouché où leur scolarité ne semble pas leur promettre le rang social auquel ils aspirent.

Or, devant cette menace de prolétarisation, ils refusent absolument toute solution qui s'apparenterait au communisme égalitaire et **rejettent une transformation radicale de la société** qui se ferait au bénéfice d'une classe considérée comme inférieure et avec laquelle ils ne sauraient s'identifier sans un profond sentiment de déchéance. Ils veulent à tout prix conserver, ou retrouver, un **rang social** qu'ils considèrent comme supérieur à celui des ouvriers, même quand leurs salaires sont moins élevés. Mais le capitalisme libéral ne les attire guère non plus, puisqu'il est responsable de leurs malheurs. Désorientés, impuissants, angoissés, pleins de rage accumulée, ils cherchent confusément une échappatoire à leur situation, et la fuite dans l'irrationnel derrière un chef tout-puissant leur semble l'ultime planche de salut.

Lancé au départ par les classes moyennes, le fascisme va cependant, à mesure que se développe la crise économique, recevoir l'appui à la fois du **grand capital** et d'une partie importante des **ouvriers**, notamment ceux qui sont sans emploi. En Allemagne, le parallélisme est saisissant entre l'augmentation du taux de chômage, celle du nombre d'adhérents au Parti nazi et celle du nombre de votes en sa faveur. Quand à l'appui du grand capital, il ne vient qu'assez tard et plutôt du bout des lèvres, quand il devient évident que les fascistes s'approchent irrésistiblement du pouvoir. L'intention très nette était, pour le grand capital, de réduire le fascisme au rôle de simple instrument au service de ses intérêts, intention qui sera d'ailleurs en partie déçue.

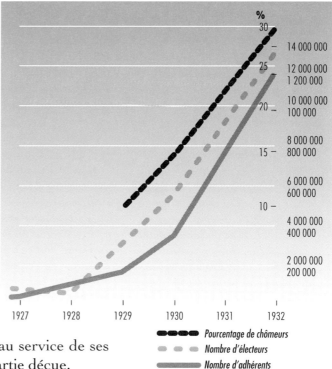

Le chômage et la poussée des nazis

●●●● *Pourcentage de chômeurs*

● ● ● *Nombre d'électeurs*

▬▬▬ *Nombre d'adhérents*

L'IDÉOLOGIE

Au-delà d'un anticommunisme viscéral qui attire tant les classes moyennes, l'idéologie fasciste est un amalgame plutôt hétéroclite de phraséologie révolutionnaire, de nostalgie romantique d'un « paradis perdu » et d'exaltation des pulsions les plus irrationnelles. Sa base fondamentale est l'**apologie de la violence**, justifiée par le recours au « darwinisme social » intégral. Il s'agit d'une application à la vie sociale de la théorie de la sélection naturelle de Darwin, d'ailleurs mal comprise et surtout appliquée à un domaine où son auteur s'était bien gardé de s'avancer. Les fascistes perçoivent la vie sociale comme un **conflit perpétuel**, mettant aux prises des individus, des groupes, des peuples, des races, foncièrement inégales et dont les éléments « supérieurs » doivent **assurer par la violence leur domination sur les autres**, la preuve de leur supériorité étant précisément qu'ils arrivent à le faire. Au niveau des rapports entre les peuples, cette idéologie débouche nécessairement sur l'antipacifisme, le militarisme et finalement l'appétit de conquête. La **guerre** est bien l'un des éléments constitutifs du fascisme.

LE PRINCIPE ARISTOCRATIQUE DE LA NATURE

Le péché contre le sang et la race est le péché originel de ce monde et marque la fin d'une humanité qui s'y adonne [...].

[...] Au contraire, la conception raciste fait place à la valeur des diverses races primitives de l'humanité. En principe, elle ne voit dans l'État qu'un but qui est le maintien de l'existence des races humaines. Elle ne croit nullement à leur égalité, mais reconnaît au contraire et leur diversité, et leur valeur plus ou moins élevée. Cette connaissance lui confère l'obligation, suivant la volonté éternelle qui gouverne ce monde, de favoriser la victoire du meilleur et du plus fort, d'exiger la subordination des mauvais et des faibles. Elle rend ainsi hommage au principe aristocratique de la nature et croit en la valeur de cette loi jusqu'au dernier degré de l'échelle des êtres. Elle voit non seulement la différence de valeurs des races, mais aussi la diversité de valeurs des individus. De la masse se dévoile pour elle la valeur de la personne, et par cela elle agit comme une puissance organisatrice en présence de marxisme destructeur. Elle croit nécessaire de donner un idéal à l'humanité, car cela lui paraît constituer la condition première pour l'existence de cette humanité. Mais elle ne peut reconnaître le droit d'existence à une éthique quelconque quand celle-ci présente un danger pour la survie de la race qui défend une éthique plus haute ; car, dans un monde métissé et envahi par la descendance des nègres, toutes les conceptions humaines de beauté et de noblesse, de même que toutes les espérances en un avenir idéal de notre humanité, seraient perdues à jamais.

La culture et la civilisation humaines sont sur ce continent indissolublement liées à l'existence de l'Aryen. Sa disparition ou son amoindrissement feraient descendre sur cette terre les voiles sombres d'une époque de barbarie [...].

A. HITLER
Mein Kampf.

Un second trait fondamental de cette idéologie, c'est la négation de toute individualité et le contrôle absolu de l'État sur l'ensemble de la vie sociale dans ses dimensions les plus diverses : économiques, politiques et culturelles. C'est ce qu'on appelle une idéologie totalitaire : l'**individu, tout simplement, n'existe pas**. C'est le Tout, c'est-à-dire la masse, ou la race pour les nazis, qui est la seule valeur de référence. Et la seule institution apte à encadrer cette totalité, c'est l'État, qui doit donc étendre son pouvoir non seulement sur les individus mais aussi sur toutes les institutions intermédiaires : associations professionnelles, organismes culturels, clubs sportifs, colonies de vacances, Églises, etc.

Cette élévation de l'État au rang d'absolu entraîne nécessairement la **déification du chef**, incarnation suprême des aspirations de la masse. Le chef est infaillible ; l'article VII du Décalogue des milices fascistes affirme : « Le Duce a toujours raison. » Rudolf Hess s'écrie : « Hitler, c'est l'Allemagne ! L'Allemagne, c'est Hitler ! » Cette identification débouche sur un autre des traits fondamentaux du fascisme : l'**exaltation de l'irrationnel**, éternelle fascination des humains devant des malheurs qui semblent échapper aux capacités de l'intelligence. Hitler dit à ses militants : « La raison vous eût déconseillé de venir à moi et seule la foi vous l'a commandé », et les militants hurlent leur adhésion à cette négation de leur faculté de réfléchir, avant d'aller précipiter dans d'immenses brasiers des bibliothèques entières, tentative démentielle d'anéantir tout l'héritage de la pensée humaine.

Là réside peut-être une réponse clé à ce nœud toujours mystérieux du fascisme, phénomène qui persiste à ne pas se laisser cerner totalement malgré l'innombrable quantité d'études qui lui ont été consacrées. Comment, en effet, des millions d'hommes et de femmes, appartenant à ces hautes cultures italienne et allemande qui ont fourni à l'Occident et à l'humanité tout entière plusieurs de leurs plus grands penseurs et artistes, comment ces hommes et ces femmes ont-ils pu se lancer avec tant d'enthousiasme dans cette aventure insensée, qui était la négation même de leur humanité ? C'est qu'on les conviait à **abandonner**

toute responsabilité individuelle, à s'en remettre, dans la paix de leur cœur et le silence de leur conscience, à Celui qui allait les mener vers quelque Terre promise, qui n'était autre que la dissolution de soi-même dans le grand Tout. **Fascination du néant**, chevillée au plus profond de l'humanité, que philosophes, artistes et mystiques n'ont pas cessé d'explorer depuis des millénaires...

L'ÉTAT, VALEUR ABSOLUE

Anti-individualiste, le fascisme est pour l'État ; et il est pour l'individu dans la mesure où celui-ci coïncide avec l'État [...]. Il s'oppose au libéralisme classique, issu du besoin de réaction à l'absolutisme et dont la fonction historique s'épuisa du jour où l'État devint la conscience et la volonté populaire elles-mêmes.

Le libéralisme niait l'État au profit de l'individu ; le fascisme réaffirme l'État comme la vraie réalité de l'individu ; et si la liberté doit être l'attribut de l'homme véritable et non ce fantoche auquel songeait le libéralisme individualiste, le fascisme est pour la liberté et pour l'unique liberté sérieusement définie : la liberté de l'État et de l'individu dans l'État.

Car pour le fasciste tout est dans l'État et rien d'humain, rien de spirituel n'existe et n'a tant soit peu de valeur en dehors de l'État. En ce sens le fascisme est totalitaire et l'État fasciste, synthèse et unité de toute valeur, interprète, développe et dynamise toute l'existence du peuple.

En dehors de l'État, pas d'individu, pas de groupes (partis politiques, associations, syndicats, classes). C'est pourquoi le fascisme s'oppose au socialisme qui durcit le mouvement historique de la lutte des classes et ignore l'unité de l'État qui fond les classes sociales dans une seule réalité économique et morale. Et de manière analogue, il s'oppose au syndicalisme de classes [...].

C'est pourquoi le fascisme s'oppose à la démocratie qui rabaisse le peuple au niveau du plus grand nombre ; mais il est la forme la plus pure de démocratie puisque le peuple est conçu comme il doit l'être, qualitativement et non quantitativement [...]. Ce n'est pas à la nation d'engendrer l'État [...]. Mais au contraire la nation est créée par l'État qui donne au peuple, conscient de sa propre unité morale, une volonté et une existence effective [...].

B. MUSSOLINI
art. « Fascisme » dans *Enciclopédia italiana* (1934).

Le fascisme au pouvoir

D U « FASCISME-MOUVEMENT » AU « FASCISME-RÉGIME », L'ÉVOLUTION SE FAIT DANS LE SENS D'UN RAPPROCHEMENT AVEC L'OLIGARCHIE DIRIGEANTE, ET CETTE ALLIANCE FONDE L'ÉTAT FASCISTE.

LA MARCHE VERS LE POUVOIR

Organisés sur le modèle militaire, les partis fascistes impressionnent par leur **discipline**, leur uniforme, leurs emblèmes, leurs défilés. Ils convainquent par leur **propagande**, omniprésente et savamment orchestrée. Dans la lutte pour le pouvoir, ils utilisent la **violence** pour éliminer leurs adversaires et terroriser l'électorat. Bastonnades, passages à tabac, interruptions d'assemblées adverses, vols de scrutins, voire assassinats : rien ne leur répugne, et la vie politique se résout bientôt à la bagarre de rues, éloignant et neutralisant par le fait même les citoyens paisibles.

Et pourtant, les fascistes n'auront pas à conquérir le pouvoir par la force. Ce sont les **autorités constituées** qui vont elles-mêmes appeler Mussolini et Hitler au pouvoir, après avoir complaisamment fermé les yeux sur leurs débordements, pendant qu'elles pourchassaient avec vigueur ceux de leurs adversaires. Par ailleurs, les besoins financiers des partis fascistes et leur soif de pouvoir vont les amener à abandonner certains éléments « révolutionnaires » de leur programme, dirigés contre le grand capital, et à prendre un « virage à droite » qui les dédouane définitivement auprès des classes dirigeantes.

Ce **rapprochement entre le fascisme et les classes dirigeantes** est décisif pour l'avenir du mouvement.

**LA « MARCHE SUR ROME »
(30 OCTOBRE 1922)**

*Installé au pouvoir la veille, Mussolini
peut parader sans danger à la tête de ses
Chemises noires...*

Abandonnant une partie de leur pouvoir politique pour sauvegarder leur pouvoir économique, les classes dirigeantes permettent au fascisme d'offrir à ses militants des espoirs de promotion sociale qui les galvanisent.

Ainsi, en 1922, après avoir brisé par la force une grève générale organisée par les socialistes, les fascistes italiens menacent de marcher sur Rome si on ne leur remet pas le pouvoir (24 octobre). Refusant de faire front — ce qui aurait été relativement facile —, le roi demande cinq jours plus tard à Mussolini de former un gouvernement. Devenu premier ministre le 29, Mussolini organise malgré tout, le lendemain, une « marche sur Rome » d'opérette, à la tête de laquelle il peut parader sans danger. Relativement modéré pendant trois ans, il instaure vraiment sa dictature par les « lois fascistissimes » de 1926.

En **Allemagne**, les nazis ne rencontrent devant eux qu'une **gauche profondément divisée** entre communistes et socialistes plus modérés. Totalement télécommandés de Moscou à travers le Komintern, les communistes voient dans les socialistes leurs ennemis principaux et n'hésitent même pas, dans le Reichstag (Parlement), à voter avec les nazis contre les socialistes. Cette attitude aveugle, fruit de l'écrasement des « spartakistes » en 1919 (voir page 95) et des querelles intestines des bolcheviques en Russie, ouvre la voie du pouvoir à Hitler.

À partir de 1930, la **crise économique** favorise la montée des partis extrêmes. Devant la poussée communiste, les nazis se déchaînent, multiplient leurs voix par huit en 1930, obtiennent 230 sièges sur 607, avec 14 millions de votes, en juillet 1932. S'appliquant dès lors

Nazis contre communistes dans les élections allemandes, 1928-1932

Dates	NSDAP (Parti nazi)			COMMUNISTES		
	Voix	%	Sièges	Voix	%	Sièges
1928-5-10	810 000	2,6	12	3 265 000	10,6	54
1930-9-14	6 383 000	18,3	107	4 592 000	13,1	77
1932-7-31	13 800 000	37,3	230	5 283 000	14,3	89
1932-11-6	11 700 000	33,1	196	5 980 000	16,9	100

à rendre le pays ingouvernable, par la paralysie du Parlement et la terreur dans la rue, ils provoquent le déclenchement de nouvelles élections en décembre. Malgré le déploiement massif de leurs méthodes les plus brutales, ils perdent deux millions de voix et 34 sièges, pendant que les communistes continuent leur montée avec six millions de voix. Le président Hindenburg, pressé par l'armée et les milieux industriels inquiets, nomme **Hitler chancelier le 30 janvier 1933**. Le soir même, un immense défilé aux flambeaux traverse Berlin, ouvrant à l'Allemagne et au monde les portes d'une très longue nuit...

L'ÉTAT FASCISTE

L'État fasciste, totalitaire, cherche à prendre en main tous les secteurs de la vie collective. En politique, c'est le règne du **parti unique** qui s'identifie avec l'État, tous les fonctionnaires, à tous les niveaux, devant obligatoirement en être membres. L'**éducation et la formation de la**

DES FLAMBEAUX DANS LA NUIT (30 JANVIER 1933)

Dans la soirée du 30 janvier, pour fêter la victoire de Hitler, les nationaux-socialistes organisent une retraite aux flambeaux. En colonnes épaisses, encadrés par des musiques qui jouent des airs militaires et rythment la marche du sourd battement de leurs grosses caisses, ils surgissent des profondeurs du Tiergarten ; ils passent sous le quadrige triomphal de la porte de Brandebourg. Les torches qu'ils brandissent forment un fleuve de feu, un fleuve aux ondes pressées, intarissables, un fleuve en crue, qui pénètre, d'une poussée souveraine, au cœur de la cité. Et de ces hommes en chemises brunes, bottés, disciplinés, alignés, dont les voix bien réglées chantent à pleine gorge des airs martiaux, se dégage un enthousiasme, un dynamisme extraordinaires. Les spectateurs qui font la haie se sentent gagnés par une contagion chaleureuse. Ils poussent, à leur tour, une longue clameur, sur laquelle se détachent l'inexorable martèlement des bottes et les accents cadencés des chants. Le fleuve de feu passe devant l'ambassade de France, d'où je regarde, le cœur serré, étreint de sombres pressentiments, son sillage lumineux [...].

A. FRANÇOIS-PONCET
Souvenirs d'une ambassade à Berlin.
Cité dans *Les Mémoires de l'Europe*, t. VI, Paris, Robert Laffont, 1973.

L'ÉDUCATION ET LA JEUNESSE FASCISTE

1. La science corruptrice

Ma pédagogie est dure. Je veux une jeunesse brutale, intrépide, terrible, une jeunesse devant laquelle le monde prendra peur. Elle doit pouvoir supporter la douleur. Elle ne doit rien avoir de faible ou de tendre en elle [...]. Ma jeunesse doit être solide et belle [...]. Je ne veux pas d'éducation intellectuelle. La science corrompt la jeunesse. Je les laisserais volontiers apprendre seulement ce qu'ils acquerraient volontairement par goût du jeu. Mais ils doivent apprendre à vaincre la peur de la mort dans les épreuves les plus dures. Ceci est l'étape de la jeunesse héroïque. De celle-ci sortira l'étape de l'homme qui est la mesure et le milieu du monde, de l'homme créateur, de l'homme-dieu [...].

HITLER
Mein Kampf

2. La science corrompue...
les mathématiques à l'école nazie

Un aliéné coûte quotidiennement 4 marks, un invalide 5,5 marks, un criminel 3,5 marks. Dans beaucoup de cas, un fonctionnaire ne touche que 4 marks, un employé 3,5 marks, un apprenti 2 marks.

1. Faites un graphique avec ces chiffres.

2. D'après des estimations prudentes, il y a en Allemagne environ 300 000 aliénés, épileptiques, etc., dans les asiles. Calculez combien coûtent annuellement ces 300 000 aliénés et épileptiques. Combien de prêts aux jeunes ménages à 1000 marks pourrait-on faire si cet argent pouvait être économisé ?

Cité par Alfred Grosser,
Dix Leçons sur le nazisme, 1976.

3. La fondation de la Jeunesse hitlérienne

L'avenir du peuple allemand dépend de sa jeunesse. La jeunesse allemande tout entière doit donc être préparée à ses tâches futures. C'est pourquoi le gouvernement du Reich a décidé cette loi, qui est promulguée :

1. Toute la jeunesse allemande à l'intérieur du Reich est rassemblée dans la Hitlerjugend (Jeunesse hitlérienne).

2. En dehors de la famille et de l'école, toute la jeunesse allemande sera éduquée corporellement, moralement et intellectuellement dans la Jeunesse hitlérienne, dans l'esprit du national-socialisme pour le service du peuple et de la communauté.

3. La mission de l'éducation de toute la jeunesse allemande dans la Jeunesse hitlérienne est confiée au Chef de la Jeunesse allemande du parti national-socialiste. Il a la position d'une autorité suprême du Reich avec siège à Berlin et est subordonné immédiatement au Führer et Reichskanzler.

1er décembre 1936.

4. Le résultat...

Je prête devant Dieu ce serment sacré : je jure d'obéir inconditionnellement au Führer du Reich et du peuple allemand, Adolf Hitler, Commandant suprême de la Wehrmacht, et d'être prêt, comme un soldat courageux, à risquer ma vie à tout instant pour tenir ce serment.

SERMENT DE LA WEHRMACHT

On remarquera que l'obéissance, *inconditionnelle*, est jurée à un *homme*, et non à un pays ou à un peuple.

jeunesse sont particulièrement visées, tous les jeunes, sans exception, étant embrigadés dans des organisations de masse (Balillas en Italie, Jeunesse hitlérienne en Allemagne). L'éducation, d'ailleurs, est d'abord et avant tout celle du corps ; pour l'intelligence, il suffit de s'en remettre au chef. **Tous les secteurs d'activités, toutes les occupations, sont enrégimentés** de façon similaire : paysans, ouvriers, étudiants, femmes, activités culturelles,

LA FEMME DANS L'ÉTAT RACIAL

Le mouvement national-socialiste est, par nature, un mouvement masculin. [...]

Si nous éliminons les femmes de la vie publique, ce n'est pas que nous désirions nous priver d'elles. C'est parce que nous voulons leur rendre leur honneur essentiel. La vocation la plus élevée de la femme, c'est toujours celle d'épouse et de mère, et si nous nous laissions détourner de ce point de vue, ce serait un malheur impensable. L'État racial (völkisch) n'a pas pour rôle d'élever une colonie d'esthètes pacifistes et de dégénérés. Son idéal n'est ni l'honorable bourgeois ni la vieille fille vertueuse mais bien l'incarnation arrogante de la force virile et des femmes (Weiber) capables de mettre au monde de vrais hommes.

Cité par R. Thalmann, *Être femme sous le IIIe Reich*, Paris, Robert Laffont, 1982.

sportives, artistiques, ont leurs organisations. Tous les **moyens de communication** de masse sont sous la coupe du parti-État : radio, cinéma, presse. Une **censure** sévère frappe toutes les **manifestations culturelles** : théâtre, musique, expositions artistiques.

Une **police spéciale** tentaculaire (Gestapo, Ovra) est chargée de la surveillance et de la répression de la moindre dissidence et recourt aux pires violences pour arracher des aveux, briser les volontés, terroriser par la seule mention de son nom. Dès la prise du pouvoir, les nazis mettent sur pied un **système concentrationnaire** où les règles de la plus élémentaire humanité n'existent plus. De 1933 à 1938, 435 000 Allemands sont arrêtés et poursuivis pour crime d'« opposition ». En 1939, il y a déjà une centaine de camps, dont Dachau et Buchenwald, renfermant près d'un million de détenus.

Mais la répression ne saurait suffire. Il faut conquérir « les reins et les cœurs ». C'est l'objet de la **propagande**, déjà intense avant la prise du pouvoir, qui se déploie avec une vigueur et un faste délirant à partir du moment où toutes les ressources de l'État sont mises à sa disposition. Une des originalités du fascisme est d'être la première dictature « technologique » de l'histoire. Ses trois moyens de propagande essentiels sont la **radio**, qui pénètre dans chaque maison et dans les coins les plus reculés, le **cinéma**, où l'immensité de l'image et l'obscurité de la salle

DES CAMPS, DÉJÀ...

L'univers concentrationnaire place ses victimes hors de l'humanité.

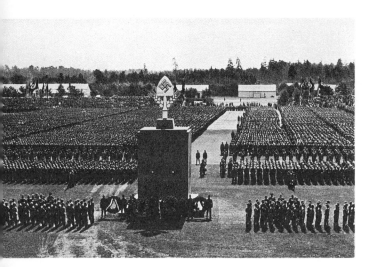

LA PROPAGANDE PAR LE SPECTACLE

...dans la paix de leur cœur et le silence de leur conscience...

contribuent à dissoudre l'individualité du spectateur et ses facultés critiques, et les **grandes manifestations de masse**, gigantesques liturgies destinées à frapper les imaginations et dont les seules images, aujourd'hui encore, nous laissent une impression très forte, mélange de stupeur, non dénuée parfois d'admiration, et de révulsion devant les conséquences terrifiantes de ce « viol des foules » (S. Tchakhotine).

Au-delà de ces traits généraux qui leur sont communs, les régimes de Mussolini et de Hitler présentent cependant entre eux des différences qui ne sont pas négligeables.

Le régime mussolinien est, d'une part, basé sur un principe assez vague qu'on appelle le **corporatisme**. Il s'agit de surmonter la lutte des classes en fusionnant patrons et ouvriers dans une structure unique d'inspiration médiévale, la corporation. Dans la pratique, l'organisation corporative n'est qu'un autre rouage du parti-État, d'où les vrais représentants ouvriers sont exclus. D'autre part, en comparaison avec le régime hitlérien, le fascisme italien n'est qu'un **totalitarisme inachevé** : son militarisme n'a que peu de prise sur le peuple italien ; les éléments traditionalistes conservent une influence considérable sur la société ; l'Église romaine, bien que coopérant avec le régime, échappe à son emprise et maintient ses propres organisations, comme l'Action catholique ; la monarchie elle-même demeure en place et, bien qu'elle soit incarnée par un roi veule et complaisant, elle représente pour beaucoup une légitimité supérieure à celle dont peut se targuer Mussolini.

En Allemagne, la doctrine est plus poussée et basée essentiellement sur le **racisme**, en particulier le racisme anti-juif : l'**antisémitisme**. Vieille obsession tenace de l'Occident ravivée à la fin du XIXe siècle, l'antisémitisme sert d'échappatoire commode aux malheurs de la crise. Explication simple, claire, facile et universelle : le Juif est responsable de tout ce qui va mal... La **persécution des Juifs**, commencée dès les premières années d'existence du Parti nazi par d'innombrables brimades, devient en 1933 l'un des éléments clés du régime hitlérien. Pillages généralisés, lois de Nuremberg de 1935 et multiples ordonnances anti-juives, « nuit de Cristal » de 1938, marquent l'effroyable marche vers la « solution finale » de

LA LÉGISLATION ANTI-JUIVE

Pénétré du fait que la pureté du sang allemand est la condition nécessaire pour le maintien du peuple allemand, et animé de la volonté inflexible d'assurer à tout jamais l'avenir du peuple allemand, le Reichstag a voté à l'unanimité la loi suivante, qui est ainsi promulguée :

1. Les mariages entre Juifs et ressortissants allemands ou de sang apparenté sont interdits. Les mariages qui seraient célébrés en contravention de cette loi sont déclarés nuls, même s'ils sont célébrés à l'étranger pour tourner la loi.

2. Les relations entre Juifs et Allemands ou personnes de sang apparenté, en dehors du mariage sont interdites.

3. Les Juifs n'ont pas le droit d'employer dans leur ménage des ressortissantes allemandes ou de sang apparenté de moins de 45 ans.

4. Il est interdit aux Juifs de hisser les couleurs nationales du Reich. Cependant il leur est permis de montrer les couleurs juives [...].

Extrait des « *Lois de Nuremberg* », 15 septembre 1935.

Tout Juif doit déclarer et évaluer la totalité de ses biens sur le territoire national et à l'étranger dans leur état au jour de l'entrée en vigueur de cette ordonnance [...]. Les Juifs de nationalité étrangère ne sont tenus à déclarer et évaluer que leurs biens situés sur le territoire national. Cette obligation de déclarer et d'évaluer s'applique également au conjoint non juif d'un Juif.

22 avril 1938

Un ressortissant allemand qui, par mobile égoïste, aide à cacher sciemment la nature juive d'une entreprise commerciale pour tromper la population ou les autorités sera puni de réclusion, ou, dans les cas moins graves, de prison, d'une durée qui ne sera pas inférieure à un an, et d'une amende.

26 avril 1938

Les installations de médecins juifs doivent cesser le 30 septembre 1938.

25 juillet 1938

Le comportement hostile envers le peuple et l'État allemands des Juifs qui ne reculent pas devant de lâches assassinats exige des moyens de défense énergique et une punition sévère [...]. [En conséquence] une contri-bution d'un montant de un milliard de reichsmark sera imposée à l'ensemble des Juifs de nationalité allemande au profit de l'État allemand [...].

12 novembre 1938

Il est interdit aux Juifs, à partir du 1er janvier 1939, de s'occuper de commerce de détail, d'expéditions et d'affaires de transports, de comptoirs d'achat, aussi bien que d'exercer le métier d'artisan indépendant. En outre il leur est interdit, à partir du même jour, sur tous les marchés, d'exposer des denrées ou des produits fabriqués, de faire pour eux de la publicité et d'en prendre des commandes [...].

Si un Juif occupe un poste d'employé de direction dans une entreprise commerciale, il peut être congédié avec un préavis de six semaines. À l'expiration de ce préavis, tous les droits de recours découlant du contrat résilié s'éteignent, en particulier les droits relatifs à une indemnité [...].

Un Juif ne peut pas être membre d'une coopérative de consommation. Les membres juifs de telles coopératives seront exclus à partir du 31 décembre 1938. Un avis particulier d'exclusion n'est pas nécessaire [...].

18 novembre 1938

Illustration antisémite – Trois juifs palabrent pendant que trois enfants allemands lisent une affiche annonçant une manifestation nazie (extrait d'un livre pour enfants, 1935.)

Les investissements publics en Allemagne *(en millions de reichsmarks)*

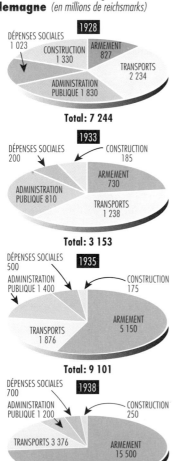

1928

DÉPENSES SOCIALES 1 023
CONSTRUCTION 1 330
ARMEMENT 827
TRANSPORTS 2 234
ADMINISTRATION PUBLIQUE 1 830

Total: 7 244

1933

DÉPENSES SOCIALES 200
CONSTRUCTION 185
ARMEMENT 730
ADMINISTRATION PUBLIQUE 810
TRANSPORTS 1 238

Total: 3 153

1935

DÉPENSES SOCIALES 500
ADMINISTRATION PUBLIQUE 1 400
CONSTRUCTION 175
ARMEMENT 5 150
TRANSPORTS 1 876

Total: 9 101

1938

DÉPENSES SOCIALES 700
ADMINISTRATION PUBLIQUE 1 200
CONSTRUCTION 250
TRANSPORTS 3 376
ARMEMENT 15 500

Total: 21 026

1941 - 1945. Par ailleurs, le nazisme est aussi un **totalitarisme achevé**, qui impose ses objectifs aux forces qui l'ont porté au pouvoir, et qui se réalisera pleinement pendant la guerre sous la forme de l'État SS, intégralement antirationnel et inhumain.

Cela dit, il est indéniable que les nazis ont **relancé l'économie** allemande avec un certain succès, réduisant fortement le chômage et remettant en marche, mieux que les démocraties occidentales empêtrées dans la crise, l'appareil de production. Mais ce résultat, bâti sur l'oppression de tout un peuple, est **vicié à la base** par

L'économie allemande sous les nazis

	Chômage (en millions)	Salaires (en % du PNB)	Production industrielle (indice 100 = 1928)	
			Biens de consommation	Biens d'équipement
1933	3,7	63	80	56
1934	2,3	62	91	81
1935	1,8	61	95	99
1936	1,1	59	100	114
1937	0,5	58	107	130
1938	0,2	57	116	144

l'objectif ultime, inlassablement poursuivi, de la guerre de conquête. Ce sont les recrues militaires (et aussi le travail forcé) qui contribuent à la baisse du chômage. Ce sont les industries militaires qui redémarrent. Les fameuses auto-routes sont des voies stratégiques. La politique nataliste ne vise qu'à augmenter le nombre de soldats. Dès 1936, Hitler a donné le mot d'ordre : « 1° L'armée allemande doit être prête à entrer en action dans quatre ans. 2° Dans quatre ans, l'économie allemande doit être capable de supporter une guerre. »

L'URSS sous Staline

ENDANT QUE LE FASCISME SE DÉPLOIE SUR L'ITALIE ET SUR L'ALLEMAGNE, LE STALINISME S'INSTALLE EN UNION SOVIÉTIQUE. BIEN QUE LES DEUX RÉGIMES PARTANT DE POSTULATS IDÉOLOGIQUES RADI-CALEMENT ANTINOMIQUES ET QUE L'ANTICOMMUNISME SOIT LE FONDEMENT IRRÉDUCTIBLE DU FASCISME, CES DEUX TOTALITARISMES SONT TELLEMENT COMPARABLES SUR PLU-SIEURS POINTS QU'ILS NOUS APPARAISSENT, AINSI QU'EN UN MIROIR, COMME LE REFLET INVERSÉ L'UN DE L'AUTRE.

L'ÉCONOMIE PLANIFIÉE

En 1928, Joseph Staline a triomphé de tous ses adversaires dans la course à la succession de Lénine, les résultats de la NEP (voir page 91) commencent à montrer des signes d'essoufflement et l'objectif de bâtir le « socialisme dans un seul pays » exige impérativement l'édification rapide d'une grande industrie, particulièrement d'une industrie lourde. Il s'agit de rattraper un retard de 50 ans sur les pays capitalistes, sans quoi la Révolution bolchevique et l'URSS ne survivront pas. Aux yeux des dirigeants soviétiques, ce rattrapage ne peut se faire que par la **planification étatique rigoureuse de l'économie** et par l'**expropriation de la paysannerie**, qui fournira à la fois les capitaux, le ravitaillement et la main-d'œuvre nécessaires.

C'est dans ce contexte que Staline amorce, en octobre 1928, le « grand tournant » du **premier plan quinquennal**, avec deux objectifs essentiels : donner à l'économie des **structures socialistes** et développer en priorité l'**industrie lourde**. Dans ce domaine, les objectifs à atteindre sont presque chimériques : augmentation de 50 % de la production industrielle et de 300 % pour l'industrie lourde, qui recevra 80 % des investissements, tout cela en cinq ans ! (En 1929, Staline lancera même le mot d'ordre « le plan quinquennal en quatre ans ! ».)

L'une des conditions essentielles de cette industrialisation massive est l'**augmentation de la productivité agricole**, laquelle ne peut être obtenue, pense-t-on, que

---

LE PLAN

La tâche essentielle du plan quinquennal consistait à faire passer notre pays, avec sa technique arriérée, parfois médiévale, dans la voie d'une technique nouvelle, moderne.

La tâche essentielle du plan quinquennal consistait à transformer l'URSS, de pays agraire et débile, qui dépendait des caprices des pays capitalistes, en un pays industriel et puissant, parfaitement libre et indépendant des caprices du capitalisme mondial.

La tâche essentielle du plan quinquennal consistait, tout en trans-

formant l'URSS en un pays industriel, à éliminer jusqu'au bout les éléments capitalistes, à élargir le front des formes socialistes de l'économie et à créer une base économique pour la suppression des classes en URSS, pour la construction d'une société socialiste. [...]

La tâche essentielle du plan quinquennal consistait à faire passer la petite économie rurale morcelée dans la voie de la grande économie collectivisée, d'assurer par là même la base économique du socialisme à la campagne et de liquider ainsi la possibilité de

restauration du capitalisme en URSS.

Enfin, la tâche du plan quinquennal consistait à créer dans le pays toutes les conditions techniques et économiques nécessaires pour relever au maximum la capacité de défense du pays, pour lui permettre d'organiser une riposte vigoureuse à toutes tentatives d'intervention armée, à toutes tentatives d'agression armée de l'extérieur, d'où qu'elles viennent.

J. STALINE
Doctrine de l'URSS (1938).

par la collectivisation, qui ne progresse qu'à pas de tortue depuis la révolution de 1917. À l'automne 1929, Staline annonce donc la **collectivisation obligatoire** et la « liquidation des koulaks en tant que classe ». L'opération, menée avec brutalité, se heurte immédiatement à une formidable opposition dans les campagnes, les paysans préférant abattre leur bétail plutôt que de le remettre à la ferme collective (sovkhoze : ferme d'État ; kolkhoze : ferme coopérative). Cette opposition n'étant pas, et de loin, le fait des seuls koulaks (propriétaires aisés), le mot *koulak* en vient à désigner tout opposant à la collectivisation, et la « liquidation en tant que classe » se transforme en **liquidation physique**, mettant un point final au mythe léniniste de l'alliance ouvriers-paysans, toujours démenti dans les faits depuis 1917.

UNE BRIGADE D'OUVRIERS « DE CHOC » PARTANT POUR LA CAMPAGNE AFIN D'« AIDER » LES PAYSANS À ORGANISER LES KOLKHOZES

LA LIQUIDATION

Par trains entiers, les paysans déportés partaient vers le Nord glacial, les forêts, les steppes, les déserts, populations dépouillées de tout ; et les vieillards crevaient en route, on enterrait les nouveau-nés sur le talus des routes, on semait dans toutes les solitudes de petites croix de branchage ou de bois blanc. Des populations, traînant sur des chariots tout leur pauvre avoir, se jetaient vers les frontières de Pologne, de Roumanie, de Chine et passaient — pas tout entières, bien sûr — malgré les mitrailleuses. En un long message au gouvernement, d'un style noble, la population de l'Abkhasie sollicita l'autorisation d'émigrer en Turquie. J'ai vu et su tant de choses sur le drame de ces années noires qu'il me faudrait un livre pour en témoigner. J'ai parcouru plusieurs fois l'Ukraine affamée, la Géorgie en deuil et durement rationnée, j'ai séjourné en Crimée pendant la famine, j'ai vécu toute la misère et l'anxiété des deux capitales plongées dans le dénuement, Moscou et Léningrad. Combien de victimes fit la collectivisation totale, résultat de l'imprévoyance, de l'incapacité et de la violence totalitaires ?
Un savant russe, M. Prokopovitch, fit ce calcul d'après les statistiques soviétiques officielles — au temps, du reste, où l'on emprisonnait et fusillait les statisticiens.
Jusqu'à 1929, le nombre de foyers paysans ne cesse de s'accroître :
1928 : vingt-quatre millions cinq cent mille foyers,
1929 : vingt-cinq millions huit cent mille foyers.
La collectivisation finie, en 1936, il n'y a plus que vingt millions six cent mille foyers. En sept années, près de cinq millions de familles ont disparu.

VICTOR SERGE
Mémoires d'un révolutionnaire, 1901-1941.
Paris, Le Seuil,
coll. Points Politique, 1978.

Le **bilan est catastrophique** : arrestations, déportations, exécutions touchent de 5 à 10 millions de paysans, la production stagne ou même baisse, le nombre de têtes de bétail diminue de 40 % à 50 %. Pendant l'hiver 1932 - 1933, une terrible **famine**, encore une fois, sévit dans les campagnes et fait plus d'un million de victimes en Ukraine seulement. En 1935, devant cet échec patent, les paysans sont autorisés à conserver un lopin individuel dont ils pourront vendre la production sur le marché libre. Ces lopins, représentant 3 % des terres, assureront bientôt 21 % de la production et nourriront 40 % du cheptel. Mais, en fait, sur un monceau de 3 à 4 millions de cadavres, Staline vient de **mettre fin à la vieille paysannerie russe**. Il s'agit d'une date charnière dans l'histoire de cette partie du monde.

L'effort d'industrialisation se développe cependant sans accroc majeur, favorisé d'ailleurs par l'exode rural qui augmente la population des villes de 50 % et fait doubler le nombre des ouvriers. Alors que dans tout le monde capitaliste la production s'effondre, la croissance globale de l'industrie soviétique atteint le chiffre renversant de 250 %. Le deuxième plan, adopté en 1933, poursuit sur cette lancée. Des chantiers gigantesques frappent les imaginations : Magnitogorsk, Dniepropetrovsk deviennent les symboles du socialisme en marche. En 1939, l'URSS

Les résultats des deux premiers plans quinquennaux

(d'après les sources soviétiques)

	1928	1932	1937
Population (en millions)	150,5	163,0	163,6
Céréales (en millions de tonnes)	73,3	69,8	95,9
Ovins et bovins (en millions de têtes)	±190,0	92,7	±150,0
Tracteurs	1 800	50 800	±60 000
Charbon (en millions de tonnes)	36,4	64,4	127,3
Pétrole (en millions de tonnes)	11,6	21,4	27,8
Électricité (en milliards de kW•h)	5,0	13,5	35,0
Acier (en millions de tonnes)	4,3	5,9	17,5
Camions	700	23 700	±100 000
Coton (en millions de m^2)	2 698	2 694	3 448

est devenue la **troisième puissance industrielle du monde**, après les États-Unis et l'Allemagne.

De tels résultats ne sauraient être acquis, bien sûr, qu'au prix de grandes souffrances humaines. Les **camps de travail forcé** jouent un rôle essentiel, avec leurs millions de paysans déportés, d'opposants condamnés, de victimes des purges. Le **niveau de vie général** chute de 40 %. Avec le **livret ouvrier** qui rive le travailleur à son usine, une forme de servage est rétablie. Le sacrifice conscient de l'industrie légère au profit de l'industrie lourde **prive la population dans ses besoins essentiels** de logement, de vêtement, de chauffage, dans des villes submergées par l'afflux de l'exode rural. Enfin, les tensions sociales et politiques engendrées par ces efforts et ces souffrances contribuent à l'instauration d'un **régime de terreur policière** et de dictature personnelle auquel on donne — à défaut de mieux — le nom de stalinisme.

LE STALINISME

Le pouvoir personnel de Staline lui vient d'abord de son poste de secrétaire général du Parti communiste. À la fin des années vingt, **des millions de nouveaux adhérents** sont admis, qui noient rapidement les « anciens », compagnons de Lénine et artisans de la révolution de 1917. Or, dans cette société soviétique, l'appartenance au Parti est la seule façon de se hisser vers le haut de l'échelle sociale, le conformisme et l'obéissance aveugle étant les meilleurs moyens d'y parvenir. Tous les nouveaux adhérents sont donc redevables au secrétaire général de tous leurs privilèges, et le Parti tend à devenir un simple instrument docile tout en développant un **culte de la personnalité** qui va très rapidement atteindre des sommets d'abêtissement.

Mais la base fondamentale du stalinisme, par-delà ce parti vidé de toute substance, c'est véritablement la **police secrète**. C'est elle qui, par la terreur, s'assure de la docilité de la société. C'est elle qui élimine les opposants. C'est elle, surtout, qui administre le **Goulag**, cet « archipel » de camps de concentration où plusieurs millions de

LE RÔLE CENTRAL DE L'APPAREIL POLICIER

Dotée de ses propres moyens économiques, la police est responsable à partir de 1929 d'une main-d'œuvre innombrable qu'elle doit surveiller et encadrer. Elle devient ainsi le plus grand entrepreneur de l'URSS, et sa place dans la politique économique est décisive. [...] Maître de la main-d'œuvre, l'appareil policier décide en dernier ressort du succès ou de l'échec de l'entreprise stalinienne.

Jamais en Russie et probablement dans aucun autre pays, elle n'a eu autant d'autonomie et de pouvoir. Le système stalinien repose dans ces années sur la police, non seulement pour sa sécurité mais, et peut-être avant tout, pour la réalisation de ses projets. [...] Appareil répressif, appareil économique, ce double aspect explique que la police ait tout envahi en URSS, qu'elle ne laisse place à aucun autre appareil, qu'elle puisse tous les pénétrer et les réduire à sa merci, Parti compris. Entre elle et Staline, des relations privilégiées s'établissent, parce que la police est l'instrument principal de son projet. Sous-estimer son rôle économique, c'est déformer tout le système politique soviétique des années trente.

H. CARRÈRE D'ENCAUSSE
Staline. L'ordre par la terreur, Paris, Flammarion, 1979.

condamnés sont astreints aux travaux forcés dans les conditions les plus épouvantables, faisant de la police secrète un rouage économique essentiel dans le système stalinien.

Appuyé sur cette police secrète, Staline va d'abord **purger le Parti communiste** de ses vieux militants, trop peu enthousiastes à l'égard des tendances nouvelles du régime. En 1933, une première purge exclut 20 % des membres. L'économie connaissant des difficultés, on se lance à la **chasse aux « saboteurs »**, ennemis infiltrés dans l'appareil du Parti ou de l'État. Ingénieurs, économistes

LA TERREUR

1. *Ordre est donné aux organismes d'instruction d'accélérer la tenue des procès de ceux qui sont accusés de préparation ou d'exécution d'actes terroristes ;*

2. *Ordre est donné aux organes juridiques de ne pas suspendre l'exécution des sentences de mort frappant les crimes de cette catégorie dans le but de réserver les possibilités de grâce, du fait que le Praesidium du Comité central exécutif de l'URSS ne considère pas comme possible de recevoir les pétitions de cette nature ;*

3. *Ordre est donné aux organismes du commissariat des Affaires intérieures d'exécuter les sentences de mort contre les criminels de la catégorie ci-dessus immédiatement après le prononcé de ces sentences.*

Ordre du Comité central, 1er décembre 1934.

suspects sont déportés ou fusillés (c'est dans un camp que Tupolev dessine ses premiers avions). À partir de 1935, la terreur s'intensifie, les purges s'accélèrent et de retentissants procès amènent les plus célèbres compagnons de Lénine (Kamenev, Zinoviev, Boukharine) à des « aveux » spectaculaires de complot anti-communiste, après quoi les repentis sont fusillés ou poussés au suicide.

Dès lors, la terreur ne connaît plus de limites : officiers de l'armée, diplomates, écrivains, militants de la base, simples citoyens sont exécutés ou disparaissent dans le Goulag. La terreur dépasse même les frontières de l'URSS : dirigeants de partis communistes de l'extérieur convoqués à Moscou et qui ne reviennent jamais, dissidents soviétiques en exil assassinés dans les pays d'accueil (Trotsky au Mexique). Le nombre exact des victimes est impossible à chiffrer, mais atteint plusieurs millions selon toutes les estimations. La purge atteint 70 % des membres du Comité central, 80 % des militants recrutés avant 1927, 80 % des colonels et 90 % des généraux de l'Armée rouge.

Parti unique, culte du chef, police secrète, terreur, système concentrationnaire : le stalinisme possède un grand nombre de traits communs avec le fascisme. Il s'agit même d'un totalitarisme encore plus complet que celui d'Hitler, puisque toute la vie économique relève directement de l'État-parti, ce qui n'est pas le cas dans l'Allemagne nazie. Il ne faut pas oublier cependant que les bases idéologiques des deux régimes sont aux antipodes l'une de l'autre. L'État nazi, fondé sur une conception pessimiste et foncièrement inégalitaire de l'humanité, se considère comme la forme parfaite de l'organisation sociale, destinée à durer « mille ans ». Le communisme, fondé sur une conception optimiste et égalitaire de l'humanité, se considère comme un régime transitoire orienté vers la disparition de l'État lui-même dans une société sans classes. Peut-être, finalement, est-ce l'irréalisme complet de ces deux conceptions qui leur font adopter des formes extérieures et des méthodes de fonctionnement qui se renvoient les unes aux autres comme l'image inversée d'une même réalité : l'esprit totalitaire.

LE CULTE DE LA PERSONNALITÉ

Le mode de fonctionnement du Parti, fondé sur l'exigence d'une obéissance absolue de ses membres, sa centralisation extrême, son « monolithisme » érigé en vertu suprême, font que son image mythique s'identifie à celle de son chef, le secrétaire général, investi du titre de guide. Le guide apparaît comme l'incarnation de la sagesse, de la science, de tous les savoirs, celui qui tranche sans recours toutes les questions, que celles-ci relèvent du marxisme-léninisme, de l'économie politique, de la biologie, de la littérature, de la peinture, du théâtre ou du cinéma. Le guide fait l'objet d'un véritable culte officiel. Par l'intermédiaire des journaux, les masses s'adressent à lui, lui annoncent la réalisation des objectifs qu'il a fixés, le remercient de la sollicitude dont il fait preuve dans leur vie quotidienne. Le mythe du guide est d'autant plus fort que la figure du « protecteur », du « Père des peuples » s'enracine dans les formes de représentation populaire spontanées héritées de la culture politique russe, de la tradition absolutiste tsariste.

N. WERTH
Les Procès de Moscou, Bruxelles, Éditions Complexe, 1987

LES CARACTÉRISTIQUES DU TOTALITARISME

1. *Une idéologie élaborée, consignée en un corps de doctrine officiel, qui embrasse tous les aspects vitaux de l'existence humaine et auquel on suppose qu'adhère, au moins passivement, tout individu vivant dans cette société; de façon caractéristique, cette idéologie est centrée sur la projection d'un stade final et parfait de l'humanité: elle contient donc une affirmation millénariste, basée sur le refus radical de la société existante ainsi que sur la conquête du monde en vue d'une société nouvelle.*

2. *Un parti unique de masse, dirigé, de façon typique, par un seul homme, le « dictateur », et comprenant un pourcentage relativement faible de la population totale, masculine et féminine (environ 10 %), mais disposant d'un puissant noyau passionnément et aveuglément voué à l'idéologie [...].*

3. *Un système de terreur, physique et psychologique, se réalisant par le contrôle qu'exerce le Parti, avec l'appui de la police secrète [...]; la terreur — que ce soit celle de la police secrète ou bien la pression sociale maintenue par le Parti — se fonde sur une exploitation systématique de la science moderne et, tout particulièrement, de la psychologie scientifique.*

4. *Un monopole presque complet, et fondé en technologie, du contrôle des moyens de communication de masse, comme la presse, la radio et le cinéma; ce monopole est entre les mains du Parti et du gouvernement.*

5. *Un monopole, également fondé en technologie et quasi complet, de l'usage de tous les instruments de lutte armée.*

6. *Un contrôle centralisé et la direction de toute l'économie, par la coordination bureaucratique d'entités corporatives jadis indépendantes; typiquement, cette coordination s'étend à beaucoup d'autres associations et activités de groupe.*

FRIEDRICH ET BRZEZINSKI
Reproduit avec la permission des éditeurs de *Totalitarien Dictatorship and Autocracy* par Carl J. Friedrich et Zbigniew K. Brzezinski, Cambridge, Mass. : Harvard University Press, © 1956, 1965, par le Président et ses collègues de Harvard.

LA NOUVELLE SOCIÉTÉ SOVIÉTIQUE

À la veille de la Seconde Guerre mondiale, la société soviétique a été profondément transformée. De gigantesques **migrations** ont rendu les campagnes méconnaissables et créé de toutes pièces de nouvelles villes-champignons. Un tiers de la population vit maintenant dans les villes. Mais à partir de 1932, le passeport intérieur obligatoire soumet au contrôle policier tous les déplacements à l'intérieur du territoire.

Malgré son idéologie officielle, **cette société est très inégalitaire.** L'éventail des **salaires** va de 1 à 20, celui des revenus réels étant encore plus large. Le salaire moyen des **femmes** est à 50 % du salaire moyen général. Les **paysans** sont toujours les parias du système : exclus de la sécurité sociale, légalement attachés à leur lieu de travail, soumis à des corvées, collectivement responsables, à travers le kolkhoze, des livraisons obligatoires, ce sont les nouveaux serfs du « socialisme réel ». Les **ouvriers**, qui devraient être les choyés de cette « dictature du prolétariat », sont en meilleure posture. Sécurité de l'emploi, éducation gratuite, faible coût du logement et des transports, salaire d'appoint des femmes, ont amélioré sensiblement leur niveau de vie. Mais alors que leur salaire double entre 1933 et 1937, le prix des denrées essentielles (viande, lait, sucre) triple ou quadruple. Et à partir de 1938, la généralisation du livret ouvrier enchaîne le travailleur à son usine aussi solidement que le paysan à son kolkhoze.

La classe sociale qui, à tout point de vue, sort gagnante de ces bouleversements, est toute nouvelle : c'est celle de l'« **intelligentsia** », ou des « **apparatchiks** », mots passe-partout qui désignent à la fois les intellectuels (pour autant que ce mot ait encore un sens...), écrivains et artistes au service du régime et les préposés à la gestion du Parti et de l'État. Leur nombre est évalué à entre 7 et 14 millions. Bénéficiant de **salaires nettement supérieurs** à tous les autres, ils reçoivent toutes sortes de **gratifications**

LA NOUVELLE CLASSE DIRIGEANTE

Ce n'est plus la bourgeoisie la classe exploiteuse qui touche la plus-value, mais c'est la bureaucratie qui s'est décerné cet honneur. À notre sens, en URSS, les propriétaires, ce sont les bureaucrates, car ce sont eux qui tiennent la force entre leurs mains. [...]

En réalité, l'État bureaucratique verse, de différentes manières, la plus-value à ses fonctionnaires formant une classe privilégiée, installée dans l'État [...]. Dans la société soviétique, les exploiteurs ne s'approprient pas directement la plus-value, ainsi que fait le capitaliste en encaissant les dividendes de son entreprise, mais ils le font d'une manière indirecte, à travers l'État, qui encaisse toute la plus-value nationale, puis la répartit entre ses fonctionnaires mêmes. [...] [Ceux-ci] jouissent, ainsi que tous les bureaucrates, des « services » étatiques payés avec la plus-value [...].

Dans son ensemble, la bureaucratie extorque la plus-value aux producteurs directs par une colossale majoration des frais généraux dans les entreprises « nationalisées » [...]. Nous voyons donc que l'exploitation passe de sa forme individuelle à une forme collective, en correspondance avec la transformation de la propriété. Il s'agit d'une classe en bloc, qui en exploite une autre en correspondance avec la propriété de classe et qui, par des voies intérieures, passe à la distribution entre ses membres par le moyen de son État à elle (on doit s'attendre à l'hérédité des charges bureaucratiques). Les nouveaux privilégiés avalent la plus-value à travers la machine de l'État, qui n'est pas seulement un appareil d'oppression politique, mais aussi un appareil d'administration économique de la nation.

BRUNO RIZZI
L'U.R.S.S. : Collectivisme bureaucratique, *La Bureaucratisation du monde*, Paris, Éditions Champ Libre / Ivrea, 1976.

(logement et voiture de fonction), ont leurs magasins réservés bien approvisionnés et peuvent se déplacer relativement plus librement, le tout selon une hiérarchie extrêmement complexe.

Entre ces différentes couches sociales, le système soviétique assure malgré tout une **mobilité assez grande** par la structure du Parti, tandis que l'éducation se généralise, depuis le niveau élémentaire rendu obligatoire en 1930 (il ne l'est pas encore au Québec à l'époque !) jusqu'à l'université, où le nombre d'étudiants se multiplie par cinq entre 1929 et 1939. Les **femmes**, surtout, vont bénéficier de cette grande ouverture de l'éducation et se hisser, plus que partout ailleurs, dans les hautes sphères de la science, de la technologie et de la médecine. Cette émancipation contraste fortement avec la vision fasciste qui fait de la femme une simple machine à reproduire la chair à canon.

Les dictatures traditionnelles

À CÔTÉ DES RÉGIMES PROPREMENT FASCISTES, PARTICULIERS À L'ITALIE ET À L'ALLEMAGNE, ET DU RÉGIME STALINIEN, LES DICTATURES QU'ON QUALIFIE DE «TRADITIONNELLES» FONT TACHE D'HUILE DANS L'EUROPE DES ANNÉES TRENTE ET MÊME AU-DEHORS.

Bien qu'elles soient toutes inspirées peu ou prou du modèle fasciste, elles se distinguent des régimes italien et allemand en ce qu'elles ne sont pas fondées essentiellement sur les classes moyennes et qu'elles se soucient assez peu d'intégrer les masses et d'amener une transformation en profondeur de la société. Elles ne font que garantir et perpétuer le **pouvoir des oligarchies traditionnelles** qui, après avoir brisé les forces révolutionnaires avec l'aide des mouvements fascistes, absorbent ou éliminent ces derniers, quitte à adopter certaines de leurs méthodes.

La plupart des pays d'Europe basculent les uns après les autres dans des régimes de ce type, à l'exception de la France, de la Grande-Bretagne, des pays scandinaves, des Pays-Bas, de la Suisse et, cas unique dans l'Europe centrale et orientale, de la Tchécoslovaquie. En Espagne, une terrible guerre civile de trois ans (voir page 234) amène au pouvoir le général Francisco Franco (1892-1975), dont le régime est destiné à dépasser de loin tous les autres en longévité : il durera jusqu'à 1975.

Hors d'Europe, des dictatures traditionalistes s'installent en Amérique latine et en Asie.

Au **Brésil**, où la crise économique a ruiné les producteurs de café (on en vient même à utiliser le café pour chauffer les locomotives), un coup d'État militaire porte au pouvoir **Getulio Vargas** (1883-1954), qui instaure une dictature personnelle de 20 ans sur un modèle assez proche de celui de Mussolini. Après un début plutôt réformiste (extension du droit de vote, entre autres aux femmes, sécurité sociale, syndicalisme), le régime prend à partir de 1934 un virage de plus en plus marqué vers la droite : suppression des partis et des syndicats, censure, police secrète. Parallèlement, Vargas cherche à **industrialiser** le pays et à **diminuer sa dépendance** à l'égard de l'extérieur en instaurant une économie mixte avec importante **intervention de l'État**. Déposé par l'armée en 1945, il sera réélu président en 1950 et se suicidera en 1954 au moment où l'armée allait le déposer une nouvelle fois.

LES RÉGIMES POLITIQUES EN EUROPE EN 1938

Régime parlementaire (démocratie libérale)
Régime autoritaire traditionaliste
Régime fasciste
Régime communiste

SUÈDE
FINLANDE
NORVÈGE
ESTONIE
LETTONIE
LITUANIE
IRLANDE
Mer du Nord
U.R.S.S.
GRANDE-BRETAGNE
PAYS-BAS
ALLEMAGNE
POLOGNE
OCÉAN
BELGIQUE
LUXEMBOURG
ATLANTIQUE
FRANCE
TCHÉCOSLOVAQUIE
SUISSE
AUTRICHE
HONGRIE
ROUMANIE
ITALIE
PORTUGAL
YOUGOSLAVIE
Mer Noire
BULGARIE
ESPAGNE
ALBANIE
Mer Méditerranée
GRÈCE
TURQUIE

Au Mexique, où la révolution (voir page 30) s'est achevée en 1920, le président Plutarco Calles, élu en 1924, instaure un régime de plus en plus dictatorial où se multiplient les assassinats politiques. En 1930 sont créées les Chemises dorées, organisation fasciste, et une véritable hystérie anticommuniste se déchaîne. **Lazaro Cárdenas**, élu président en 1934 comme homme de paille de Calles, exile cependant son protecteur en 1936 et renoue avec les grands projets de la révolution : réforme agraire, éducation, santé, syndicalisme libre, et finalement nationalisation des sociétés pétrolières en 1938.

En Asie, la **République chinoise** de Tchang Kaï-chek est un régime autoritaire appuyé sur les grands propriétaires terriens et la bourgeoisie d'affaires et qui mène une véritable **guerre rangée aux communistes** solidement installés dans la province de Yanan. Le **Japon**, où depuis 1889 l'empereur tout-puissant a octroyé une Constitution instaurant quelques apparences de démocratie, la réalité du pouvoir appartient d'une part aux deux géants de l'économie, Mitsui et Mitsubishi, et d'autre part à l'armée, nostalgique de l'ordre ancien et de plus en plus encline à l'expansionnisme. À partir de 1931, l'armée s'impose au jeune empereur Hirohito (1901-1991) et devient la force politique essentielle du pays, lançant ce dernier dans une **politique d'agression** qui mènera à la Seconde Guerre mondiale. Les libertés sont restreintes, les médias et l'éducation deviennent des moyens de propagande, mais le maintien des traditions, l'absence de parti unique et l'échec du coup d'État tenté par l'armée en 1936 empêchent de parler ici de totalitarisme.

Même dans les pays demeurés démocratiques, les mouvements fascistes s'agitent, sans grand succès toutefois : British Union of Fascists en Grande-Bretagne, Croix-de-Feu en France, rexistes en Belgique, Chemises grises aux Pays-Bas, Chemises bleues en Éire, Union nationale en Norvège, voire Parti nazi américain de Rockwell ou encore Parti national social-chrétien d'Adrien Arcand au Québec. Dans la plupart de ces cas, la propagande fasciste se heurte à des traditions démocratiques bien ancrées et ne bénéficie pas d'un sentiment d'humiliation nationale tel qu'il existait en Italie et en Allemagne.

UN FASCISME DU CRU...

Saisie de matériel du Parti national social-chrétien à Montréal en 1940.

Conclusion

Préparé par la profonde crise de civilisation qui secoue l'Occident depuis le milieu du XIXe siècle, favorisé par la Grande Guerre et ses résultats, porté au pouvoir par la crise économique, le fascisme instaure en Italie et en Allemagne des régimes nouveaux, sans comparaison même avec ceux qui s'en inspirent le plus. Ils sont caractérisés par une alliance entre les oligarchies dirigeantes traditionnelles et les classes moyennes, un souci poussé d'intégrer les masses, l'utilisation maximale des moyens de communication modernes, une exaltation de la violence et de la guerre comme « seule hygiène du monde », le refus de toute pensée rationnelle, la déification du chef omniscient et, en Allemagne, le racisme et l'antisémitisme.

En URSS s'installe un tout autre régime, totalitaire lui aussi, mais sur des bases idéologiques opposées, des bases sociales très différentes, la collectivisation forcée de l'agriculture, le développement obsessionnel de l'industrie lourde, une certaine émancipation des femmes. Fascisme et stalinisme se rejoignent cependant sur plusieurs points, comme le refus de toute dissidence, l'élimination des partis et des syndicats libres, l'utilisation systématique de la terreur, le système concentrationnaire et le culte délirant de la personnalité.

Mais l'objectif ultime du fascisme, sa raison d'être, c'est la guerre. Et à partir de 1933, dans une Europe qui n'a pas encore refermé les cicatrices de la Grande Guerre et où la faiblesse des démocraties face à la crise offre un violent contraste avec la force apparente des dictatures, les dirigeants fascistes préparent consciemment, méthodiquement, le déclenchement d'un conflit tel que l'humanité n'en a jamais connu, et dont elle ne sortira pas sans soulever sur elle-même des questions qui n'ont pas cessé de la hanter depuis.

QUESTIONS DE RÉVISION

1. Décrivez les origines générales du fascisme.

2. Expliquez deux facteurs qui permettent de comprendre que le fascisme n'ait réussi à s'imposer que dans deux pays, l'Italie et l'Allemagne.

3. Dans quels groupes sociaux les mouvements fascistes recrutent-ils surtout leurs militants ? Pourquoi ?

4. Expliquez les principaux éléments de l'idéologie fasciste.

5. Décrivez les facteurs qui expliquent l'arrivée au pouvoir du fascisme, en Italie et en Allemagne.

6. Décrivez les caractéristiques fondamentales de l'État fasciste, et dégagez quelques différences entre le régime de Mussolini et celui de Hitler.

7. Décrivez les objectifs et faites le bilan de la planification économique en URSS entre 1928 et 1938.

8. Quelles sont les caractéristiques du régime stalinien ? En quoi diffère-t-il du fascisme et en quoi lui ressemble-t-il ?

9. Sous la forme d'un graphique ou d'un réseau de concepts, représentez tout ce qui tombe sous l'autorité d'un État totalitaire.

10. Décrivez la situation des paysans et des ouvriers dans la société soviétique des années trente.

11. Expliquez la base économique du pouvoir de la nouvelle classe dirigeante soviétique.

12. Quelles différences de fond peut-on établir entre le fascisme et les dictatures traditionalistes qui se multiplient dans l'Europe de l'entre-deux-guerres ?

6

LE MOUVEMENT CULTUREL ET ARTISTIQUE DANS L'ENTRE-DEUX-GUERRES

DES ANNÉES VINGT AUX ANNÉES TRENTE, DES « ANNÉES FOLLES » AUX « ANNÉES TRISTES », CE NE SONT PAS QUE DES SECOUSSES ÉCONOMIQUES OU POLITIQUES QUI TOUCHENT LES SOCIÉTÉS OCCIDENTALES ⚒ LES PROGRÈS MATÉRIELS ENTRAÎNENT DE NOUVEAUX COMPORTEMENTS SOCIAUX, ET UNE CULTURE DE MASSE COMMENCE À SE FORGER À TRAVERS LES MÉDIAS, LES LOISIRS, LA PROPAGANDE ⚒ PENDANT QUE LA SCIENCE POURSUIT SES AVANCÉES, LA LITTÉRATURE ET LA PHILOSOPHIE PROPOSENT DE NOUVELLES APPROCHES QUI REFLÈTENT LES DÉSARROIS ENGENDRÉS PAR LA GRANDE GUERRE ⚒ LES GRANDS COURANTS ARTISTIQUES SONT ÉGALEMENT TRIBUTAIRES DE CES DÉSARROIS, DE MÊME QUE LES TOTALITARISMES QUI VEULENT EMBRIGADER L'ART, COMME TOUT LE RESTE, AU SERVICE DE LEURS FINS ⚒

D. RIVERA, « L'HOMME À LA CROISÉE DES CHEMINS », 1934
Fresque murale du Palais des beaux-arts, Mexico.

es nouvelles orientations de la pensée occidentale — celles que nous considérons essentielles dans l'histoire intellectuelle du vingtième siècle — ne peuvent donc être vues simplement comme résultant de l'expérience de la guerre totale; cependant, les courants les plus caractéristiques de cette nouvelle époque — les changements fondamentaux dans les domaines de la psychologie, de la physique et de la philosophie, de même que dans les arts et la littérature — traduisent et même renforcent des attitudes que la guerre a rendues presque banales : un sentiment d'horreur face à ce dont les sociétés modernes sont capables, un scepticisme à l'égard des croyances acceptées et la tendance à prendre comme guide de conduite les sentiments personnels plutôt que les doctrines formelles inspirées de la raison ou de la religion. Les critiques formulées par la génération précédente contre la société libérale visent avec encore plus de violence la complaisance de la bourgeoisie et la prospérité de l'époque d'après-guerre. La littérature et les arts semblent plus que jamais aux antipodes de la société et des normes traditionnelles de comportement, et cette tension est communiquée (et parfois vulgarisée) dans les publications, à la radio, ainsi que dans les arts, au théâtre et dans les films.

M. CHAMBERS ET COLL.
The Western Experience,
New York, Mc Graw-Hill, 1991.
(Trad. : Aline Barnoti.)

CHRONOLOGIE

Sciences et techniques

1919 Rutherford : le proton
1921 Calmette et Guérin : le BCG
1922 Banting et Best : l'insuline
1924 Louis de Broglie : la mécanique ondulatoire
W. Heisenberg : le principe d'incertitude
1925 J.B. Watson : le béhaviorisme
1929 Fondation de la revue *Annales*
A. Fleming : la pénicilline
1931 C.D. Anderson : l'électron
1934 J. Chadwick : le neutron
1935 Invention du radar
1938 Invention du nylon
1939 Fission de l'uranium

Philosophie et littérature

1919 M. Proust : *À l'ombre des jeunes filles en fleurs,* t. 2 de *À la recherche du temps perdu* (prix Goncourt)
1921 L. Pirandello : *Six personnages en quête d'auteur*
1922 J. Joyce : *Ulysse*
R. Martin du Gard : *Les Thibault*
O. Spengler : *Le Déclin de l'Occident*
1924 Manifeste surréaliste
1925 F. Kafka : *Le Procès*
S. Fitzgerald : *Gatsby le Magnifique*
1926 F. Mauriac : *Thérèse Desqueyroux*
1927 M. Heidegger : *L'Être et le Temps*
1929 W. Faulkner : *Le Bruit et la Fureur*
1931 W. Reich : *La Révolution sexuelle*
1932 L.-F. Céline : *Voyage au bout de la nuit*
A. Huxley : *Le Meilleur des mondes*
1933 A. Malraux : *La Condition humaine*
E. Caldwell : *Le Petit Arpent du Bon Dieu*
1935 J. Romains : *Les Hommes de bonne volonté,* t. 1.
B. Brecht : *Grande Peur et Misère du Troisième Reich*
E. Husserl : *La Philosophie transcendantale*
1936 J. Dos Passos : *U.S.A.*
1938 G. Bernanos : *Les Grands Cimetières sous la lune*
1939 J. Steinbeck : *Les Raisins de la colère*

Arts

1919 Création du Bauhaus
M. Ravel : *La Valse*
1920 Première émission de radio
R. Wiene : *Le Cabinet du docteur Caligari*
1922 Murnau : *Nosferatu le Vampire*
1923 Début du muralisme mexicain
A. Honneger : *Pacific 231*
A. Gance : *La Roue*
1924 Le jazz gagne Chicago
1925 S.M. Eisenstein : *Le Cuirassé Potemkine*
C. Chaplin : *La Ruée vers l'or*
1926 Premières expériences de télévision
F. Lang : *Metropolis*
B. Keaton : *Le Mécano de la « General »*
1927 I. Stravinski : *Oedipus Rex*
Premier film sonore
1928 Premier enregistrement sur ruban
M. Ravel : *Boléro*
L. Buñuel : *Un chien andalou*
1929 D. Rivera : fresques du Palais national (Mexico)
Naissance de Tintin, de Popeye et de Tarzan
Empire State Building (New York)
1930 A. Dovjenko : *La Terre*
1931 F. Lang : *M. le Maudit*
S. Dali : *Persistance de la mémoire*
Naissance de Dick Tracy
1932 A. Schœnberg : *Moïse et Aaron*
1933 Fermeture du Bauhaus par ordre des nazis
1934 L. Riefenstahl : *Triomphe de la volonté*
1935 G. Gershwin : *Porgy and Bess*
1936 F.L. Wright : *Kaufmann House*
1937 P. Picasso : Guernica
S.M. Eisenstein et S. Prokofiev : *Alexandre Nevski*
1938 J. Renoir : *La Bête humaine*
M. Carné : *Quai des Brumes*
1939 V. Fleming : *Autant en emporte le vent*

Les conditions nouvelles

E DÉVELOPPEMENT CONTINU DES PRO-
GRÈS MATÉRIELS ENTRAÎNE DE NOU-
VEAUX COMPORTEMENTS SOCIAUX, ET
L'ENTRE-DEUX-GUERRES VOIT SE METTRE
EN PLACE LES PRÉMICES D'UNE CULTURE DE
MASSE QUI VA S'ÉPANOUIR ET SE GÉNÉRALISER APRÈS 1945.

LES RÉPERCUSSIONS DE LA GUERRE

L'ampleur de la Première Guerre mondiale a sapé les bases de la société. Autant pour les individus que pour les collectivités du monde industrialisé, les règles du jeu et les points de référence ont été profondément secoués. Une véritable **crise de conscience** contraint les intellectuels, les artistes et les scientifiques à se redéfinir et à rechercher de nouveaux horizons.

Beaucoup d'intellectuels sont saisis d'un **sentiment de pessimisme et de désespoir** et communiquent cet état d'esprit par leurs œuvres. Les traumatismes de la guerre et de ses séquelles poussent la littérature, la peinture, la philosophie à s'éloigner encore plus des sentiers battus. Durant la guerre, la science et la technologie ont mis en branle des forces qu'on n'est plus sûr de pouvoir maîtriser. Par ailleurs, le recyclage de beaucoup d'inventions et d'innovations du temps de guerre (ne serait-ce que l'endettement massif...) alimente un insatiable **goût de consommer et de se distraire** chez les masses qui en ont été si longtemps privées.

L'accélération de l'industrialisation et l'urbanisation influent sur le développement de l'architecture, alors que la musique, le théâtre, le cinéma, la radio, la danse et les sports de spectacle mettent en place une véritable « **culture de masse** » qui marque profondément la génération qui a vécu la guerre.

PROGRÈS MATÉRIELS ET NOUVEAUX COMPORTEMENTS

C'est vraiment après la Première Guerre que le **pétrole** et l'**électricité**, déjà largement utilisés dans une foule de domaines industriels, commencent à pénétrer la vie quotidienne des gens et à y provoquer des changements profonds. Par exemple, l'électrification des campagnes même les plus reculées transforme le travail agricole et modifie les habitudes de vie, réglées de tout temps sur la lumière du jour. Dans les maisons, l'électricité actionne de plus en plus d'appareils, anciens comme la machine à coudre, ou nouveaux comme l'aspirateur.

Mais c'est probablement dans le domaine des transports que l'avènement du moteur électrique et, surtout, du moteur à explosion a les répercussions les plus marquées.

L'entre-deux-guerres voit l'**apogée du chemin de fer**, avec des réseaux qui, en Europe, relient toutes les villes importantes en quelques heures, tandis qu'un tissu serré de lignes secondaires dessert toutes les régions jusque dans les hautes montagnes. Dans les villes et aux alentours, les réseaux de métro (abréviation de « chemin de fer métropolitain ») et de trains de banlieue se densifient, installant dans les mœurs le va-et-vient journalier entre

La croissance du parc automobile
(en millions de véhicules)

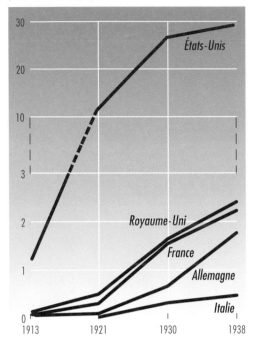

un lieu de travail et un lieu de résidence de plus en plus éloignés l'un de l'autre. Cette facilité de déplacement accentue le mouvement d'urbanisation déjà amorcé au XIXᵉ siècle.

L'automobile, cependant, avec ses développements dans le domaine des camions et des autobus, commence déjà à concurrencer le chemin de fer. Plusieurs constructeurs ayant adopté la fabrication en série inaugurée par Ford, la voiture individuelle ou familiale devient à la portée des classes moyennes tout en bénéficiant de perfectionnements qui la rendent beaucoup plus sûre. En 1938, il y a déjà 30 millions de véhicules automobiles sur les routes aux États-Unis !

Mais ce qui frappe surtout l'imagination populaire, c'est le développement fulgurant de l'**aviation**. Entre 1919 et 1939, c'est la course aux « premières » et aux records : New York - Paris sans escale (Lindbergh, 1927), Tokyo - Paris, Londres - Melbourne, Moscou - Los Angeles via le pôle Nord, etc. En 1939, le record de vitesse est de 755 km/h et le record d'altitude, de 16 440 m. Signe des temps : plusieurs **femmes aviatrices** s'illustrent dans ce domaine, dont l'aspect technique et sportif semble mieux convenir aux hommes selon les préjugés traditionnels. En

RAIL CONTRE ROUTE

À partir de 1925-1930, les autobus sont sortis des villes et des liaisons à court rayon autour des gares, pour assurer des transports plus longs : Paris — Côte d'Azur, Paris — Côte basque. [...] Les camions de déménagement, les transports fruitiers et maraîchers ont pratiqué le « porte-à-porte », de ville à ville, du Roussillon à Paris. Et les transports routiers ont ainsi fait une sérieuse concurrence à la voie ferrée. À la veille de la guerre, le problème n'était pas résolu de cette rivalité dans laquelle le rail, encombré de servitudes publiques (tarifs, réductions, obligations légales sur l'entretien des lignes et la fréquence des trains...), perdait sans cesse du terrain, fermant certaines lignes et stations, remplaçant les trains-vapeur légers par l'autorail plus léger encore — en face de transports routiers libres de leurs tarifs, de leurs itinéraires, de leurs horaires, soumis simplement à des contrôles formels de sécurité.

G. DEALEY ET R. MANDROU
Histoire de la civilisation française, XVIIᵉ-XXᵉ siècle, Paris, A. Colin, 1984.

NEW YORK — PARIS

Le 21 mai 1927, Charles Lindbergh atterrit à Paris après 22 heures de vol solitaire au-dessus de l'Atlantique.

Nous étions à notre poste d'observation depuis peu, lorsqu'un aéroplane argenté fit le tour du champ et se posa à terre. Beaucoup pensèrent que c'était l'avion de Strasbourg, qui était attendu à peu près à cette heure, mais une personnalité officielle me murmura qu'il ne pouvait pas en être ainsi, car la couleur de l'appareil n'était pas la même. Ce ne pouvait être que notre homme. C'était lui, en effet, et, en un moment le délire s'empara de la foule; non le délire dont parlent les journaux à propos des réunions politiques, mais quelque chose de plus spontané. Je n'ai jamais, en aucune occasion, vu chose semblable. Les soldats et la police furent balayés, des barrages solides démolis, et la foule se précipita vers l'avion. C'est alors que les embrassades commencèrent [...].

Au bout de deux heures, un officier français nous fit monter dans son automobile et nous conduisit dans le bureau du commandant, de l'autre côté du champ. Nous y trouvâmes Lindbergh, dans une petite chambre meublée de quelques chaises et d'un lit de camp [...].

Pendant qu'il se laissait interviewer, Lindbergh disait constamment nous: «Nous volions au-dessus de tel endroit, le brouillard commençait à s'épaissir et nous décidâmes...», etc. Finalement, je lui demandai: «Que voulez-vous dire par nous?» Il répondit: «Mais, mon avion et moi.»

L'Illustration (1927).

dehors de ces exploits abondamment rapportés dans la presse, l'aviation commerciale tisse lentement sa toile autour de la planète, transportant principalement du courrier et quelques passagers bien nantis. Dans plusieurs de ses œuvres (*Courrier sud*, *Vol de nuit*), l'écrivain français Antoine de Saint-Exupéry s'inspire de son expérience d'établissement d'une ligne aéropostale depuis la France jusqu'au Chili, au-dessus de l'Atlantique Sud et de la cordillère des Andes.

Le moyen de transport le plus utilisé entre les continents demeure cependant le **bateau**, avec ces somptueux paquebots (*Queen Mary*, *Normandie*) qui traversent l'Atlantique en quatre jours et qui, par leur luxe, leur clientèle, leur atmosphère d'éloignement des problèmes du monde, font partie de la mythologie de l'époque.

Car pour la première fois, peut-être, de son histoire, l'humanité entre dans l'**ère des déplacements fréquents**, comme si elle avait réussi à surmonter l'immémoriale contrainte de l'espace. Trains, cars, voitures, motocyclettes, sortent les populations de leur isolement, permettent les excursions du dimanche aux citadins qui renouent avec la campagne dont ils ont gardé la nostalgie,

**LA MYSTIQUE DU
CHEMIN DE FER**

*Nord-Express, affiche de Adolphe
Mouron, dit Cassandre, 1927.*

donnent à la main-d'œuvre industrielle la possibilité de fuir les quartiers surpeuplés des villes pour s'établir sur les franges urbaines dans des milieux moins nocifs.

Le chemin de fer devient un véritable **phénomène de civilisation**, transportant toutes les classes sociales, les unes d'un bout à l'autre de l'Europe dans les luxueux sleepings Pullman, les autres, entassées dans les wagons de troisième classe, vers la mer ou la montagne pour les congés payés, les autres encore à travers l'Amérique à la recherche d'une vie nouvelle, d'autres enfin sur des lignes à l'exotisme envoûtant prometteur d'aventures : Orient-Express, Berlin - Bagdad, Le Cap - Le Caire, Transsibérien. Romanciers (Maurice Dekobra : *La Madone des sleepings*), cinéastes (Abel Gance : *La Roue*), voire musiciens (Arthur Honneger : *Pacific 231*) célèbrent dans leurs œuvres les monstres d'acier dévoreurs d'espace.

VERS UNE CULTURE DE MASSE

Pendant que les moyens de transport brassent les populations et élargissent leurs horizons, les moyens d'information et de communication à distance introduisent le vaste monde jusque dans les habitations les plus reculées. La **presse écrite** reste un véhicule essentiel, et la presse quotidienne atteint des sommets de diffusion avec, en Grande-Bretagne par exemple, 360 exemplaires vendus pour 1 000 habitants.

Mais la merveille de l'époque, c'est la **radio**. Une presse parlée apparaît, plus immédiate, et le poste de radio devient à certaines heures le centre du monde. Roosevelt, entre autres, l'utilise à fond pour populariser son New Deal dans ses célèbres « causeries au coin du feu » hebdomadaires où son sens de la communication fait merveille. La **propagande** des régimes totalitaires exploite les ondes avec une efficacité redoutable (haut-parleurs extérieurs

diffusant à travers toutes les villes les discours des chefs).
La radio fait également accéder une foule de gens à l'**art
musical**, jazz ou classique, au théâtre, voire à la **production dramatique** spécialement conçue pour la radio.
La puissance d'évocation de ce média est démontrée de
façon spectaculaire par la véritable panique qui s'empare
de tout l'Est des États-Unis pendant la diffusion d'une
adaptation radiophonique de *La Guerre des mondes*, de
H.G. Wells, réalisée par Orson Welles en 1938, épisode à
jamais fameux de l'histoire des médias. À cette date, 80 %
des foyers américains possèdent un poste de radio.

Après le son transmis par les ondes, le son conservé et
reproduit : c'est dans l'entre-deux-guerres que le **disque** et
le **phonographe** sortent définitivement des laboratoires et
des cercles d'initiés pour conquérir le marché de la consommation. On peut difficilement s'imaginer l'éblouis-
sement que provoque, dans un salon parfois modeste,
l'irruption d'un grand orchestre symphonique ou de la
voix d'un célèbre chanteur d'opéra. Malgré tous les
défauts de la reproduction, les auditeurs restaient saisis
par l'émotion.

À côté de cette percée des ondes, la percée de l'image :
photographie, bande dessinée, cinéma contribuent à
forger une culture de masse qui tend à s'uniformiser. La
photo accompagne dans la presse le reportage écrit, voire
devient elle-même la base de l'information dans le photo-
reportage, où excellent des magazines à grand tirage

LA RADIO ET LA PROPAGANDE
*« Toute l'Allemagne écoute le Führer avec
le récepteur populaire. »*

**LES TECHNIQUES DE POINTE
DANS LA PRESSE**
*Tandis que la copie, tapée à la
machine à écrire dans les trois
torpédos à bord desquelles Gaston
Bénac, Baker d'Isy, G. Villetan
et Latour suivent la course, file
vers le téléphone, « véhiculée » par
de puissantes motos montées par
les champions Joly et Schulz, les
opérateurs photographes Gillet et
Tharce transmettent les vues
qu'ils viennent de prendre par les
voies les plus rapides, le bélino et
l'avion.
Voici d'ailleurs comment ils
opèrent : dès que la vue intéres-
sante vient d'être prise, une moto
transporte le négatif vers la
voiture-laboratoire qui, tout en
roulant à l'avant, développe et
tire l'épreuve. Un coup d'accélérateur, et l'on arrive au premier
village où la communication
téléphonique est demandée avec
Paris. L'ingénieur branche sur le
fil l'appareil bélino contenu dans
une valise spéciale et, quelques
minutes plus tard, la photo qui
vient d'être prise est déjà transformée en cliché et serrée dans la
forme [...].*
Paris-Soir, 3 juillet 1934.

LA MORT EN DIRECT ET LA CENSURE

Dès que l'assassin sort de la foule, [les reporters cinématographiques] redoublent de hardiesse et de précision. Malgré la panique et l'affolement du pauvre service d'ordre, ils parviennent à filmer l'attentat. Trois d'entre eux sont blessés. Mais le document irrécusable qu'ils rapportent est d'un intérêt poignant. On y voit la molle formation du cortège après le débarquement du roi et la montée à 10 à l'heure de la Canebière aux acclamations d'une foule qui ne reste sagement sur les trottoirs que parce qu'elle le veut bien. On y voit, place de la Bourse, l'assassin fendre les barrages inexistants, sauter sur le marchepied et tirer sur le souverain qui s'affaisse. On y voit, une seconde, M. Barthou[1] descendre en chancelant de l'auto royale. On y voit tout cela et vingt autres détails déchirants ou navrants, mais vous ne le verrez pas. Ce qui passe dans les salles n'est plus qu'un reportage tronqué, amputé des scènes mêmes de l'attentat, par ordre. Par ordre du gouvernement, couvrant la Sûreté nationale qui, après avoir commis la faute, recourt à l'arbitraire et à l'abus de pouvoir pour essayer de la masquer.

1. Louis Barthou, ministre français des Affaires étrangères, blessé mortellement.

A. LANG,
cité dans : Jeanne et Ford,
Le cinéma et la presse,
Paris, Colin, 1961.

CONTRE LE CINÉMA

Inspirateur du crime, propagateur des mauvaises mœurs, dangereux même pour la foi, le cinéma met en péril la santé de l'âme. C'est là son méfait le plus général et, en un certain sens, le plus inquiétant, car ce péril, presque indépendant de la valeur morale, se retrouve dans des œuvres d'apparence inoffensive. C'est une sorte de loi du genre : il s'en dégage une excitation morbide qui lentement ruine l'équilibre normal de l'âme.

LOUIS SALABERT
Le film corrupteur, 1921.

comme *Life* ou *Paris-Match*, qui tire à un million d'exemplaires un an après sa fondation. La **bande dessinée**, née bien avant 1914 dans le cadre de la littérature enfantine, prend son véritable essor et sa forme moderne avec le texte dans l'image (les « bulles »). La plupart de ses grands héros naissent alors : Tintin et Babar en Europe, Popeye et Superman en Amérique, dont les aventures hebdomadaires ou mensuelles sont suivies avidement par un énorme public.

Mais le **cinéma** demeure probablement le plus important de ces moyens de communication de masse (mass media), à la fois par son caractère industriel, qui en fait une activité économique importante, et par son impact proprement médiatique, qui engendre tant le « star system » hollywoodien que le film de propagande. Devenu « sonore et parlant » à la fin des années vingt, il multiplie son audience dans les années trente, offrant à la fois les actualités filmées, qui transportent le spectateur au cœur de l'action la plus dramatique (assassinat du roi de Serbie, 9 octobre 1934), et le film d'évasion, qui comble les rêves des victimes de la crise en leur racontant des intrigues qui se nouent autour de personnages fabuleusement riches habitant des châteaux somptueux remplis de téléphones blancs...

Le cinéma constitue par ailleurs un formidable moyen de propagande, que les régimes totalitaires ne tardent pas à mettre à leur service, avec un succès qui demeure malgré tout assez difficile à mesurer. Ce cinéma domestiqué va néanmoins atteindre des sommets de perfection formelle avec *Triomphe de la volonté* de Leni Riefenstahl, œuvre de référence du film de propagande, tournée avec d'énormes moyens financiers et techniques lors du congrès du Parti nazi à Nuremberg en 1934.

Le développement rapide des moyens de communication de masse inquiète fort dans certains milieux, comme le clergé catholique, particulièrement au Québec, qui dénonce pêle-mêle la radio et le cinéma, ce qui d'ailleurs ne l'empêche pas de les utiliser à ses propres fins (*Heure catholique* à la radio, films des abbés Tessier et Proulx).

Il n'est pas jusqu'au **sport** qui devienne affaire de masse, voire de politique. Bien que le sport « actif » soit somme toute réservé aux mieux nantis, le sport de spectacle devient un fait de civilisation, mobilisant d'immenses foules dans des stades aux dimensions toujours plus vastes. On atteint souvent les 100 000 places et, pendant la guerre, l'architecte d'Hitler, Albert Speer, dressera les plans d'un stade de 300 000 sièges. Football, baseball, rugby, cyclisme profitent aussi de la radio, qui retransmet

---

CONTRE LA RADIO

La radio est trop généreuse. Elle dévalorise ses trésors en les distribuant gratuitement sur la voie publique [...]. Elle moud, sans interruption, comme un orgue de Barbarie, des tragédies, des drames lyriques et des symphonies sublimes mêlés, d'ailleurs, à tous les déchets du café-concert. Elle diminue ainsi dangereusement les prestiges des oeuvres d'art. Tout le monde peut, désormais, tutoyer les grands aristocrates de la pensée. Le tenancier du bar le plus mal famé n'a qu'à tourner un bouton pour appeler comme des domestiques, Debussy, Racine, Chopin, Verlaine, Mozart ou Musset, dont les voix pures, se mêleront aux conversations crapuleuses, jusqu'au moment où la clientèle réclamera l'expulsion brutale de ces importuns.

Autant il est souhaitable de voir la beauté mise à la portée de tout le monde, autant il est dangereux de dépouiller les chefs-d'œuvre de l'auréole de respect à laquelle ils ont droit. Dans ce domaine, la radio porte chaque jour de graves responsabilités. Avant qu'un automatisme redoutable ait rendu cet effort impossible, il faut réviser soigneusement tous les rouages et tous les ressorts du formidable engrenage radiophonique, qui doit être notre esclave et non notre maître.

E. VUILLERMOZ (1938),
cité dans : *La Révolution des échanges au XXᵉ siècle*, Paris, La documentation française, 1975.

dans tous les coins les grands événements et crée des vedettes instantanées avec les champions de l'heure (Babe Ruth). Les **Jeux olympiques** deviennent des événements médiatiques, et ceux de Berlin en 1936 sont restés fameux par l'utilisation qu'en fait l'Allemagne nazie pour les besoins de sa propagande nationale et internationale. Les athlètes allemands et « nordiques » y brillent d'ailleurs de tous leurs feux, sauf dans les épreuves de sprint où, au grand désarroi de Hitler qui y assiste parfois en personne, quatre médailles d'or sont emportées haut la main par Jesse Owens, un Noir américain...

LE SPORT ET LA PUBLICITÉ : LE TOUR DE FRANCE

Le mois de juillet, pour les quatre cinquièmes des Français, est le mois du Tour... Qu'est-ce que le Tour ? Pour le grand public, des hommes qui courent au service du sport. Dans la réalité, des marques de bicyclette qui concourent pour la suprématie de leurs firmes, la vente du journal de M. Desgrange et le bénéfice parasite d'une immense caravane de publicité. La presse commence à n'en plus faire mystère. Du toujours courageux Canard à la très officielle Semaine à Paris, la vérité se fait jour.

La sélection de l'équipe n'est pas seulement, comme chacun pense, celle des meilleurs coureurs de l'année; elle se règle avec les fabricants de cycles par un heureux dosage entre les firmes appartenant au Consortium. André Leducq a cette année été éliminé à la surprise générale : avec l'aide d'un commanditaire indépendant, il allait lancer, à la suite d'une victoire probable, un vélo «André Leducq», et les représentants du Consortium ont menacé l'organisateur du Tour de retirer «leurs» coureurs si Leducq était sélectionné.

La première source de profit en sont les innombrables voitures de publicité: Byrrh, fromages, essences, etc., qui constituent l'essentiel de la caravane. Les premiers Tours en comportaient quelques-unes, en annexe, comme aux dernières colonnes d'un journal. Aujourd'hui la caravane du Tour est d'abord une caravane publicitaire où trouvent place comme ils peuvent quelques coureurs bousculés : chaque voiture-annonce paye sa place un bon prix, pourquoi en limiterait-on le nombre ?

Revue *Esprit*, 1934.
Cité dans *Les Mémoires de l'Europe*, t. VI, Paris, Robert Laffont, 1973.

Le mouvement de la science et de la pensée

LA SCIENCE

La science s'internationalise, stimulée dans cette voie, entre autres, par l'exode de certains savants fuyant le nazisme, dont le plus célèbre est Albert Einstein. C'est d'ailleurs sur la voie ouverte par la théorie de la relativité d'Einstein (voir page 32) que la **physique** poursuit ses avancées entre les deux guerres. La physique nucléaire découvre les **protons** (Rutherford, 1919), l'**électron positif** (Anderson, 1931) et le **neutron** (Chadwick, 1934). Frédéric et Irène Joliot-Curie et Enrico Fermi découvrent la **radioactivité artificielle**. Les bases de la **mécanique ondulatoire**, qui associe les ondes aux particules

LES LIMITES DE LA SCIENCE

Mais lorsque nous considérons de plus près cet édifice des sciences exactes, nous nous apercevons qu'il comporte un point faible qui n'est autre que son fondement. En d'autres termes : il manque aux sciences exactes un principe assez général et d'un contenu assez riche pour leur servir de base suffisante. Sans doute calculent-elles avec des chiffres et des mesures, et portent-elles à juste titre leur nom, car nous devons à coup sûr tenir pour vraies les lois de la logique et des mathématiques. Mais la logique la plus aiguë, les mathématiques les plus rigoureuses ne peuvent produire de résultat fécond si elles ne re-

posent pas sur une base solide. Rien ne peut sortir de rien.

Il n'est peut-être pas de terme qui ait suscité autant de malentendus et de contresens que celui de « science sans préjugé ». L'expression a été lancée par Théodor Mommsen pour souligner que la recherche scientifique se tient à l'écart des idées préconçues; mais elle ne peut ni ne doit signifier que la recherche scientifique n'ait besoin d'aucun a priori. Elle doit nécessairement partir d'un point quelconque, et la question de savoir quel est ce point a préoccupé les penseurs de tous les temps et de tous les pays, de Thalès à Hegel; elle a mis en branle la raison et l'imagination

humaines mais il est toujours apparu qu'il n'existe pas de réponse définitive. La preuve la plus éclatante nous est fournie par le fait que, jusqu'à nos jours, nous ne sommes pas parvenus à dégager une vision du monde qui, au moins dans ses grandes lignes, rencontre l'adhésion de tous les esprits qualifiés. De cette constatation nous ne pouvons tirer qu'une seule conséquence, à savoir qu'il est impossible de fonder les sciences exactes sur un principe général d'un contenu définitif.

MAX PLANCK

L'Image du monde dans la physique moderne, cité dans *Les Mémoires de l'Europe*, t. VI, Paris, Robert Laffont, 1973.

matérielles, sont établies par Louis de Broglie en 1923, tandis qu'Heisenberg énonce le **principe d'incertitude**, faisant des phénomènes physiques de simples probabilités (1924). La **fission de l'uranium** est réalisée en Allemagne en 1939.

Les **sciences biologiques** connaissent un essor spectaculaire, particulièrement dans le domaine de la recherche médicale. Banting et Best isolent l'**insuline** en 1922. Le **BCG**, première arme efficace contre la tuberculose, est mis au point par Calmette et Guérin (1921), tandis que la **pénicilline**, découverte en 1929 par Alexander Fleming, ouvre la voie féconde des antibiotiques. Déjà les chirurgiens commencent à pratiquer des **greffes d'organes**, et les chercheurs multiplient les découvertes de nouvelles **hormones** et de nouveaux **gènes**.

Les **sciences humaines** se renouvellent tout en poursuivant leur spécialisation. En **psychologie**, J.B. Watson (1878-1958) lance le béhaviorisme, pour qui la psychologie n'est autre que la science expérimentale du comportement observable. Watson affirme qu'il faut dépasser la tendance « explicative » et se concentrer sur l'observation des réactions du sujet aux stimulus qui se présentent à lui, afin de découvrir les relations objectives et constantes entre le sujet et son environnement. L'« homme intérieur » n'intéresse pas le béhaviorisme. Tout peut être fait par apprentissage : « Donnez-moi une douzaine d'enfants sains, bien constitués, et l'espèce de monde qu'il me faut pour les élever, et je m'engage, en les prenant au hasard, à les former de manière à en faire des spécialistes de mon choix, médecin, commerçant, juriste et même mendiant ou voleur, indépendamment de leurs talents, penchants, tendances, aptitudes, ainsi que de la profession et de la race de leurs ancêtres » (Watson, *Behaviorism*, 1925).

On voit tout de suite les prolongements qu'une telle conception, inspirée des travaux de Pavlov sur le réflexe conditionné, peut avoir en pédagogie. L'Américain B.F. Skinner inventera bientôt sa « machine à enseigner », grâce à laquelle l'étudiant poursuit seul un apprentissage soigneusement programmé où il ne peut cheminer qu'en donnant la « bonne réponse » qui ouvre l'étape suivante.

Dans une autre direction, Wilhelm Reich (1897-1957) devient célèbre pour son insistance sur l'orgasme comme facteur essentiel de la pensée psychique et lance le **freudo-marxisme** qui postule la révolution sociale et la destruction de la famille bourgeoise comme préalable essentiel à la libération sexuelle (*La révolution sexuelle*, 1931).

L'**Histoire** connaît elle aussi sa grande révolution à travers l'apparition de l'« école française » autour de Lucien Febvre et de Marc Bloch, qui fondent en 1929 une revue appelée à un grand retentissement : *Annales*. Pour cette « nouvelle histoire », trois idoles de l'histoire traditionnelle sont à détruire : la primauté absolue de l'histoire politique (l'« histoire-bataille »), l'importance excessive accordée aux individus (l'histoire des Rois et des Empereurs) et le souci minutieux de la chronologie (l'histoire par les dates). Face à ces idoles, la **nouvelle histoire** privilégie l'histoire économique et sociale, l'histoire des civilisations, l'histoire des mentalités, l'histoire des conditionnements géographiques (la géo-histoire), tout cela abordé dans le « **temps long** », celui des permanences plus que des ruptures, celui des structures profondes qui transcendent la chronologie et forment l'essentiel de l'évolution humaine.

LA PHILOSOPHIE

Dans le domaine philosophique, deux grands penseurs marquent l'entre-deux-guerres et exercent une profonde influence sur la pensée occidentale jusqu'à nos jours. Edmund **Husserl** (1859-1938), espérant faire de la philo-sophie une science rigoureuse, fonde la **phénoménologie**. Prenant Descartes comme point de référence, Husserl montre qu'il n'y a pas de *Je pense* sans objet de pensée, ni objet de pensée sans *Je pense*, et que toute conscience est conscience de quelque chose. C'est cette conscience qui donne un sens, une visée intentionnelle, au monde. Il faut donc suspendre, mettre entre parenthèses, tout sujet ou tout objet particulier afin de parvenir à l'intuition des essences pures, à la conscience de la vérité qui ne peut qu'être une. Dans *La Crise des sciences européennes et la* *philosophie transcendantale* (1935), Husserl oppose, à la barbarie qui menace l'Europe en détresse, la nécessité de comprendre les phénomènes tels qu'ils sont et d'en finir avec les spéculations arbitraires. En 1936, il sera privé de sa chaire d'enseignement par les nazis, à cause de ses origines juives.

Son remplaçant est un de ses disciples, qui versera sa cotisation au Parti nazi de 1933 jusqu'à 1945. Hissé au rang des maîtres à penser de toute l'Europe après 1945, **Martin Heidegger** (1889-1976) est le philosophe de l'angoisse, née de l'expérience que nous avons d'être rigoureusement isolés, délaissés, dans un monde où pourtant nous sommes immergés. Notre existence n'a pas d'autre sens qu'elle-même, et elle conduit vers la mort, d'où son absurdité. Nous sommes jetés dans le monde pour y mourir, et la solution de ce problème dépend d'une expérience de la mort dont nous sommes dépourvus. L'angoisse, c'est le Temps, intervalle qui sépare la naissance de la mort. Et nous devons assumer cette existence que nous n'avons pas choisie ; nous en sommes même responsables. L'**essence de l'homme, c'est d'exister** ; sa seule liberté, celle de regarder la mort en face. Et c'est cette liberté-là qui assigne un but à notre existence. Cette philosophie prendra le nom d'**existentialisme**.

LA LITTÉRATURE

La littérature de l'entre-deux-guerres est marquée, du moins en Europe, par la crise de conscience que la Grande Guerre a déclenchée et par les interrogations profondes qu'elle a suscitées sur la civilisation occidentale, les valeurs qui la fondent, les principes qu'elle prétend être les siens. Certains écrivains s'attaquent directement à ce problème, tels l'Allemand **Oswald Spengler** (*Le Déclin de l'Occident*, 1922) et le Français **Paul Valéry**, poète mais aussi essayiste d'une lucidité remarquable (*Regards sur le monde actuel*).

L'inquiétude des écrivains se traduit souvent par un repli sur l'individu, dont les méandres les plus subtils de l'âme sont analysés d'une façon tout à fait nouvelle, et absolument magistrale, par **Marcel Proust**, dans son monumental *À la recherche du temps perdu* qui constitue une des œuvres majeures de la littérature du XXᵉ siècle. D'autres fresques de vastes dimensions plongent leurs personnages plus à fond dans l'actualité contemporaine, comme *Les Hommes de bonne volonté* de Jules Romains ou *Les Thibault* de Roger Martin du Gard.

De nombreux écrivains jettent un regard critique aigu sur la société de leur temps, tels, en France, François Mauriac (*Thérèse Desqueyroux*, 1927) ou Louis-Ferdinand Céline (*Voyage au bout de la nuit*, 1932). C'est dans cette veine que le roman américain connaît un véritable âge d'or, avec Scott Fitzgerald (*Gatsby le Magnifique*, 1925), William Faulkner (*Le Bruit et la Fureur*, 1929), Erskine Caldwell (*Le Petit Arpent du Bon Dieu*, 1933), John Dos Passos (*U.S.A.*, 1936), John Steinbeck (*Les Raisins de la colère*, 1939) et d'autres encore.

L'ART DE MARCEL PROUST

Dans une de ces longues phrases admirablement composées dont il a le secret, et dans un vocabulaire somptueux, l'écrivain transmet au lecteur la sensation presque physique de l'instant qui passe.

J'allais et je venais, jusqu'à l'heure du déjeuner, de ma chambre à celle de ma grand'mère. Elle ne donnait pas directement sur la mer comme la mienne mais prenait jour de trois côtés différents [...]. Et à cette heure où des rayons venus d'expositions et comme d'heures différentes, brisaient les angles du mur, à côté d'un reflet de la plage mettaient sur la commode un reposoir diapré comme les fleurs du sentier, suspendaient à la paroi les ailes repliées, tremblantes et tièdes d'une clarté prête à reprendre son vol, chauffaient comme un bain un carré de tapis provincial devant la fenêtre de la courette que le soleil festonnait comme une vigne, ajoutaient au charme et à la complexité de la décoration mobilière en semblant exfolier la soie fleurie des fauteuils et détacher leur passementerie, cette chambre, que je traversais un moment avant de m'habiller pour la promenade, avait l'air d'un prisme où se décomposaient les couleurs de la lumière du dehors, d'une ruche où les sucs de la journée que j'allais goûter étaient dissociés, épars, enivrants et visibles, d'un jardin de l'espérance qui se dissolvait en une palpitation de rayons d'argent et de pétales de rose.

MARCEL PROUST

À l'ombre des jeunes filles en fleurs, t. II de *À la recherche du temps perdu*, 1918.

Certains romanciers cherchent dans l'aventure plus ou moins lointaine une échappée hors de cet Occident en crise, en particulier André Malraux, dont les œuvres majeures, largement autobiographiques, se situent en pleine guerre civile, en Chine (*La Condition humaine*, 1933) ou en Espagne (*L'Espoir*, 1939). Ces œuvres « engagées » vont se multiplier avec la crise, la montée du fascisme et la marche à la guerre des années trente, entre autres chez Georges Bernanos (*Les Grands Cimetières sous la lune*, 1938), Ernest Hemingway (*Pour qui sonne le glas*, 1940) ou, sur le plan d'une anticipation satirique, Aldous Huxley (*Le Meilleur des mondes*, 1932).

Les écrivains les plus novateurs de la période sont, à côté de Proust, **Franz Kafka** et **James Joyce**. Tchèque de langue allemande, Kafka dénonce l'absurdité de la société bureaucratisée dans une œuvre choc, *Le Procès*, qui n'a pas cessé de hanter l'imaginaire de tout le siècle depuis sa parution en 1925, jusqu'à donner naissance à un qualificatif nouveau : *kafkaïen*. Une situation ou un

UN UNIVERS KAFKAÏEN

— Voici mes papiers d'identité.

— Que voulez-vous que nous en fassions ? s'écria aussitôt le grand gardien. Vous êtes plus capricieux qu'un enfant. Où voulez-vous en venir ? Espérez-vous accélérer la conclusion de votre grand, de votre damné procès en ergotant sur des papiers et des mandats avec des gardiens comme nous ? Nous sommes de simples exécutants, nous n'entendons à peu près rien aux papiers d'identité, notre seul rôle dans votre affaire est de monter la garde dix heures par jour près de vous, c'est pour ça qu'on nous paie. Voilà tout ce que nous sommes ; il n'empêche que nous savons fort bien que les autorités dont nous dépendons n'engagent pas une telle procédure sans avoir recueilli des renseignements très précis sur les motifs de l'arrestation et sur la personne du suspect. Tels que je connais nos services, et je n'en connais que les échelons subalternes, ils ne s'amusent pas à rechercher les culpabilités au sein de la population ; c'est au contraire, et conformément aux termes mêmes de la loi, la culpabilité qui les provoque et suscite l'envoi de gardiens comme nous. La loi est ainsi faite. Il n'y a place pour aucune erreur.

— Je ne connais pas cette loi, dit K.

— C'est d'autant plus fâcheux pour vous, dit le gardien.

— Je parie qu'elle n'existe que dans vos têtes, dit K.

Il voulait trouver le moyen de se glisser dans les pensées des gardiens, de les retourner en sa faveur ou de s'y acquérir un droit de cité. Mais le gardien dit sèchement :

— Elle n'est que trop réelle, vous verrez.

Franz intervint :

— Tu vois, Willem, il avoue qu'il ne connaît pas la loi et, en même temps, il prétend qu'il est innocent.

— Tu as tout à fait raison, mais c'est un homme qui ne veut rien comprendre.

F. KAFKA
Le Procès, trad. B. Lortholary, Paris, Flammarion, 1983.

univers kafkaïen sont marqués par l'absurde, l'angoisse, une atmosphère d'oppression sourde devant des menaces indéfinissables, l'égarement dans les labyrinthes bureaucratiques. James Joyce, quant à lui, brise tous les codes esthétiques et narratifs avec son énorme *Ulysse* (1922).

Le théâtre est renouvelé en profondeur par **Luigi Pirandello**, dont les *Six personnages en quête d'auteur* date de 1921, et surtout par **Bertolt Brecht**, qui fait véritablement école en introduisant dans le théâtre engagé la notion de distanciation, par laquelle tant l'acteur que le spectateur maintiennent leur liberté critique (*Grande Peur et Misère du Troisième Reich*, 1935). La conception brechtienne de l'œuvre théâtrale et de sa mise en scène continue encore aujourd'hui à inspirer les gens de théâtre.

Quant à la littérature plus traditionnelle, de divertissement avant tout, elle est illustrée par de grands auteurs qui en portent le niveau à l'excellence (Colette, Marcel Pagnol, Georges Simenon, Agatha Christie, pour n'en nommer que quelques-uns).

Les grands courants de l'art

LA RUPTURE SURRÉALISTE

L'art de l'entre-deux-guerres est surtout marqué par la grande rupture surréaliste, qui touche toutes les formes d'expression artistique.

C'est en pleine guerre mondiale, à Zurich en 1916, que naît un mouvement de rejet absolu, brutal, provocant, de toute la société et de l'art bourgeois : le **dada**, mot bien choisi pour exprimer le nihilisme total de ses fondateurs, Tristan Tzara et Marcel Duchamp. Anticonformiste, antibelliciste, anarchiste jusqu'au **rejet de l'art lui-même**, le mouvement connaît juste après la guerre un certain succès de scandale avec, par exemple, une sculpture de Duchamp qui n'est rien d'autre qu'un urinoir renversé...

Désarticulation du langage dans des chansons ponctuées de hurlements et de hoquets ou dans des poésies composées en découpant des mots dans un journal et en choisissant au hasard dans un tas ainsi formé, destruction du concept même d'œuvre d'art par l'utilisation de simples objets d'usage quotidien, le dadaïsme porte en lui-même sa propre désintégration, mais il donnera naissance à l'un des mouvements intellectuels et artistiques les plus importants du siècle : le surréalisme.

Ce sont en effet des dadaïstes mécontents de l'action exclusivement destructrice du dada qui lancent le **mouvement surréaliste** en 1922 autour d'André Breton, Louis Aragon et Paul Éluard. La volonté contestataire du dada demeure, mais les surréalistes veulent la compléter par la construction d'une culture nouvelle fondée sur l'importance du **subconscient**, du rêve, en libérant l'univers intérieur dont chacun est dépositaire « en l'absence de tout contrôle par la raison ». En littérature, par exemple,

LE SURRÉALISME

Surréalisme, n.m.

Automatisme psychique pur par lequel on se propose d'exprimer, soit verbalement, soit par écrit, soit de toute autre manière, le fonctionnement réel de la pensée. Dictée de la pensée, en l'absence de tout contrôle exercé par la raison, en dehors de toute préoccupation esthétique ou morale. Encycl. Philos. *Le surréalisme repose sur la croyance à la réalité supérieure de certaines formes d'associations négligées jusqu'à lui, à la toute-puissance du rêve, au jeu désintéressé de la pensée. Il tend à ruiner définitivement tous les autres mécanismes psychiques et à se substituer à eux dans la résolution des principaux problèmes de la vie.*

Manifeste du Surréalisme, 1924.

1° Nous n'avons rien à voir avec la littérature. Mais nous sommes très capables, au besoin, de nous en servir comme tout le monde.

2° Le surréalisme n'est pas un moyen d'expression nouveau ou plus facile, ni même une métaphysique de la poésie. Il est un moyen de libération totale de l'esprit et de tout ce qui lui ressemble.

3° Nous sommes bien décidés à faire une Révolution.

4° Nous avons accolé le mot de surréalisme au mot de Révolution, uniquement pour montrer le caractère désintéressé, détaché et même tout à fait désespéré de cette révolution.

5° Nous ne prétendons rien changer aux erreurs des hommes, mais nous pensons bien leur démontrer la fragilité de leurs

pensées, et sur quelles assises mouvantes, sur quelles caves, ils ont fixé leurs tremblantes maisons.

6° Nous lançons à la société cet avertissement solennel. Qu'elle fasse attention à ses écarts, à chacun des faux pas de son esprit, nous ne la raterons pas...

7° Nous sommes des spécialistes de la Révolte. Il n'est pas un moyen d'action que nous ne soyons capables au besoin d'employer...

Le surréalisme n'est pas une forme poétique.

Il est un cri de l'esprit qui retourne vers lui-même et est bien décidé à broyer désespérément ses entraves.

Déclaration du 27 janvier 1925.

cette « surréalité » va surgir de l'écriture automatique, où l'écrivain transcrit tout ce qui lui passe par la tête au moment où il écrit, sans autre cohérence que celle de son subconscient.

C'est dans le domaine pictural que le surréalisme est peut-être le plus connu, l'image se prêtant idéalement à la représentation des associations incongrues, des atmosphères oppressantes, des formes irréelles qui peuplent nos rêves ou nos cauchemars. La peinture surréaliste atteint ainsi des sommets avec **Max Ernst**, **René Magritte** et le plus universellement célèbre de tous, **Salvador Dalí**, dont les fameuses « montres molles » (*Persistance de la mémoire*) datent de 1931. Ces peintres allient des techniques de dessin d'un grand réalisme et d'une grande précision avec des images totalement oniriques, d'où la grande puissance d'impact de leurs œuvres.

Le surréalisme s'exprime aussi au cinéma, art onirique par excellence, avec un **Luis Buñuel** (*Un chien andalou*,

S. DALI,
« PRÉMONITION DE LA GUERRE CIVILE », 1936
The Philadelphia Museum of Art.

1929) ou une Germaine Dulac (*La Coquille et le Clergyman*, 1927). Bunuel restera fidèle à l'inspiration surréaliste de bout en bout de son œuvre, jusque dans les années quatre-vingt.

Mais le surréalisme, se voulant véritablement mode de vie autant que mouvement esthétique, tombera rapidement dans une sorte de totalitarisme de la pensée et même de la vie, rejetant tout ce qui s'éloigne tant soit peu des normes édictées par la « Centrale » sous l'autorité de son « Pape », André Breton. Le mouvement va donc éclater assez rapidement, mais il aura laissé sur l'art de notre siècle une marque indélébile.

À côté de cette école surréaliste qui marque une très profonde rupture avec le passé, l'**expressionnisme** déjà présent avant la guerre continue à rassembler beaucoup d'artistes et d'écrivains, surtout en Allemagne et dans les pays nordiques : à côté des peintres Otto Dix et George Grosz, les cinéastes Fritz Lang (*Metropolis*, 1926) et F.W. Murnau (*Nosferatu le Vampire*, 1922) donnent à cette école des œuvres à l'esthétique particulièrement recherchée, aboutie, cohérente.

En marge des courants dominants, **Picasso** revient à des formes plus classiques (« périodes bleue et rose ») tandis qu'éclate le symbolisme fantastique et coloré de **Marc Chagall** exprimant la profondeur du judaïsme russe. **Joan Miró** illustre l'abstraction avec des compositions raffinées mêlant formes géométriques et formes libres dans des couleurs

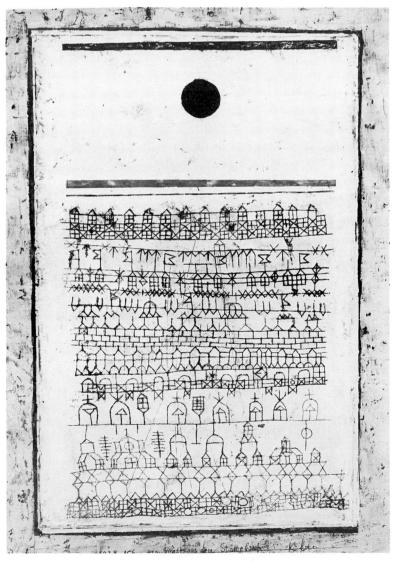

PAUL KLEE, « EIN BLATT AUS DEM STÄDTEBUCH », 1928, LONDRES

lumineuses. On peut situer par ailleurs **Paul Klee**, l'un des plus grands peintres du siècle, au point de jonction entre l'expressionnisme, le cubisme et l'abstraction, dans des toiles merveilleuses d'équilibre et de spontanéité. Enfin, aux États-Unis, **Georgia O'Keefe** signe des œuvres où la transcription scrupuleuse de la réalité (nombreuses toiles représentant des fleurs) débouche sur un univers totalement nouveau, d'une sensualité diffuse dans de riches coloris.

LE MURALISME : UNE PEINTURE POUR LE PEUPLE ?

Du point de vue de son impact sur les foules, et fort éloignée des avant-gardes réservées aux initiés, c'est la grande peinture murale mexicaine qui constitue la véritable révolution picturale de l'entre-deux-guerres.

Le **muralisme mexicain** est fils de la révolution qui a ensanglanté le pays pendant de longues années (voir page 30). Artistes engagés, très influencés par le marxisme qu'ils complètent d'un indigénisme alors assez peu répandu, les muralistes mexicains veulent faire sortir l'art du cadre trop étroit de la toile sur chevalet, destinée à être accrochée dans quelque salon aristocratique ou dans quelque musée. Il faut une peinture qui, à la fois par sa technique et par son esthétique, pourra être **vue et immédiatement comprise par le plus grand nombre**. La fresque murale, de grandes dimensions, de style résolument figuratif, à la fois narratif et symbolique, prenant ses sujets dans l'histoire tourmentée du peuple mexicain, répond parfaitement à ces exigences.

C'est l'État mexicain lui-même qui lance le mouvement, en demandant à plusieurs peintres de couvrir de fresques les murs de certains bâtiments publics. Trois très grands artistes vont tout de suite révéler des talents exceptionnels : José Clemente Orozco (1883-1949), David Alfaros Siqueiros (1896-1974) et surtout **Diego Rivera** (1886-1957), l'un des plus grands peintres du XXe siècle. Les fresques, qui couvrent d'immenses surfaces (1 480 m² au Secrétariat de l'Éducation publique à Mexico, par

D. RIVERA, « JUAREZ ET LA
CONSTITUTION DE 1857 »,
FRESQUE DU PALAIS
NATIONAL, MEXICO

exemple), plongent avec force l'observateur dans les grands événements de l'histoire mexicaine, décrivent avec minutie les civilisations précolombiennes, leurs techniques, leurs coutumes, jettent un œil critique sur le Mexique contemporain, dans des compositions parfaitement maîtrisées où des centaines d'humbles gens du peuple occupent la plus grande place.

Les trois grands muralistes mexicains seront tous invités aux États-Unis, où leur œuvre fera parfois scandale (le magnat John D. Rockefeller ordonne la destruction de la murale de Rivera au Rockefeller Center, parce qu'on y voit la tête de Lénine...), mais jettera aussi les germes d'un muralisme qui s'épanouira dans les années soixante et fera tache d'huile, touchant le Canada et le Québec, ainsi que l'Europe occidentale.

L'ARCHITECTURE NOUVELLE

Cette époque propice aux ruptures secoue même l'architecture, art plutôt traditionaliste parce que très dépendant des pouvoirs publics et des classes dirigeantes, et qui, depuis le début du XIXe siècle, s'est contenté à peu près exclusivement de copier tous les styles sans en créer aucun. Néo-gréco-romain, néo-gothique, néo-renaissance, néo-classique, néo-oriental : tout y est passé, sans laisser d'œuvre importante sauf pour ces immenses structures d'acier et de verre érigées pour quelque exposition coloniale ou universelle. L'« art nouveau » des années 1900 (voir page 33) n'était bien souvent que la prolifération d'éléments décoratifs sur une base encore traditionnelle, sauf dans le cas de Gaudí, créateur de formes nouvelles mais resté sans postérité.

C'est justement contre cet envahissement démesuré de la décoration que réagit l'**école fonctionnaliste**, issue du mouvement **Bauhaus** dirigé par Walter Gropius en Allemagne. Le fonctionnalisme veut faire disparaître la distinction entre l'intérieur et l'extérieur du volume bâti, en dépouillant la forme extérieure de tout ornement surajouté, en concevant cette forme sur la base du parallélépipède, où les murs ne sont plus porteurs mais simples rideaux, pour lesquels on peut utiliser le verre sans aucune restriction. L'immeuble même construit par Gropius pour abriter son école se veut l'incarnation de cette nouvelle vision des choses. Fermé en 1933 sur ordre des nazis qui l'accusent de renier l'« âme » allemande, le Bauhaus voit ses membres s'exiler vers l'Europe et surtout les États-Unis, transplantant dans leurs pays d'accueil leurs conceptions esthétiques.

BÂTIMENT DU BAUHAUS
À DESSAU

Bien qu'il ait réalisé peu d'œuvres avant 1939, le Suisse Charles-Édouard Jeanneret-Gris, dit **Le Corbusier**, prône un renouvellement total de l'art de construire, à partir de la maison individuelle jusqu'aux plus grandes agglomérations urbaines. Ses grandioses projets de ville favorisent des édifices en hauteur mais avec de vastes dégagements, des voies de circulation hiérarchisées, des édifices sur pilotis, des ceintures de verdure, mais leur côté visionnaire et quelque peu utopique n'était pas fait pour attirer la faveur des décideurs (il aurait fallu détruire et rebâtir Paris et sa banlieue...). Néanmoins, les idées de Le Corbusier auront une grande influence sur les architectes et urbanistes après 1945.

Aux États-Unis, la vogue des **gratte-ciel** s'enfle avec les années de prospérité, atteignant avec l'Empire State Building de New York les 84 étages sur 381 mètres de

NEW YORK, L'EMPIRE STATE
BUILDING

hauteur. Assez curieusement, ces mastodontes sont la plupart du temps ornés de décorations « médiévales » (arcs-boutants, gargouilles) ou issues d'autres époques historiques (l'Angleterre des Tudor, par exemple), qui apparaissent tout à fait incongrues dans un tel contexte.

L'URBANISME DE LE CORBUSIER

Principes fondamentaux :

1° Décongestionnement du centre des villes ;
2° Accroissement de la densité ;
3° Accroissement des moyens de circulation ;
4° Accroissement des surfaces plantées.
Au centre, la gare avec plate-forme d'atterrissage des avions-taxis.
Au pied des gratte-ciel et tout autour, place de 2 400 x 1 500 m, couverte de jardins, parcs et quinconces. Dans les parcs, au pied et autour des gratte-ciel, les restaurants, cafés, commerces de luxe, bâtiments à deux ou trois terrasses en gradins ; les théâtres, salles, etc. ; les garages à ciel ouvert et couverts.
Les gratte-ciel abritent les affaires.
À gauche : les grands édifices publics, musées, maisons de ville, services publics. Plus loin à gauche, le jardin anglais [...]
À droite : parcourus par l'une des branches de la « grande traversée », les quartiers industriels avec les gares de marchandises.
Tout autour de la ville, la zone asservie, futaies et prairies.
Au-delà, les cités-jardins *formant une large ceinture [...].*
Un mot résume la nécessité de demain : IL FAUT BÂTIR À L'AIR LIBRE. *La géométrie transcendante doit régner, dicter tous les tracés.*
La ville actuelle se meurt d'être non géométrique. Bâtir à l'air libre c'est remplacer le terrain biscornu, insensé, *qui est le seul existant aujourd'hui, par un terrain* régulier. *Hors de cela pas de salut.*
Conséquence des tracés réguliers, la série.
Conséquence de la série : le standard, *la perfection (création des types). Le tracé régulier, c'est la géométrie entrant dans l'ouvrage. Il n'y a pas de bon travail humain sans géométrie. La géométrie est l'essence même de l'Architecture. Pour introduire la série dans la construction de la ville, il faut* industrialiser le bâtiment. *Le bâtiment est la seule activité économique qui se soit dérobée jusqu'ici à l'industrialisation. Le bâtiment a donc échappé au progrès. Il est donc demeuré hors des prix normaux.*

CH.-E. LE CORBUSIER
Urbanisme, Vincent, Fréal et Cie, 1966.

C'est **Frank Lloyd Wright** (1869-1959) qui se fera l'inspirateur du renouveau architectural américain en fusionnant le fonctionnalisme Bauhaus, les traditions japonaises et le souci d'intégrer l'habitation à l'environnement. Cette synthèse atteint au chef-d'œuvre avec la fameuse maison bâtie directement sur une cascade d'eau à Bear Run en Pennsylvanie (Kaufmann House, 1936).

FRANK LLOYD WRIGHT
*La « Kaufmann House » (1936) à
Bear Run, en Pennsylvanie.*

L'ÉVOLUTION DU LANGAGE MUSICAL

La musique de l'entre-deux-guerres met en présence un certain retour au classicisme ou du moins la permanence d'une musique encore attachée aux sonorités traditionnelles, la diffusion du jazz venu d'Amérique et qui tend à devenir plus « savant », et enfin la rupture complète représentée par l'École de Vienne.

Le **retour au classicisme** est incarné par nul autre que **Stravinsky**, dont le *Sacre du printemps* avait presque déclenché une émeute en 1913 (voir page 35) mais qui, exilé de Russie par la révolution d'Octobre, renoue après la guerre avec les formes et même les sonorités des plus grands classiques (Bach, Beethoven) dans des œuvres comme *Pulcinella* (1920) ou *Œdipus Rex* (1927), opéra-oratorio d'après Sophocle sur un texte en latin de Jean Cocteau. Un autre musicien Russe, **Sergueï Prokofiev**, provisoirement installé en Occident, associe les formes classiques aux éléments du folklore russe et va surtout s'illustrer, de retour en URSS, par sa collaboration avec le cinéaste Eisenstein (*Alexandre Nevski*, 1939) et par son populaire *Pierre et le Loup* (1938).

Dans la foulée de Debussy, **Maurice Ravel** (1875-1937) atteint une grande notoriété avec des œuvres très classiques et magistralement orchestrées, comme la célèbre *Valse*, où cette forme musicale d'un autre âge se dissout dans un tourbillon paroxystique, ou le célébrissime *Boléro*, véritable gageure où une seule et même mélodie rythmée, inlassablement répétée, s'enrichit à chaque reprise de sonorités nouvelles dans un orchestre de plus en plus étendu, engendrant un crescendo continuel jusqu'à l'apothéose finale.

Plusieurs musiciens, en particulier d'Europe centrale, veulent intégrer à leurs œuvres, qu'elles soient de facture classique ou plus novatrice, les **traditions folkloriques** de leurs peuples. Il en est ainsi, entre autres, du Hongrois **Béla Bartók** (1881-1945), du Finlandais **Jan Sibelius** (1865-1957), de l'Espagnol **Manuel de Falla** (1876-1946), du Brésilien **Heitor Villa-Lobos** (1887-1959).

Au même moment, favorisé par l'intervention des États-Unis dans la guerre et par la fascination qu'ils exercent sur l'Europe, le **jazz** se répand à travers tout le monde occidental. Passé du spontanéisme de ses origines louisianaises (musique Dixie) à des formes plus recherchées, il réunit, au début des années vingt à Chicago, des formations orchestrales élargies créées par un Joe Oliver, un Fletcher Henderson ou un Duke Ellington. Totalement monopolisé depuis ses débuts par les Noirs, dont il exprime à merveille la sensibilité pleine de réminiscences africaines, il est repris par des musiciens blancs qui l'enrichissent d'apports juifs et irlandais. L'influence de cette musique devenue immensément populaire grâce à la radio se fait sentir même sur des musiciens plus « établis », comme Ravel, Stravinsky (*Ragtime*, 1922) et surtout, plus directement encore, **George Gershwin** (1898-1937), Juif russe de Brooklyn, qui donne avec l'opéra *Porgy and Bess* (1935) le chef-d'œuvre de la fusion du jazz avec l'héritage musical occidental.

C'est précisément cet héritage qui est remis en cause, de façon radicale, par l'**École de Vienne** (devrait-on dire une « *nouvelle* École de Vienne », après celle de Mozart, Beethoven et Schubert ?). Sa figure emblématique est **Arnold Schœnberg** (1874-1951), en qui d'aucuns voient le plus grand musicien du siècle. Rompant radicalement avec le système tonal qui a dominé la musique européenne

LA FASCINATION DU JAZZ

C'est pendant ce séjour à Londres que je m'intéressai pour la première fois au jazz. L'orchestre Billy Arnold, tout fraîchement arrivé de New York, jouait dans un dancing des environs de Londres, à Hammersmith [...].

[...] En allant souvent à Hammersmith, et en m'asseyant tout près des musiciens, j'essayais d'analyser, d'assimiler ce que j'entendais. Qu'on était loin des tziganes d'avant-guerre qui nous susurraient à l'oreille des suavités d'une fadeur répugnante, des ports de voix des chanteurs, du goût le plus douteux, soutenus par les tremblements du cymbalum, de la crudité de nos bals musettes où l'accordéon, la clarinette et le piston s'expliquaient avec franchise. Ici, l'art du timbre était d'une extrême subtilité: l'apparition du saxophone, broyeur de rêves, de la trompette, tour à tour dramatique ou langoureuse, de la clarinette, souvent employée dans l'aigu, du trombone lyrique frôlant de la coulisse le quart de ton dans le crescendo du son et de la note, ce qui intensifiait le sentiment; et le piano reliait, retenait cet ensemble si divers mais non disparate, à la ponctuation subtile et complexe de la batterie, espèce de battement intérieur, de pulsation indispensable à la vie rythmique de la musique. L'emploi constant de la syncope dans la mélodie était d'une liberté contrapuntique telle qu'elle faisait croire à une improvisation désordonnée alors qu'il s'agissait d'une mise au point remarquable nécessitant des répétitions quotidiennes.

DARIUS MILHAUD
Notes sans musique, Paris, Julliard, 1949.

depuis plus de trois siècles, Schœnberg « découvre » (il préfère ce verbe à « inventer ») la **musique sérielle**. Une série est l'énoncé, dans un ordre quelconque, de chacun des douze sons de l'échelle chromatique■, chaque son n'étant énoncé qu'une seule fois. Ce système implique que n'importe quel accord peut désormais succéder à n'importe quel autre, et qu'une dissonance n'a pas à être résolue par une consonance (accord parfait) comme dans la musique classique. Ce **refus de la résolution harmonique** est particulièrement apte à représenter l'angoisse, le macabre, le sentiment de dérèglement de cette période de ruptures. De par les difficultés qu'elle pose à l'auditeur non averti, cette musique demeure cependant confinée à des cercles plutôt restreints. Elle sera, par ailleurs, condamnée comme « dégénérée » et « bolchevique » par les nazis, et Schœnberg, parce que Juif, sera chassé de son poste à l'Académie de Berlin après l'arrivée de Hitler au pouvoir.

L'ÉPANOUISSEMENT DU CINÉMA

Outre qu'il est ce formidable moyen de communication dont nous avons parlé plus haut, le cinéma de l'entre-deux-guerres se développe en tant qu'art autonome, déjà

■ **Échelle chromatique**
Échelle de sons séparés par un intervalle d'un demi-ton; sur le clavier du piano, par exemple, cette échelle est représentée par l'ensemble des touches blanches et noires.

baptisé « Septième » par référence aux six arts fondamentaux de la tradition : peinture, sculpture, architecture (arts plastiques ou Beaux-Arts), poésie, musique et danse (arts rythmiques). Le cinéma se veut **art total**, à la fois plastique et rythmique, et son esthétique originale s'affirme déjà de façon éblouissante dans quelques chefs-d'œuvre.

Le cinéma muet, qui est parfois considéré comme le cinéma « pur », a déjà expérimenté avant 1920, surtout avec D.W. Griffith, la plupart des éléments de l'esthétique cinématographique : cadrage, mouvements de caméra, éclairage et surtout montage, qui en constitue l'élément essentiel. Dans les années vingt, c'est peut-être l'**expressionnisme allemand** qui pousse le plus loin la recherche esthétique avec des œuvres sombres où dominent le crime, l'horreur et le fantastique, dans des décors très recherchés où l'éclairage délimite des zones d'ombre et de lumière violemment contrastées. L'œuvre phare de cette école est *Le Cabinet du docteur Caligari*, de Robert Wiene (1920), qui stupéfia le public au point de provoquer des bagarres dignes de celles qu'avait déclenchées *Le Sacre du printemps*, notamment à Los Angeles où les étudiants voulurent interdire l'entrée de la salle où le film était présenté. La force quelque peu hallucinante de l'expressionnisme se retrouve dans l'œuvre d'un **Fritz Lang** (*Metropolis*, 1927). L'arrivée des nazis en 1933 et leur volonté démentielle de mettre le cinéma au service de l'État totalitaire vont pratiquement tuer l'art cinématographique allemand et autrichien, dont les meilleurs créateurs s'exileront aux États-Unis.

La Révolution russe entraînera, après 1922, une véritable explosion du **cinéma soviétique**, dans une direction tout à fait à l'opposé de l'expressionnisme. Il s'agit ici de faire du cinéma-vérité (Kino-Pravda) voire du « cinéma-œil », de **filmer la réalité telle qu'elle se présente**, et de rejeter toute mise en scène, c'est-à-dire le décor, l'éclairage, le costume, le maquillage, l'acteur lui-même. Cette position excessive, qui aurait pu réduire le cinéma aux films d'actualités, avait le mérite de concentrer toute l'esthétique cinématographique dans le montage, et donnera au cinéma muet deux de ses plus grands

LE CINÉMA SELON EISENSTEIN

Nous voulons entrer dans la vie. Si nous faisons un film qui concerne la vie de la flotte, nous allons à Odessa, à Sébastopol, nous entrons dans le milieu des matelots, nous étudions l'atmosphère, les sentiments de ces gens et nous parvenons ainsi à rendre vraiment le sentiment du milieu qui nous intéresse.

Si c'est un film paysan comme La **Ligne générale,** *nous allons au village, nous passons notre temps parmi les paysans et nous parvenons ainsi à exprimer la couleur locale et le sentiment de la terre. De même avec les acteurs et les divers interprètes. [...] Le film abstrait ne s'occupait pas d'organiser ni de provoquer les émotions principalement sociales de l'auditoire, tandis que le film de masses s'occupe principalement d'étudier comment on peut par l'image et la composition des images provoquer l'émotion de l'auditoire. Nous n'avons plus la ressource du sujet à aventures, du sujet policier ou autre ; il nous fallait donc trouver dans l'image même et dans les modes de montage, les moyens de provoquer les émotions cherchées.*

C'est une question dont nous nous sommes beaucoup occupés. Après avoir travaillé dans cette direction, nous sommes parvenus à accomplir la plus grande tâche de notre art : filmer par l'image les idées abstraites, les concrétiser en quelque sorte ; et cela, non pas en traduisant une idée par quelque anecdote ou quelque histoire, mais en trouvant directement dans l'image ou dans les combinaisons d'images les moyens de provoquer des réactions sentimentales, prévues et escomptées à l'avance. [...]

Il s'agit de réaliser une série d'images composée de telle sorte qu'elle provoque un mouvement affectif, qui éveille à son tour une série d'idées. De l'image au sentiment, du sentiment à la thèse. Il y a évidemment en procédant ainsi le risque de devenir symbolique ; mais vous ne devez pas oublier que le cinéma est le seul art concret, qui soit en même temps dynamique, et qui puisse déclencher les opérations de la pensée.

cité dans : L. Moussinac, *Eisenstein*, Paris, Seghers, 1964.

chefs-d'œuvre, *Le Cuirassé Potemkine* (Eisenstein, 1925) et *La Terre* (Dovjenko, 1929). Tourné sur les lieux mêmes de l'action qu'il raconte (un épisode de la révolution de 1905), le film d'Eisenstein dans lequel les foules sont les seuls « héros » (marins sur le bateau, habitants de la ville), possède une puissance révolutionnaire qui lui vient d'un montage inouï faisant alterner scènes de foules et gros plans de visages, scènes d'agitation et scènes de recueillement, répression militaire féroce et foule innocente désarmée. La séquence dite des escaliers d'Odessa est devenue une pièce d'anthologie, peut-être la séquence la plus célèbre de toute l'histoire du cinéma, avec ce fameux bébé dans son carosse abandonné qui dégringole vers le bas des marches, au milieu de la fusillade...

Pendant ce temps, le cinéma américain s'illustre dans la comédie avec deux créateurs de génie, **Charles Chaplin** (*La Ruée vers l'or*, 1925) et **Buster Keaton** (*Le Mécano de la « General »*, 1926), dont la fantaisie débridée n'a jamais été

CHARLIE CHAPLIN
Les Temps modernes, 1936.

dépassée, et dans le genre américain par excellence, le **western**, qui atteint à la grande œuvre avec *La Caravane vers l'Ouest* de James Cruze (1923).

En 1927, l'avènement du **parlant** vient remettre en cause une partie de l'héritage esthétique du cinéma muet, et plusieurs artisans y verront la déchéance de leur art. Certains grands noms du muet seront réduits à la stérilité ou à l'oubli (Buster Keaton, entre autres). Mais de nombreux auteurs accueillent avec avidité les possibilités offertes par le son et, dès 1931, Fritz Lang donne, avec *M. le Maudit*, une première réussite, où le son joue un rôle dramatique crucial (sifflement annonciateur

---

L'ESTHÉTIQUE ET LA LOGISTIQUE DU BAISER CINÉMATOGRAPHIQUE

« Donne-moi vite un baiser, chérie ! » dit le jeune homme, et la jeune fille lui donne ses lèvres chastement, langoureusement, passionnément, gourmande, surprise, effarouchée, avec hésitation ou avec fougue et transport, etc., etc., etc. Il faut pour enregistrer cette scène banale et minuscule, mais qui a son importance dans le film puisque c'est peut-être pour voir cela que des millions et des millions d'autres couples s'attardent tous les soirs au cinéma [...], la présence : d'abord des deux artistes; puis, ont besoin d'être là : un metteur en scène, deux « script-girls », secrétaires du metteur en scène; deux opérateurs de prises de vues, deux assistants de prises de vues, deux assistants des opérateurs (pour porter la caméra), un photographe; trois machinistes, deux accessoiristes, un peintre; quatre électriciens, un chef électricien, trois mécaniciens aux génératrices; un ingénieur du son, dit mixeur, un opérateur au micro, un assistant au micro (pour porter l'appareil), un enregistreur du son (isolé dans sa cabine); deux doublures pour les artistes; un valet, une femme de chambre, un habilleur professionnel ou une habilleuse, un maître-maquilleur; deux commissaires aux vivres pour apporter et servir le déjeuner de tous; un chauffeur pour la camionnette des commissaires, sept chauffeurs pour les voitures de location de la troupe, un chauffeur pour le camion des accessoires, un chauffeur pour le camion des électriciens, un chauffeur pour le camion du son. [...] Et tout cela papote, [...] donne son avis, [...] et la chose finie, toute la smala [...] s'en va boire un cocktail en ville [...] au Vendôme ou au Trocadéro, les deux boîtes à la mode.

BLAISE CENDRARS
Hollywood, La Mecque du cinéma, Paris, Grasset, 1936.

du tueur). Le parlant provoque par ailleurs l'éclosion de la **comédie musicale**, autre genre typiquement américain, qui atteint des sommets de sophistication avec Busby Berkeley, créateur d'éblouissants numéros de danse filmés avec une totale maîtrise (*Gold Diggers*, 1935).

Le réalisme social profite également de l'avènement du parlant, particulièrement en France avec **Jean Renoir** (*La Règle du jeu*, 1939) et **Marcel Carné** (*Quai des brumes*, 1938). En URSS, Eisenstein pousse à fond la recherche sur les liens entre l'image et le son et donne, en collaboration avec Prokofiev, une autre œuvre maîtresse, *Alexandre Nevski* (1937), déjà toute pénétrée du grand affrontement qui se prépare avec l'Allemagne nazie.

Après le son, la couleur. L'entre-deux-guerres s'achève sur la présentation d'une réalisation ambitieuse et grandiose, tournée dans les splendeurs du tout nouveau procédé technicolor, et qui demeure, encore aujourd'hui, malgré sa faiblesse du point de vue purement esthétique, le film le plus vu de toute l'histoire du cinéma : *Autant en emporte le vent* de Victor Fleming (1939). Mais au moment où ce film sort, c'est un véritable ouragan qui va déferler sur le monde et mettre un point final à cette période foisonnante, suspendue entre deux guerres.

Conclusion

L'entre-deux-guerres a vu l'émergence d'une culture nouvelle, la culture de masse, favorisée par de grandes avancées techniques dans le domaine des transports et des communications. Pendant que la science débouche à la fois sur de nouvelles découvertes et sur la mise en cause de ses certitudes, la

LE FILM LE PLUS VU DE L'HISTOIRE DU CINÉMA

philosophie tente de comprendre, à travers la phénoménologie ou l'existentialisme, ce monde de fureur et d'angoisse que la guerre a forgé. Écrivains et artistes, à travers la grande rupture surréaliste ou en dehors d'elle, traduisent dans leurs œuvres l'éclatement des valeurs et des certitudes héritées des siècles passés, dans une profusion d'écoles qui ajoute encore à l'intense bouillonnement qui marque la période.

À partir de 1933 cependant, ce bouillonnement s'affadit, mis en échec par les totalitarismes et paralysé jusqu'à un certain point par la montée des périls que personne ne semble en mesure de conjurer et qui va déboucher sur l'un des plus grands reculs de civilisation que le monde ait jamais connus.

QUESTIONS DE RÉVISION

1. Quels liens peut-on établir entre la Grande Guerre et les conditions nouvelles de la vie culturelle et artistique des années qui suivent ?

2. Décrivez les principaux progrès matériels de l'entre-deux-guerres dans les domaines du transport et des communications, ainsi que les comportements nouveaux qui en découlent.

3. Quelles sont les principales avancées scientifiques de la période dans les sciences physiques ?

4. Quelles sont les bases du béhaviorisme ? Et quelles sont celles de la nouvelle histoire ?

5. Quels sont les principes de la phénoménologie ? Et quels sont ceux de l'existentialisme ?

6. Nommez quelques grands auteurs littéraires de l'époque et au moins une de leurs œuvres. Par quoi chacun de ces auteurs se caractérise-t-il ?

7. Qu'est-ce que le surréalisme ? Nommez-en quelques figures importantes.

8. Quelles sont les caractéristiques du muralisme mexicain et quel est son représentant le plus important ?

9. Qu'est-ce que le fonctionnalisme en architecture ?

10. Quelles sont les caractéristiques de l'urbanisme selon Le Corbusier ?

11. Comment évolue la musique de jazz dans l'entre-deux-guerres ?

12. Qu'est-ce que la musique sérielle ?

13. Donnez quelques caractéristiques et nommez quelques réalisateurs et quelques œuvres qui marquent l'évolution du cinéma en Allemagne, en Union soviétique, aux États-Unis et en France.

7

LA DEUXIÈME GUERRE MONDIALE

E N 1939 (DÈS 1937 EN EXTRÊME-ORIENT) S'OUVRE LE PLUS EFFROYABLE CONFLIT DE L'HISTOIRE HUMAINE IL EST, POUR UNE LARGE PART, LE FRUIT DE LA GRANDE CRISE ÉCONOMIQUE DES ANNÉES TRENTE ET DE LA MONTÉE DU FASCISME, EUX-MÊMES RÉSULTATS DE LA GRANDE GUERRE DE 1914-1918 EN FAIT, DANS SA DIMENSION EUROPÉENNE TOUT AU MOINS, LA DEUXIÈME GUERRE MONDIALE N'EST QUE LA DEUXIÈME PHASE D'UNE «GRANDE GUERRE CIVILE DE L'EUROPE», COMMENCÉE EN 1914 ET SUSPENDUE PROVISOIREMENT PAR LA PAIX BOITEUSE DE 1919, SIMPLE TRÊVE DUE ESSENTIELLEMENT À L'ÉPUISEMENT DE BELLIGÉRANTS PRÉPARÉ DE LONGUE MAIN, ET PRÉSENTANT DES ASPECTS RADICALEMENT NOUVEAUX, CE CONFLIT RAVAGE L'EUROPE ET L'ASIE AVANT D'ENTRAÎNER DANS SON TOURBILLON UNE AMÉRIQUE POURTANT BIEN ABRITÉE DANS SON ÎLE-CONTINENT, ET S'ACHÈVE SUR DE TELLES HORREURS QUE TOUTE L'HISTOIRE HUMAINE SEMBLE Y BASCULER VERS UN AVENIR INCERTAIN ET TERRIFIANT

S. DALI, « LE VISAGE DE LA GUERRE », 1940

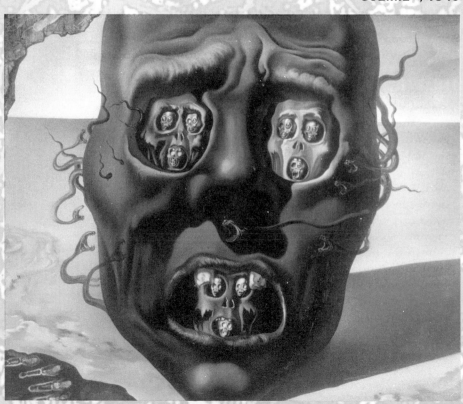

Car sur un point au moins règne un consensus entre historiens : la dimension des horreurs de la Seconde Guerre mondiale. D'abord du fait des pertes et des souffrances. En deuils et en destructions 1939-1945 a en effet largement surpassé 1914-1918 : plus de 50 millions de morts, le calvaire des déportés dans les camps de concentration, la bombe atomique lancée sur Hiroshima et Nagasaki... Mais plus que tout le génocide : politique d'extermination de masses entières, menée systématiquement et scientifiquement contre les Juifs, les Tziganes, les malades mentaux, entamée contre les populations slaves de Pologne, de Russie, de Yougoslavie. Ici l'absolu dans la négation de l'homme transcende les catégories habituelles de l'histoire.

La caractéristique de la Seconde Guerre mondiale est donc son aspect multidimensionnel en même temps que planétaire. Une guerre totale entraînant à la fois une lutte à mort entre coalitions géantes et une gestion par l'État de la société tout entière. Guerre idéologique, guerre nationale, guerre d'extermination raciale, guerre civile, la Seconde Guerre mondiale a été tout cela à la fois : c'est bien là ce qui fait sa nature singulière et spécifique dans l'histoire du XXᵉ siècle.

F. BÉDARIDA
« Penser la Seconde Guerre mondiale »,
dans *Penser le XXᵉ siècle*,
Bruxelles, Ed. Complexe, 1990.

CHRONOLOGIE

1931 Agression japonaise en Mandchourie

1933 Accession d'Hitler au pouvoir (janvier)
Le Japon et l'Allemagne quittent la SDN

1934 L'URSS entre à la SDN

1935 Réarmement allemand
Première loi de neutralité aux États-Unis
Rapprochement franco-soviétique
Invasion italienne en Éthiopie

1936 Remilitarisation de la Rhénanie (mars)
Gouvernements de Front Populaire élus en Espagne et en France
Début de la guerre d'Espagne

1937 Guerre sino-japonaise
Bombardement de Guernica

1938 Annexion de l'Autriche par l'Allemagne (mars)
Annexion de la région des Sudètes par l'Allemagne (septembre)

1939 Les troupes allemandes entrent à Prague - disparition de la Tchécoslovaquie (mars)
Pacte germano-soviétique (août)
Invasion allemande en Pologne (septembre)
France, Grande-Bretagne, Canada déclarent la guerre à l'Allemagne

1940 Invasion allemande en Norvège, Danemark, Pays-Bas, Belgique, France (mai)
Bataille d'Angleterre (juillet-septembre)

1941 Invasion allemande en URSS (juin)
Attaque japonaise sur Pearl Harbor et entrée en guerre des États-Unis (décembre)

1942 Début du reflux des puissances de l'Axe
Batailles de Midway, El Alamein, Stalingrad
Referendum (« plébiscite ») sur la conscription au Canada

1943 Contre-offensive soviétique
Débarquement allié en Italie, qui se retire de la guerre

1944 Débarquement de Normandie (juin)
Son territoire entièrement libéré, l'armée soviétique entre en Pologne et Roumanie
Élimination de la flotte japonaise

1945 Capitulation de l'Allemagne (mai)
Bombardement atomique sur Hiroshima et Nagasaki (août)
Capitulation du Japon (septembre)

La politique internationale dans les années trente

RELATIVEMENT PLUS SIMPLES QUE CELLES DE LA GRANDE GUERRE, LES ORIGINES DE LA DEUXIÈME GUERRE MONDIALE SONT À CHERCHER D'ABORD ET AVANT TOUT DANS LA VOLONTÉ DE QUELQUES ÉTATS, AU PREMIER CHEF L'ALLEMAGNE NAZIE, D'AGRANDIR LEUR TERRITOIRE PAR LA FORCE DES ARMES, VOLONTÉ QUI NE TROUVE DEVANT ELLE QUE DES RÉSISTANCES PUSILLANIMES ET SANS COORDINATION.

LES ÉTATS REVENDICATEURS

En tête des États revendicateurs, l'Allemagne hitlérienne apparaît d'emblée la plus menaçante. Adolf Hitler arrive au pouvoir, en janvier 1933, avec un programme bien arrêté : **réarmer** d'abord l'Allemagne, en contravention avec le diktat humiliant de 1919, puis **rassembler** dans un « Grand Reich » **tous les territoires habités par des Allemands** (Autriche, région des Sudètes en Tchécoslovaquie, « corridor » polonais) et enfin **déclencher la guerre de conquête** de l'« espace vital » nécessaire à l'épanouissement de la « race supérieure » de l'humanité. Cet espace vital se trouve vers l'Est, dans les grandes et riches plaines de Pologne et d'URSS et les champs pétrolifères de Roumanie et du Caucase. Mais pour éviter cette fois une guerre sur deux fronts, comme en 1914, il faudra d'abord éliminer la France avant de se lancer vers l'Est.

L'Italie mussolinienne, fruit de l'improvisation, n'a pas de programme aussi précis, mais convoite la **région balkanique**, où la disparition de l'Autriche-Hongrie a laissé un vide, et rêve de refaire autour d'elle l'unité de la **Méditerranée**, nouvelle *mare nostro* inspirée de l'antique *mare nostrum* du temps de l'Empire romain. Elle convoite également la **Corne de l'Afrique**, où le dernier territoire « disponible », l'Éthiopie, est déjà entouré de colonies italiennes et pourrait devenir une source abondante de matières premières en même temps qu'un déversoir pour le surplus de population italienne.

Le Japon, qui a été particulièrement touché par la crise à cause de sa **dépendance presque complète des**

L'« ESPACE VITAL »

La politique extérieure de l'État raciste doit assurer les moyens d'existence sur cette planète de la race que groupe l'État, en établissant un rapport sain et conforme aux lois naturelles entre le nombre et l'accroissement de la population d'une part, l'étendue et la valeur du territoire d'autre part.

De plus, on ne doit considérer comme rapport sain que la situation dans laquelle l'alimentation d'un peuple est assurée par les seules ressources de son propre territoire. Tout autre régime, durerait-il des siècles et des millénaires, n'en est pas moins malsain et, tôt ou tard, arrive à causer un préjudice, sinon la ruine du peuple considéré.

Seul un espace suffisant sur cette terre assure à un peuple la liberté de l'existence.

De plus, on ne peut juger de l'étendue nécessaire d'un territoire de peuplement d'après les seules exigences du temps présent, ni même d'après l'importance de la production agricole, rapportée au chiffre de la population. [...]

Aussi, nous autres nationaux-socialistes, biffons-nous délibérément l'orientation de la politique extérieure d'avant-guerre. Nous commençons là où l'on avait fini il y a six cents ans. Nous arrêtons l'éternelle marche des Germains vers le sud et vers l'ouest de l'Europe, et nous jetons nos regards sur l'Est.

Nous mettons terme à la politique coloniale et commerciale d'avant-guerre et nous inaugurons la politique territoriale de l'avenir.

Mais si nous parlons aujourd'hui de nouvelles terres en Europe, nous ne saurions penser d'abord qu'à la Russie et aux pays limitrophes qui en dépendent. [...] L'État gigantesque de l'Est est mûr pour l'effondrement. Et la fin de la domination juive en Russie sera aussi la fin de la Russie et tant qu'État. Nous avons été élus par le destin pour assister à une catastrophe, qui sera la preuve la plus solide de la justesse des théories racistes au sujet des races humaines.

HITLER
Mein Kampf

marchés extérieurs, cherche à s'emparer par la force des régions d'où il tire ses matières premières, et baptise d'un élégant euphémisme cette « aire de coprospérité » qui n'est guère autre chose qu'un **espace vital** dont il désire s'assurer la pleine possession. Cette aire englobe la Chine (du moins sa façade maritime), l'Asie du Sud-Est, l'Indonésie, les Philippines, et même l'Australie.

La crise économique mondiale fournit à ces trois États revendicateurs un contexte propice aux agressions, et chaque agression réussie incite à en déclencher une nouvelle, face à des États satisfaits engourdis.

LES ÉTATS SATISFAITS

Face aux États revendicateurs, les États satisfaits veulent maintenir pour l'essentiel le statu quo issu des traités.

La **France**, **traumatisée** par l'horreur des combats de la Grande Guerre, qui pour l'essentiel se sont déroulés sur

---

LES BASES DE L'IMPÉRIALISME JAPONAIS

Le Japon n'a pas le choix : il doit mourir de faim s'il ne peut établir sa domination. Pays hautement industrialisé, son sol ne recèle aucune des matières premières indispensables à la grande industrie (ni fer, ni charbon) ; et, ce qui est plus angoissant, l'agriculture japonaise ne peut nourrir l'immense population du pays qui se développe et passe de 33 millions en 1872 à 70 millions en 1934, l'accroissement se poursuivant au rythme actuel d'un million par an.

Comment nourrir un surplus de 40 millions d'habitants quand l'industrie n'est pas basée sur des richesses naturelles et doit entretenir un peuple avec les profits de la transformation, avec la marge entre le coût des matières premières (à importer) et les prix des produits vendus à l'étranger ? Telle est la question. Aussi le Japon doit-il, pour vivre, écouler 60 % de sa production : car le spectre de la faim est la base même du dynamisme nippon. Le progrès technique a engendré la surpopulation et le chômage : la main-d'œuvre abondante et les bas prix des salaires sont proverbiaux. Dans les campagnes aussi, la misère est générale et des populations entières connaissent la famine. On cite des districts où la population qui s'adonnait à l'élevage du ver à soie en est réduite à se nourrir d'écorces d'arbres. [...]

À l'encontre d'autres impérialismes, l'impérialisme nippon peut s'expliquer par une nécessité vitale : mourir ou s'étendre, tel est le dilemme ; exporter ses produits ou le trop-plein de sa population. Tout aussi impérieuse, l'obligation de se procurer des matières premières. D'où l'impulsion irrésistible à l'expansion sous toutes ses formes : celles des marchands d'abord, impérialisme à l'américaine et anticolonial ; celles des armes, s'il le faut, là où des résistances se manifestent ; guerre économique sur tous les fronts.

Revue économique internationale,
Bruxelles, 1934.

son sol, **vieillie** prématurément par la saignée démographique qui en est résultée, très profondément **divisée** à l'intérieur entre une extrême-droite fascisante et une extrême-gauche communiste qui paralysent des gouvernements instables, cherche d'abord et avant tout sa **sécurité**. Elle croit la trouver, entre autres, dans la construction d'une formidable « muraille de Chine », la ligne Maginot, construite à coups de milliards sur la frontière allemande et que les Allemands contourneront tout simplement en 1940. Elle croit la trouver aussi dans une **solidarité internationale** qui mobiliserait en sa faveur, en cas de menace allemande, quantité de petits pays d'Europe de l'Est mais d'abord et surtout la Grande-Bretagne. Refusant toute initiative solitaire, la France se condamne ainsi à toujours réagir après coup aux agressions allemandes et à toujours être mise devant des faits accomplis qu'il lui sera pratiquement impossible de renverser.

La **Grande-Bretagne**, dès 1919, a renoué avec le vieux principe qui lui a toujours si bien servi : l'**équilibre européen**. Dans cette optique, l'idée a vite prévalu que les traités de 1919 avaient été une erreur, affaiblissant l'Allemagne et renforçant la France au-delà de tout équilibre. La politique britannique, au cours des années trente, consiste donc à « **apaiser** » les États revendicateurs en acceptant leurs exigences considérées comme « raisonnables » : réarmement allemand ou annexion de l'Autriche, par exemple, afin d'éviter à tout prix un nouveau conflit. C'est la politique de l'*appeasement*, qui se complète par un refus poli mais obstiné de s'engager formellement et concrètement derrière la France en cas de difficultés de cette dernière. L'attitude combinée de ces deux grandes « démocraties » en arrive ainsi à produire un seul résultat : encourager l'agression.

LES ÉTATS NEUTRES

Deux États « neutres » complètent le tableau, et ce n'est pas sur eux qu'il faudra compter pour renverser la situation.

Les **États-Unis**, prestement retournés à leur isolationnisme par le refus du Sénat de ratifier les traités de 1919 (voir page 99), pourraient redevenir intéressés par la situation européenne s'il n'en tenait qu'au président Roosevelt, disciple de Wilson et interventionniste convaincu. Mais le Congrès, se méfiant de ses affinités wilsoniennes, va lui lier les mains par une série de **lois** dites **de neutralité**. Conformément à ces lois, les États-Unis, devant une guerre quelle qu'elle soit, mettront un **embargo**■ complet sur toute fourniture d'armes aux belligérants et exigeront, pour les fournitures non militaires, que l'acheteur paie comptant et en assure le transport sur ses propres bateaux (c'est le principe du *cash and carry*). Le Congrès veut ainsi prévenir précisément ce qui a provoqué l'intervention américaine dans la Grande Guerre en 1917. Mais au fond, malgré leur apparence et leur appellation de Lois de neutralité, ces lois ne peuvent qu'encourager encore les États revendicateurs, puisque ce ne sont pas eux qui auraient besoin de l'aide américaine et qu'ils peuvent compter que leurs adversaires n'y auront pas accès.

L'**Union soviétique**, mise au ban de la société internationale par la révolution de 1917 et elle-même désireuse de couper les ponts avec le capitalisme, surtout après 1928 (Premier Plan quinquennal), s'inquiète cependant des visées de l'Allemagne nazie, dont elle ne peut ignorer

■ **Embargo**
Interdiction d'exporter.

LA TACTIQUE DES FRONTS POPULAIRES

...La nouvelle tactique du Komintern... tend à la formation non seulement d'un front commun socialiste-communiste, mais encore d'un front plus large de lutte antifasciste, comprenant tous les partis, même bourgeois, qui se réclament des libertés démocratiques... « Les communistes, a déclaré le délégué allemand Pieck, doivent lutter de toutes leurs forces pour chaque pouce de liberté démocratique, avec ceux qui restent confiants dans les principes de la démocratie bourgeoise et qui sont prêts à défendre les restes de parlementarisme contre le fascisme. »

...Aujourd'hui on va très loin dans la voie des concessions pour élargir le front antifasciste. De même que le Gouvernement soviétique accepte l'hypothèse de sa participation militaire aux côtés d'États bourgeois dans une guerre défensive contre l'agression fasciste, de même les sections nationales du Komintern doivent s'assurer le concours des couches modérées de la population : « Il ne s'agit plus de combattre la démocratie bourgeoise, a déclaré Dimitrov. À l'heure actuelle, les masses laborieuses n'ont plus à choisir entre la démocratie bourgeoise et la dictature du prolétariat, mais seulement entre la démocratie bourgeoise et le fascisme. » Il faut gagner de vitesse le fascisme et rallier les classes moyennes à la défense des libertés démocratiques.

G. LUCIANI
(Correspondant de presse à Moscou),
Six ans à Moscou, Paris, Picard, 1937.

qu'elle est la cible privilégiée. Aussi, dès 1933, l'URSS cherche à briser son isolement, et cela de trois façons. D'une part, elle se rapproche de la France, espérant faire revivre l'**alliance franco-russe** du début du siècle. Elle demande d'autre part son **admission à la Société des Nations**, où elle entre en 1934. Enfin, abandonnant la lutte « classe contre classe », elle donne consigne aux partis communistes d'Europe de se rapprocher des socialistes et de toutes les forces antifascistes, et de créer des **fronts populaires** qui pourront faire échec à la montée du fascisme intérieur.

Si l'on met à part l'Union soviétique, on voit donc que rien ne s'oppose sérieusement aux agressions des États revendicateurs, et l'URSS elle-même finira par jeter en pâture à Hitler toute l'Europe occidentale (pacte germano-soviétique de 1939), avant d'être emportée à son tour dans la tourmente par l'invasion allemande de 1941.

La marche à l'abîme

À PARTIR DE 1931, LES DIFFÉRENTES POLITIQUES QUE NOUS VENONS D'ESQUISSER CONDUISENT À UNE SÉRIE DE CRISES OU DE CONFLITS QUI DÉBOUCHENT FINALEMENT SUR UNE GUERRE GÉNÉRALE.

LES CONFLITS PRÉPARATOIRES

C'est en Asie qu'éclate le premier conflit préparatoire. L'expansion japonaise, un moment contenue par le traité de Washington (voir page 102), reprend de plus belle en 1931 par l'**invasion de la Mandchourie** où les Japonais créent l'État fantoche du Mandchoukouo, placé sous l'autorité toute théorique du dernier empereur de Chine, P'ou-yi, détrôné en 1911. La SDN, saisie de cet acte d'agression caractérisé d'un de ses membres envers un autre, **condamne officiellement** le Japon mais ne peut guère aller plus loin que des **sanctions symboliques** (non-reconnaissance du Mandchoukouo), car elle n'a pas de pouvoir cœrcitif sur ses États membres et les grandes puissances ne l'appuient que timidement. Cette condamnation officielle s'avère tout de même suffisante pour entraîner le **départ du Japon** de la SDN, qui marque le début de la lente désintégration de l'organisation internationale.

Profitant des dissensions qui opposent communistes et nationalistes en Chine (voir page 114), les Japonais entreprennent ensuite le grignotage de la Chine du Nord, atteignant bientôt les environs de Pékin. Communistes et nationalistes chinois suspendent alors leurs différends et concluent un accord pour combattre ensemble les Japonais. Ces derniers déclarent officiellement la **guerre à la Chine** le 26 juillet 1937 et entrent à Pékin le 8 août, marquant ainsi le véritable début de la Deuxième Guerre mondiale. Dans le monde, personne, pas même les États-Unis dont les intérêts sont, à terme, menacés par l'expansion japonaise, n'a réagi autrement que par des discours. Agression réussie, agression à imiter...

Le 3 octobre 1935, les **troupes italiennes envahissent l'Éthiopie** à partir des colonies italiennes d'Érythrée et de Somalie. Essayant de racheter sa désolante attitude dans la crise de Mandchourie, la SDN vote quatre jours plus tard des **sanctions** contre l'agresseur : interdiction des ventes d'armes et des prêts au gouvernement italien, ainsi que des importations de marchandises italiennes. Mais aucune mesure n'est prévue (blocus, par exemple) pour faire respecter ces sanctions. La Grande-Bretagne, dont la route des Indes par Suez pourrait être menacée par l'expansionnisme italien, envoie 144 vaisseaux de guerre croiser en Méditerranée orientale en guise de démonstration de force. Cette démonstration est cependant vouée d'emblée à l'échec par l'interdiction donnée aux escadres — et connue de Mussolini — d'ouvrir le feu sur les convois

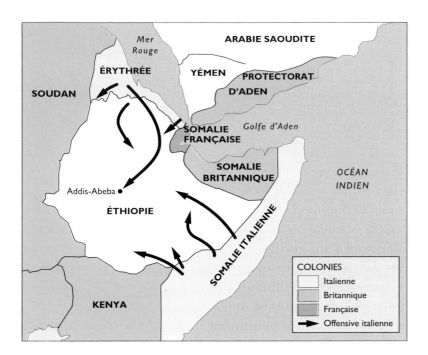

italiens en direction de l'Afrique, et même par le refus, par la Grande-Bretagne, de fermer tout simplement le canal de Suez aux navires italiens. De toute évidence, l'**Angleterre n'est pas prête à la guerre**, et l'immense déséquilibre des forces sur le terrain permet aux Italiens d'entrer à Addis-Abeba le 5 mai 1936 et de proclamer l'**annexion de l'Éthiopie à l'Italie** le 9 mai. Le 4 juillet, la SDN lève ses sanctions, et une nouvelle agression vient d'ajouter ses lézardes à l'édifice de la sécurité collective, tout en favorisant le rapprochement entre l'Italie et l'Allemagne.

À la différence de la guerre sino-japonaise et de la guerre italo-éthiopienne, la **guerre d'Espagne** est d'abord une **guerre civile**, mettant aux prises le **gouvernement légal** de la République espagnole, de type front populaire, démocratiquement élu en 1936, et une **vaste coalition d'insurgés** allant du clergé catholique aux partisans de la monarchie déchue en passant par les fascistes de la Phalange, appuyée sur la majorité de l'armée derrière un général rebelle, Francisco **Franco**. Le gouvernement républicain peut compter sur la majorité des paysans (il a promis une réforme agraire) et des ouvriers, sur une bonne partie de la bourgeoisie libérale et sur les « régiona-listes » catalans et basques, mais sa faiblesse militaire est évidente face aux insurgés.

La guerre civile va rapidement prendre des **dimensions internationales** avec l'**intervention massive de l'Italie et de l'Allemagne** du côté de Franco. Mussolini voudrait en effet profiter de ce conflit pour améliorer ses positions en Méditerranée occidentale grâce à la complaisance d'un gouvernement franquiste qui lui devrait une partie de sa victoire, et fournit donc à Franco 80 000 hommes, des chars, des avions. Souhaitant se rapprocher de l'Espagne pour mieux encercler la France, Hitler, quant à lui envoie aux insurgés sa « Légion Condor » (10 000 hommes) et surtout ses escadrilles aériennes, car il veut aussi utiliser cette guerre comme banc d'essai pour une stratégie mili-taire toute nouvelle comportant entre autres le bombar-dement massif des villes par l'aviation (le *blitzkrieg*, ou guerre éclair). La première ville martyre de cette nouvelle étape dans l'histoire de la guerre est **Guernica**, dont la destruction par l'aviation allemande, en avril 1937, secoue l'opinion international avant de faire l'objet d'une toile hallucinante de Picasso.

Toute l'Europe, toute l'Amérique se passionnent pour la guerre d'Espagne qui, outre qu'elle menace l'équilibre des forces en Méditerranée, incarne l'immense conflit qui couve entre fascisme et démocratie. **De tous les coins du monde, des volontaires accourent** en Espagne se mettre au service de la république en péril dans des « brigades internationales » dont l'efficacité militaire n'est pas toujours à la hauteur de l'enthousiasme désintéressé. Le méde-cin montréalais Norman **Bethune** organise une unité de soins d'urgence pendant que les volontaires canadiens et québécois du bataillon Mackenzie-Papineau font le coup de feu. Même des Allemands anti-nazis viennent se battre pour le Front populaire.

Mais devant le **refus de la France** — elle aussi pour-tant dirigée par un Front populaire — d'intervenir, devant la froide **indifférence du Royaume-Uni**, l'appui

« Solidarité internationale avec l'Espagne »

Affiche en faveur du Front populaire espagnol.

LA GUERRE
COMME CROISADE

Une lutte terrible éclatait sur l'une des plus nobles terres de l'Europe, et opposait en combats sanglants le fascisme *et l'anti-fascisme. L'Espagne ainsi achevait de transformer en combat spirituel et matériel à la fois, en croisade véritable, la longue opposition qui couvait dans le monde moderne. [...] Par toute la planète, des hommes ressentaient comme leur propre guerre, comme leurs propres victoires et leurs propres défaites, le siège de Tolède, le siège d'Oviedo, la bataille de Teruel, Guadalajara, Madrid et Valence. Le coolie chinois, le manœuvre de Belleville, le voyou perdu dans les brouillards de Londres, le chercheur d'or pauvre et déçu, le maître des pâturages hongrois ou argentins pouvaient tressaillir d'angoisse ou de plaisir devant quelque nom mal orthographié, dans quelque journal inconnu. Dans la fumée grise des obus [...] les contradictions idéologiques se résolvaient, en cette vieille terre des actes de foi et des conquérants, par la souffrance, par le sang, par la mort.*

ROBERT BRASILLACH
Les Sept Couleurs, Paris, Plon.
L'auteur est un journaliste et écrivain français d'extrême-droite, fusillé en 1945 pour collaboration avec l'Allemagne.

italo-allemand donne la **victoire à Franco** au terme d'une guerre de trois ans marquée par le sceau d'une cruauté insensée, véritable répétition générale du conflit qui s'annonce. Quelques mois plus tard, en effet, toute l'Europe va sombrer dans la tragédie.

LA MISE EN ŒUVRE DU PROGRAMME NAZI

Car pendant que se déroulent ces conflits préparatoires, l'Allemagne hitlérienne n'a cessé de poursuivre obstinément, au milieu de l'apathie et de l'aveuglement général, un programme pourtant annoncé en détail dès *Mein Kampf*, huit ans avant la prise du pouvoir par Hitler.

La priorité va, bien sûr, au **réarmement**, sans quoi rien d'autre ne serait envisageable. Le 14 octobre 1933, l'Allemagne quitte la SDN et, après quinze mois de réarmement clandestin, Hitler annonce le 16 mars 1935 le rétablissement du service militaire obligatoire, le gonflement des effectifs terrestres à un million d'hommes et la renaissance de l'aviation et de la marine de guerre allemandes. Face à ce défi direct aux stipulations du traité

LA MISE EN ŒUVRE DU PROGRAMME

de Versailles, la Grande-Bretagne ne se contente pas d'accepter le fait accompli : elle va même jusqu'à signer avec l'Allemagne un accord naval qui autorise cette dernière à se doter d'une flotte de guerre égale à 35 % du tonnage de la flotte britannique pour les navires de surface et à 100 % pour les sous-marins ! Ainsi va l'*appeasement...*

Le 7 mars 1936, Hitler tente un coup plus risqué en envoyant un détachement de troupes allemandes s'installer en **Rhénanie** (démilitarisée par le traité de Versailles), c'est-à-dire en contact direct avec la frontière franco-allemande. La France crie son indignation mais, abandonnée par la Grande-Bretagne qui n'y voit que volonté normale, pour l'Allemagne, de protéger sa frontière, elle laisse faire. Et pourtant, à ce moment-là, il lui serait facile de s'opposer par la force à cette initiative, mais les élections approchent, et la dernière chose dont l'opinion publique française veut entendre parler, c'est bien d'une nouvelle guerre contre l'Allemagne.

Ce 7 mars 1936 est la **date charnière**. À partir de là, tout s'enchaîne irrésistiblement. Hitler a pris la vraie mesure de la mollesse de ses opposants et sait « jusqu'où il peut aller trop loin », tandis que la France ne pourra plus intervenir militairement contre de nouvelles agressions allemandes vers l'Europe centrale, parce qu'elle devra se heurter de front aux fortifications de la ligne Siegfried rapidement érigées sur la frontière franco-allemande.

L'annexion au Reich de territoires peuplés d'Allemands peut donc commencer, d'abord par l'annexion

ENTRÉE DES TROUPES ALLEMANDES EN RHÉNANIE 7 MARS 1936

de l'**Autriche** — l'*Anschluss* —, réalisée sans coup férir le 12 mars 1938, après quoi Hitler réclame le rattachement des Allemands de Tchécoslovaquie (les **Sudètes**), qui lui est accordé cette fois en bonne et due forme par la **Conférence de Munich** (29 septembre). Réunis à la hâte, en pleine nuit, autour d'une petite carte géographique, Hitler, Mussolini, Chamberlain (premier ministre britannique) et Daladier (chef du gouvernement français) ratifient le **dépècement de la Tchécoslovaquie**, pourtant alliée de la France et qui n'a même pas été convoquée. Au petit matin, Hitler signe à l'intention de Chamberlain une déclaration selon laquelle il n'a plus aucune revendication en Europe. Rayonnant, Chamberlain rentre à Londres et, brandissant la feuille de papier dans la brise automnale, s'écrie : « Voici la paix pour notre époque ! »...

LE NOUVEAU GULLIVER

Pendant que Hitler fait sauter Mussolini sur son index, les dirigeants français jouent à saute-mouton, les petits pays d'Europe centrale font la ronde et Chamberlain observe (en bas, à droite). Roosevelt et Staline sont absents...

« L'AVANT-GOÛT D'UNE COUPE AMÈRE... »

Ils [les accords de Munich] *peuvent être résumés de façon fort simple : le dictateur a réclamé d'abord une livre sterling, le pistolet au poing. Quand on la lui eut donnée, il a réclamé deux livres sterling, le pistolet au poing. Finalement, il a bien voulu se contenter de prendre une livre dix-sept shillings et six pence, et le solde en assurances de bonne volonté pour l'avenir. [...]*

Tout est consommé. Silencieuse, lugubre, abandonnée, brisée, la Tchécoslovaquie s'enfonce dans l'ombre. Elle a souffert à tous points de vue de ses liens d'association avec cette France qui lui servait de guide et dont elle a si longtemps suivi la politique. [...] Je ne reproche pas à notre peuple, loyal et brave, [...] l'explosion naturelle et spontanée de sa joie et de son soulagement à l'annonce que la dure épreuve lui serait pour le moment épargnée. Mais il faut qu'il sache la vérité. Il faut qu'il sache que nous avons subi une défaite sans avoir fait la guerre, une défaite dont les conséquences vont pendant longtemps se faire sentir ; il faut qu'il sache que tout l'équilibre européen est bouleversé et que, pour la première fois, ces paroles terribles ont été prononcées contre les démocraties occidentales : « Tu as été pesé dans la balance et tu as été trouvé léger. » Et n'allez pas croire que ce soit fini. Non, ce n'est que le commencement. Ce n'est que la première gorgée, l'avant-goût d'une coupe amère qui nous sera tendue d'année en année, à moins que, par un suprême effort, nous nous dressions pour défendre la liberté comme aux temps d'autrefois.

W. CHURCHILL,
Discours aux Communes.

**UNE OFFRE
QU'ON NE PEUT REFUSER...**

Mais, en réalité, le fait est beaucoup plus clair et bien simple : que proposons-nous, nous autres Français et Anglais, à Staline ? Nous lui disions : « On maintient les frontières de 1919, on maintient le droit des peuples à disposer d'eux-mêmes, on maintient l'indépendance des petits peuples, vous nous aidez à cela, vous courez le risque de guerre et vous aurez ensuite droit à tous les honneurs de la Société des Nations et des démocraties.»

Et puis d'autre part, Hitler lui disait : «Moi, voilà ce que je vous propose : vous avez perdu des territoires, vous allez les retrouver ; vous avez perdu la Bessarabie, je vous la donne ; vous avez perdu la Pologne jusqu'à la ligne Curzon, je vous la donne ; vous avez perdu les pays baltes, je vous les rends et puis vous n'aurez pas la guerre par-dessus le marché, vous resterez en dehors. »

Voilà la ligne maîtresse de la politique soviétique ; ne pas avoir la guerre. Et c'est ce qu'expliquait le général Schweissguth dans un rapport qu'il remit à Léon Blum en 1936 et qui est dans nos archives : «La politique de Staline consiste à rejeter sur l'ouest un orage qu'il sent venir à l'est.» Or, cela fait admirablement ses affaires. En pressant le bouton, en signant le pacte germano-russe, il déclenchait le conflit de notre côté alors que justement, tout notre objectif était que la guerre, si elle éclatait, devait être faite aussi bien à l'est qu'à l'ouest.

Il n'eut donc pas à hésiter et il a pris pour son pays le choix qui lui semblait le plus avantageux.

**TÉMOIGNAGE FOURNI PAR
M. GEORGES BONNET[1].**
Cité dans Voillierd et coll.,
Documents d'histoire contemporaine,
t. II, Paris, A. Colin, 1964.

1. Ministre français des Affaires étrangères.

Six mois plus tard (mars 1939), les troupes allemandes occupent sans résistance ce qui reste de la partie occidentale de la Tchécoslovaquie, première annexion d'un territoire non peuplé d'Allemands, et, pendant qu'un État fantoche pro-nazi s'installe en Slovaquie, Hitler passe à l'étape suivante : la revendication du **corridor polonais**. Cette fois, c'en est trop : France et Grande-Bretagne, enfin réunies, s'engagent à s'**opposer par les armes** à toute nouvelle agression. Mais c'est trop tard. L'URSS, ayant totalement perdu confiance en elles, **se retire du jeu** et décide de gagner du temps en signant, à la stupéfaction générale, un **pacte de non-agression** avec l'Allemagne (23 août 1939), accompagné d'un accord secret où elle reçoit la moitié de la Pologne, les États baltes et la Bessarabie roumaine, en retour de quoi elle fournira à l'Allemagne du blé et du pétrole.

Une semaine plus tard (1er septembre), libéré de son ennemi russe, Hitler déclenche l'**invasion de la Pologne** et reçoit les déclarations de guerre de la France et de la Grande-Bretagne. Pour la seconde fois en vingt-cinq ans, l'Europe bascule dans une guerre générale. Cette fois, la responsabilité essentielle ne fait pas de doute : c'est la volonté d'un homme et de son régime, connue de tous et depuis longtemps, qui a mené à l'abîme. Mais cette volonté n'aurait pas prévalu sans l'effondrement moral de la France et de la Grande-Bretagne, sans l'indifférence satisfaite des États-Unis et sans le revirement *in extremis* de l'Union soviétique.

LA MONDIALISATION DU CONFLIT

La Pologne, prise dans l'étau germano-russe, est vaincue en trois semaines. Français et Britanniques n'ont rien fait pour l'aider. Suivent sept mois de calme plat, qu'on appelle la « drôle de guerre », puis, en mai 1940, toute l'armée allemande déferle vers l'Ouest, engloutit les Pays-Bas et la Belgique, submerge les deux tiers de la France. Au bout de six semaines de combats confus et désespérés, cette dernière demande un **armistice**, qui est signé le 22 juin à l'endroit et dans le wagon même où a été signé celui de 1918. En descendant du wagon, Hitler piaffe littéralement de joie : il a réussi à **effacer le diktat de Versailles**, obsession de toute sa vie.

Désormais **seule dans la lutte, la Grande-Bretagne** se donne un nouveau premier ministre, Winston Churchill, qui lui promet gravement « du sang, des peines, de la sueur et des larmes », et résiste si bien au bombardement sauvage de ses villes que Hitler abandonne bientôt son projet d'invasion et réoriente ses forces vers les Balkans, la Grèce, la Crète et l'Afrique du Nord, dans l'espoir de couper la route des Indes.

Le 21 juin 1941, déchirant le pacte germano-soviétique d'août 1939, l'**Allemagne envahit une URSS** très mal préparée et progresse de façon foudroyante, arrivant devant Moscou dès le 2 octobre. L'entrée en guerre de l'URSS donne au conflit une nouvelle dimension, tant géographique qu'idéologique, mais c'est l'entrée des États-Unis qui va lui donner sa dimension planétaire ultime.

UNE VENGEANCE ASSOUVIE

Le 22 juin 1940, dans le même wagon où l'Allemagne avait dû signer l'armistice de 1918, c'est la France, maintenant, qui s'incline.

« NOUS NOUS BATTRONS... »

Bien qu'en vérité une grande partie de l'Europe et plus d'un État ancien et fameux soient tombés, ou puissent encore tomber, dans les griffes de la Gestapo et de tout l'odieux appareil de la domination nazie, nous ne fléchirons, ni ne faillirons. Nous marcherons jusqu'à la fin, nous nous battrons en France, nous nous battrons sur les mers et sur les océans, nous nous battrons dans les airs avec une force et une confiance croissantes, nous défendrons notre île quel qu'en soit le prix, nous nous battrons sur les plages, nous nous battrons sur nos aérodromes, nous nous battrons dans les champs et dans les rues, nous nous battrons dans les collines; nous ne nous rendrons jamais. Et même si, ce que je ne crois pas un instant possible, notre île ou une grande partie de cette île devait être subjuguée et affamée, alors notre Empire au-delà des mers, armé et gardé par la flotte britannique, continuerait le combat, jusqu'à ce que, au temps choisi par Dieu, le Nouveau Monde, avec toute sa force et sa puissance, s'avance pour secourir et libérer l'Ancien.

W. CHURCHILL
Discours au Parlement, 4 juin 1940.

LA MARCHE VERS L'EST...
Caricature soviétique

Déjà, depuis 1940, l'administration Roosevelt appuie de plus en plus ouvertement la Grande-Bretagne, et elle a même adopté, de concert avec elle, une charte de l'Atlantique qui n'est rien de moins qu'une déclaration des buts de guerre poursuivis par les deux signataires. Mais pour sortir le peuple américain de son isolationnisme, il faut un grand choc, et c'est le Japon qui le fournit le 7 décembre 1941 en attaquant par surprise et en détruisant, en rade de **Pearl Harbour** à Hawaii, la flotte américaine du Pacifique. Le lendemain de ce « jour de l'infamie », comme le qualifie Roosevelt, les États-Unis entrent en guerre à la fois contre le Japon, l'Allemagne et l'Italie. La guerre est devenue véritablement mondiale.

Une guerre d'un type nouveau

L A DEUXIÈME GUERRE MONDIALE PRÉ-
SENTE DES CARACTÉRISTIQUES NOU-
VELLES QUI EN FONT UN TOURNANT DANS
L'HISTOIRE HUMAINE. CERTAINES DE CES
CARACTÉRISTIQUES ÉTAIENT DÉJÀ PRÉSENTES
LORS DE LA GRANDE GUERRE DE 1914-1918, MAIS CE NOU-
VEAU CONFLIT LES DÉVELOPPE À UNE ÉCHELLE ENCORE
JAMAIS VUE ET EN AJOUTE DE NOUVELLES QUI FONT
APPARAÎTRE BIEN FRAGILE L'AVENIR DE L'HUMANITÉ.

UNE GUERRE ÉCONOMIQUE ET TECHNOLOGIQUE

Beaucoup plus encore que la Première, la Deuxième Guerre mondiale se joue sur le plan économique. La **mobilisation des ressources** pour l'effort de guerre est complète. La main-d'œuvre féminine s'accroît considérablement, les biens de consommation sont rigoureusement rationnés, voire éliminés s'ils ne sont pas de première nécessité. Le **pillage systématique des pays conquis**, la réquisition de leur force de travail au service du conquérant, accroissent le potentiel de ce dernier.

En **URSS**, le déplacement massif d'usines complètes vers l'Est, au-delà de l'Oural, permet de conserver les capacités industrielles nécessaires pour que les ouvriers, dans des journées de

L'ARSENAL DE LA DÉMOCRATIE
Dépôt de matériel américain en Italie, 1944.

plus de douze heures, produisent les chars, les avions, les munitions nécessaires à la reconquête des terres envahies. **En Allemagne**, malgré les intenses bombardements alliés, la production de guerre fait plus que tripler de 1942 à 1944. Mais c'est **aux États-Unis**, « arsenal de la démocratie », qu'on atteint les chiffres les plus stupéfiants : pour l'ensemble de la guerre, 275 000 avions, 90 000 chars, 55 millions de tonnes de navires...

La **guerre économique** devient une dimension essentielle des stratégies : blocus de l'adversaire, bombardement de ses centres industriels et de ses réseaux de communication, conquête de ses régions riches en ressources et destruction de ses flottes marchandes commandent des opérations militaires parfois hasardeuses (tentative de débarquement britannique en Norvège, intervention allemande en Afrique du Nord, attaque allemande sur le Caucase et sur Stalingrad).

L'effort économique se porte aussi, de plus en plus, sur la **technologie** et la **recherche scientifique**. Les innovations se multiplient, dans tous les domaines, depuis l'armement lui-même jusqu'à la médecine et à l'informatique, qui fait son apparition. Le radar, le sonar, le porte-avions, le moteur à réaction, la fusée stratosphérique, enfin et surtout la bombe atomique, s'ajoutent à l'arsenal guerrier. L'usage de la pénicilline et de la transfusion sanguine se généralise. Le nylon atteint le stade industriel pour la confection des parachutes. Les premiers ordinateurs apparaissent, gigantesques et balourds à nos yeux d'aujourd'hui, mais ils permettent, entre autres, aux Britanniques de percer le secret du code de chiffrage allemand.

Production industrielle, recherche-développement et effort de guerre deviennent ainsi étroitement solidaires, préparant l'émergence des « complexes militaro-industriels » de notre époque.

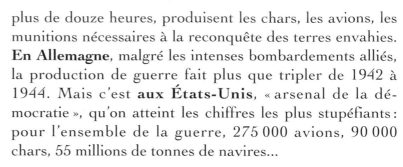

UNE ARME NOUVELLE

Fusées allemandes V2 sur leur pas de tir, 1945. (Illustration italienne.)

LA GUERRE, LA SCIENCE ET LA TECHNOLOGIE

Le paradoxe heureux du conflit est que, en même temps que s'accomplissaient de gigantesques destructions, les moyens étaient trouvés et mis en œuvre pour en réparer rapidement les dégâts. C'est que, entre 1939 et 1945, la recherche scientifique, théorique et pratique, a effectué un tel bond qu'on peut vraiment parler de l'éclosion d'une civilisation de la science et de la technique.

Qu'il suffise de rappeler pêle-mêle des inventions conçues et appliquées pendant le conflit comme : le radar, l'électronique, les machines à calculer, les matières plastiques, le D.T.T., les sulfamides, la pénicilline, les procédés de transfusion sanguine et de réanimation, la mécanisation de l'industrie et, la plus grave mais aussi la plus prometteuse, la libération et l'utilisation de l'énergie nucléaire. Si ce prodigieux progrès a été possible, dans lequel les Américains se sont taillé la part du lion, c'est que les gouvernements ont accordé aux chercheurs des moyens sans précédent. [...] Désormais, la recherche scientifique et la technologie sortent de l'ère artisanale ; elles deviennent une œuvre par équipes, l'activité de pointe d'une nation ; elles débouchent très vite du laboratoire sur l'application en série de nouvelles méthodes, la production à meilleur compte de nombreux produits.

HENRI MICHEL

La Seconde Guerre mondiale, Paris, PUF, (Coll. « Que sais-je ? »), n° 265, 1968.

UNE GUERRE IDÉOLOGIQUE

Préparée de longue main et déclenchée par la volonté d'États fascistes qui y voient un « sceau de noblesse » pour leurs peuples, cette guerre possède une dimension idéologique essentielle, que n'avait pas la précédente. En face des puissances de l'Axe (Berlin - Rome - Tokyo), qui affichent leur **mépris absolu de la dignité humaine** et affirment leur **supériorité raciale** et leur volonté de **réduire en esclavage** les peuples conquis, la « Grande Alliance » (Grande-Bretagne - États-Unis - URSS) proclame sa **foi en l'homme**, sa volonté de **restauration démocratique**, sa défense de la **liberté des peuples** opprimés. Quelles que soient les contradictions entre ce discours et les réalités concrètes qu'il contribue à masquer, les combattants ont bien le sentiment de vivre une sorte de grande lutte implacable entre la Liberté et

Une lutte entre le Bien et le Mal

Nous combattons aujourd'hui pour la sécurité, le progrès et la paix, non seulement pour nous-mêmes, mais pour tous les hommes, non seulement pour une génération mais pour toutes les générations. Nous combattons pour débarrasser le monde du mal.

Nos ennemis s'inspirent du cynisme brutal et du mépris de la race humaine. Nous sommes guidés par une foi qui remonte à travers les siècles au premier chapitre de la Genèse : «Dieu a créé l'homme à sa propre image.» Nous nous efforçons d'être fidèles à ce divin héritage. Nous combattons comme nos pères auraient combattu, pour défendre la doctrine que tous les hommes sont égaux aux yeux de Dieu. Nos adversaires s'efforcent de détruire cette croyance profonde et de créer un monde à leur propre image — un monde de tyrannie, d'esclavage et de cruauté.

Voilà ce conflit qui maintenant, nuit et jour, domine nos existences. Aucun compromis ne peut mettre fin à ce conflit. Il n'y a jamais eu, et il n'y aura jamais, possibilité de compromis entre le bien et le mal. Seule une victoire totale peut récompenser les champions de la tolérance, de la liberté et de la foi.

F. D. ROOSEVELT
Discours au Congrès, 6 janvier 1942.

l'Oppression, entre la Civilisation et la Barbarie, ou encore entre la Chrétienté et le Bolchevisme, bref entre le Bien et le Mal, de quelque côté que l'on situe l'un ou l'autre.

Ce caractère idéologique donne à la guerre une dimension de véritable **guerre civile** à l'intérieur même des sociétés emportées dans la tourmente, du moins en Europe. Car le fascisme, bien avant de se lancer en guerre, a fait tache d'huile, se ralliant par avance une partie parfois non négligeable de ses futures victimes. Une fois ses hordes lâchées, il rencontre partout des complicités qui facilitent ses conquêtes et contribuent à maintenir son joug sur les vaincus. Les mouvements de résistance auront donc à combattre à la fois l'occupant et son collaborateur local, dans des luttes fratricides dont les traces ne sont pas encore effacées, un demi-siècle plus tard.

Une guerre d'anéantissement

Mais le trait le plus inquiétant de cette guerre, pour tout l'avenir de l'humanité, c'est qu'elle est une guerre d'anéantissement. (Nous ne parlons pas ici du génocide, qui ne relève pas de la stratégie militaire et que nous aborderons plus bas). Il y eut parfois, dans l'histoire de l'humanité, des épisodes localisés d'anéantissement de populations, mais ce qui ressort cette fois, c'est, d'une part, une **volonté consciente et généralisée** d'anéantir l'adversaire et, d'autre part, la **possibilité concrète** de la faire grâce à la technique.

Anéantissement physique, d'abord : les bombardements, surtout aériens, rasent jusqu'au sol des villes entières, ravageant toutes les infrastructures, entre autres les barrages hydroélectriques, dont la rupture provoque d'immenses et meurtrières inondations. Varsovie, trois fois ravagée, est détruite à 90 %, sans oublier Coventry en Angleterre et Cæn en France, et tant de villes soviétiques qu'on a peine à y croire, et Shanghai, et Tokyo, construite pratiquement toute en bois et que les Américains tapissent à plusieurs reprises de bombes incendiaires, détruisant 277 000 bâtiments sur 90 kilomètres carrés.

Anéantissement des humains, aussi. Car ces grands bombardements ont des **visées essentiellement terroristes** : il s'agit de briser le moral de l'ennemi en lui infligeant de telles pertes civiles, et parmi les populations les plus démunies (femmes, enfants, vieillards), qu'il finira par demander grâce. Le bombardement anglo-américain sur Dresde, qui dure 14 heures sans interruption les 13 et 14 février 1945, provoque un véritable « ouragan de chaleur » qui multiplie par dix l'effet dévastateur des bombes, tuant 135 000 personnes. Les bombardements sur Tokyo font 200 000 morts. Et bien sûr, à Hiroshima,

---

L'ANÉANTISSEMENT

Par une curieuse contorsion intellectuelle, Goering accuse les Juifs de vouloir anéantir l'Allemagne...

Le sens de ce combat ne peut être que la liberté ou l'anéantissement. Celui qui voudrait encore croire qu'un arrangement soit possible serait un fieffé imbécile. Vous pouvez faire un arrangement avec un gentleman, mais vous ne pouvez faire aucun arrangement avec un bolchevique. [...] D'infernales pensées d'anéantissement germent dans les cerveaux de l'autre côté du front. C'est le Juif qui dirige là-bas. Et il suffit d'une connaissance superficielle du Juif et de sa haine qui date de l'Ancien Testament pour savoir ce qui nous attendra. Ah ! Si le Juif pouvait se venger sur nous, que croyez-vous qu'il adviendrait de vos femmes, de vos filles, de vos fiancées, etc. ? Vous ne savez pas quelle haine diabolique, quelle haine bestiale, il assouvirait contre le peuple allemand.

DISCOURS DE GOERING, 30 JANVIER 1943.

L'ANÉANTISSEMENT

• *Berlin en ruines, 1945.*

une seule bombe atomique tue, en quelques secondes, près de 80 000 habitants (40 000 à Nagasaki, mais les estimations divergent largement dans les deux cas) et laisse des dizaines de milliers de survivants condamnés à une mort lente dans d'inexprimables souffrances.

Le terrorisme guerrier ne se résume évidemment pas aux bombardements aériens. Sur le terrain, des populations entières sont passées par les armes, méthodiquement, dans les plaines de Pologne et d'Ukraine ou dans des villages martyrs que les envahisseurs vaincus sèment tout au long de leur retraite (Lidice en Tchécoslovaquie, Oradour-sur-Glane en France). La vie humaine a-t-elle jamais pesé si peu, depuis que l'humanité existe ?

L'Europe et l'Asie sous la botte

EN EUROPE COMME EN ASIE, LES PAYS ENVAHIS SONT EXPLOITÉS DANS TOUTES LEURS RICHESSES ET DÉCHIRÉS PAR LA LUTTE ENTRE COLLABORATEURS ET RÉSISTANTS. DANS L'EUROPE NAZIE, LE GÉNOCIDE ANNIHILE TOUTES LES NORMES DE LA CONSCIENCE HUMAINE.

L'EXPLOITATION DES VAINCUS

Bien que les Japonais se présentent en Indochine, en Indonésie, voire aux Philippines, comme des libérateurs venus affranchir les peuples colonisés de l'oppression européenne et les associer au Japon dans une « sphère de co-prospérité », l'occupation nippone, en Asie du Sud-Est

L'EMPIRE JAPONAIS

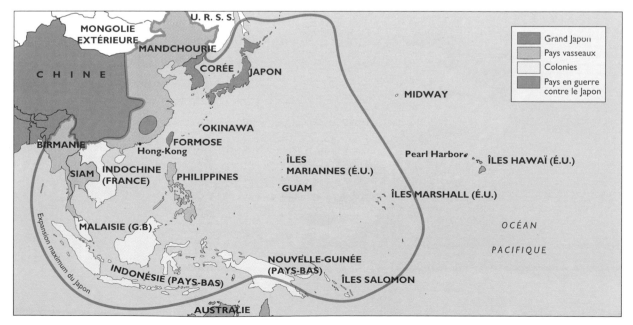

comme en Chine, se traduit par un **pillage rigoureux**, la mise au **travail forcé** des autochtones (entre autres, des milliers de femmes mises au service des « loisirs » de la soldatesque), la confiscation de toutes les ressources au profit de l'occupant. Les troupes japonaises ont l'obligation stricte de « vivre sur le pays », et une immense flotte draine vers le Japon tous les produits dont il a besoin.

L'Europe nazifiée connaît le même sort. Les nations vaincues, ou même « alliées » (Hongrie, Roumanie), doivent fournir au Reich des quantités de plus en plus grandes de **matières premières** et de **produits finis**, soit gratuitement sous forme de « tribut », soit contre paiement, mais à des taux de change fixés par le conquérant et qui relèvent de l'extorsion pure et simple. En janvier 1944, les pays occupés d'Europe occidentale fournissent 25 % du charbon, 30 % du minerai de fer, 40 % de la bauxite utilisés par l'Allemagne. On prélève également chez les vaincus des « **frais d'occupation** » et des

L'EMPIRE ALLEMAND

indemnités de guerre atteignant en France, par exemple, 400 millions de francs par jour ! Le Reich ponctionne ainsi chez les vaincus eux-mêmes quelque 20 % de ses dépenses militaires.

La **main-d'œuvre** aussi est exploitée, soit sur place dans les usines acquises à vil prix par les grands cartels industriels allemands, soit en Allemagne même. Le volontariat, appuyé en France par des salaires alléchants et la promesse de libérer un prisonnier de guerre en échange de trois volontaires partis vers l'Allemagne, ne donnant pas de résultat satisfaisant, on instaure en 1942 le Service de travail obligatoire (STO), qui va fournir à l'Allemagne plus de 7 millions de travailleurs, paysans ou ouvriers qualifiés, venus de toute l'Europe. À cela s'ajoutent les prisonniers de guerre, spécialement ceux du front de l'Est, réduits à l'esclavage et astreints aux travaux forcés dans des conditions telles que plus de la moitié y meurent en quelques mois.

UN RÉSERVOIR D'ESCLAVES

La question scolaire est un des problèmes fondamentaux que nous avons à régler, et avec elle celle du tri de la jeunesse. Pour la population non allemande de l'Est, il n'y aura pas d'école d'un niveau supérieur à l'école primaire à quatre classes. Le but de cette école primaire devra être simplement :

Enseigner le calcul jusqu'à 500 ; enseigner à écrire son nom ; enseigner que c'est un commandement de Dieu d'obéir aux Allemands et d'être honnête, brave et travailleur. Je ne tiens pas la lecture pour nécessaire. En dehors de cette école, il n'en existera pas d'autres dans l'Est.

Les parents de « bon sang » auront le choix entre : soit donner leurs enfants — et comme ils n'en auront vraisemblablement plus d'autres, disparaîtra ainsi le danger que parmi ces peuples de sous-hommes de l'Est ne se forme une élite susceptible de rivaliser avec la nôtre —, soit partir en Allemagne et y devenir de loyaux citoyens.

Si ces mesures sont strictement appliquées au cours des deux années à venir, la population du gouvernement général ne se composera plus que d'individus de race inférieure auxquels pourront venir s'ajouter des éléments refoulés des provinces de l'Est ou de toutes les autres parties du Reich allemand, présentant les mêmes caractères raciaux.

Cette population sera à notre disposition en tant que peuple de travailleurs subalternes, et elle fournira à l'Allemagne [...] une main-d'œuvre pour tous les travaux tels que la construction de routes et d'édifices, l'exploitation de carrières [...] ; elle sera mieux alimentée et mieux entretenue que sous la domination polonaise et, malgré son manque de culture, elle sera appelée, sous la direction sévère, raisonnable et juste du peuple allemand, à participer à ses entreprises culturelles, en se chargeant des travaux les plus grossiers.

MÉMOIRE D'HIMMLER (MAI 1940)
Cité dans *Les Mémoires de l'Europe*, t. VI, Paris, Robert Laffont, 1973.

Enfin, un vaste projet de colonisation provoque l'**expulsion de leurs terres** de millions de Polonais, Ukrainiens, Biélorusses, remplacés par des colons allemands. Le pillage s'étend par ailleurs jusqu'aux **œuvres d'art**, drainées vers le Reich par plusieurs de ses dignitaires, dont quelques-uns, d'ailleurs, n'y comprenaient pas grand-chose (Gœring).

COLLABORATION ET RÉSISTANCE

La collaboration avec l'occupant est suscitée pour des raisons très diverses et prend plusieurs formes. Parfois elle n'est que le produit de **vieux antagonismes nationaux** ou régionaux, comme chez les Croates par haine des Serbes, ou chez les Ukrainiens par haine des Russes ou encore chez les peuples d'Asie par haine des colonisateurs. Elle peut être le fait d'**individus plus ou moins isolés**, ralliés à l'occupant par intérêt personnel, par attirance idéologique ou simplement par la peur.

Mais la collaboration la plus profonde, celle qui va déchirer le plus tragiquement les peuples où elle se

---

LA COLLABORATION IDÉOLOGIQUE

(L'auteur est un journaliste français.)

Je disais l'hiver dernier dans ce journal ma joie d'avoir vu en Allemagne les premiers Juifs marqués de leur sceau jaune. Ce sera une joie beaucoup plus vive de voir cette étoile dans nos rues parisiennes, où, il n'y a pas trois ans, cette race exécrable nous piétinait [...]. Les Juifs ont la part capitale de responsabilité dans le déclenchement de la guerre et dans son extension. Ils ont été les agents essentiels du bellicisme français et anglo-saxon, ils n'ont cessé d'envenimer les disputes d'intérêts entre les nations européennes, ils ont torpillé toutes les solutions pacifiques qui pouvaient aisément intervenir. Ce sont eux qui ont scellé l'épouvantable alliance de leurs créatures Roosevelt et Churchill, et de Staline. Tous les soldats chrétiens, de quelque camp qu'ils soient, qui meurent depuis un an dans les steppes russes sont d'abord les victimes des Juifs, s'ajoutent aux centaines de milliers de cadavres que le marxisme juif a entassés sur notre planète.

LUCIEN REBATET
Je suis partout, 1942.

LA COLLABORATION D'ÉTAT

Afin de protéger l'Europe d'une bolchévisation qui détruirait notre culture jusque dans ses bases, l'Allemagne s'est préparée à une lutte gigantesque. Le sang de sa jeunesse va couler. Je voudrais que vous sachiez que le Gouvernement français ne reste pas indifférent devant l'ampleur immense des sacrifices, auxquels votre pays consent volontairement, et dans notre malheur, je voudrais vous dire, spontanément et simplement, que la France est disposée, selon ses possibilités et sans aucun ajournement, à contribuer pour sa part à vos efforts. L'Allemagne a mobilisé, en vue de la plus grande bataille de l'histoire, les éléments les plus jeunes et les plus actifs de son peuple, elle a, par conséquent, besoin d'hommes. Je comprends ces nécessités et je suis prêt à mettre mon aide à votre disposition.

J'ai le désir, en conséquence, que des Français, aussi nombreux que possible, prennent dans vos usines la place de ceux qui partent sur le front de l'Est. [...] La France est représentée, de façon symbolique, sur le front de l'Est par la légion antibolchevique. Il serait possible d'en augmenter les effectifs, et le Gouvernement français a décidé de donner, à tous les anciens et futurs volontaires, l'assurance que leurs intérêts personnels et ceux des membres de leurs familles seront sauvegardés avec équité.

PIERRE LAVAL
Lettre de Pierre Laval, chef du gouvernement de Vichy, à Ribbentrop, ministre des Affaires étrangères, 12 mai 1942

pratique, est la **collaboration d'État**, faite au nom d'une « Europe régénérée » et de la croisade contre le bolchevisme, et appuyée par une partie appréciable de l'opinion publique, cet appui fût-il plus de résignation que d'enthousiasme. Le cas le plus dramatique est celui de la **France**, dont le gouvernement, réfugié à **Vichy**, abandonne à l'occupation allemande les trois cinquièmes de son territoire et met en place, dans la zone qui lui reste, un régime fascisant qui n'hésite pas à instaurer une législation antisémite sévère (port obligatoire de l'étoile jaune), avant de fournir aux trains de la mort leurs cargaisons de victimes.

Contre l'occupant et ses collaborateurs, partout la Résistance s'organise. À l'Est, où la sauvagerie nazie ne connaît aucune limite, la résistance est massive, mobilisant des centaines de milliers de « partisans », d'obédience surtout communiste. En Yougoslavie, les maquis approchent le million de combattants. Ces résistances intérieures sont souvent divisées entre une gauche antifasciste qui pratique la lutte armée à la fois pour renverser l'occupant et reconstruire la société sur des bases socialistes ou communistes, et une résistance plus conservatrice, essentiellement nationaliste. Ces clivages vont parfois mener à des affrontements entre résistants eux-mêmes, allant jusqu'à la guerre civile en Grèce après la libération du pays.

La résistance intérieure est la plupart du temps soutenue par une résistance « extérieure », représentée par les **gouvernements en exil** des pays vaincus, pour la plupart réfugiés à Londres. Avec l'appui indéfectible de Churchill et l'aide financière anglo-américaine, ces gouvernements soutiennent le **moral** des résistants en leur donnant une voix et surtout en leur parachutant les **moyens de combat** grâce auxquels ils pourront jouer un rôle non négligeable dans la victoire finale : renseignement, sabotages, batailles rangées, insurrections dans les villes à l'approche des armées alliées, libération de régions entières, voire de tout un pays, comme la Yougoslavie. Dans toute l'Europe, et jusqu'en Allemagne même où résister constituait un acte d'héroïsme inouï, la Résistance a permis de préserver, à travers la longue nuit nazie, le sens du courage et de la dignité humaine.

LA MORT DU RÉSISTANT

1944, quelque part en France...
(En mortaise, le sourire devant la mort.)

UNE AUTRE ALLEMAGNE

Tract de la Rose blanche, organisation étudiante de résistance anti-nazie en Allemagne.

Camarades,

Notre peuple a appris, et avec quelle émotion, la défaite de Stalingrad. 300 000 Allemands ont été réduits sans raison à la mort et à la ruine. Voilà où nous a conduits la géniale stratégie du caporal de la Première Guerre mondiale. Führer, nous te rendons grâce !

L'agitation fermente dans le peuple. Continuerons-nous à confier le sort de nos armées à ce dilettante, à sacrifier aux vils appétits de puissance de cette clique ce qui subsiste encore de la jeunesse allemande ? Non, mille fois non ! Le jour est venu où la jeunesse allemande va régler son compte à l'odieuse tyrannie qu'a endurée notre peuple. Au nom de cette jeunesse, nous réclamons à Hitler le bien cher à tout Allemand : la liberté individuelle, cette liberté, dont il nous a si tristement frustrés.

Nous avons grandi dans un État où était impitoyablement bâillonnée toute liberté d'expression. Durant nos années de jeunesse, les plus propices à la formation des Jeunesses Hitlériennes, les S.A. et les S.S. ont essayé de nous uniformiser, de transformer notre nature, d'annihiler notre personnalité. [...]

Pour nous, il n'existe qu'un seul mot d'ordre : « Luttez contre le Parti ! » Sortez de ces filières où l'on veut vous tenir bâillonnés [...].

Le nom allemand restera à jamais entaché de honte si la jeunesse allemande ne se soulève pas enfin pour venger son peuple, tout en faisant pardonner ses fautes, pour écraser ses tortionnaires et édifier la nouvelle Europe intellectuelle. Étudiants, étudiantes, les yeux du peuple allemand sont fixés sur nous.

LE GÉNOCIDE

Le génocide, qui n'est pas un acte de guerre, donne à cette longue nuit son aspect le plus effroyable, capable de remettre en cause l'idée même qu'on peut se faire de l'Humanité. Bien antérieure à la guerre et constitutive, comme cette dernière, de l'essence même du nazisme, la volonté d'annihiler, au sens absolu du terme, certains groupes de « sous-hommes », a hanté les fondateurs, théoriciens et militants du mouvement depuis les tous premiers débuts. Elle est dirigée contre les communistes, les homosexuels, les victimes de tares héréditaires et d'infirmités de toutes sortes, les Tziganes et surtout, avec une férocité sans bornes, les Juifs.

L'**extermination** systématique, méthodique, scientifique, consciente, **de tous les Juifs d'Europe**, est décidée au début de 1942 à la conférence de Wannsee (1er janvier). Elle a été précédée, dès 1940, du rassemblement des Juifs d'Europe de l'Est, particulièrement de Pologne, dans d'immenses **ghettos** (435 000 personnes à Varsovie), entièrement clos, où la promiscuité, la malnutrition, la surpopulation, la répression déciment rapidement les habitants. Dès l'invasion de l'URSS à l'été 1941, des **groupes spéciaux** appelés *Einsatzgruppen* suivent les armées allemandes et passent systématiquement les Juifs par les armes (à Babi Yar, près de Kiev, 50 000 massacrés en deux jours).

Mais à partir de 1942, l'entreprise prend des dimensions nouvelles et reçoit le titre de « **solution finale** ». Il s'agit de faire disparaître, le plus rapidement et au moindre coût possible, onze millions d'êtres humains. On va donc organiser la mise à mort sur une base industrielle : le **camp d'extermination**. Ce camp d'un type

---

LA « SOLUTION FINALE »

L'émigration a désormais cédé la place à une autre possibilité de solution : l'évacuation des Juifs vers l'est, solution adoptée avec l'accord du Führer.

On ne saurait cependant considérer ces solutions que comme des palliatifs, mais nous mettons dès maintenant à profit nos expériences pratiques, si indispensables à la solution finale du problème juif.

La solution finale du problème juif en Europe devra être appliquée à environ 11 millions de personnes. [...]

Dans le cadre de la solution finale du problème, les Juifs doivent être transférés sous bonne escorte à l'est et y être affectés au service de travail. Formés en colonnes de travail, les Juifs valides, hommes d'un côté, femmes de l'autre, seront amenés dans ces territoires pour construire des routes ; il va sans dire qu'une grande partie d'entre eux s'éliminera tout naturellement par son état de déficience physique.

Le résidu qui subsisterait en fin de compte — et qu'il faut considérer comme la partie la plus résistante — devra être traité en conséquence. En effet, l'expérience de l'histoire a montré que, libérée, cette élite naturelle porte en germe les éléments d'une nouvelle renaissance juive.

En vue de la généralisation pratique de la solution finale, l'Europe sera balayée d'ouest en est. Les difficultés de logement et d'autres considérations de politique sociale nous ont amenés à commencer par le territoire du Reich, y compris le protectorat de Bohême et Moravie.

R. HEYDRICH À LA CONFÉRENCE DE WANNSEE

Cité par Léon Poliakov, *Auschwitz*, Paris, Gallimard - Julliard, (Coll. « Archives »).

IL FALLAIT FAIRE VITE...

Puisque vous voulez tout savoir : dès qu'on les déchargeait, mais c'était déjà le cas quand on les chargeait, à Varsovie ou ailleurs, les gens étaient rossés.

Durement rossés, plus durement qu'à Treblinka, je vous le garantis.

Ensuite il y avait le transport, debout dans le wagon, aucune hygiène, rien, de l'eau à peine, l'angoisse.

Puis c'était l'ouverture des portes et ça recommençait !

À nouveau la chasse. Une pluie de coups de fouet. Le SS Küttner en avait un grand comme lui !

Femmes à gauche. Hommes à droite.

Et toujours, toujours, les coups !

Aucun répit.

Toujours à la course, toujours.

Et c'est comme ça qu'on les a « finis »...

C'était la technique.

Car ne l'oubliez jamais : ça devait aller vite !

FRANZ SUCHOMEL, SS UNTERSTUMFÜHRER, TREBLINKA
Témoignage extrait du film *Shoah*, de Claude Lanzmann.

nouveau ne recrute pas de main-d'œuvre, ne contient pas de grands baraquements où vivent les détenus ; il n'y a pas de détenus, sauf le petit nombre nécessaire à la bonne marche de l'opération, qui consiste uniquement à faire mourir, chaque jour, le maximum possible d'hommes, de femmes et d'enfants. La machine à tuer, c'est la **chambre à gaz**, où l'on entasse les victimes jusqu'à trois mille à la fois, après avoir récupéré tout ce qu'on peut sur leur personne : bijoux évidemment, mais aussi vêtements et cheveux, réquisitionnés pour l'économie allemande. Puis on jette dans la chambre le gaz cristallisé, du zyklon-B, qui met plusieurs minutes à faire son œuvre, semant la mort dans des conditions inimaginables. Les cadavres sont ensuite dépouillés manuellement de leurs dents en or ou d'un dernier bijou caché, puis acheminés vers le **crématoire**, en activité jour et nuit et additionné d'une fosse commune quand le rendement n'est pas suffisant.

Sur la vingtaine de camps qui forment l'univers concentrationnaire nazi et où la mort frappe partout en permanence, six sont spécialement consacrés à l'entreprise d'extermination, faisant à eux seuls près de trois millions de victimes raflées à travers toute l'Europe,

(Ne sont pas indiqués les camps de prisonniers de guerre, réservés aux militaires des pays occidentaux.)

Limites de l'Allemagne en 1939
✳ Camp de concentration
▼ Camp d'extermination
☆ Ghetto

L'ARRIVÉE À AUSCHWITZ

L'immense complexe d'Auschwitz - Birkenau était à la fois camp de travail et camp d'extermination. À l'arrivée du train, on divisait les voyageurs en deux groupes. La file de gauche, formée de femmes, d'enfants et de vieillards, passe directement à la chambre à gaz. La file de droite mourra dans les travaux forcés.

depuis les pays baltes jusqu'en Grèce, depuis la France, dont le gouvernement collaborationniste de Vichy effectue lui-même les rafles, jusqu'en Ukraine. À Treblinka, à Auschwitz, ce sont douze à quinze mille victimes qui périssent, chaque jour, jour après jour...

Question lancinante: **qui savait quoi**? Malgré les pieuses dénégations, l'évidence s'impose: un très grand nombre de personnes savaient beaucoup, depuis les habitants des bourgs voisins des camps qui voyaient des trains entiers remplis de voyageurs entassés dans des wagons à bestiaux revenir vides, et qui sentaient l'odeur des crématoires, jusqu'aux dizaines de milliers de dirigeants, fonctionnaires, scientifiques, ingénieurs, entrepreneurs, ouvriers, cheminots, tortionnaires, chargés de créer et de faire fonctionner cette entreprise aux dimensions gigantesques. Même les **plus hauts dirigeants alliés** avaient été informés dès 1942 par quelques témoins directs miraculeusement échappés de l'enfer, qui les avaient suppliés, eux qui rasaient des villes entières sans justification militaire, d'ensevelir Auschwitz sous un tapis de bombes, seule manière d'arrêter l'incessant carnage. Ils ne furent pas entendus.

C'est ainsi que la « solution finale du problème juif » est devenue la seule et unique « réalisation » durable du nazisme. La judéité en Europe de l'Est a effectivement été détruite. À tel point que la folie antisémite, privée de ses victimes, s'attaque aujourd'hui à leur mémoire en profanant leurs cimetières (jusqu'à Montréal même...) ou, pire encore, en niant la réalité du génocide, ajoutant à l'annihilation physique celle du souvenir.

LA RÉALITÉ DU CAUCHEMAR

Le journaliste René Lévesque, futur premier ministre du Québec, décrit son arrivée à Dachau avec les premiers soldats américains.

Le camp apparut sous la forme de convois inertes, deux files de wagons de fret d'où pendaient par les portes ouvertes quelques cadavres et puis d'autres épars sur le remblai. Sous le soleil qui était torride ce jour-là, l'odeur était écœurante. Vite on entra dans la ville, car c'en était une : derrière les murs bas piqués de miradors, cela semblait être une sorte d'agglomération industrielle où l'on voyait un bon nombre de « PME » et d'ateliers de réparation. Mais cette première impression s'évanouit dans la foule indescriptible qui se précipita aussitôt sur nous. Harcelés de questions dans toutes les langues à la fois, tirés à hue

et à dia par des mains d'une maigreur effrayante au bout de poignets devenus translucides, nous étions là, ahuris, contemplant ces fantômes en pyjamas rayés qui sortaient en titubant des baraques où ils s'étaient terrés jusqu'à notre arrivée en compagnie de quelques éclaireurs des services sanitaires. Moins d'un quart d'heure auparavant, en effet, les derniers vestiges de la garnison s'étaient éclipsés sans attendre leur reste. [...]
À Québec, au retour et encore quelque temps après, on refusa d'y croire. C'est avec scepticisme qu'on daignait écouter de tels récits qui dépassaient l'entendement. [...]
Je vous assure qu'elle était pourtant bien réelle, dans son irréalité de cauchemar, cette chambre à gaz dont les serveurs s'étaient sauvés en nous laissant

leur dernier stock de corps nus comme des vers, d'un blême terreux. [...]
Épouillés et couverts de DDT des pieds à la tête, nous reprîmes le chemin de nos pénates au nom harmonieux de Rosenheim. Repassant devant le quartier tranquille et les vieux si gentils, nous nous posions des questions du regard : « Est-ce qu'ils savaient ? Comment pourraient-ils ignorer ? Qu'y a-t-il derrière ces bonnes faces auxquelles on donnerait le bon Dieu sans confession ? » Mais à quoi bon. Nous commençions à souhaiter de n'avoir rien su.

RENÉ LÉVESQUE
Attendez que je me rappelle, Montréal, Québec-Amérique, 1986.

LE SURHOMME ET SON ŒUVRE

Camp de Bergen-Baelsen, 1945.

Bilan du génocide		
Les victimes juives		
Tuées dans les ghettos		800 000
Massacrées par les *Einsatzgruppen*		1,3 million
Camps de la mort	3 millions (dont 2,7 millions dans les six «camps d'extermination»)	
Total		**5,1 millions**
Les camps d'extermination		
Camps	**Temps de « fonctionnement »**	**Nombre de victimes**
Kulmhof (ou Chelmno)	déc. 1941 - sept. 1942, puis juin-juillet 1944	150 000
Belzec	mars-déc. 1942	550 000
Sobibor	avril-juin 1942, puis oct. 1942 - oct. 1943	200 000
Treblinka	juillet 1942 - oct. 1943	750 000
Majdanek	sept. 1942 - sept. 1943, puis nov. 1943	50 000
Auschwitz	fév. 1942 - nov. 1944	1 000 000
Total		**2 700 000**

Le Canada et le Québec pendant la guerre

A DEUXIÈME GUERRE MONDIALE CONS-
TITUE UNE ÉTAPE IMPORTANTE DANS
L'ÉVOLUTION DU CANADA ET DU QUÉBEC.
LA DIVISION DU PAYS ENTRE SES DEUX
« PEUPLES FONDATEURS », SON RÔLE MILI-
TAIRE ET SES RESPONSABILITÉS INTERNATIONALES
ACCRUES, L'ACCÉLÉRATION DE SON INDUSTRIALISATION,
LAISSERONT DES TRACES IMPORTANTES APRÈS LE CONFLIT.

LE CANADA EN GUERRE

Le Canada déclare la guerre à l'Allemagne le 9 septembre
1939, une semaine après la Grande-Bretagne. Aussitôt la
Loi des mesures de guerre est invoquée et le pays organise son effort de guerre. Le gouvernement dispose de
tous les pouvoirs pour orienter l'économie, qui sort
comme par magie de la grande dépression où elle
croupissait depuis des années. Les usines se remettent à
marcher, on en construit de nouvelles par dizaines, le
chômage fond de 11,4 % en 1939 à 1,4 % en 1944. En
1943, on produit, entre autres, 525 000 obus et 10 000
tonnes d'explosifs et de produits chimiques.

L'**intervention de l'État fédéral dans l'économie**, si
timide pendant la crise, se développe de façon multiforme :
création de nombreuses entreprises publiques (« sociétés
de la Couronne »), mobilisation et orientation de la main-
d'œuvre, obligation faite aux patrons de négocier avec les
syndicats, sévère contrôle de la consommation avec bons

de rationnements pour plusieurs produits (sucre, beurre, viande, essence) et réglementation minutieuse jusque dans la coupe des vêtements (interdiction des replis aux pantalons), etc.

Le financement de cet effort de guerre se fait par le rapatriement à Ottawa des **impôts directs** jusque-là réservés aux provinces, par des **taxes** de toutes sortes, et par la mobilisation des **épargnes** à travers les « bons de la Victoire » et l'emprunt. En 1945, la guerre aura coûté au gouvernement canadien 18 milliards de dollars, alors que son budget annuel normal était de 400 millions de dollars, et la dette aura augmenté de 10 milliards de dollars.

Attirées vers les usines par des salaires alléchants (quoique inférieurs à ceux des hommes), par une propagande intensive et par des cours de formation technique, les **femmes investissent massivement le marché du travail**, d'où elles ne reviendront plus, désormais, à la vie exclusivement domestique qui était la leur. Ce changement s'avère capital dans le lent mouvement de leur émancipation.

La Loi des mesures de guerre impose également la **censure** à tous les médias, obligeant même les hommes politiques à soumettre leurs discours aux censeurs : « tenir des propos défaitistes » peut valoir l'emprisonnement à leur auteur, comme ce fut le cas pour Camilien Houde, maire de Montréal en 1940. Parallèlement, un énorme effort de **propagande** se déploie à travers la presse, la radio d'État, le film (Office national du film) pour stimuler le recrutement, l'économie des ressources, la participation des femmes ou la vente des bons de la Victoire.

L'effort guerrier débouche cependant sur l'ignominie avec la grande rafle de tous les **citoyens canadiens d'origine japonaise**, établis surtout dans l'Ouest, qui sont

internés dans des camps de concentration et dont tous les avoirs (commerces, maisons, automobiles, etc.) sont confisqués et vendus au plus offrant. Le Canada, pourtant réputé pour son hospitalité, s'était d'ailleurs déjà illustré, dans les années trente, par son refus de recevoir comme réfugiés des milliers de Juifs fuyant la persécution nazie, les refoulant par navires entiers vers leurs bourreaux...

LA CONSCRIPTION

Comme lors du premier conflit, le pays va de nouveau se fracturer entre les deux « peuples fondateurs » sur la question du service militaire obligatoire. Dès le départ, députés et ministres libéraux, tant à Ottawa qu'à Québec, s'**engagent solennellement** envers les Canadiens-français à ne pas recourir à la conscription pour le service outre-mer. Pourtant, en 1942, devant les nécessités du combat, le gouvernement canadien de Mackenzie King, dans une manœuvre habile, demande par referendum (appelé alors **plébiscite**) à l'ensemble des Canadiens de le relever d'une promesse faite aux seuls Canadiens-français.

Malgré une campagne référendaire marquée, d'un côté, par une débauche de propagande officielle et, de l'autre, par une censure sévère, les Canadiens-français répondent à cette demande par un **« non » retentissant**, dépassant les 80 % au total et frôlant même l'unanimité dans certains comtés presque exclusivement francophones (Beauce : 98 %). Les Canadiens anglais ont voté en sens exactement contraire, de sorte que le gouvernement se voit relevé de sa promesse. Prudent, il attend jusqu'à 1944 pour envoyer les premiers conscrits sur les champs de bataille, limitant leur nombre à 16 000. L'immense majorité des 600 000 combattants canadiens de la Deuxième Guerre mondiale est donc formée de **volontaires**, parfois sacrifiés comme dans le raid absurde et sanglant de

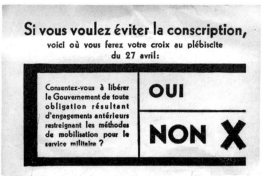

UNE MANIFESTATION CONTRE LA CONSCRIPTION À MONTRÉAL

Dieppe (1942), parfois glorieux comme en Normandie (1944) ou dans les Pays-Bas (1945), qui vont laisser plus de 42 000 des leurs sur les champs de bataille.

Le Québec

Dès l'entrée en guerre du Canada, le premier ministre du Québec, Maurice Duplessis, déclenche une **élection hâtive** où il se présente comme le champion des Canadiens-français contre les ambitions guerrières du gouvernement fédéral. Les libéraux fédéraux, piqués au vif, investissent alors la campagne électorale québécoise, jurant leurs grands dieux qu'ils sont, eux, le véritable rempart contre la conscription, qu'il n'y aura jamais de service militaire obligatoire outre-mer sous un gouvernement libéral, et qu'au contraire la réélection de Duplessis forcerait les ministres québécois du cabinet fédéral à démissionner, ce qui rendrait la conscription inévitable...

En partie à cause de cette intervention des gros canons d'Ottawa, en partie aussi, certainement, à cause du **bilan lamentable** des trois années du gouvernement Duplessis, les électeurs renvoient ce dernier dans l'opposition de façon brutale (15 sièges contre 70 aux libéraux).

Le nouveau gouvernement, dirigé par Adélard Godbout, va prendre plusieurs initiatives que l'on peut considérer comme une amorce lointaine de la Révolution tranquille des années soixante. Il accorde — enfin — le **droit de vote aux femmes** (1940), instaure l'**école publique obligatoire** jusqu'à 14 ans (1942), adopte un **code du travail** et **nationalise partiellement l'électricité**, projet cher aux nationalistes, en créant Hydro-Québec (1944). Toutefois, son attitude à l'égard du fédéral (remise des impôts directs) et dans la crise de la conscription (refus de démissionner malgré sa promesse) lui attire bien des critiques, de sorte qu'en 1944 les électeurs redonnent le pouvoir à Duplessis par une faible majorité (48 sièges contre 37). Le **retour de l'Union nationale** stoppe net le vent de réformes qui commençait à souffler sur le Québec, repoussant de quinze ans son entrée dans la modernité.

1945 : année zéro ?

À LA FIN DE 1942, LE VENT TOURNE. LES PUISSANCES DE L'AXE SONT STOPPÉES DANS LEUR PROGRESSION JUSQUE-LÀ IRRÉSISTIBLE, ET LE REFLUX COMMENCE.

UNE VICTOIRE AU GOÛT DE CENDRE

L'offensive allemande en URSS s'arrête à **Stalingrad**, investie le 13 septembre 1942 et où, après cinq longs mois d'une bataille titanesque, pour la première fois, l'armée allemande capitule, les Russes faisant plus de 100 000 prisonniers. En novembre 1942, l'offensive allemande en Égypte est bloquée à **El Alamein**, puis l'*Afrikakorps* est refoulé jusqu'en Tunisie, où il capitule en mai 1943. Dans l'**Atlantique**, les sous-marins allemands sont mis en échec par l'organisation méthodique des convois de ravitaillement, dotés de puissants moyens de détection et de protection. Dans le **Pacifique**, la flotte japonaise a perdu sa suprématie dès juin 1942 (bataille de Midway), et le débarquement américain à Guadalcanal (février 1943) marque le début du reflux.

Dès lors, tout n'est qu'une question de temps, l'**écrasante supériorité des Alliés** en hommes, en matériel, en capacité de production, rend inévitable la défaite de l'Axe. Pendant que les armées soviétiques progressent à travers toute l'Europe de l'Est et pénètrent en Allemagne, les Anglo-Américains et leurs alliés débarquent successivement en Italie, en Normandie et en Provence et arrivent sur le Rhin en janvier 1945. Dans leur reflux, les anciens vainqueurs multiplient les actes d'abomination, détruisent et massacrent aveuglément, pendant que les Alliés sèment la terreur et la mort par leurs « bombardements de saturation » en territoire ennemi.

Le 15 août [1945], à midi, quatre-vingts millions de Japonais entendent pour la première fois la voix de leur souverain. Ils l'écoutent tête baissée, et au garde-à-vous, devant les postes de radio. Un peu rauque, la voix jamais entendue parle lentement, avec une indicible tristesse, et voici qu'une double surprise marque ce dénouement de la tragédie nippone. Première surprise: les Japonais découvrent qu'ils ne comprennent à peu près rien à ce discours. C'est que l'empereur parle un langage inintelligible au peuple, complètement différent de la langue du vulgaire: le langage ancien réservé au Fils du ciel. Deuxième surprise: jusqu'à la dernière minute, ils ont été si complètement intoxiqués par la propagande, si mal informés et pour tout dire si impudemment trompés, qu'ils s'attendent, à travers tout le Japon, à entendre un appel enflammé de l'empereur à cette fameuse résistance jusqu'à la mort dont on leur a tant parlé! Et tout à coup, quand à la radio on entend la voix d'un porte-parole qui parle le langage ordinaire et qui, en quelque sorte, traduit en langue simple la proclamation impériale, tout à coup, avec un déchirement horrible, ils comprennent, ô stupeur! que le Japon est vaincu. Tout est fini. Il faut «accepter l'inacceptable». Devant les postes de radio, c'est la débandade. Les Japonais s'enferment chez eux pour pleurer longtemps sans être vus.

ROBERT GUILLAIN
Article « Comment le Japon capitula », *Le Monde*, 14 août 1965.

Les Alliés avaient prévu que, cette fois, il n'y aurait pas de négociation, pas d'armistice. Seule une capitulation sans condition allait pouvoir mettre fin aux combats. Le 8 mai 1945, ravagée, exsangue, sa capitale détruite, son Führer suicidé, l'**Allemagne capitule**. Le 6 août, un avion américain jette la première bombe atomique sur Hiroshima, et Nagasaki connaît le même sort trois jours plus tard, devant une humanité stupéfiée. Le 2 septembre 1945, la **capitulation du Japon** est signée sur le cuirassé Missouri dans la baie de Tokyo, mettant un terme à la guerre la plus effroyable de l'histoire humaine.

L'EUROPE ET L'ASIE EN RUINES

L'Europe et l'Asie ne sont que monceaux de cadavres et de ruines. Cinquante millions d'êtres humains ont péri, dont un tiers pour la seule URSS. Trente millions d'autres ont été déplacés, certains à des milliers de kilomètres de leurs foyers. Des millions de réfugiés, de déportés dans les camps maintenant abandonnés, errent sur les routes, hagards et pitoyables, dans un chaos indescriptible. Les destructions sont inconcevables: toujours pour la seule URSS, 6 millions de maisons, 70 000 villages, 1 700 villes sont détruits, en tout ou en partie. Les dommages matériels sont évalués à plus de 2 000 milliards de dollars, et pour perpétrer ces destructions les belligérants ont dépensé 1 100 milliards de dollars: plus de 3 100 milliards de dollars envolés en fumée. Mais où donc étaient passés ces milliards inépuisables pendant la crise?...

Les **ruines morales** ne sont pas moins graves. Jamais peut-être, dans toute son histoire, l'humanité n'a atteint un pareil niveau de dégradation morale. La volonté systématique de déshumanisation, appuyée par la mise en œuvre de techniques d'une efficacité terrifiante, a fait reculer semble-t-il à l'infini les bornes de la barbarie. Devant Auschwitz, l'histoire s'est arrêtée ; quelque chose s'est brisé, au plus profond de la conscience humaine. Sera-ce l'humanité tout entière qu'il faudra refaire ?

HIROSHIMA

Conclusion

Par son étendue planétaire, par l'ampleur de ses destructions, par son caractère technologique autant qu'idéologique, par la volonté d'anéantissement qui l'a portée, par le génocide qu'elle a favorisé, par les cicatrices qui en restent encore, la Deuxième Guerre mondiale est l'événement capital du XXe siècle et peut-être l'un des plus importants de toute l'histoire de l'humanité.

En 1945, le champignon atomique dissipé, deux superpuissances émergent du cauchemar, deux superpuissances, il est vrai, inégales, mais qui vont présider aux destinées de la planète pour le demi-siècle qui suit, dans la guerre froide ou la cœxistence.

QUESTIONS DE RÉVISION

1. Décrivez les orientations générales de la politique étrangère des grandes puissances dans les années trente.

2. Expliquez les enjeux et les résultats du conflit sino-japonais, de la guerre d'Éthiopie et de la guerre d'Espagne.

3. Quelles ont été les principales étapes de la mise en œuvre du programme nazi jusqu'au 1er septembre 1939 ?

4. Comment cette guerre est-elle devenue véritablement mondiale entre 1939 et 1941 ?

5. Montrez l'importance de la dimension économique et technologique dans cette guerre.

6. Décrivez l'aspect idéologique de cette guerre et les conséquences qui en découlent dans les pays touchés.

7. En quoi cette guerre peut-elle être qualifiée de guerre d'anéantissement ?

8. Montrez différents aspects de l'exploitation des pays vaincus.

9. Comment la collaboration et la résistance se manifestent-elles dans les pays vaincus ?

10. Qu'entendent les nazis par « la solution finale du problème juif » ? Par quels moyens cette solution est-elle mise en œuvre et avec quels résultats ?

11. Comment se manifeste l'effort de guerre du Canada ? Comment la question de la conscription évolue-t-elle ?

12. Quel est l'impact de la guerre sur la politique interne du Québec ?

13. Comment la guerre prend-elle fin et sur quel bilan ?

2^e

P A R T I E

L'ÈRE

DES SUPERPUISSANCES

(1945-1989)

DE LA GUERRE FROIDE À LA COEXISTENCE, 1945-1973

LES RELATIONS INTERNATIONALES SONT DOMINÉES, AU LENDEMAIN DE LA DEUXIÈME GUERRE MONDIALE, PAR LES DEUX GRANDS VAINQUEURS, LES ÉTATS-UNIS ET L'UNION SOVIÉTIQUE ✃ DEUX ÉTATS AUX VASTES ESPACES ET AUX POPULATIONS IMMENSES, LARGEMENT EXTRA-EUROPÉENS, SUCCÈDENT AINSI AUX ANCIENNES GRANDES PUISSANCES EUROPÉENNES, ENGONCÉES DANS LEUR CONTINENT TROP MORCELÉ ET SAIGNÉES PAR DEUX GUERRES FRATRICIDES ✃ FORMIDABLE PUISSANCE MILITAIRE, AURÉOLÉE D'UN IMMENSE PRESTIGE MORAL DÛ AUX SOUFFRANCES INSONDABLES QUE LE NAZISME LUI A INFLIGÉES, L'URSS DOIT CEPENDANT, AU SORTIR DE LA GUERRE, CONCÉDER LA PREMIÈRE PLACE AUX SEULS ÉTATS-UNIS, DONT LE TERRITOIRE N'A PAS ÉTÉ TOUCHÉ PAR LES COMBATS, DONT LES CAPACITÉS DE PRODUCTION ATTEIGNENT LA MOITIÉ DES CAPACITÉS MONDIALES ET QUI DÉTIENNENT LE MONOPOLE DE L'ARME NUCLÉAIRE ✃ À PARTIR DE 1945, UNE COMPÉTITION FÉROCE VA JETER L'UNE CONTRE L'AUTRE LES DEUX SUPERPUISSANCES, COMPÉTITION QUI DURERA PLUS DE TRENTE ANS, S'ÉTENDRA AU MONDE ENTIER, ENTRAÎNERA ÇÀ ET LÀ DES CONFLITS ARMÉS OÙ LES DEUX ADVERSAIRES ONT CEPENDANT LA SAGESSE D'ÉVITER LE CONTACT DIRECT, AVANT DE DÉBOUCHER SUR UNE COEXISTENCE TRAVERSÉE PÉRIODIQUEMENT DE CRISES PARFOIS PÉRILLEUSES ✃

L'OMBRE DU CHAMPIGNON ATOMIQUE PLANE, MENAÇANTE, SUR LES RELATIONS INTERNATIONALES DEPUIS 1945.

(Essai nucléaire américain sur l'atoll de Bikini, 1946.)

L a guerre froide (l'expression est de l'homme d'affaires américain Bernard Baruch et date de 1947) est issue des expériences historiques divergentes et des ambitions politiques incompatibles des États-Unis et de l'Union soviétique, les vainqueurs de la Deuxième Guerre mondiale. Alors que le continent européen était dévasté et que même la Grande-Bretagne avait perdu sa prééminence, ces fiers intrus s'élevaient en superpuissances rivales ; ils n'avaient d'égaux nulle part dans le monde.

Comment alors les superpuissances allaient-elles procéder à la reconstruction de l'après-guerre ? Tandis que les empires d'outre-mer de l'Angleterre, de la France et d'autres nations d'Europe de l'Ouest étaient en train de se défaire, laquelle des superpuissances allait exercer une influence prépondérante dans le monde ? Les États européens s'étaient traditionnellement disputé la suprématie, allant jusqu'à transformer leurs conflits en guerres mondiales au vingtième siècle. À présent, les deux superpuissances — toutes deux liées à la tradition européenne — luttaient pour la domination universelle, étendant ainsi au monde entier le cadre européen d'une politique de la force armée.

Au cours de la guerre, les différences fondamentales entre l'Occident et l'URSS s'étaient atténuées. Une fois le danger commun disparu, les divergences dans les institutions politiques et les idéologies reprenaient une place de premier plan. L'incertitude liée aux réalités encore inconnues du monde de l'après-guerre accentuait ces différences jusqu'à un seuil jamais atteint. Dans leur crainte de la supériorité occidentale, les dirigeants soviétiques — particulièrement Staline — avaient depuis longtemps préparé leur société à la rivalité qu'entraînerait une politique mondiale de la force armée, aux plans politique et idéologique. Le capitalisme est en décadence, affirmaient-ils ; le communisme représente la voie de l'avenir. Les Américains, bien que conscients du fait qu'ils constituaient la puissance la plus forte sur terre, comme l'avait déclaré leur président Harry S. Truman en 1945, se sentaient menacés par ces prétentions. L'Union soviétique s'en prenait à leur mission historique d'établir un modèle à l'échelle mondiale.

M. Perry et coll., *Western Civilization*, Boston, Houghton Mifflin, 1992 (trad. A. Barnoti).

CHRONOLOGIE

1945
Conférences de Yalta et de Potsdam
Fondation de l'Organisation des Nations Unies

1946
Discours de Churchill à Fulton

1947
Proclamation de la doctrine Truman
Début du Plan Marshall
Création du Kominform
Élaboration de la doctrine Jdanov

1948
« Coup de Prague »
La Yougoslavie est expulsée du Kominform
Naissance de l'État d'Israël

1948-1949
Blocus de Berlin
Première Guerre israélo-arabe

1949
Création de l'Organisation du traité de l'Atlantique Nord
Création du Conseil d'assistance économique mutuelle
Naissance de la République fédérale d'Allemagne et de la République démocratique allemande
Victoire des communistes en Chine - proclamation de la République populaire

1950-1953
Guerre de Corée

1953
Mort de Staline

1954
Les Soviétiques lancent le thème de la « coexistence pacifique »

1955
Signature du pacte de Varsovie
Réarmement de l'Allemagne dans le cadre de l'OTAN

1956
Khrouchtchev lance la déstalinisation
Révolte hongroise
Crise de Suez, Deuxième Guerre israélo-arabe

1957
Les Soviétiques mettent en orbite le premier satellite artificiel de la Terre

1958-1961
Deuxième crise de Berlin

1960
Rupture sino-soviétique

1961
Début de l'engagement américain au Viêt-nam

1962
Crise des fusées (Cuba)

1963
Premières négociations USA-URSS sur l'armement nucléaire
La France se retire du dispositif militaire intégré de l'OTAN
Chute de Khrouchtchev - avènement de Brejnev

1964
Formation de l'Organisation de libération de la palestine

1967
Voyage de De Gaulle au Québec

1968
Traité de non-prolifération des armes nucléaires
« Printemps de Prague »
« Offensive du Têt » au Viêt-nam
Élection de Richard Nixon à la présidence des États-Unis

1972
Les États-Unis reconnaissent officiellement la Chine populaire
Reconnaissance mutuelle des deux Allemagnes
Accord SALT I

1973
Entrée des deux Allemagnes à l'ONU
Guerre du Kippour (Troisième Guerre israélo-arabe)
Les États-Unis se retirent du Viêt-nam

À la recherche de la paix

A « GRANDE ALLIANCE » ENTRE LE
ROYAUME-UNI, LES ÉTATS-UNIS ET
L'UNION SOVIÉTIQUE, INSTITUÉE POUR
COMBATTRE LA MENACE NAZIE, RÉSISTE
MAL À L'EFFONDREMENT DE CETTE DERNIÈRE.
APRÈS AVOIR GAGNÉ LA GUERRE, L'ALLIANCE DOIT MAIN-
TENANT GAGNER LA PAIX, CE QUI S'AVÈRE SOUVENT PLUS
DIFFICILE. PENDANT QU'EST FONDÉE UNE NOUVELLE ORGA-
NISATION INTERNATIONALE, LES PREMIERS CRAQUEMENTS SE
FONT SENTIR ENTRE LES VAINQUEURS.

LA GRANDE ALLIANCE FACE À LA VICTOIRE

Dès 1941, soit plusieurs mois avant leur propre entrée en guerre, les **États-Unis s'étaient solidarisés avec la Grande-Bretagne**, restée seule en lice contre Hitler après la défaite française. Une loi dite du « Prêt-bail » permettait de fournir aux Britanniques du matériel américain, et les chefs des deux gouvernements, lors d'une célèbre rencontre sur un bateau en plein océan, avaient proclamé solennellement leurs buts de guerre dans la **charte de l'Atlantique** : pas d'annexion territoriale, droit des peuples à l'autodétermination, liberté des mers, réduction des armements.

L'attaque allemande contre l'URSS amène les deux puissances anglo-saxonnes à se rapprocher de cette dernière et, après l'entrée en guerre des États-Unis, ce qu'on appellera la **Grande Alliance** prend forme, quoique encore mal assurée et pleine de sous-entendus et d'arrière-pensées. Chaque partenaire se soucie en effet de l'après-guerre, cherchant à s'assurer de nouvelles zones d'influence et à bloquer les initiatives concurrentes de ses alliés. C'est ainsi qu'à travers de nombreuses rencontres à différents niveaux (Casablanca, Québec, Téhéran), des négociations parfois ardues tentent tout à la fois de définir des stratégies communes pour assurer la victoire et de jeter les bases du retour à la paix.

En février 1945 se tient la **conférence de Yalta**, alors que les troupes soviétiques sont devant Berlin et les Anglo-Américains sur le Rhin. Un accord s'y dégage sur la formation de l'Organisation des Nations Unies, sur la tenue d'**élections libres dans les pays libérés**, particulièrement en Pologne, sur l'**occupation de l'Allemagne** par les vainqueurs et sur un important **déplacement des frontières polonaises vers l'Ouest**, au détriment de l'Allemagne et au bénéfice de l'URSS. Loin d'être un « partage du monde » entre superpuissances ou un « nouveau Munich » où les Occidentaux se seraient écrasés devant les exigences de Staline, comme la France et la Grande-Bretagne devant celles d'Hitler en 1938, l'accord de Yalta reflète assez bien la réalité du moment, avec un Staline maître de toute l'Europe centrale et orientale et dont l'entrée en guerre contre le Japon est jugée essentielle pour mettre un terme à ce conflit qui a déjà trop duré.

YALTA, FÉVRIER 1945

Churchill et Staline entourent un Roosevelt dont les traits portent la marque de la maladie qui l'emportera peu après.

DÉCLARATION SUR L'EUROPE LIBÉRÉE

Le premier ministre de l'Union des républiques socialistes soviétiques, le premier ministre du Royaume-Uni et le président des États-Unis d'Amérique [...] déclarent ensemble leur volonté commune de mettre en accord, pendant la période temporaire d'instabilité de l'Europe libérée, les politiques de leurs trois gouvernements, en vue de prêter assistance aux peuples libérés de la domination de l'Allemagne nazie et aux peuples des États d'Europe anciens satellites de l'Axe, pour résoudre, par des voies démocratiques, les problèmes politiques et économiques urgents.

L'établissement de l'ordre en Europe et la reconstruction de la vie économique nationale devront être réalisés par des voies qui permettront aux peuples libérés de détruire les derniers vestiges du nazisme et du fascisme et de créer des institutions démocratiques de leur choix. Tel est le principe de la charte de l'Atlantique : droit de tous les peuples à choisir la forme de gouvernement sous lequel ils désirent vivre, restauration des droits souverains et de l'autonomie chez les peuples que des pays agresseurs en ont privés par la force.

Pour favoriser les conditions dans lesquelles les peuples libérés pourront exercer ces droits, les trois gouvernements prêteront ensemble assistance aux peuples de tous les États européens libérés et des États anciens satellites de l'Axe en Europe chez lesquels ils jugeront que la situation l'exige en vue de : a) établir les conditions de la paix intérieure, b) prendre des mesures d'urgence pour aider les individus plongés dans la détresse, c) former des gouvernements intérimaires largement représentatifs de tous les éléments démocratiques de la population, qui s'engageraient à faire établir aussitôt que possible, par des élections libres, des gouvernements répondant à la volonté du peuple et d) faciliter, là où ce sera nécessaire, le processus de ces élections.

Communiqué final de la conférence de Yalta, 11 février 1945 (extrait).

L'EUROPE EN 1945

L'Allemagne ayant capitulé, la conférence de Potsdam (juillet 1945) décide le **désarmement complet** et la « dénazification » du vaincu, entièrement placé sous une **occupation militaire** répartie en quatre zones (américaine, soviétique, britannique et française) à l'intérieur desquelles chaque occupant prélèvera ses « **réparations** ».

Mais, derrière ces apparences de cohésion et d'harmonie entre les vainqueurs, on peut déjà percevoir la ligne de faille qui va bientôt les diviser. Alors que les bombardements atomiques sur Hiroshima et Nagasaki permettent aux États-Unis d'exclure l'Union soviétique du règlement de la guerre en Asie et de faire peser sur elle une menace à peine voilée quant à ses ambitions en Europe, les Anglo-Américains et les Soviétiques installent, dans les pays qu'ils libèrent, des gouvernements à leur dévotion.

DE LA SDN À L'ONU

Le 25 juin 1945, 52 États signent la Charte des Nations Unies, fondant ainsi une nouvelle organisation internationale qu'on veut plus efficace que la défunte Société des Nations. (Noter que, dans ces deux cas, le mot *nation* est pris dans son sens anglais d'**État souverain**, et non dans son sens français de groupe humain conscient de son unité et ayant la volonté de vivre en commun.)

Dès son préambule, la Charte donne à l'Organisation des Nations Unies des **objectifs beaucoup plus larges** que ceux de la Société des Nations. Au-delà du maintien de la paix et de la sécurité internationales, l'ONU devra en effet promouvoir les droits humains fondamentaux,

LA CHARTE DES NATIONS UNIES (PRÉAMBULE)

Nous, peuples des Nations Unies, résolus

— à préserver les générations futures du fléau de la guerre qui, deux fois en l'espace d'une vie humaine, a infligé à l'humanité d'indicibles souffrances,

— à proclamer à nouveau notre foi dans les droits fondamentaux de l'homme, dans la dignité et la valeur de la personne humaine, dans l'égalité de droits des hommes et des femmes, ainsi que des nations, grandes et petites,

— à créer les conditions nécessaires au maintien de la justice et du respect des obligations nées des traités et autres sources du droit international, à favoriser le progrès social et instaurer de meilleures conditions de vie dans une liberté plus grande.

Et à ces fins,

— à pratiquer la tolérance, à vivre en paix l'un avec l'autre dans un esprit de bon voisinage, à unir nos forces pour maintenir la paix et la sécurité internationales,

— à accepter des principes et instituer des méthodes garantissant qu'il ne sera pas fait usage de la force des armes, sauf dans l'intérêt commun,

— à recourir aux institutions internationales pour favoriser le progrès économique et social de tous les peuples,

avons décidé d'associer nos efforts pour réaliser ces desseins.

l'égalité des sexes et le progrès économique et social de tous les peuples. D'autre part, les décisions de l'Organisation seront exécutoires, et il sera possible de créer une force militaire formée de contingents de différents pays membres pour faire respecter ces décisions.

Le pivot central de l'ONU est l'**Assemblée générale** des membres, où chacun ne dispose que d'une seule voix et où les décisions importantes requièrent une majorité des deux tiers. Spécialement chargé du maintien de la paix et de la sécurité internationales, le **Conseil de sécurité** comprend cinq membres permanents (États-Unis, URSS, Royaume-Uni, France, Chine) et six membres (dix depuis 1966) élus pour deux ans par l'Assemblée générale. Chacun des membres permanents dispose d'un droit de veto, c'est-à-dire qu'il peut bloquer toute décision du Conseil par son seul vote. Le Conseil étant seul habilité à décider l'envoi de « casques bleus », on s'assure

Organigramme simplifié de l'ONU

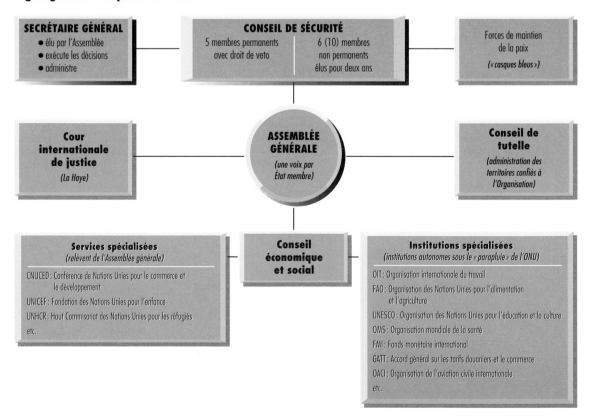

Déclaration universelle des droits de l'homme 1948

L'Assemblée générale proclame
La présente Déclaration universelle des droits de l'homme comme l'idéal commun à atteindre par tous les peuples et toutes les nations afin que tous les individus et tous les organes de la société, ayant cette Déclaration constamment à l'esprit, s'efforcent par l'enseignement et l'éducation, de développer le respect de ces droits et libertés et d'en assurer par des mesures progressives d'ordre national et international, la reconnaissance et l'application universelles et effectives, tant parmi les populations des États membres eux-mêmes que parmi celles des territoires placés sous leur juridiction.

Article premier. — Tous les êtres humains naissent libres et égaux en dignité et en droits. Ils sont doués de raison et de conscience et doivent agir les uns envers les autres dans un esprit de fraternité.

Art. 2. — Chacun peut se prévaloir de tous les droits et les libertés proclamées dans la présente Déclaration, sans distinction aucune, notamment de race, de couleur, de sexe, de langue, de religion, d'opinion politique ou de toute autre opinion, d'origine nationale ou sociale, de fortune, de naissance ou de toute autre situation.

De plus, il ne sera fait aucune distinction fondée sur le statut politique, juridique ou international du pays ou du territoire dont une personne est ressortissante, que ce pays ou territoire soit indépendant, sous tutelle, non autonome ou soumis à une limitation quelconque de souveraineté.

Art. 3. — Tout individu a droit à la vie, à la liberté et à la sûreté de sa personne.

Art. 4. — Nul ne sera tenu en esclavage, ni en servitude, l'esclavage et la traite des esclaves sont interdits sous toutes ses formes.

Art. 5. — Nul ne sera soumis à la torture, ni à des peines ou traitements cruels, inhumains ou dégradants.

Art. 6. — Chacun a le droit à la reconnaissance en tous lieux de sa personne juridique.

Art. 7. — Tous sont égaux devant la loi et ont droit sans distinction à une égale protection de la loi. Tous ont droit à une protection égale contre toute discrimination qui violerait la présente Déclaration et contre toute provocation à une telle discrimination.

Art. 8. — Toute personne a droit à un recours effectif devant les juridictions nationales compétentes contre les actes violant les droits fondamentaux qui lui sont reconnus par la Constitution ou par la loi.

Art. 9. — Nul ne peut être arbitrairement arrêté, détenu ou exilé.

Art. 10. — Toute personne a droit, en pleine égalité, à ce que sa cause soit entendue équitablement et publiquement, par un tribunal indépendant et impartial, qui décidera, soit de ses droits et obligations, soit du bien-fondé de toute accusation en matière pénale dirigée contre elle.

Art. 11. — 1. Toute personne accusée d'un acte délictueux est présumée innocente jusqu'à ce que sa culpabilité ait été légalement établie au cours d'un procès public où toutes les garanties nécessaires à sa défense lui auront été assurées.

— 2. Nul ne sera condamné pour des actions ou des omissions qui, au moment où elles auront été commises, ne constitueraient pas un acte délictueux d'après le droit national ou international. De même, il ne sera infligé aucune peine plus forte que celle qui était applicable au moment où l'acte délictueux a été commis.

Art. 12. — Nul ne sera l'objet d'immixtions arbitraires dans sa vie privée, sa famille, son domicile ou sa correspondance, ni d'atteintes à son honneur et à sa réputation. Toute personne a droit à la protection de la loi contre de telles immixtions ou de telles atteintes.

Art. 13. — 1. Toute personne a droit de circuler librement et de choisir sa résidence à l'intérieur de l'État.

— 2. Toute personne a droit de quitter tout pays, y compris le sien, et de revenir dans son pays.
[...]

ainsi, sur ce point crucial, de l'unanimité entre les cinq Grands. Un **secrétaire général**, élu par l'Assemblée sur recommandation du Conseil, veille à l'application des décisions de l'Organisation et à son administration interne.

Une constellation d'**institutions spécialisées** gravite autour de ces rouages centraux, et c'est au sein de ces institutions spécialisées que se fait surtout le travail le plus concret et le plus irremplaçable de l'Organisation. Les rouages centraux sont en effet souvent paralysés par les divergences d'intérêts entre les pays et les blocs, particulièrement pendant la guerre froide, où l'utilisation fréquente du veto par les Grands condamne le Conseil de sécurité à l'impuissance.

Car l'ONU ne peut guère être autre chose que le **reflet de rapports de force** qui échappent à son contrôle, et elle deviendra donc l'un des lieux d'affrontement de la guerre froide.

LES PREMIERS CRAQUEMENTS, 1945 - 1947

La guerre n'est pas encore finie que les premiers craquements dans l'édifice de la Grande Alliance se font entendre. Dès novembre 1944, après la retraite des troupes allemandes de la **Grèce**, une véritable **guerre civile** éclate entre résistants grecs pro-communistes et pro-occidentaux, et la Grande-Bretagne intervient immédiatement pour neutraliser les communistes. Ces derniers recevant l'appui des pays voisins passés au communisme (Albanie, Yougoslavie, Bulgarie), la guerre s'éternise et Londres se voit acculée en 1947 à solliciter l'**intervention américaine**. Mis devant ses responsabilités, le géant américain ne pourra plus retourner à son isolationnisme comme en 1919.

Pendant ce temps les **accords de Yalta et de Potsdam sont régulièrement bafoués**, à la fois par Staline qui refuse de tenir des élections libres en Pologne, et par les

Anglo-Américains qui arrêtent le démantèlement industriel et la dénazification dans leurs zones d'occupation en Allemagne, inquiets de voir les Allemands affamés et désespérés basculer vers le communisme.

Brutalement privée de l'aide américaine dès le lendemain de la capitulation allemande, l'URSS installe peu à peu, à travers toute l'**Europe centrale** et orientale, des gouvernements entièrement placés sous son influence. Elle exige en même temps de la Turquie l'établissement d'un contrôle commun sur les **détroits du Bosphore et des Dardanelles**, renouant ainsi avec une très ancienne préoccupation du vieil impérialisme russe (voir page 44) — et avec une non moins ancienne inquiétude de la Grande-Bretagne quant à la sécurité de ses routes maritimes en Méditerranée orientale.

Le 5 mars 1946, dans un discours retentissant prononcé à Fulton, dans le Missouri, Churchill, qui n'est plus premier ministre britannique, annonce la **fin de la Grande Alliance** : « De Stettin sur la Baltique jusqu'à Trieste sur l'Adriatique, un rideau de fer s'est abaissé à travers le continent... »

« UN RIDEAU DE FER EST TOMBÉ... »

*Une ombre est descendue sur les scènes si récemment éclairées par la victoire alliée. Nul ne sait ce que la Russie soviétique et son organisation internationale communiste entendent faire dans l'immédiat et quelles sont les limites, s'il y en a, à leur mouvement d'expansion et de prosélytisme. J'ai beaucoup d'admiration et de respect pour le vaillant peuple russe et pour mon camarade de guerre, le Maréchal Staline [...]. Il est de mon devoir, cependant, de vous exposer certains faits concernant la situation actuelle en Europe. De Stettin dans la Baltique à Trieste dans l'Adriatique, un rideau de fer est tombé sur le continent. Derrière cette ligne se trouvent toutes les capitales des anciens États d'Europe centrale et de l'Est [...] et toutes sont soumises, d'une manière ou d'une autre, non seulement à l'influence soviétique mais à un contrôle étroit et, dans certains cas, croissant de Moscou [...]. Les partis communistes, qui étaient très faibles dans ces États de l'Est de l'Europe, ont obtenu une prééminence et un pouvoir qui dépassent de beaucoup leur importance et ils cherchent partout à exercer un contrôle totalitaire. Des gouvernements policiers s'installent à peu près partout, au point qu'à l'exception de la Tchécoslovaquie, il n'y a pas de vraie démocratie [...].
Quelles que soient les conclusions qu'on puisse tirer de ces faits, cette Europe n'est certainement pas l'Europe libérée pour laquelle nous avons combattu. Ni une Europe qui offrirait les éléments essentiels d'une paix permanente.*

W. CHURCHILL
Discours à l'Université de Fulton
(Missouri), le 5 mars 1946.

La guerre froide, 1947 - 1953

DEPUIS L'ALLEMAGNE JUSQU'À LA CORÉE, DEUX BLOCS VONT S'AFFRONTER, QUE NOUS APPELLERONS RESPECTIVEMENT LE BLOC ATLANTIQUE ET LE BLOC CONTINENTAL, DANS UNE GUERRE FROIDE QUI N'EST NI LA GUERRE, NI LA PAIX, MAIS UN CLIMAT DE TENSION PARFOIS TRÈS FORTE ALIMENTÉE PAR DES CRISES SUCCESSIVES.

LA FORMATION DES BLOCS

On peut dater du 12 mars 1947 le début « officiel » de la guerre froide. Ce jour-là, le président américain Harry Truman énonce devant le Congrès de Washington ce

---

QU'EST-CE QUE LA GUERRE FROIDE ?

La « guerre froide » est un conflit dans lequel les parties s'abstiennent de recourir aux armes l'une contre l'autre.

L'expression, qui a été employée pour la première fois par le prince Juan Manuel d'Espagne, au XIVᵉ siècle, a été reprise par le financier américain Bernard Baruch, au début de 1947, et popularisée par le journaliste Walter Lippmann. Elle désigne habituellement la confrontation soviéto-américaine qui a suivi la dissolution, après 1945, de la coalition antihitlérienne. [...]

Dans chaque cas, les belligérants cherchent à marquer le maximum de points en employant toutes les ressources de l'intimidation, de la propagande, de la subversion, voire de la guerre locale, mais en étant bien déterminés à éviter de se trouver impliqués dans des opérations armées les mettant directement aux prises. Quand le désir de ne pas se laisser entraîner dans une confrontation militaire prend le pas sur celui de l'emporter, la « coexistence pacifique » se substitue à la guerre froide.

ANDRÉ FONTAINE

Encyclopaedia Universalis, article « Guerre froide », vol. 8.

LES BLOCS

Cette logique de la guerre froide, selon laquelle celui qui n'est pas un allié ne peut être qu'un ennemi, implique l'organisation des blocs. Le bloc a deux caractères :

Il exige une union globale qui touche les armées, l'économie, les régimes et, bien sûr, la politique internationale. Le concept de guerre froide suggérant un conflit total et permanent, l'alliance classique ne saurait convenir : le dispositif doit, lui aussi, être total et permanent. Le caractère quasi religieux de l'affrontement idéologique efface toute frontière entre politique intérieure et politique extérieure. Enfin, le bloc tend à imposer une manière de vivre : à l'Ouest, « l'American way of life » ; à l'Est, « les lendemains qui chantent ».

Le bloc s'appuie sur une puissance directrice. Celle-ci est à la fois le protecteur incontesté, même s'il est parfois pesant, et la synthèse parfaite des valeurs qui assurent et justifient la solidarité du bloc. Le bloc résulte bien d'un monde où se déploient des idéologies détentrices de vérités absolues et de promesses d'un bonheur terrestre. C'est l'ère de l'exclusivisme et du manichéisme.

P. MOREAU-DEFARGES
Les Relations internationales dans le monde d'aujourd'hui, Éd. S.T.H., 1992.

qu'on appellera la « **doctrine Truman** » : les États-Unis s'engagent à fournir toute l'aide économique et militaire requise aux pays menacés par le communisme et qui veulent rester « libres ». Quatre cents millions de dollars sont immédiatement offerts à la Grèce et à la Turquie, mais cette politique dite d'« **endiguement** » (*containment*) a une portée mondiale et marque à la fois la fin d'une « pax britannica » que le Royaume-Uni n'est plus en mesure d'assurer, et le refus des États-Unis de revenir à leur isolationnisme traditionnel.

Cet engagement politico-militaire est immédiatement complété d'un **engagement financier** qui contribue à solidifier le bloc atlantique en voie de formation. Le 5 juin 1947, le secrétaire d'État George Marshall annonce le plan de reconstruction de l'Europe, qui portera désormais son nom. Le **plan Marshall** prévoit une aide directe, sous forme de dons, de plusieurs milliards de dollars, offerte à tous les pays d'Europe, y compris l'Union soviétique.

LE PLAN MARSHALL

[...] Dans de nombreux pays, la confiance en la monnaie nationale a été brisée. La destruction des structures commerciales de l'Europe a été complète pendant la guerre. La reprise a été sérieusement retardée du fait que, deux ans après la fin des hostilités, un règlement de paix n'ait pu être obtenu avec l'Allemagne et l'Autriche.

Même s'il y avait une solution rapide à ces problèmes délicats, la remise en ordre de la structure économique européenne demandera, à coup sûr, un délai plus long et un effort plus grand que prévu.

La vérité, c'est que les besoins de l'Europe en produits alimentaires et autres produits essentiels, essentiellement de l'Amérique, au cours des trois ou quatre années à venir, dépassent à ce point sa capacité de paiement qu'elle a besoin d'une aide supplémentaire importante si on veut lui éviter de graves troubles économiques, sociaux et politiques.

En dehors des effets démoralisants sur le monde en général et des risques de troubles résultant du désespoir des peuples en cause, les conséquences sur l'économie américaine sont claires pour tous. Il est logique que les États-Unis fassent tout ce qui est en leur pouvoir pour favoriser le retour du monde à une santé économique normale sans laquelle il ne peut y avoir ni stabilité politique ni paix assurée.

Notre politique n'est dirigée contre aucun pays, ni doctrine, mais contre la faim, la pauvreté, le désespoir et le chaos. Son but devrait être le rétablissement d'une économie mondiale saine de façon à permettre le retour à des conditions politiques et sociales dans lesquelles peuvent exister des institutions libres [...]. Tout gouvernement qui consent à nous aider dans la tâche de renaissance trouvera, j'en suis sûr, une coopération complète de la part du gouvernement américain. Tout gouvernement qui manœuvre pour arrêter la renaissance d'autres pays ne peut attendre d'aide de notre part. De plus, les gouvernements, partis politiques ou groupements qui cherchent à perpétuer la misère humaine pour en profiter politiquement ou autrement, rencontreront l'opposition des États-Unis.

Discours du général Marshall, secrétaire d'État des États-Unis, à l'Université Harward, 5 juin 1947.

Aussitôt acceptée par seize pays d'Europe occidentale, l'**aide est refusée par le Kremlin**, qui interdit en outre à ses gouvernements vassaux de s'en prévaloir. Ce refus est motivé par l'obligation, limitée mais réelle, faite aux bénéficiaires, d'ajuster leurs budgets aux priorités définies par Washington, et par la nécessité de consacrer une large partie de l'aide reçue à des achats aux États-Unis. Sans doute aussi aurait-il été gênant, pour le fer de lance du communisme international, de devoir sa reconstruction, aussi peu que ce soit, au porte-étendard du capitalisme...

Le plan Marshall, malgré la volonté de certains de ses auteurs, contribue ainsi à l'**approfondissement de la grande coupure qui divise déjà l'Europe**. L'Union soviétique n'étant pas, et de très loin, en mesure de fournir aux pays de sa sphère d'influence des ressources comparables à celles des États-Unis, un gouffre de plus en plus profond va se creuser entre deux Europes. Vingt ans plus tard, l'une d'elles portera encore les traces des bombardements de la Deuxième Guerre mondiale, alors que l'autre aura à peu près rattrapé le niveau de vie nord-américain.

Il serait un peu naïf de croire que le plan Marshall était motivé par une générosité désintéressée. Le **souvenir de la crise de 1929** était dans tous les esprits, et la reconstruction d'une Europe qui serait en mesure de renouer ses liens commerciaux avec les États-Unis apparaissait à ces derniers comme le meilleur moyen de maintenir leurs capacités de production, que la guerre avait portées bien au-delà de leurs propres besoins.

Les États du bloc atlantique vont finalement consolider leurs rapports dans une véritable alliance en créant, en avril 1949, l'**Organisation du traité de l'Atlantique Nord** (OTAN), à la fois alliance militaire défensive et organisme de coopération politique et économique.

Bilan de l'aide américaine à l'Europe

(du 1er juillet 1945 au 30 juin 1952), en millions de dollars

Pays bénéficiaires	Plan Marshall (ERP)	Aide totale	
		montant	% de dons
Royaume-Uni	2 675	6 364	30 %
France	2 060	4 480	55 %
Allemagne de l'Ouest	1 174	3 630	96 %
Italie	1 034	2 390	86 %
Grèce	387	1 448	94 %
Pays-Bas	893	1 045	69 %
Autriche	492	933	98 %
Belgique et Luxembourg	537	734	77 %
Turquie	89	343	70 %
Norvège	199	270	63 %
Danemark	231	270	81 %
Irlande	139	146	12 %
Suède	103	109	80 %
Trieste	30	44	100 %
Portugal	33	42	21 %
Islande	17	25	76 %
Pays n'appartenant pas à l'OECE			
Yougoslavie		485	89 %
Autres pays	167	4 129	90 %
Total	10 260	26 887	68 %

LE TRAITÉ DE L'ATLANTIQUE NORD (1949)

Art. 1. — Les Parties s'engagent, ainsi qu'il est stipulé dans la charte des Nations Unies, à régler par des moyens pacifiques tous différends internationaux dans lesquels elles pourraient être impliquées, de telle manière que la paix et la sécurité internationales, ainsi que la justice, ne soient mises en danger, à s'abstenir dans leurs relations internationales de recourir à la menace ou à l'emploi de la force de toute manière incompatible avec les buts des Nations Unies. [...]

Art. 3. — Afin d'assurer de façon plus efficace la réalisation des buts du présent traité, les Parties, agissant individuellement et conjointement d'une manière continue et effective par le développement de leurs propres moyens et en se prêtant mutuellement assistance, maintiendront et accroîtront leur capacité individuelle et collective de résistance à une attaque armée.

Art. 4. — Les Parties se consulteront chaque fois que, de l'avis de l'une d'elles, l'intégralité territoriale, l'indépendance politique ou la sécurité de l'une des Parties sera menacée.

Art. 5. — Les Parties conviennent qu'une attaque armée contre l'une ou plusieurs d'entre elles survenant en Europe ou en Amérique du Nord sera considérée comme une attaque dirigée contre toutes les Parties, et en conséquence elles conviennent que, si une telle attaque se produit, chacune d'elles, dans l'exercice du droit de légitime défense, individuelle ou collective, reconnu par l'article 51 de la charte des Nations Unies, assistera la Partie ou les Parties attaquées en prenant aussitôt, individuellement et d'accord avec les autres Parties, telle action qu'elle jugera nécessaire, y compris l'emploi de la force armée, pour rétablir et assurer la sécurité dans la région de l'Atlantique Nord.

Art. 6. — Pour l'application de l'article 5, est considérée comme une attaque armée contre une ou plusieurs des Parties : une attaque armée contre le territoire de l'une d'elles en Europe ou en Amérique du Nord, contre les départements français d'Algérie, contre les forces d'occupation de l'une quelconque des Parties en Europe, contre les îles placées sous la juridiction de l'une des Parties dans la région de l'Atlantique Nord, au nord du Tropique du Cancer ou contre les navires ou aéronefs de l'une des Parties dans la même région.

Face à ce bloc, dont le centre géographique est un océan, s'organise un **bloc continental**, regroupant l'URSS et ceux qu'on appelle ses « pays satellites ». Il prend d'abord la forme d'un organe de coordination des partis communistes du monde entier, le **Kominform**, créé à Moscou en octobre 1947 et dont l'objectif réel est de soumettre plus étroitement les partis au contrôle du Kremlin. Déjà les communistes ont reçu l'ordre de se retirer des quelques gouvernements occidentaux de coalition où ils occupent certains postes ministériels (France, Italie), et la réplique à la doctrine Truman sera fournie par le principal idéologue du Kremlin, Jdanov : le monde est divisé en deux camps irréconciliables, et l'URSS dirige le camp « démocratique et anti-impérialiste ». Il va sans dire que les mots *démocratie* et *impérialisme* n'ont pas ici le sens qu'on leur donne en Occident, la guerre froide

Le texte du pacte de l'Atlantique a pleinement confirmé les déclarations du ministre des Affaires étrangères de l'URSS, du 29 janvier de cette année, notamment en ce qui concerne les buts agressifs de ce pacte, qui le mettent en contradiction flagrante aussi bien avec les principes et les buts de l'ONU qu'avec les engagements que les gouvernements des États-Unis, de Grande-Bretagne et de France ont contractés en vertu d'autres traités et accords [...].

Afin de justifier sa conclusion, on se réfère au fait que l'Union soviétique a conclu des pactes défensifs avec les pays de démocraties populaires. Toutefois, ces allégations sont sans aucun fondement.

Tous les traités d'amitié, d'assistance mutuelle conclus par l'URSS avec les pays de démocraties populaires ont un caractère bilatéral et ne sont dirigés que contre une éventuelle agression allemande, danger que ne peut oublier aucun pays fermement attaché à la paix [...].

Le pacte de l'Atlantique, au contraire, est un accord non pas bilatéral mais multilatéral, qui crée un groupement restreint d'États et — ce qui est très important — ignore complètement la possibilité d'une éventuelle agression allemande. Il n'a donc pas pour but d'éviter une nouvelle agression allemande [...].

En s'appuyant sur ce qui précède, le gouvernement soviétique pose les conclusions suivantes :

1. — Le pacte de l'Atlantique n'a rien à voir avec les intérêts de la défense des États qui y participent — États qui ne sont menacés par personne et que personne ne se prépare à assaillir [...].

5. — Le pacte de l'Atlantique est en contradiction avec tous les accords conclus entre l'Union soviétique, les États-Unis d'Amérique et la Grande-Bretagne lors des conférences de Yalta et de Potsdam.

Memorandum du gouvernement soviétique, 31 mars 1949.

ayant touché jusqu'au vocabulaire. Cette « **doctrine Jdanov** » trouve ses premières applications dès le début de 1948, à l'égard de la Tchécoslovaquie et de la Yougoslavie.

En **Tchécoslovaquie**, un gouvernement de Front national multipartite s'est installé à Prague après la défaite de l'Allemagne, sous la présidence d'Édouard Bénès, celui-là même qui en 1938 avait dû accepter l'humiliation de l'accord de Munich (voir page 237). En janvier 1948, les communistes exigent la démission des ministres non communistes, font défiler dans les rues de Prague leurs milices en armes et forcent rapidement Bénès à s'incliner :

c'est le « **coup de Prague** ». La Tchécoslovaquie bascule alors dans le bloc continental. La doctrine Jdanov et la logique de la guerre froide ne sauraient tolérer de régime pluraliste à mi-chemin entre les blocs.

En juin 1948, aboutissement d'une longue crise qui remonte à la fin de la guerre, la **Yougoslavie** de Tito est brutalement exclue du Kominform. Staline ne peut en effet tolérer cet État communiste qui doit sa libération des nazis à ses seuls résistants et non à l'Armée rouge, et qui veut instaurer une forme de **communisme national** basé sur l'autogestion, en contradiction flagrante avec le stalinisme. Même un véritable blocus économique ne réussit pas à venir à bout de Tito, promptement qualifié de « fasciste », mais qui sait — comme Staline d'ailleurs — que les Occidentaux n'accepteraient pas une invasion militaire qui amènerait les Soviétiques jusqu'aux rives de l'Adriatique. La Yougoslavie devient ainsi le seul pays communiste non soviétique d'Europe.

Ainsi raffermi sur le plan politique et idéologique, le bloc continental se dote d'un organisme d'intégration économique, le **CAEM** (Conseil d'assistance économique mutuelle), et finalement d'une organisation militaire, le **pacte de Varsovie** (1955), réplique de l'OTAN.

En 1949, la **victoire des communistes chinois** accroît subitement le bloc continental d'un immense territoire, le plus peuplé du monde. La guerre civile entre « nationalistes » et communistes chinois, suspendue durant l'agression du Japon (voir page 232), a en effet repris de plus belle dès la capitulation de ce dernier. Mais le régime pro-occidental de Jiang Jieshi (Tchang Kaï-chek), qui a montré peu d'ardeur face aux Japonais, est en pleine décomposition, sa corruption et son inefficacité lui faisant perdre peu à peu ses soutiens tant en Chine qu'à l'extérieur. Les communistes, massivement appuyés par les paysans que séduit leur programme de réforme agraire, déclenchent l'offensive finale à l'automne 1948, entrent à Pékin au début de 1949 et proclament la **République populaire de Chine** le 1er octobre, tandis que les dernières forces nationalistes se réfugient sur l'île de Taiwan (Formose).

Cette spectaculaire avancée du bloc continental **aggrave sensiblement la tension internationale**, ouvrant un « second front » dans la guerre froide. Les États-Unis refusent obstinément de reconnaître le régime de Pékin, maintiennent sous perfusion une « République de Chine » réduite à quelques îles et qui continuera néanmoins d'occuper le siège de la Chine à l'ONU pendant plus de vingt ans.

LES AFFRONTEMENTS

Deux affrontements majeurs vont jeter l'un contre l'autre les deux blocs antagonistes : le blocus de Berlin et la guerre de Corée.

En 1948, la **question allemande n'est toujours pas résolue**. L'ancien Reich est découpé en quatre zones d'occupation et les vainqueurs ne s'entendent pas sur ce que l'Allemagne doit devenir. Mais les Occidentaux, inquiets de ce qu'ils perçoivent comme une « menace communiste », ont déjà commencé à fusionner leurs trois zones et à y remettre en marche l'appareil de production, créant même une nouvelle monnaie, le *Deutschmark*, qui risque d'écraser rapidement le mark utilisé en zone soviétique.

Cependant, les Soviétiques tiennent un otage : la ville de **Berlin**, entièrement enclavée en zone soviétique, mais elle-même divisée en quatre secteurs d'occupation auxquels les Occidentaux n'ont d'accès terrestre que par des couloirs routiers et ferroviaires strictement limités. En juin 1948, coup de théâtre : les Soviétiques bloquent toutes

BLOCUS ET PONT AÉRIEN

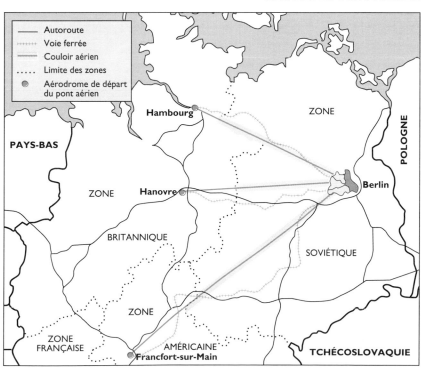

287

La guerre froide, 1947-1953

ces voies d'accès, condamnant à l'asphyxie les secteurs occidentaux de la ville, où vivent plus de deux millions d'habitants. C'est le début de la première « crise de Berlin ».

Convaincus que **céder à Berlin signifierait le début d'un recul général**, les Occidentaux répliquent par un gigantesque pont aérien qui va permettre d'acheminer par avion, en un an, 2 500 000 tonnes de marchandises des plus diverses vers la ville qui manque de tout. Devant cet exploit technique sans précédent qu'il n'a pas prévu, Staline doit finalement déclarer forfait, un affrontement militaire direct étant impensable, et le blocus est levé en mai 1949, ce qui marque une victoire plus que symbolique pour le bloc atlantique. La crise a toutefois rendu inévitable la création en 1949 de deux Allemagnes : la **République fédérale d'Allemagne**, regroupant les trois zones d'occupation occidentales, et la **République démocratique allemande**, recoupant la zone soviétique, tandis que Berlin, toujours divisée, symbolise le monde bipolaire de la guerre froide. Berlin-Ouest, isolée aux confins de l'Allemagne de l'Est, va ainsi devenir un avant-poste du capitalisme au sein même du bloc communiste, situation lourde de dangers.

Beaucoup plus grave est la crise qui éclate en 1950 à l'autre bout du monde et qui risque de dégénérer en troisième guerre mondiale.

La **Corée**, possession japonaise depuis le début du siècle, a été divisée en 1945 de part et d'autre du 38e parallèle : dictature pro-américaine au Sud, dictature pro-soviétique au Nord. Quelque peu méfiante de l'influence qu'une Chine maintenant communiste pourrait exercer dans la région, l'Union soviétique encourage les Coréens du Nord à réaliser à leur profit la réunification du pays. Le 25 juin 1950, les **troupes nord-coréennes franchissent sans avertissement le 38e parallèle** et déferlent vers le Sud, bousculant tout devant elles.

Le président Truman décide aussitôt d'**appliquer sa politique d'endiguement**, fait bombarder le Nord et expédie un puissant corps expéditionnaire sous le commandement du général Douglas MacArthur, grand vainqueur de la guerre contre le Japon. Profitant du fait que l'URSS boycotte les réunions du Conseil de sécurité de l'ONU pour protester contre le maintien du siège de la Chine au gouvernement de Taiwan, les États-Unis font placer l'opération sous l'égide de l'organisation internationale.

Mais une fois la Corée du Sud libérée, MacArthur envahit la Corée du Nord. Les **troupes américaines arrivent en vue de la frontière chinoise** en novembre, ce qui décide Mao Zedong à intervenir en lançant des centaines de milliers de « volontaires » chinois dans la mêlée. Submergés, les Américains refluent vers le Sud et MacArthur demande à Truman d'autoriser des bombardements directement en territoire chinois, à l'arme atomique si besoin est. Convaincu que cette action déclencherait une troisième guerre mondiale, Truman relève le général de son commandement (1951). Les fronts étant à peu près stabilisés autour du 38ᵉ parallèle, des pourparlers interminables s'engagent, qui aboutissent en 1953 à l'**armistice de Panmunjom**. Chaque camp retourne à ses positions de départ, consacrant ainsi la division de la Corée entre les deux blocs.

Cette longue guerre inutile et coûteuse en vies humaines marque l'apogée de la guerre froide. Une véritable **psychose anticommuniste** déferle sur les États-Unis, où le sénateur MacCarthy, secondé par Richard Nixon, pourchasse les communistes dans tous les azimuts, fait dresser d'interminables listes de suspects, défère devant sa « Commission des activités anti-américaines » de nombreux et prestigieux témoins plus ou moins forcés à la délation, étend sa purge jusqu'aux milieux du cinéma, où une « liste noire » prive de leur gagne-pain bon nombre de scénaristes, de comédiens et de réalisateurs de talent. Charlie Chaplin lui-même, dégoûté, s'exile en Europe, parmi plusieurs autres.

Pendant ce temps, le secrétaire d'État John Foster Dulles multiplie les alliances, dans une tentative d'**encerclement planétaire** de la menace communiste : ANZUS pour l'Australasie (1951), OTASE pour l'Asie du Sud-Est (1954), CENTO pour le Moyen-Orient (1955). Il va

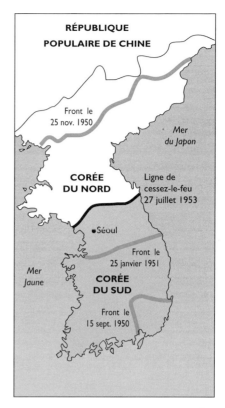

LA GUERRE DE CORÉE

LE MACCARTHYSME

À la fin de la guerre, nous étions la nation la plus puissante de l'Univers, matériellement, et, au moins en potentiel, intellectuellement et moralement. Nous aurions pu avoir l'honneur d'être un phare dans le désert de la destruction, une preuve vivante, étincelante, que la civilisation n'était pas prête encore à se suicider. Hélas! nous avons misérablement échoué, tragiquement, nous n'avons pas été à la hauteur de la situation.

Nous nous retrouvons dans une position d'impuissance. Pourquoi? Parce que notre unique et puissant ennemi a débarqué sur nos rivages? Non! À cause des trahisons de ceux qui ont été si bien traités par notre Nation. Ce ne sont pas les pauvres ou les minorités ethniques qui ont vendu ce pays à l'encan, ce sont bien plutôt ceux qui ont profité de tout ce que le pays le plus riche de la Terre leur a offert: les plus belles demeures, les meilleures études et les meilleurs postes dans l'administration. Cela crève les yeux au Département d'État. C'est là que sont les pires, les brillants jeunes gens élevés dans la pourpre [...]. Je dis que le Département d'État, un des plus importants de nos ministères, est complètement infecté de communistes. Je connais, j'ai dans la main, les cas de 57 individus qui sont membres du Parti communiste, ou tout au moins lui sont tout dévoués; cependant ils n'en continuent pas moins à façonner notre politique étrangère.

J. MCCARTHY
Discours du 20 février 1950.

LES DEUX BLOCS, 1955

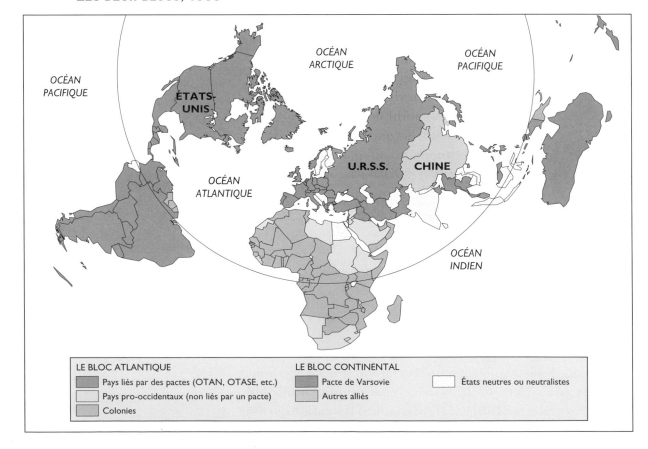

LE BLOC ATLANTIQUE
- Pays liés par des pactes (OTAN, OTASE, etc.)
- Pays pro-occidentaux (non liés par un pacte)
- Colonies

LE BLOC CONTINENTAL
- Pacte de Varsovie
- Autres alliés

États neutres ou neutralistes

même jusqu'à proposer le **réarmement de l'Allemagne** dans le cadre de l'OTAN, ce qui sera fait en 1955, dix ans seulement — qui l'eût cru ? — après la chute du IIIᵉ Reich...

Le bloc continental n'est pas en reste d'hystérie. D'immenses purges frappent jusqu'au sommet les partis communistes d'URSS et des pays satellites. Comme dans les années trente, des procès spectaculaires débouchent sur des aveux incroyables suivis d'exécutions, de suicides, d'emprisonnements. Une vague d'antisémitisme même se développe, alimentée par de sombres rumeurs de médecins Juifs tentant d'assassiner Staline...

La coexistence dans les crises, 1953 - 1962

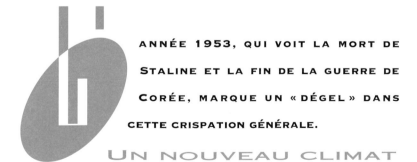

L'ANNÉE 1953, QUI VOIT LA MORT DE STALINE ET LA FIN DE LA GUERRE DE CORÉE, MARQUE UN « DÉGEL » DANS CETTE CRISPATION GÉNÉRALE.

UN NOUVEAU CLIMAT

C'est la nouvelle équipe dirigeante soviétique, au sein de laquelle Nikita Khrouchtchev va bientôt s'imposer, qui est largement responsable du nouveau climat. Dès 1953, Malenkov lance l'expression de « **coexistence pacifique** », tendant ainsi au bloc atlantique une sorte de rameau d'olivier.

KHROUCHTCHEV ET LA COEXISTENCE PACIFIQUE

*Quelles sont les tâches ultérieures du Parti en politique extérieure ?
1. Appliquer d'une façon constante la politique léniniste de coexistence pacifique des différents États, indépendamment de leur régime social. Lutter activement pour la paix et la sécurité des peuples, pour la confiance entre les États, en s'efforçant de transformer la détente internationale obtenue en une paix durable. [...] L'établissement de relations d'amitié durables entre les deux plus grandes puissances du monde, l'Union Soviétique et les États-Unis d'Amérique, aurait une importance majeure pour le renforcement de la paix dans le monde entier [...]. Si l'on faisait reposer les relations entre l'URSS et les États-Unis sur les cinq principes de la coexistence pacifique [...]: respect mutuel de l'intégrité territoriale et de la souveraineté, non-agression, non-ingérence dans les affaires intérieures, égalité et avantage réciproque, coexistence pacifique et coopération économique [...] cela aurait une portée vraiment exceptionnelle pour toute l'humanité [...].*

Rapport au XXᵉ Congrès du Parti communiste de l'Union soviétique, 1956.

Cette initiative inattendue du Kremlin répond à des conditions nouvelles.

Sur le plan strictement militaire d'abord, les Américains ne sont plus les seuls possesseurs de l'arme atomique depuis que les Soviétiques se sont dotés de la bombe A (type Hiroshima) en 1949 et de la bombe H (à hydrogène) en 1953, un an seulement, cette fois, après les Américains. Ces moyens monstrueux, s'ils étaient utilisés, amèneraient à coup sûr la fin de l'humanité : les Soviétiques produiront bientôt un engin de 60 mégatonnes, c'est-à-dire l'équivalent de 60 millions de tonnes de dynamite, 500 fois la bombe d'Hiroshima ! Plus important encore, les Soviétiques se dotent peu à peu de vecteurs (bombardiers et surtout fusées) capables d'atteindre directement le territoire américain. Cette perspective de « **destruction mutuelle assurée** » (MAD) permet à l'Union soviétique de se libérer quelque peu de son complexe de citadelle assiégée, et aux deux superpuissances de marquer un temps de réflexion devant les conséquences apocalyptiques d'une escalade dans la guerre froide.

Sur le plan économique, c'est l'Union soviétique surtout qui a intérêt à stopper la folle course aux armements, afin de **reconvertir vers la production civile** une partie des immenses ressources englouties dans cette course. Les projets grandioses de Khrouchtchev pour rattraper le niveau de vie des Américains, et même pour le dépasser à l'horizon de 1970, nécessite une longue période de paix. Car le peuple soviétique, à qui l'on promet le paradis sur terre depuis 1917, n'a guère connu que des privations depuis cette date. D'autre part, avec le retour des démocrates à la Maison Blanche en 1960, même les États-Unis, aux ressources apparemment inépuisables, voudront consacrer des moyens plus importants à la « guerre à la pauvreté » dans leur propre société.

Tout cela amène donc un **climat nouveau**, marqué par la fin des guerres de Corée et d'Indochine (voir page 374), la dissolution du Kominform (1956), de nombreux voyages d'amitié des dirigeants soviétiques en Occident (Khrouchtchev aux États-Unis en 1959) et par la signature de plusieurs accords de coopération et d'échange technique, scientifique, voire artistique.

DE BUDAPEST À BERLIN : UNE EUROPE MAL APAISÉE

Ce dégel n'exclut cependant pas les soubresauts, qui rappellent constamment que les blocs n'ont pas encore fait la paix.

En Europe, la **révolte hongroise** de 1956 demeure à peu près confinée à l'intérieur du bloc continental (voir page 345). C'est au moment où les nouveaux dirigeants, débordés, sont entraînés un peu malgré eux à retirer le pays du pacte de Varsovie et à proclamer sa neutralité que les chars soviétiques interviennent, écrasant dans le sang l'insurrection, au cours d'une longue semaine de combats de rues, pendant que l'Occident hurle son indignation sans lever le petit doigt. Il est vrai qu'au même moment l'Occident est lui-même embourbé dans la crise de Suez, où il ne joue pas le plus beau rôle (voir plus loin), mais il y a des chasses gardées que les Grands s'engagent tacitement à respecter...

Au point de contact de ces chasses gardées se situe justement la ville de **Berlin**, où éclate en 1958 une **deuxième crise** qui semble ramener tout le monde aux heures sombres de la guerre froide. Vitrine de l'Occident en plein territoire communiste, et soigneusement entretenue pour jouer ce rôle, Berlin-Ouest est devenue l'aimant irrésistible vers lequel affluent, en nombre toujours croissant, les Allemands de l'Est à qui est interdit le passage vers la République fédérale. Pour arrêter cette hémorragie coûteuse pour l'Allemagne de l'Est, Khrouchtchev exige la transformation de Berlin en ville libre neutralisée, à défaut de quoi il remettra le contrôle de tous les accès à la ville entre les mains de la République démocratique. Les Occidentaux refusant catégoriquement, trois années de tension débouchent sur l'érection, en août 1961, d'un mur infranchissable qui ceinture tout Berlin-Ouest, coupant les rues, traversant les maisons, séparant les familles, interdisant aux Allemands tout passage d'un côté à l'autre. C'est le « **Mur de la honte** », qui va demeurer pendant trente ans le symbole scandaleux et détesté de la division de l'Europe.

LE MUR DE BERLIN (1961)

AU MOYEN-ORIENT : L'ENGRENAGE DE LA TRAGÉDIE

Pendant que sur l'Europe s'installe malaisément la coexistence pacifique, le Moyen-Orient s'enfonce dans une spirale de tragédie d'où il n'est pas encore sorti en 1994, malgré quelques faibles lueurs d'espoir aperçues récemment.

L'immigration des Juifs en Palestine, commencée à la fin du XIXe siècle, encouragée par la déclaration Balfour de 1917 (voir page 110), s'accroît avec l'arrivée d'Hitler au pouvoir et devient massive après les horreurs du génocide. En 1946, il y a déjà plus de 600 000 Juifs en Palestine, sur une population totale de 1 800 000 habitants.

Bousculés, inquiets, les Arabes palestiniens tolèrent de plus en plus difficilement cet afflux qui risque de leur enlever le contrôle du territoire et, dès avant la guerre, de graves incidents ont éclaté entre les deux communautés.

Après la guerre, la situation échappe rapidement à toute emprise, alors que les Britanniques, toujours détenteurs du « mandat » confié en 1919 (voir page 169), deviennent la cible de groupes terroristes sionistes■ (Irgoun, Stern) qui les perçoivent comme trop favorables aux Arabes. Le Royaume-Uni ayant déféré toute la question à l'ONU, celle-ci adopte en 1947 un **plan de partage** qui crée deux États, l'un juif, l'autre arabe, Jérusalem et Bethléem formant une zone internationale sous administration de l'ONU.

Le plan est immédiatement rejeté par les Palestiniens et par tous les pays arabes, et dès la proclamation de l'État d'Israël le 14 mai 1948, une **première guerre israélo-arabe** embrase la région et se termine en février 1949 par une victoire israélienne. Mais les Arabes refusent de

■ **Sioniste**
Partisan du sionisme, doctrine et mouvement qui prônent le retour des Juifs vers la Palestine et l'établissement d'un État juif sur ce territoire.

PROCLAMATION DE L'INDÉPENDANCE DE L'ÉTAT D'ISRAËL PAR LE CONSEIL NATIONAL JUIF (MAI 1948)

Le pays d'Israël est le lieu où naquit le peuple juif. C'est là que se forma son caractère spirituel, religieux et national. C'est là qu'il acquit son indépendance et créa une culture d'une portée à la fois nationale et universelle. C'est là qu'il écrivit la Bible et en fit don au monde. [...]

En 1897, le premier Congrès sioniste, inspiré par la vision de l'État juif qu'avait eue Théodore Herzl, proclama le droit du peuple juif à la renaissance nationale dans son propre pays.

Ce droit fut reconnu par la déclaration Balfour du 2 novembre 1917 et réaffirmé par le mandat de la Société des Nations. [...]

En conséquence, nous, membres du Conseil national, représentant le peuple juif de Palestine et le Mouvement sioniste mondial, nous sommes réunis aujourd'hui en une assemblée solennelle, et, en vertu du droit naturel et historique du peuple juif, ainsi que de la résolution de l'Assemblée générale des Nations Unies, nous proclamons la fondation de l'État juif en Terre Sainte, qui portera le nom de Medinath Israël (État d'Israël). [...]

L'État d'Israël sera ouvert à l'immigration des Juifs de tous les pays où ils sont dispersés; il développera le pays au bénéfice de tous ses habitants; il sera fondé sur les principes de liberté, de justice et de paix tels qu'ils furent conçus par les prophètes d'Israël; il assurera la complète égalité sociale et politique de tous ses citoyens, sans distinction de religion, de conscience, d'éducation et de culture; il protégera les lieux saints de toutes les religions; et il appliquera loyalement les principes de la charte des Nations Unies.

L'État d'Israël sera prêt à coopérer avec les organismes et avec les représentants des Nations Unies, en vue d'appliquer la résolution votée par l'Assemblée le 29 novembre 1947, et il prendra les mesures nécessaires pour réaliser l'union économique de l'ensemble de la Palestine.

LE PLAN DE PARTAGE DE L'ONU

LES FRONTIÈRES DE 1949 (APRÈS LA PREMIÈRE GUERRE ISRAÉLO-ARABE)

reconnaître l'État hébreu, tandis que près d'un million de Palestiniens, fuyant les combats ou tout simplement expulsés par les vainqueurs, se réfugient dans les pays voisins, dans des camps de fortune hâtivement érigés par l'ONU, avec, chevillé au plus profond de leur conscience, le désir inextinguible de retrouver un jour leurs foyers, leurs villages et leurs terres. Cette guerre n'a donc fait que reculer les perspectives d'une paix durable.

Après quelques années d'un assoupissement dû au choc de la défaite et aux divisions profondes qui le minent, le **nationalisme arabe est revigoré** en 1955 par le nouveau chef de l'Égypte, Gamal Abdel Nasser. Orateur envoûtant, leader charismatique, celui-ci a juré de venger l'humiliation séculaire des Arabes et de détruire Israël, et s'attaque directement aux intérêts occidentaux en nouant des relations étroites avec l'Union soviétique, trop heureuse de jouer un rôle nouveau dans cette région où elle est à peu près absente. Le conflit israélo-arabe devient ainsi un nouveau terrain d'affrontement entre les blocs, Nasser s'aliénant la France par son soutien aux rebelles algériens (voir page 377) et déclenchant la fureur du Royaume-Uni en nationalisant sans indemnité le canal de Suez en 1956.

La Grande-Bretagne, la France et Israël concoctent alors une **intervention commune** contre l'Égypte qui, attaquée de toutes parts, est sur le point de sombrer lorsque interviennent les deux superpuissances. Pendant que l'URSS exerce un chantage atomique contre Paris et

UN PEUPLE APATRIDE

Camp de réfugiés palestiniens.

IMPORTANCE DE LA CRISE DE SUEZ

La crise fut en effet le révélateur et l'agent de plusieurs phénomènes qui, jusque-là, manquaient de visibilité. D'abord, la capacité de l'URSS à étendre l'aire de son intervention jusqu'à l'Afrique; ensuite, l'aptitude des États-Unis à s'entendre avec elle, derrière le dos de leurs alliés, afin de mieux assurer l'hégémonie américaine dans le monde, au nom de la lutte contre l'expansion soviétique précisément. Surtout, elle marque la déchéance de l'Europe et l'apparition [...] d'un tiers monde, dont le poids se fait sentir pour la première fois de façon efficace à l'ONU [...].

En apparence simple séquelle de la révolte des peuples coloniaux après la Deuxième Guerre mondiale, la crise de Suez, en 1956, a mis le point d'orgue à la prééminence de l'Europe, que la guerre de 1914-1918 avait conduite au déclin et que la Deuxième Guerre avait ruinée à jamais comme ensemble prépondérant de puissances. La décolonisation, qui accompagna ce déclin, signifia que ni la France ni l'Angleterre n'auraient plus jamais de position dominante dans le monde, même par canal ou compagnie pétrolière interposés.

M. FERRO
Suez, Bruxelles, Éditions Complexe, 1956.

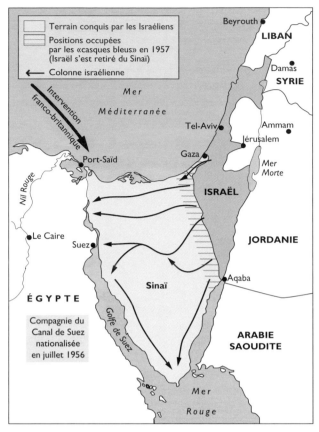

LA CRISE DE 1956 AU MOYEN-ORIENT

Légende de la carte :
- Terrain conquis par les Israéliens
- Positions occupées par les «casques bleus» en 1957 (Israël s'est retiré du Sinaï)
- ← Colonne israélienne

Intervention franco-britannique

Mer Méditerranée

LIBAN — Beyrouth
SYRIE — Damas
Tel-Aviv
Jérusalem
Amman
Port-Saïd
Gaza
ISRAËL
Mer Morte
JORDANIE
Le Caire
Suez
Aqaba
ÉGYPTE
Sinaï
Golfe de Suez
ARABIE SAOUDITE
Nil Rouge
Mer Rouge

Compagnie du Canal de Suez nationalisée en juillet 1956

Londres, les États-Unis, désireux d'imposer définitivement leur leadership, exigent le retrait des troupes de leurs propres alliés, convaincus que l'«expédition punitive» de ces derniers ne peut avoir pour effet que de durcir encore plus le ressentiment des Arabes contre l'Occident et de favoriser les visées soviétiques dans la région.

Les deux Grands étant pour une fois d'accord, Nasser est sauvé *in extremis* par l'**intervention du Conseil de sécurité de l'ONU**, qui ordonne à toutes les troupes étrangères de quitter le territoire égyptien et qui décide, sur la proposition du représentant canadien Lester B. Pearson, d'envoyer sur place un contingent de «casques bleus» pour séparer les pugilistes égyptien et israélien. Nasser sort auréolé d'une entreprise où il a failli tout perdre, mais le problème israélo-arabe reste entier, et une troisième guerre paraît difficile à éviter, d'autant plus que désormais les deux Grands se retrouvent face à face au Moyen-Orient.

LE BORD DU GOUFFRE : CUBA, 1962

En 1962, alors que le climat international est passablement dégradé par la récente crise de Berlin et par l'affaire de l'avion U2 (avion espion américain abattu au-dessus du territoire soviétique), Khrouchtchev prend une **initiative téméraire** qui va mener le monde au bord de la troisième guerre mondiale. Cette initiative est favorisée par une sorte d'euphorie qui s'est emparée de l'URSS depuis 1957, année où le premier satellite artificiel (*Spoutnik 1*) a été mis en orbite autour de la Terre par une fusée soviétique, ouvrant subitement l'infini de l'espace à la compétition entre les blocs. Pour la première fois depuis 1945, l'Union soviétique détient une avance technologique sur les États-Unis, et dans un domaine crucial : celui des fusées à longue portée. La tentation d'exploiter à fond cette avance est irrésistible, et la révolution cubaine va fournir, semble-t-il, une occasion inespérée de prendre pied en plein « centre mou » du bloc atlantique.

La victoire de la révolution cubaine en 1959 a amené les États-Unis à décréter le **blocus économique de Cuba**, ce qui n'a fait qu'accentuer le rapprochement du chef cubain Fidel Castro avec l'URSS (voir page 384). L'arme économique ayant échoué, les États-Unis organisent en 1961 un **débarquement de forces cubaines anti-castristes** à la « baie des Cochons » (Playa Giron), mais l'opération s'avère un échec piteux après le refus du président Kennedy de faire intervenir l'aviation américaine. Échaudé tout de même, Fidel Castro demande alors à l'URSS d'assurer la défense de son île, ce que Khrouchtchev s'empresse d'accepter.

En octobre 1962, des photographies aériennes apportent aux dirigeants américains la preuve que les Soviétiques sont en voie d'ériger à Cuba des rampes de lancement de **fusées nucléaires** à moyenne portée (de 1 500 km à 3 000 km) capables d'atteindre en quelques minutes toutes les grandes villes de la côte Est. Pour les États-Unis, le défi est insupportable et, le 22 octobre, Kennedy réplique par un **acte de guerre** : Cuba sera mis en état de blocus naval complet (appelé prudemment « quarantaine »), et tous les bateaux à destination de l'île seront arraisonnés en pleine mer, fouillés, et refoulés s'ils transportent des armements. Plus d'une dizaine de cargos soviétiques font alors route vers Cuba et, pendant six longues journées, le monde entier retient son souffle.

LA CRISE DES FUSÉES, 1962

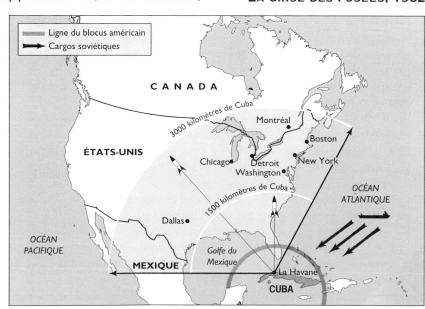

Ligne du blocus américain
Cargos soviétiques

CANADA

3000 kilomètres de Cuba
1500 kilomètres de Cuba

Montréal
Boston
Chicago
Detroit
Washington
New York

ÉTATS-UNIS

OCÉAN
ATLANTIQUE

Dallas

OCÉAN
PACIFIQUE

MEXIQUE

Golfe du
Mexique

La Havane

CUBA

Avancé au-delà de toute prudence, Khrouchtchev doit reculer. Habile et soucieux avant tout d'éviter un holocauste nucléaire, Kennedy lui offre une porte de sortie en **promettant de ne pas envahir Cuba**. Le numéro un soviétique ordonne alors à ses bateaux de faire demi-tour et accepte de **démanteler ses bases cubaines** sous la supervision de l'ONU. La crise s'apaise rapidement, mais la perspective d'une fin du monde s'étant soudain concrétisée, une vraie détente va devenir possible. Les seules « victimes » de la crise seront Nikita Khrouchtchev, qui perdra son poste en 1964, et peut-être Kennedy lui-même, dont l'assassinat, le 22 novembre 1963, pourrait bien avoir été motivé par ce que les milieux anti-castristes américains estiment être sa « mollesse » face à la question cubaine.

DISCOURS TÉLÉVISÉ DU PRÉSIDENT KENNEDY (22 OCTOBRE 1962)

[...] Mais cette implantation secrète, rapide et extraordinaire de missiles communistes, dans une région bien connue comme ayant un lien particulier et historique avec les États-Unis et les pays de l'hémisphère occidental, en violation des assurances soviétiques et au mépris de la politique américaine et de celle de l'hémisphère — cette décision soudaine et clandestine d'implanter pour la première fois des armes stratégiques hors du sol soviétique — constitue une modification délibérément provocatrice et injustifiée du statu quo, qui ne peut être accepté par notre pays, si nous voulons que nos amis ou nos ennemis continuent à avoir confiance dans notre courage et notre parole.

Les années 1930 nous ont enseigné une leçon claire: les menées agressives, si on leur permet de s'intensifier sans contrôle et sans contestation, mènent finalement à la guerre. Notre pays est contre la guerre. Nous sommes également fidèles à notre parole. Notre détermination inébranlable doit donc être d'empêcher l'utilisation de ces missiles contre notre pays ou n'importe quel autre, et d'obtenir leur retrait ou leur élimination de l'hémisphère occidental [...].

[...] Nous ne risquerons pas prématurément ou sans nécessité le coût d'une guerre nucléaire mondiale dans laquelle même les fruits de la victoire n'auraient dans notre bouche qu'un goût de cendre, mais nous ne nous déroberons pas devant ce risque, à quelque moment que nous ayons à y faire face.

Agissant donc pour la défense de notre propre sécurité et de celle de l'hémisphère occidental tout entier, et en vertu des pouvoirs qui m'ont été conférés par la Constitution, et confirmés par la résolution du Congrès, j'ai donné des ordres pour que soient prises immédiatement les premières mesures suivantes:

Premièrement: pour arrêter l'édification de ce potentiel offensif, un embargo rigoureux est instauré sur tout équipement militaire offensif acheminé vers Cuba. Tous les bateaux, de n'importe quelle sorte, se dirigeant vers Cuba, venant de n'importe quel pays ou de n'importe quel port, devront rebrousser chemin s'il est établi qu'ils contiennent des cargaisons d'armes offensives. Cet embargo sera étendu au besoin à d'autres types de cargaisons ou de transports. Nous n'interdisons pas cependant, pour le moment, l'accès des produits de première nécessité, comme les Soviétiques ont tenté de le faire durant leur blocus de Berlin en 1948. [...]

LETTRE DE KHROUCHTCHEV À KENNEDY
(27 OCTOBRE, 15 H 30)

Nous avons expédié là-bas des moyens de défense, que vous appelez moyens offensifs. Nous les avons expédiés afin que ne fût pas menée une attaque contre Cuba, afin que ne fussent pas admises des actions irréfléchies.

J'éprouve respect et confiance à l'égard de la déclaration que vous avez faite dans votre message du 27 octobre 1962, selon laquelle il n'y aura pas d'attaque contre Cuba, qu'il n'y aura pas d'invasion, et non seulement de la part des États-Unis, mais également des autres pays de l'hémisphère occidental, ainsi qu'il est dit dans votre message.

Alors, les motifs qui nous ont poussés à accorder une aide de telle nature à Cuba disparaissent également. Voilà pourquoi nous avons indiqué à nos officiers — et ces moyens, comme je vous l'ai déjà communiqué, se trouvent entre les mains d'officiers soviétiques — de prendre les mesures adéquates pour interrompre la construction des objectifs indiqués, les démonter et les ramener en Union soviétique.

LES DEUX « K »

Nikita Khrouchtchev et John Kennedy

La détente, 1963 - 1973

A « CRISE DES FUSÉES » AYANT AMENÉ
LE MONDE AU BORD DU GOUFFRE, LES
DEUX SUPERPUISSANCES S'EFFORCENT
D'INSTAURER UN NOUVEAU CLIMAT DE
« PAIX TIÈDE ».

DE L'ARMISTICE À LA DÉTENTE

Cette volonté nouvelle se traduit d'abord sous la forme d'une sorte d'**armistice nucléaire**, après l'installation d'un « télétype rouge » reliant directement Washington et Moscou afin de prévenir le déclenchement accidentel de l'holocauste, thème angoissant qui inspire, entre autres, quelques films chocs (*Dr Strangelove*, de Stanley Kubrick, et *Fail Safe*, de Sidney Lumet).

En 1963, un premier traité interdit les essais nucléaires autres que souterrains. En 1968, un grand **traité sur la non-prolifération de l'arme nucléaire** est signé par une soixantaine d'États qui s'y engagent à ne pas fournir d'armes nucléaires à d'autres pays, à ne pas les aider à en fabriquer et à ne pas en acquérir pour eux-mêmes s'ils n'en possèdent pas déjà. Il **manque cependant deux signatures importantes** à ce traité : celles de la France et de la Chine, toutes deux détentrices de l'arme nucléaire, chacune méfiante à l'égard du chef de file de son propre bloc et convaincue que ce chef de file ne risquerait pas sa propre destruction pour protéger un de ses alliés contre d'éventuelles visées hostiles.

Parallèlement, de **nouvelles équipes dirigeantes** se mettent en place, tant à Moscou qu'à Washington, qui révisent en profondeur les doctrines traditionnelles de la guerre froide.

À **Moscou, Leonid Brejnev**, qui succède au flamboyant Khrouchtchev, renonce aux « aventures » et préfère consolider le *statu quo*. Il mène donc une politique prudente et **noue avec l'Occident des relations économiques** grâce auxquelles il espère combler un retard technologique qui se creuse de plus en plus au détriment de l'URSS (course à la Lune gagnée par les Américains). Il espère aussi recevoir les livraisons de céréales essentielles pour compenser l'inefficacité notoire de l'agriculture soviétique.

À **Washington** arrive au pouvoir en 1968 un nouveau président, **Richard Nixon**. Prenant acte du relatif déclin américain tout autant que de la nécessité où se trouve l'URSS de bénéficier de transferts technologiques des Occidentaux, Nixon propose, sous l'influence de son brillant conseiller Henry **Kissinger**, une nouvelle doctrine fondée sur la **retenue réciproque** et sur les **marchandages planétaires** (le « linkage »).

LA DOCTRINE NIXON-KISSINGER

Le Président élu et moi-même avions défini [...] un certain nombre de principes qui [...] allaient servir de base à notre façon de considérer les relations américano-soviétiques. Ces principes étaient les suivants :

Le principe du réalisme : *Nous tenions, dans nos négociations avec l'Union soviétique, à aborder uniquement les causes précises de tension au lieu de nous limiter à des considérations générales. [...] Nous respecterions l'engagement idéologique des dirigeants soviétiques. Nous ne perdrions pas de vue le fait que nos deux pays avaient des intérêts divergents dans de nombreux domaines. Nous ne nous imaginions pas que les bonnes relations personnelles ou les bons sentiments mettraient fin aux tensions de l'après-guerre, mais nous étions prêts à explorer les domaines dans lesquels nous avions des intérêts communs et à conclure des accords précis fondés sur des conditions de stricte réciprocité.*

Le principe de la retenue : *Les deux superpuissances ne pouvaient continuer à entretenir des relations convenables si l'une d'elles voulait obtenir des avantages unilatéraux ou tirer parti des crises survenant dans certains pays. Nous étions résolus à contrecarrer les entreprises hasardeuses des Soviétiques, mais nous étions prêts, aussi, à négocier les conditions d'un véritable apaisement des tensions. Nous ne favoriserions pas une détente destinée à leurrer d'éventuelles victimes ; nous préconisions, au contraire, une détente fondée sur une politique de retenue réciproque. Nous souhaitions appliquer le principe « de la carotte et du bâton ».*

Le principe du linkage : *Selon nous, les événements survenant à différents endroits du globe étaient tous liés. Le 6 février, dans une déclaration à la presse, j'avais utilisé le mot « linkage » explicitement : « En ce qui concerne le linkage entre le climat politique et la situation stratégique [...] le Président [...] souhaiterait traiter le problème de la paix dans tous les domaines où celle-ci est en cause, et non pas uniquement d'un point de vue militaire. »*

H. KISSINGER
À la Maison Blanche, 1968-1973,
Paris, Fayard, 1979.

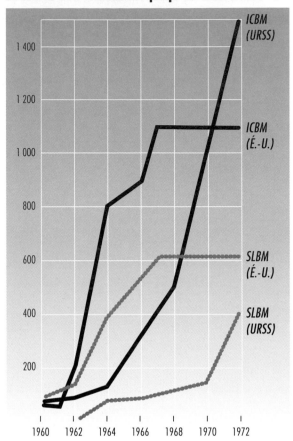

La course aux armements jusqu'à l'accord SALT 1

ICBM (URSS)

ICBM (É.-U.)

SLBM (É.-U.)

SLBM (URSS)

1 400
1 200
1 000
800
600
400
200

1960 1962 1964 1966 1968 1970 1972

ICBM (*Intercontinental Ballistic Missiles*):
missiles balistiques à portée intercontinentale.

SLBM (*Sea Launched Ballistic Missiles*):
missiles balistiques mer-sol lancés d'un sous-marin.

Les résultats de ces changements dans les équipes dirigeantes ne se font pas attendre. Le problème allemand va enfin pouvoir être réglé, par la **reconnaissance mutuelle des deux Allemagnes** dans leurs frontières issues de la guerre et par leur entrée à l'ONU en 1973. Américains et Soviétiques commencent à parler de **plafonner les armements nucléaires**, et le premier accord SALT (*Strategic Arms Limitation Talks*) est signé en 1972. En 1972 - 1973, des visites de Nixon à Moscou et de Brejnev à Washington sont marquées par la signature d'**accords de coopération** fort avantageux pour l'URSS (et pour les États-Unis aussi, qui s'ouvrent des marchés nouveaux). En même temps, les Américains se retirent du bourbier vietnamien (voir plus loin) après avoir reconnu la Chine communiste (voyage de Nixon en 1972) et accepté de la voir occuper le siège de la Chine à l'ONU.

LA FISSURATION DES BLOCS

Le climat de détente va permettre aux contradictions internes de se manifester, dans chacun des blocs.

C'est le « **défi gaullien** » qui introduit une fissure dans le bloc atlantique. Profondément attaché à la grandeur de la France et à son indépendance nationale, le général de Gaulle, de retour au pouvoir en 1958, conteste le leadership américain au sein de l'Alliance atlantique et du monde non communiste, et multiplie les initiatives en ce sens : création d'une force nucléaire française indépendante et retrait des forces françaises du dispositif militaire intégré de l'OTAN, offensive contre la suprématie du dollar par la reconstitution des stocks d'or de la Banque de France, condamnation de l'intervention américaine au Viêt-nam, appui aux peuples d'Amérique latine dans leur volonté d'émancipation, proclamation du fameux « Vive le Québec libre », lancé du balcon de l'hôtel de ville de

DE GAULLE AU BALCON DE
L'HÔTEL DE VILLE DE
MONTRÉAL, JUILLET 1967

Montréal, au terme d'une fracassante visite dans un Québec en pleine ébullition. Pour spectaculaires qu'elles soient, et revigorantes pour bien des peuples soumis à l'hégémonie des superpuissances, ces initiatives n'ébranlent pas en profondeur la solidarité atlantique sous le « parapluie » américain.

Beaucoup plus fondamentale est la **rupture sino-soviétique**, qui lézarde le bloc continental au point de le diviser en deux camps hostiles. Les origines de cette rupture sont multiples, depuis la volonté des dirigeants chinois d'échapper à la satellisation économique et politique au profit de Moscou, jusqu'à des divergences idéologiques profondes quant à la nature du communisme, en passant par la doctrine de coexistence pacifique, que les Chinois dénoncent comme la trahison des idéaux révolutionnaires, voire par de vieux contentieux territoriaux remontant à l'impérialisme russe du XIXe siècle. À

La rupture sino-soviétique vue par la Chine

La divergence entre la direction du PCUS[1] et nous dans la question de la guerre et de la paix est une divergence entre deux lignes différentes: il s'agit de savoir s'il faut ou non combattre l'impérialisme, s'il faut ou non soutenir la lutte révolutionnaire, s'il faut ou non mobiliser les peuples du monde entier pour s'opposer au plan de guerre de l'impérialisme, s'il faut ou non s'en tenir au marxisme-léninisme.

Le PCC[2], comme tous les autres partis authentiquement révolutionnaires, s'est toujours trouvé à la pointe du combat contre l'impérialisme et pour la défense de la paix mondiale. Nous soutenons que, pour sauvegarder la paix mondiale, il faut sans cesse dénoncer l'impérialisme, mobiliser et organiser les masses populaires pour qu'elles luttent contre l'impérialisme, qui ont les États-Unis pour chef de file, il faut compter sur le développement des forces du camp socialiste, sur les luttes révolutionnaires du prolétariat et des travailleurs de tous les pays, sur la lutte de libération des nations opprimées, sur la lutte de tous les peuples et de tous les pays pacifiques, sur le vaste front uni contre l'impérialisme américain et ses laquais. [...]

La direction du PCUS recourt au chantage nucléaire pour intimider les nations et les peuples opprimés du monde entier, elle ne leur permet pas de faire la révolution et elle collabore avec l'impérialisme américain pour étouffer l'« étincelle » de la révolution, l'aidant ainsi à appliquer en toute liberté sa politique d'agression et de guerre dans les zones intermédiaires situées entre les États-Unis et le camp socialiste.

Le Quotidien du Peuple (organe du PC chinois) 19 novembre 1963.

1. PCUS = Parti communiste d'Union soviétique.
2. PCC = Parti communiste chinois.

la fin des années soixante, le **monde communiste est bel et bien scindé en deux**, Pékin se ralliant plutôt les communistes du tiers monde, où la « voie chinoise » apparaît mieux adaptée aux réalités du sous-développement. L'Albanie est le seul pays d'Europe à opter pour Pékin, mais elle présente justement des traits caractéristiques du sous-développement.

Des lézardes — moins graves — fissurent également le bloc continental en Europe. C'est la **Tchécoslovaquie** surtout qui fait ici figure de trouble-fête, où de nouveaux dirigeants amorcent en 1968 une série de réformes, déclenchant ce qu'on appelle le « **printemps de Prague** » (voir page 346). Bien que l'appartenance au bloc continental ne soit pas mise en cause, cette fois, comme en Hongrie dix ans plus tôt, les troupes du pacte de Varsovie envahissent le pays le 20 août : après le printemps de Prague, l'« été des Tanks ». Le président Dubcek est destitué et la Tchécoslovaquie, brutalement « normalisée », devant un Occident qui hurle mais qui ne bouge pas, rappelant à plusieurs certaine nuit de Munich, exactement trente ans auparavant...

DEUX ZONES DE FRICTION

Pendant que les blocs s'acheminent vers la détente et connaissent des fissurations internes, deux zones de friction persistent, qui empêchent de parler d'un véritable retour à la paix : le Moyen-Orient et le Viêt-nam.

Une **troisième guerre israélo-arabe** éclate en 1967, après que le colonel Nasser eut exigé le retrait des casques bleus de l'ONU et fermé le golfe d'Aqaba au trafic israélien. Dans une foudroyante campagne préventive, Israël attaque en même temps l'Égypte, la Jordanie et la Syrie et s'empare, en six jours de combat, de tout le Sinaï, de la Cisjordanie et du plateau du Golan (« guerre des Six Jours »). La spectaculaire défaite arabe amène de profondes conséquences. Pendant que pâlit l'étoile de Nasser et de ses alliés soviétiques, le problème des Palestiniens s'enfonce d'un cran dans la tragédie : **300 000 nouveaux réfugiés** gagnent les camps de Jordanie et du Liban, tandis que s'installe sur la bande de Gaza, en Cisjordanie et sur le Golan un **régime d'occupation militaire** israélien accompagné, comme toute occupation militaire, d'oppression, de résistance et de répression. En même temps commence une **colonisation juive** systématique dans ces « territoires occupés », rendant encore plus problématique le retour des Palestiniens sur leur terre.

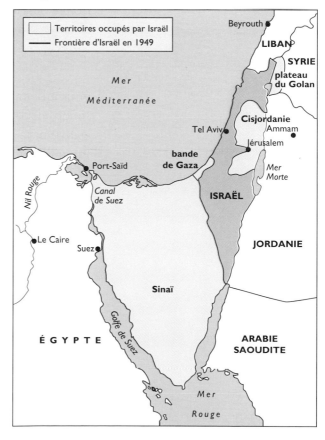

ISRAËL APRÈS LA GUERRE DES SIX JOURS

RÉSOLUTION N° 242 DU CONSEIL DE SÉCURITÉ

Le Conseil de sécurité,

Exprimant l'inquiétude que continue de lui causer la grave situation au Moyen-Orient,

Soulignant l'inadmissibilité de l'acquisition de territoires par la guerre et la nécessité d'œuvrer pour une paix juste et durable permettant à chaque État de la région de vivre en paix,

Soulignant en outre que tous les États membres, en acceptant la Charte des Nations Unies, ont contracté l'engagement d'agir conformément à l'article 2 de la Charte.

1. Affirme que l'accomplissement des principes de la Charte exige l'instauration d'une paix juste et durable au Moyen-Orient qui devrait comprendre l'application des deux principes suivants :

> *a) Retrait des forces armées israéliennes des territoires occupés lors du récent conflit ;*
>
> *b) Cessation de toutes assertions de belligérance ou de tous états de belligérance et respect et reconnaissance de la souveraineté, de l'intégrité territoriale et de l'indépendance politique de chaque État de la région et de leur droit de vivre en paix à l'intérieur de frontières sûres et reconnues à l'abri de menaces ou d'actes de force.*

2. Affirme en outre la nécessité,

> *a) De garantir la liberté de navigation sur les voies d'eau internationales de la région ;*
>
> *b) De réaliser un juste règlement du problème des réfugiés ;*
>
> *c) De garantir l'inviolabilité territoriale et l'indépendance politique de chaque État de la région, par des mesures comprenant la création de zones démilitarisées.*

Votée à l'unanimité le 22 novembre 1967, cette résolution reprend, dans un texte très équilibré, les principales revendications tant arabes qu'israéliennes, mais passe complètement sous silence le fait national palestinien.

La **résistance palestinienne**, regroupée depuis 1964 dans l'Organisation de libération de la Palestine (OLP) dirigée par Yasser Arafat, se radicalise et durcit ses méthodes, intensifiant ses **actions de commandos ou de terrorisme** tant en Israël qu'ailleurs dans le monde (détournements d'avions, massacre des athlètes israéliens aux Jeux olympiques de Munich en 1972). Devenus majoritaires en **Jordanie**, les Palestiniens inquiètent les autorités jordaniennes, qui craignent que leur pays soit entraîné dans une nouvelle guerre par les opérations palestiniennes contre Israël. Le roi Hussein déclenche alors un véritable bain de sang en lançant son armée

LA CHARTE DE L'OLP
(EXTRAIT)

Art. 2 — La Palestine, dans les frontières du mandat britannique, constitue une unité territoriale indivisible.

Art. 3 — Le peuple arabe palestinien détient le droit légal sur sa patrie et déterminera son destin après avoir réussi à libérer son pays en accord avec ses vœux, de son propre gré et selon sa seule volonté.

Art. 22 — Le sionisme est un mouvement politique organiquement lié à l'impérialisme international et opposé à toute action de libération et à tout mouvement progressiste dans le monde. Il est raciste et fanatique par nature, agressif, expansionniste et colonial dans ses buts, et fasciste par ses méthodes. Israël est l'instrument du mouvement sioniste et la base géographique de l'impérialisme mondial, stratégiquement placé au cœur même de la patrie arabe afin de combattre les espoirs de la nation arabe pour sa libération, son union et son progrès. Israël est une source constante de menaces vis-à-vis de la paix au Proche-Orient et dans le monde entier.

contre les camps de réfugiés en 1970 (« Septembre noir »). Les survivants refluent vers le Liban, qui sera entraîné à son tour dans la tourmente.

La catastrophe de 1967 amène d'autre part un véritable **renversement des alliances** après la mort de Nasser (1970) : son successeur Anouar el-Sadate, abandonnant le rêve de l'unité arabe, renvoie chez eux tous les conseillers soviétiques et tente un rapprochement avec les États-Unis. Le 6 octobre 1973, durant la fête religieuse juive du Kippour, une offensive commune de l'Égypte et de la Syrie amène pour la première fois quelques succès militaires dans le camp arabe, mais cette « **guerre du Kippour** » se solde par un match nul sur le terrain, et ne règle évidemment en rien le fond du conflit.

En Asie, pendant ce temps, la première puissance militaire du monde s'enfonce de plus en plus dans le bourbier vietnamien. Le gouvernement pro-américain du Viêt-nam du Sud refusant de tenir — de peur de les perdre — les élections prévues dans les accords de Genève de 1954 (voir page 374), un Front national de libération a vu le jour en 1960, largement inspiré par les

AVION AMÉRICAIN DÉTRUIT SUR LA BASE DE DA-NANG, 1968

communistes et appuyé par le Viêt-nam du Nord. Invoquant la « théorie des dominos », selon laquelle une victoire communiste au Viêt-nam du Sud entraînerait toute l'Asie du Sud-Est dans le bloc continental, les États-Unis décident de venir en aide au gouvernement de Saigon, d'abord avec des « conseillers militaires », puis avec des troupes régulières et des bombardements massifs tant au Sud qu'au Nord. En 1968, alors que le contingent américain approche le demi-million d'hommes, le FNL déclenche la spectaculaire et coûteuse « offensive du Têt » (Nouvel An vietnamien) sur plus d'une centaine de villes et de bases militaires, atteignant jusqu'aux jardins de l'ambassade américaine de Saigon.

Ébranlés sur le terrain, en proie à une profonde crise morale intérieure qui se traduit par d'immenses manifestations contre la guerre, isolés par la réprobation mondiale, les États-Unis comprennent que cette guerre est sans issue et **ouvrent des négociations** avec l'adversaire. L'arrivée de Richard Nixon à la Maison Blanche entraîne un désengagement partiel des forces américaines, combiné à l'extension des bombardements au Laos et au Cambodge, par où transite l'aide nord-vietnamienne à destination du Sud. Mais la situation se dégrade sans cesse, et un **accord de cessez-le-feu** est finalement conclu en janvier 1973, les troupes américaines achevant leur retrait à la fin de mars. La guerre entre Vietnamiens se poursuit cependant pendant deux ans encore, et Saigon tombe aux mains des insurgés le 30 avril 1975, au milieu de scènes dramatiques qui semblent symboliser devant le monde entier la **plus grande défaite de l'histoire des États-Unis**, défaite qui, paradoxalement, contribue à consolider la détente.

Conclusion

La Deuxième Guerre mondiale a créé deux grands vainqueurs inégaux, les États-Unis et l'Union soviétique, qui basculent très vite d'une « Grande Alliance » pleine de sous-entendus dans une guerre froide où, entourée chacune de son bloc d'alliances, elles évitent de se retrouver directement face à face sur les champs de bataille. Après la guerre de Corée, une coexistence malaisée s'installe sur un « équilibre de la terreur » qui côtoie de bien près l'holocauste nucléaire lors de la crise des fusées de 1962, pendant qu'au Moyen-Orient se creuse sans rémission la spirale de la tragédie. Une détente certaine, mais non dépourvue de conflits persistants, s'installe vers le milieu des années soixante, libérant des forces centrifuges qui lézardent la solidarité interne des blocs. Vers 1973 des espoirs de paix véritable semblent permis, entre deux blocs que leur évolution interne, depuis trente ans, semble avoir rapprochés, du moins en ce qui concerne les pays dits « développés ».

Questions de révision

1. Quelles sont les décisions majeures prises par les membres de la Grande Alliance lors des conférences de Yalta et de Potsdam ?

2. Décrivez les principaux rouages de l'ONU ; expliquez précisément où se situe et en quoi consiste le droit de veto.

3. Comment se manifestent les « premiers craquements » de la Grande Alliance entre 1945 et 1947 ?

4. En quoi consistent la doctrine Truman et le plan Marshall ? Comment marquent-ils le début de la guerre froide du côté du bloc atlantique ?

5. Décrivez la naissance et l'extension du bloc continental entre 1947 et 1955.

6. Décrivez les origines, les enjeux et les résultats :

   a) de la première crise de Berlin (1948-1949) ;

   b) de la guerre de Corée (1950-1953).

7. Qu'entend-on par la « coexistence pacifique » et quelles sont les conditions nouvelles qui la rendent possible après 1953 ?

8. Décrivez les origines, les enjeux et les résultats de la deuxième crise de Berlin (1958-1961).

9. Décrivez les origines, les enjeux et les résultats :

   a) de la Première Guerre israélo-arabe (1948-1949) ;

   b) de la crise de Suez (1956).

10. Décrivez les origines, les enjeux et les résultats de la « crise des fusées » de 1962, et faites ressortir le danger qu'elle a représenté.

11. La guerre de Corée et la crise des fusées cubaines ne se sont pas transformées en guerres mondiales. Pourquoi ?

12. Montrez comment de nouvelles équipes dirigeantes apportent d'importants rajustements dans les relations entre les blocs vers le milieu des années soixante.

13. Décrivez les fissures qui apparaissent à l'intérieur de chaque bloc à l'époque de la détente.

14. Décrivez les origines, les enjeux et les résultats de la Troisième Guerre israélo-arabe (guerre des Six Jours, 1967).

9

DEUX MONDES EN CROISSANCE, 1945-1973

PENDANT QUE SE DÉPLOIENT DANS LE MONDE ENTIER LES GRANDES MANŒUVRES DE LA GUERRE FROIDE ET DE LA DÉTENTE, L'ÉVOLUTION INTÉRIEURE DES PAYS INDUSTRIELS EST MARQUÉE, D'ABORD ET AVANT TOUT, PAR UNE CROISSANCE ÉCONOMIQUE PRATIQUEMENT ININTERROMPUE, D'UNE AMPLEUR JAMAIS VUE DANS L'HISTOIRE HUMAINE ❧ PORTÉS SUR CETTE VAGUE AUX CRÊTES CEPENDANT INÉGALES, LE MONDE CAPITALISTE ET LE MONDE SOVIÉTO-COMMUNISTE CONNAISSENT DES ÉVOLUTIONS INTERNES CONTRASTÉES, DEPUIS LA MARCHE VERS L'INTÉGRATION EN EUROPE OCCIDENTALE ET LA REMONTÉE SPECTACULAIRE DU JAPON, JUSQU'À L'APOGÉE DE LA PUISSANCE AMÉRICAINE ET À LA DÉSTALINISATION EN UNION SOVIÉTIQUE ❧ PENDANT CE TEMPS, LE QUÉBEC, TENTANT DE COMBLER SON RETARD RELATIF DANS UN ENVIRONNEMENT EN ÉVOLUTION ACCÉLÉRÉE, PASSE DE LA GLACIATION DUPLESSISTE AU BOUILLONNEMENT DE LA RÉVOLUTION DITE « TRANQUILLE » QUI AMÈNE UNE REMISE EN QUESTION RADICALE DE SA PLACE DANS L'ENSEMBLE CANADIEN ❧

FERNAND LÉGER
« Les bâtisseurs » (1950).

Ce ne peut être qu'une idée infantile, celle qui envisage un progrès si absolu que la condition humaine soit, en peu d'années, affranchie de toute contrainte, contradiction, souffrance ou gêne, que le bonheur coule à pleins flots, que les bébés ne pleurent plus dans leurs berceaux, ni les adultes sur des échecs, des divorces ou des tombeaux, que les gouvernements soient bienfaisants et puissants tout en étant libéraux, que les planificateurs soient parfaitement informés et ne commettent jamais d'erreurs dans l'appréciation du bien des peuples,... que l'homme se montre à la fois « maître de son destin » et capable de définir le bon destin (comme si le destin n'était pas un enchevêtrement de facteurs évolutifs, presque tous inconnus et d'évolution imprévisible, dont les interactions engendrent les invités inattendus et effets pervers). Cependant, resteront sans nul doute parmi les plus marquantes années de l'histoire des hommes celles où la France comme l'Occident tout entier montrent une nouvelle voie au monde (et même si ces résultats sont encore insuffisants et précaires), ont affranchi de grandes masses d'hommes de la famine et de la misère millénaire, réduit à 15 % la mortalité infantile, donné à l'homme moyen la possibilité d'une information, d'une culture intellectuelle et spirituelle qui n'étaient naguère données qu'à une infime minorité.

JEAN FOURASTIÉ
Les Trente Glorieuses, Paris, Fayard, 1979.

CHRONOLOGIE

1944	Conférence de Bretton Wood : création du FMI
1947	Création du GATT
	Nationalisations en Grande-Bretagne
1948	Début du plan Marshall ; création de l'OECE
	Schisme yougoslave
1949	Création du CAEM
1950	Loi sur le mariage et réforme agraire en Chine
1953	Mort de Staline
	Réconciliation de l'URSS avec Tito
	Premier plan quinquennal en Chine
1956	« Rapport secret » de Khrouchtchev
	Soulèvements populaires en Pologne et en Hongrie
1957	Premier vol du *Spoutnik*
	Création de la Communauté économique européenne
	Rupture sino-soviétique
1958	Début du « grand bond en avant » en Chine
	De Gaulle fonde la Ve République en France
1960	Début de la Révolution tranquille au Québec
1961	John Kennedy devient président des États-Unis
1963	Assassinat de Kennedy
	Premiers attentats du Front de libération du Québec
1964	Khrouchtchev remplacé par Brejnev
1965	Début de la « grande révolution culturelle prolétarienne » en Chine
1968	Assassinats de Martin Luther King et de Robert Kennedy
	« Printemps de Prague »
	Pierre Elliott Trudeau devient premier ministre du Canada
1969	Richard Nixon devient président des États-Unis
1970	Crise d'Octobre au Québec
	Émeutes ouvrières en Pologne
1971	Le Club de Rome publie *Halte à la croissance !*

Le monde capitaliste

TOUJOURS PRÉSENTES À L'ESPRIT DES OCCIDENTAUX, LES ERREURS QUI ONT SUIVI LA PREMIÈRE GUERRE MONDIALE NE SERONT PAS RÉPÉTÉES APRÈS 1945.

L'EUPHORIE DE LA CROISSANCE

C'est aux trente années qui suivent la Deuxième Guerre mondiale que l'économiste Jean Fourastié a accolé l'expression « les Trente Glorieuses ». Il s'agit en effet d'une période, comparable à nulle autre, d'expansion économique forte et continue.

Les facteurs de cette croissance exceptionnelle sont multiples. L'**essor démographique** en est un des plus déterminants, avec le fameux « baby-boom » qui fait augmenter de 29 % la population des pays industrialisés du monde capitaliste pour l'ensemble de la période. Le **progrès technique** en est un autre, stimulé surtout, hélas ! par la course aux armements qui s'enclenche irrémédiablement après la guerre de Corée et qui fait du « complexe militaro-industriel », dénoncé même par le président Eisenhower dès 1960, un des rouages vitaux de l'économie. En effet, ses retombées profitent à la population civile, particulièrement sous la forme d'emplois nombreux et bien rémunérés.

Un autre moteur de la croissance est l'**investissement productif**, favorisé par le drainage de l'épargne au sein d'un réseau d'établissements financiers de plus en plus développé, par l'auto-financement des sociétés à même leurs profits et par les **dépenses publiques** d'infrastructures (réseau routier, communications). L'État ne se limite d'ailleurs pas à ces investissements publics, mais alimente également la croissance par des **politiques budgétaires et monétaires de stabilisation** inspirées de Keynes (voir page 143) et par la mise en place d'un vaste **système de sécurité sociale** qui contribue à maintenir un niveau minimal de consommation dans les classes défavorisées.

Enfin, l'**expansion des échanges internationaux** contribue au dynamisme de ces « Trente Glorieuses ». Cette expansion est favorisée par la libéralisation du commerce et le développement des investissements transnationaux au sein des firmes multinationales. Entre 1950 et 1975, pendant que la production mondiale croît de 5 % par année, le commerce international croît de 7 %, tandis que le volume des transactions financières internationales est multiplié par six.

À côté de ces facteurs fondamentaux, deux institutions, mises sur pied à la fin de la Deuxième Guerre pour prévenir les difficultés qui avaient suivi la première, fournissent l'encadrement nécessaire à une croissance sans soubresauts : le Fonds monétaire international et le GATT.

Un nouveau **système monétaire international** (SMI) a d'abord été mis en place par les accords de Bretton Woods (1944). Toutes les monnaies seront librement convertibles, entre elles et avec le dollar américain, sur la base de taux de change fixes. Les États-Unis détenant les deux tiers du stock d'or mondial, seul le dollar américain sera convertible en or, sur une base fixe de 35 dollars l'once. Le bon fonctionnement de ce système est assuré

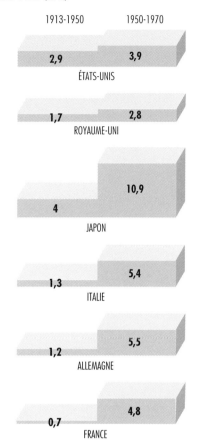

Le taux de croissance annuel moyen du PNB (en %)

1913-1950   1950-1970

	1913-1950	1950-1970
ÉTATS-UNIS	2,9	3,9
ROYAUME-UNI	1,7	2,8
JAPON	4	10,9
ITALIE	1,3	5,4
ALLEMAGNE	1,2	5,5
FRANCE	0,7	4,8

Le système monétaire de Bretton Woods

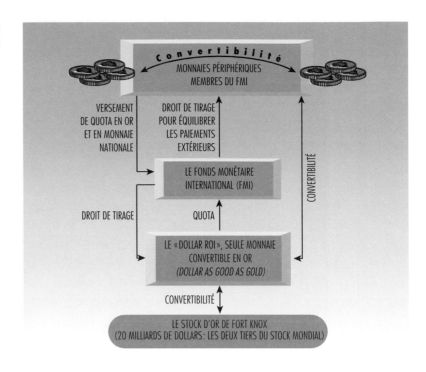

Convertibilité

MONNAIES PÉRIPHÉRIQUES
MEMBRES DU FMI

VERSEMENT
DE QUOTA EN OR
ET EN MONNAIE
NATIONALE

DROIT DE TIRAGE
POUR ÉQUILIBRER
LES PAIEMENTS
EXTÉRIEURS

CONVERTIBILITÉ

LE FONDS MONÉTAIRE
INTERNATIONAL (FMI)

DROIT DE TIRAGE

QUOTA

LE « DOLLAR ROI », SEULE MONNAIE
CONVERTIBLE EN OR
(DOLLAR AS GOOD AS GOLD)

CONVERTIBILITÉ

LE STOCK D'OR DE FORT KNOX
(20 MILLIARDS DE DOLLARS : LES DEUX TIERS DU STOCK MONDIAL)

LA SUPRÉMATIE DU DOLLAR US

Les accords de Bretton Woods ont fait du dollar la seule véritable monnaie mondiale: partout reçue, voire sollicitée avec empressement, mieux même que l'or. Le rôle de ce dernier est ambigu: le métal jaune, en effet, demeure présent puisque c'est par rapport à lui qu'est défini le dollar à une parité inchangée alors depuis zla dévaluation de janvier 1934 (1 once d'or = 35 dollars). Mais, en fait, le dollar est la seule monnaie à circulation mondiale convertible en or. Sur l'or, il a des avantages marqués: dès lors que ses détenteurs prennent la précaution de le placer en bons du Trésor des États-Unis, il porte intérêt (« C'est de l'or qui rapporte ») ; il permet de se procurer partout, et spécialement aux États-Unis [...], produits ou services très recherchés, plus facilement même qu'avec de l'or, puisque celui-ci ne circule plus comme monnaie.

Les États-Unis voient aussi, grâce au système de Bretton Woods, se renforcer puissamment leur rôle de banquier du monde, qu'ils avaient commencé à exercer dans l'entre-deux-guerres. Après 1945, l'affaiblissement du Royaume-Uni est tel que les États-Unis le distancent irrémédiablement dans ce rôle. Ils deviennent ainsi les intermédiaires obligés dans le grand commerce international. [...]

Enfin, les États-Unis tiennent en main, non seulement en fait mais statutairement, tout le régime. Au FMI, les voix sont fonction des quotas déposés par les différents États membres, et de la place tenue par leurs monnaies. [...] Or les États-Unis [...] ont toujours réussi depuis 1945 à garder plus de 20 % des voix, ce qui leur donne un droit de veto.

Les besoins en dollars, au lendemain de la Deuxième Guerre mondiale, étaient tels que tout système permettant d'atténuer le dollar gap généralisé dont souffrait alors le monde eût été accueilli avec empressement.

MATHIEX ET VINCENT
Aujourd'hui, Paris, Masson, 1985.

par la création d'un **Fonds monétaire international** (FMI), sorte de caisse mutuelle à laquelle chaque pays verse une cotisation (« quota ») proportionnelle à son importance économique, en échange de quoi ce pays obtient un « droit de tirage » en devises étrangères pour équilibrer sa balance des paiements afin de maintenir la parité de sa monnaie à plus ou moins 1 % du taux fixé.

Ainsi se trouve écarté le spectre de l'instabilité monétaire, qui a joué un si grand rôle dans les difficultés de l'entre-deux-guerres. Devenu, comme on le dit à l'époque, « *as good as gold* », le dollar américain est promu monnaie de réserve internationale et détrône définitivement la livre sterling. Combinée au pouvoir qu'exercent les États-Unis sur le FMI, au sein duquel le droit de vote est proportionnel au quota de chaque membre, cette situation assure l'**hégémonie économique américaine** sur une bonne partie de l'humanité.

Également pour exorciser le souvenir lancinant des années trente, un **Accord général sur les tarifs douaniers et le commerce** est signé en 1947 afin de libéraliser les échanges. Le GATT (General Agreement on Tariffs and Trade) préconise une sorte de « désarmement douanier » par l'abaissement des barrières tarifaires et non tarifaires

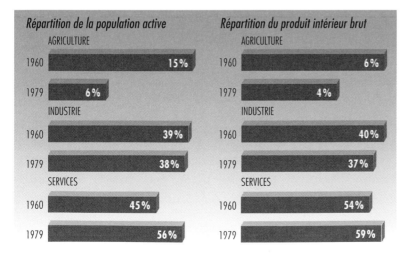

Répartition de la population active

AGRICULTURE
1960 : 15%
1979 : 6%

INDUSTRIE
1960 : 39%
1979 : 38%

SERVICES
1960 : 45%
1979 : 56%

Répartition du produit intérieur brut

AGRICULTURE
1960 : 6%
1979 : 4%

INDUSTRIE
1960 : 40%
1979 : 37%

SERVICES
1960 : 54%
1979 : 59%

Évolution du poids relatif de l'agriculture, de l'industrie et des services dans l'économie des grands pays industriels à économie de marché
(en moyennes pondérées)

N.B. Il existe évidemment de grandes différences de répartition entre les pays industriels autour de ces pourcentages moyens pondérés qui dessinent néanmoins la tendance générale.
Source : Banque mondiale, *Rapport de 1981*.

(ex. : contingentements) entre les pays, la réciprocité de traitement entre les signataires (« clause de la nation la plus favorisée ») et l'élimination des pratiques déloyales comme le dumping■. Le GATT fournit surtout un cadre de négociations relativement souple, auquel adhèrent dès le départ 23 pays assurant 80 % du commerce mondial.

La croissance des Trente Glorieuses ne se fait cependant pas au même rythme selon les grands secteurs de l'économie. L'**agriculture**, bien que poussée vers de nouveaux sommets de productivité par la mécanisation, la « chimisation » (emploi de fertilisants et de pesticides chimiques) et les recherches génétiques, est en recul relatif par rapports aux autres secteurs, sa part descendant autour de 5 % de l'emploi et de la production.

L'**industrie** est le vecteur principal de la croissance. La « seconde révolution industrielle » atteint sa pleine maturité : la consommation d'énergie augmente de 3 % à 4 % par année, le pétrole s'imposant comme source première (production mondiale multipliée par 10) pendant que le charbon décline et que l'électricité et le nucléaire accroissent leur part relative. Le pétrole alimente également l'industrie chimique, grande pépinière de produits nouveaux apparaissant sur le marché à un rythme soutenu. À partir de 1960, les industries de pointe amorcent une **troisième révolution industrielle** : celle du nucléaire, de l'aérospatiale et de l'électronique, où la RD (recherche - développement) joue un rôle moteur.

Enfin, le **secteur multiforme des services** connaît une véritable explosion, dépassant dans certains cas les 50 % de la richesse nationale et de l'emploi. Les services traditionnels (transports, banques, assurances, gestion) se développent et se complexifient, tandis que les besoins nouveaux des consommateurs dans les domaines de la santé, des loisirs et de la culture engendront un gonflement spectaculaire d'activités, tant publiques que privées.

La croissance généralisée des Trente Glorieuses n'est cependant pas sans contrepartie, et elle va se heurter à des critiques de plus en plus vives à la fin des années soixante.

D'abord, les **inégalités** dans la croissance sont frappantes. Inégalités entre pays, car la distance qui sépare les pays riches des pays pauvres s'accroît considérablement au lieu de diminuer, ce qui amène certains observateurs à parler d'un véritable « développement du sous-développement » (voir chapitre 11). Mais aussi, à l'intérieur même des pays développés d'économie libérale, la croissance fait de nombreux laissés-pour-compte, creusant là également l'écart entre les bénéficiaires de la modernisation et ses victimes (paysans « dessouchés », chômeurs).

La croissance s'accompagne aussi d'une « **inflation rampante** » qui prend désormais un caractère structurel, c'est-à-dire indissolublement lié aux modalités mêmes de cette croissance. L'accroissement de la demande entraîne en effet le **gonflement de la masse monétaire**, sans lequel l'expansion ne pourrait se faire. On passe ainsi, vers 1960, d'une situation de manque de dollars (« *dollar gap* ») à une situation d'excès, tandis que la balance des paiements américaine devient déficitaire. La crédibilité du dollar américain, base du système de Bretton Woods, est entamée et plusieurs pays échangent leurs dollars contre de l'or, faisant fondre les réserves de Fort Knox de 25 à 10 milliards de dollars. Au début des années 1970, les bases de la croissance sont sérieusement compromises.

Enfin, les « **coûts** » **de la croissance** apparaissent de plus en plus avec les années. Coût social illustré par la montée du chômage due à l'innovation technologique, par l'extension tentaculaire des banlieues et la dégradation des centres-villes, par l'abrutissement du « métro-boulot-dodo ». Coût environnemental par la pollution de l'air et de l'eau, la destruction de la nature, le gaspillage de ressources non renouvelables. En 1971, un groupe de penseurs et d'observateurs venus d'horizons divers et réunis au sein du Club de Rome publie un rapport choc intitulé *Halte à la croissance !*, où il réclame la « croissance zéro » comme seule façon d'éviter la catastrophe mondiale. Il ne sera guère écouté.

L'« inflation rampante »

Pays	1952-1962 (%)	1962-1971 (%)
Belgique	1,1	3,6
Canada	1,1	3,1
États-Unis	1,3	3,3
France	3,7	4,2
Italie	2,3	4,1
Japon	3,3	5,7
Pays-Bas	2,5	5,2
RFA	1,3	3,0
Royaume-Uni	3,0	4,7
Suisse	1,4	3,8

Taux moyen de la hausse annuelle des prix à la consommation.

DE L'EUROPE AU JAPON : DES ÉVOLUTIONS CONTRASTÉES

Au sein de cette croissance économique généralisée, les évolutions nationales et régionales présentent des contrastes marqués.

Au lendemain de la guerre, l'**Europe occidentale** est dans une situation difficile. Moins ravagée que l'Europe orientale, elle a néanmoins subi d'importants dommages matériels, ses circuits économiques sont désorganisés et son manque de moyens de paiement l'empêche de se procurer aux États-Unis, seuls en mesure de les lui fournir, les denrées alimentaires et les produits industriels dont elle a un urgent besoin. Le rationnement sévère maintenu malgré la fin du conflit, d'importantes pénuries de charbon et la misère généralisée entraînent des troubles sociaux graves au début de 1947.

C'est le **plan Marshall** (voir page 280) qui permettra de sortir de l'impasse. Combiné à d'autres programmes d'aide financière, le plan Marshall dirige vers l'Europe occidentale plus de 10 milliards de dollars, la plupart sous la forme de dons, les grandes bénéficiaires en étant le Grande-Bretagne, la France, l'Allemagne de l'Ouest et l'Italie. Une des conditions fixées par les États-Unis est que les pays d'Europe se concertent afin de répartir cette aide, ce qui amène la création de la **première institution « européenne »** : l'OECE (Organisation européenne de coopération économique), qui deviendra l'OCDE (Organisation de coopération et de développement économique).

Ainsi lancée à l'initiative des États-Unis, la construction européenne progresse, non sans difficultés. Après un Conseil de l'Europe dénué de vrais pouvoirs (1949), une première intégration économique voit le jour avec la CECA (Communauté européenne du charbon et de l'acier), donnant naissance à l'« Europe des Six » qui consacre sa marche vers l'unification par l'ouverture du **Marché commun** le 1er janvier 1959. L'Allemagne fédérale, la France, l'Italie et les pays du Benelux (Belgique, Pays-Bas, Luxembourg) créent ainsi la Communauté

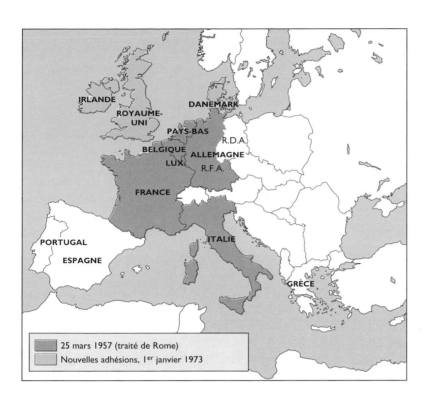

IRLANDE
ROYAUME-UNI
DANEMARK
PAYS-BAS
R.D.A.
BELGIQUE
ALLEMAGNE
LUX.
R.F.A.
FRANCE
PORTUGAL
ESPAGNE
ITALIE
GRÈCE

■ 25 mars 1957 (traité de Rome)
□ Nouvelles adhésions, 1er janvier 1973

LE TRAITÉ DE ROME (1957)

L'action de la Communauté comporte, dans les conditions et selon les rythmes prévus par le présent traité :

a) *l'élimination, entre les États membres, des droits de douane et des restrictions quantitatives à l'entrée et à la sortie des marchandises, ainsi que de toutes autres mesures d'effet équivalent,*

b) *l'établissement d'un tarif douanier commun et d'une politique commerciale commune envers les États tiers,*

c) *l'abolition, entre les États membres, des obstacles à la libre circulation des personnes, des services et des capitaux,*

d) *l'instauration d'une politique commune dans le domaine de l'agriculture,*

e) *l'instauration d'une politique commune dans le domaine des transports,*

f) *l'établissement d'un régime assurant que la concurrence n'est pas faussée dans le marché commun,*

g) *l'application de procédures permettant de coordonner les politiques économiques des États membres et de parer aux déséquilibres dans leurs balances des paiements,*

h) *le rapprochement des législations nationales dans la mesure nécessaire au fonctionnement du marché commun,*

i) *la création d'un Fonds social européen, en vue d'améliorer les possibilités d'emploi des travailleurs et de contribuer au relèvement de leur niveau de vie,*

j) *l'institution d'une Banque européenne d'investissement, destinée à faciliter l'expansion économique de la Communauté par la création de ressources nouvelles,*

k) *l'association des pays et territoires d'outre-mer, en vue d'accroître les échanges et de poursuivre en commun l'effort de développement économique et social.*

Extrait du Traité instituant
la CEE, 25 mars 1937.

économique européenne (CEE), dont le succès attire bientôt des demandes d'adhésion qui, après de très longs palabres, permettent à la Grande-Bretagne, au Danemark et à l'Éire d'entrer dans ce qui devient l'Europe des Neuf le 1er janvier 1973.

Dans cette Europe en construction, les destins nationaux présentent des différences marquées.

Au **Royaume-Uni**, l'économie évolue en dents-de-scie alors que se désagrège le prestigieux empire qu'une métropole affaiblie ne peut plus maintenir. Le passage des travaillistes au gouvernement (1945 - 1951 et 1954 - 1970) est cependant marqué par de **profondes réformes** économiques (nationalisations) et sociales (santé, logement, assurance sociale) qui, tout en aggravant les difficultés financières du pays, instaurent un « *Welfare State* » (État providence) dont les bases ne seront pas remises en cause pendant plus de trente ans. Mais l'insuffisance des investissements productifs et la faible croissance démographique sont de mauvais augure pour les années à venir.

Face aux difficultés britanniques, le redressement de l'**Allemagne de l'Ouest** lui vaut l'étiquette de « miracle ». Dévastée par la guerre, l'Allemagne fédérale qui naît en 1948 a tout de même de **puissants atouts** : un énorme **potentiel industriel** que les bombardements alliés ont, assez étonnamment, laissé largement intact, une **main-d'œuvre** qualifiée et surabondante (afflux de réfugiés), peu exigeante sur les salaires, une **absence de dépenses militaires** jusqu'en 1955 et une modération par la suite dans ce domaine, enfin une **aide américaine** précoce et considérable dans le contexte de la guerre froide. L'économie allemande peut ainsi multiplier sa production par quatre entre 1950 et 1970, devenant une des premières puissances industrielles du monde, tandis que se consolident les institutions démocratiques.

En **France**, l'instabilité gouvernementale et de désastreuses guerres de décolonisation (Indochine, Algérie ; voir chapitre 10) ralentissent l'évolution économique jusqu'à 1958, alors que revient au pouvoir le général de Gaulle, qui dote le pays d'une nouvelle constitution avec un président investi de larges pouvoirs (Vᵉ République) et met fin à la guerre d'Algérie en reconnaissant son indépendance. Stabilisée, la France connaît un essor économique remarquable, malgré sa faible compétitivité internationale.

De l'autre côté de l'Atlantique, les **États-Unis atteignent l'apogée de leur puissance** tout de suite après la guerre. Les pertes dues au conflit sont extrêmement limitées (« seulement » 300 000 morts, soit 70 fois moins que l'URSS), et le potentiel industriel, épargné par les bombardements, a doublé, atteignant la moitié du potentiel mondial. Détenteurs d'un stock d'or monétaire apparemment inépuisable, leur flotte marchande représentant les deux tiers de la flotte mondiale, produisant à eux seuls plus que le reste du monde dans certains secteurs clés (aluminium, caoutchouc synthétique, navires, automobiles, avions), assurant le quart des échanges mondiaux, ils disposent d'une suprématie économique totale, et même des denrées nécessaires à la survie alimentaire d'une partie de l'humanité.

La récession qui avait suivi la Première Guerre ayant été évitée par le plan Marshall et la guerre de Corée, l'Amérique des années cinquante plonge goulûment dans la **société de l'abondance**. Ayant à peu près échoué dans sa tentative de poursuivre les politiques du *New Deal* (voir page 136), devant un Congrès hostile de plus en plus gagné par l'hystérie anti-communiste, le président Truman est remplacé en 1953 par le général Dwight D. Eisenhower, organisateur de la victoire de 1945 sur le théâtre européen. La paix rétablie en Corée, le président Eisenhower parvient dans une certaine mesure à rassurer les esprits, cherchant à maintenir les positions américaines sans mettre en danger la fragile détente qui s'amorce.

Les États-Unis sont secoués dans leur quiétude à la fin des années cinquante par le lancement du *Spoutnik* soviétique, premier satellite artificiel autour de la Terre, dont le fameux « bip ! bip ! », capté par toutes les radios, est reçu comme une humiliation nationale. Un **vent de renouveau** amène à la Maison Blanche celui qui incarne la jeunesse, le dynamisme et l'espoir : John Fitzgerald Kennedy, à 43 ans le plus jeune président de l'histoire américaine (il est alors plus jeune qu'un certain Ronald Reagan qui sera président vingt ans plus tard...). Profondément imbu des valeurs et de la mission de l'Amérique, Kennedy propose une « **nouvelle frontière** », celle de la course à l'espace tout autant que de la déségrégation raciale, de la lutte à la pauvreté, de l'aide au tiers monde.

Cependant, sa « mollesse » face à Cuba (baie des Cochons, crise des fusées), sa lutte contre le crime organisé, ses démêlés avec la CIA (Central Intelligence Agency) lui valent de puissantes et tenaces inimitiés qui contribuent certainement, quoique à des degrés encore mal précisés, à son assassinat à Dallas le 22 novembre 1963. Ce jour-là, que tous ceux qui l'ont vécu se rappellent toujours avec une absolue précision, quelque chose s'est brisé, au plus profond de l'Amérique et d'une partie du monde.

LA « NOUVELLE FRONTIÈRE »

La Nouvelle Liberté de Woodrow Wilson[1] avait promis à notre pays un nouveau cadre politique et économique. Le New Deal de Franklin Roosevelt[2] promettait la sécurité et l'assistance à tous ceux qui étaient dans le besoin. Mais la Nouvelle Frontière dont je parle n'est pas une série de promesses, c'est une série de problèmes. Elle résume non point ce que j'ai l'intention d'offrir au peuple américain, mais ce que j'ai l'intention de lui demander. Elle fait appel à sa fierté, non à son portefeuille. Elle promet davantage de sacrifices et non davantage de tranquillité.

Mais je vous dis que nous sommes devant la Nouvelle Frontière, que nous le voulions ou non. Au-delà de cette frontière s'étendent les domaines inexplorés de la science et de l'espace, des problèmes non résolus de paix et de guerre, des poches d'ignorance et de préjugés non encore réduites, et les questions laissées sans réponse de la pauvreté et des surplus.

J'estime que notre temps exige intention, imagination, innovation et décision. Je vous demande d'être les nouveaux pionniers de cette Nouvelle Frontière...

J.-F. KENNEDY

Discours d'acceptation de l'investiture démocrate, 15 juillet 1960.
1. Président démocrate élu en 1912.
2. Président démocrate élu en 1932.

Les années qui suivent sont celles du désenchantement et du doute, durant lesquelles les États-Unis vont risquer l'éclatement autour de deux abcès majeurs : la guerre du Viêt-nam et la question raciale.

Au **Viêt-nam**, où Kennedy a déjà expédié des conseillers militaires, son successeur Lyndon Johnson, pris dans l'engrenage, gonfle les effectifs jusqu'à 500 000 hommes, dans une guerre « sale » quotidiennement relayée jusque dans les foyers par la télévision et qui soulève l'indignation morale d'une bonne partie du peuple américain. **Toute la décennie 1960 gravite autour de cette guerre** : le complexe militaro-industriel accroît encore son importance économique, la jeunesse entre massivement en dissidence contre cette société égoïste et impérialiste qui lui répugne (mouvement hippie), et les États-Unis voient leur prestige sévèrement entamé même auprès de leurs meilleurs amis.

Quant au **problème racial**, persistant malgré toutes les bonnes volontés, il explose finalement en **soulèvements urbains incontrôlables**, particulièrement après l'assassinat du leader noir Martin Luther King en 1968. La même année, Robert Kennedy, frère du président assassiné et lui-même candidat à la présidence, tombe à son tour sous les balles d'un meurtrier, et il semble que cette descente aux enfers n'aura plus de fin.

L'élection de Richard Nixon en 1968 dans une Amérique en transe marque un **retour au pragmatisme**. Malgré sa réputation de « faucon », celui-ci réussit en effet à retirer son pays du cloaque vietnamien, ce qui contribue pour beaucoup à ramener un certain calme. Mais, à l'orée des années soixante-dix, les États-Unis ne sont plus en mesure de jouer les « gendarmes du monde », et ils doivent désormais composer avec des réalités nouvelles.

Le monde capitaliste se complète, en Asie, d'un élément dont la fulgurante remontée pulvérise toutes les prévisions. Vaincu, ruiné, bouleversé moralement par une capitulation que la propagande de guerre avait rendue impensable et par la première occupation étrangère de

L'AMÉRIQUE DIVISÉE

Aux Jeux Olympiques de Mexico (1968), deux médaillés portant les couleurs des États-Unis lèvent le poing et baissent la tête pendant que joue l'hymne national américain, dans un geste spectaculaire de défi, relayé à travers le monde par les caméras de télévision.

son histoire, le **Japon** de 1945 ne semble guère promis à un brillant avenir. Dans moins de 25 ans seulement, il sera pourtant devenu la troisième puissance économique du monde.

À l'origine de ce « miracle » devenu terme de référence (on dit : « une croissance à la japonaise »), de nombreux facteurs se conjuguent. Une **population** abondante se contentant d'un faible niveau de vie et l'**extrême faiblesse des dépenses militaires** (la renonciation à la guerre est inscrite en toutes lettres dans la constitution de 1946), se combinent à l'**intervention discrète mais efficace de l'État** par une planification souple et la conduite des relations économiques avec l'extérieur. À quoi il faut ajouter la **persistance de mentalités ancestrales** chez des patrons soucieux de progrès et chez des employés entièrement dévoués, le maintien d'un **fort secteur économique traditionnel** aux salaires extrêmement faibles,

USINE DE MONTAGE ÉLECTRONIQUE AU JAPON

véritable « enclave de sous-développement » intérieur dont l'exploitation permet la fulgurante percée des industries de pointe, et enfin l'**aide financière et technique des États-Unis**, particulièrement au moment de la guerre froide.

Sur le plan politique, la constitution de 1946 instaure une sorte de monarchie parlementaire où l'empereur, déchu de ses attributs divins, « règne sans gouverner ». Ce cadre imposé par le vainqueur — la constitution est rédigée en anglais — assure cependant une **grande stabilité**, un seul et même parti occupant sans interruption le pouvoir depuis 1948 (la tutelle américaine prend fin en 1952) dans une société où la vie politique suscite assez peu de débats, sauf sur la question des rapports avec les États-Unis (bases américaines et armes nucléaires).

QUÉBEC-CANADA : DE LA GUERRE À LA RÉVOLUTION TRANQUILLE

À l'instar des États-Unis, le Canada est sorti relativement indemne de la guerre, qui lui a cependant coûté quelque 21 milliards de dollars, ce qui est tout de même une contribution énorme pour un pays de 12 millions d'habitants. Au lendemain du conflit, la **« continentalisation » de l'économie nord-américaine** accentue la dépendance du Canada face à son puissant voisin. Devant des pays

Répartition des exportations et des importations du Canada, 1946-1960 (en % de la valeur totale)

	1946	1950	1955	1960
Exportations				
États-Unis	38,9	65,1	59,8	55,8
Grande-Bretagne	26,1	15,1	18,0	17,4
Autres pays	35,0	19,8	22,2	26,8
Importations				
États-Unis	75,3	66,9	72,9	67,2
Grande-Bretagne	7,5	12,8	8,6	10,8
Autres pays	17,2	20,3	18,5	22,0

Source : *Annuaire du Canada 1967*, p. 1045.

européens incapables de payer leurs achats à l'étranger, le Canada doit intensifier ses exportations vers les États-Unis, grands dévoreurs de matières premières. Les capitaux américains se déversent en trombe vers le nord, à la fois pour accélérer le développement des secteurs destinés au marché américain (produits forestiers, fer et autres minéraux) et pour assurer un débouché à la production industrielle américaine en installant au Canada des filiales des grandes entreprises d'outre-frontière. L'économie canadienne devient une **économie de succursales**, véritable satellite des États-Unis, pour les besoins desquels sera réalisée la colossale entreprise de la Voie maritime du Saint-Laurent (1959), qui favorisera largement le développement de Toronto au détriment de Montréal.

Sur le plan politique, c'est le **rôle international nouveau** joué par le Canada qui marque la période. Dans le cadre de la guerre froide, il devient membre de l'OTAN, participe à la guerre de Corée, contribue à l'aide aux pays sous-développés (plan de Colombo), obtient même un siège au Conseil de sécurité de l'ONU, où le représentant canadien Lester B. Pearson propose en 1956 l'envoi de « casques bleus » au Moyen Orient (voir page 296), méritant ainsi le prix Nobel de la Paix en 1957. En **politique intérieure**, le long règne des libéraux prend fin en 1957 par le retour des conservateurs de John Diefenbaker, dont la victoire fracassante de 1958 est sans lendemain. Dès 1962, les libéraux reprennent le pouvoir, mais ils n'arrivent à former que des gouvernements minoritaires jusqu'à l'entrée en scène de Pierre Elliott Trudeau, qui inaugure en 1968 une nouvelle étape dans l'évolution du pays.

Au **Québec**, les années cinquante sont marquées par la personnalité et l'œuvre de **Maurice Duplessis**, revenu de justesse au pouvoir en 1944. Pendant que l'économie connaît un essor fulgurant, dû pour une bonne part aux investissements américains et ayant pour effet de ramener le taux de chômage au seuil du plein emploi (2,7 % en 1947), le taux de natalité connaît un sursaut sur deux décennies, provoquant une forte croissance démographique encore accentuée par l'arrivée de plus de 400 000 immigrants. Le revenu personnel par habitant croît alors

plus vite que l'inflation, améliorant le niveau de vie général de la population, qui entre ainsi de plain-pied dans la société de consommation.

Pendant ce temps s'installe sur le Québec la chape de plomb du **duplessisme**, mélange de profond conservatisme favorable à l'entreprise privée et particulièrement au capitalisme américain, de refus de l'État providence, d'antisyndicalisme viscéral, de personnalisation du pouvoir, de partisannerie étroite et de corruption publique généralisée. Le mépris envers les intellectuels, dédaigneusement qualifiés de « poètes », et envers l'éducation en

LE DUPLESSISME

Respect de l'ordre et de l'autorité établie

« Les deux autorités civile et religieuse doivent être également respectées parce qu'elle viennent de Dieu.[...] Il ne peut y avoir d'ordre nouveau[...]. Ne vous laissez pas atteindre par la tuberculose et le cancer de la pensée[...].La province a besoin de stabilité économique, sociale et nationale. »

Le Devoir, 14 juillet 1949,
19 août 1949, 21 juin 1948.

Défense de l'entreprise privée

« C'est le système par excellence, celui de la logique, de la justice, du progrès, de la prospérité[...] c'est le seul conforme à la dignité humaine, à la vérité profonde et au progrès durable. »

Le Devoir, 18 octobre 1950.

Refus de l'État providence

« Aide-toi et le ciel t'aidera... »
« C'est lorsque chacun accomplit son devoir que les droits de tous sont complètement garantis. En toute évidence, le paternalisme d'État paralyse infailliblement et fatalement les initiatives fécondes et nécessaires, et conduit, en définitive, à la ruine des individus et des peuples. »

Le Devoir, 2 janvier 1952.

Tradition agriculturiste

« L'agriculture, c'est l'industrie basique, la pierre angulaire du progrès, de la stabilité et de la sécurité. Les peuples forts sont ceux chez lesquels l'agriculture occupe une place de choix. »

Le Devoir, 29 juin 1950.

Favorable aux développements des ressources naturelles par les intérêts étrangers

« Nous avons les ressources, vous avez l'argent [...] travaillons ensemble. »

Le Devoir, 20 juillet 1953.

Anti-syndicalisme

« La grande loi du travail est d'inspiration divine et la sentence portée contre le premier homme est toujours en force : tu travailleras à la sueur de ton front. »

Le Devoir, 3 janvier 1949.

« Le capital et le travail doivent se donner la main. »

Le Devoir, 12 juin 1952.

général, instaure un climat idéologique étouffant qualifié de « grande noirceur ». Celui qu'on appelle « le Chef » affirme : « L'éducation, c'est comme la boisson : il y en a qui ne portent pas ça »... Son nationalisme purement défensif, axé sur les seules valeurs traditionnelles (agriculture et religion), lui attire beaucoup de suffrages, particulièrement quand il obtient la récupération d'une partie de l'impôt sur le revenu abandonné au fédéral pendant la guerre. Mais les nationalistes eux-mêmes se retourneront contre lui quand apparaîtra de plus en plus évident le caractère stérile de cette « défense de l'autonomie provinciale ».

Duplessis disparu, l'élection de 1960 ramène au pouvoir les libéraux et marque le lancement de ce qu'on va appeler la « **Révolution tranquille** ». Dans une atmosphère d'euphorie généreuse et quelque peu utopique, un immense **rattrapage** est entrepris dans l'éducation, la santé, les services sociaux, la fonction publique, les mœurs politiques, et le Québec entre résolument dans

---

LA RÉVOLUTION TRANQUILLE

Alors que le Canada anglais se donnait une bonne conscience libérale en se comparant à la «priest ridden province» conservatrice et réactionnaire, au Québec, il y avait deux vieux dictons qui couraient les rues : «Au pays du Québec, rien ne change» et «Plus ça change, plus c'est pareil». Puis soudain, la mer de tranquillité s'agita. Américains, Européens et Canadiens constatent avec étonnement : «Ça bouge au Québec.»

Si on emploie le terme révolution pour désigner les changements survenus au Québec dans les années 60, c'est beaucoup plus en fonction du retard qu'il fallait rattraper qu'en raison du contenu même de ces changements. En réalité, on a beaucoup plus imité qu'innové dans la recherche des solutions pour corriger les déséquilibres structurels et l'état de dépendance de l'économie et de la société québécoises. L'idéologie de remplacement était une idéologie d'emprunt. Ainsi la nouvelle élite au pouvoir s'inspirait des méthodes de gestion européennes et américaines et valorisait l'efficacité, le rendement et le quantitatif, alors que les nouvelles oppositions puisaient aux sources des modèles de la décolonisation africaine, de la révolution cubaine et de la lutte des Noirs américains. C'est surtout le rythme rapide des transformations après une longue période de stagnation, qui donne son caractère révolutionnaire à cette période d'évolution tapageuse de la société québécoise [...].

[...] Divers slogans illustrent bien le nouveau climat qui prévaut (sic) à la fin de la grande noirceur du régime Duplessis: le célèbre «Désormais» de Paul Sauvé, «c'est le temps que ça change», de Jean Lesage, «Maître chez nous» (R. Lévesque), «On est capable» (R.I.N.) «Égalité ou indépendance» (Daniel Johnson), «Québec sait faire» (J.-J. Bertrand).

DENIS MONIÈRE
Le développement des idéologies au Québec, Montréal, Québec/Amérique, 1977 .

l'ère de l'État providence. Le nationalisme lui-même est révisé et débouche sur une nouvelle attitude : il ne s'agit plus de défendre l'autonomie provinciale contre des empiétements du fédéral, mais cette fois de **récupérer** du fédéral des pouvoirs nouveaux et les sources de taxation nécessaires pour les exercer. Et des Québécois de plus en plus nombreux, mais encore très minoritaires, passent carrément à l'**option indépendantiste**, qui se développe à la fois sur le terrain électoral avec de nouveaux partis (Rassemblement pour l'indépendance nationale, Parti québécois) et sur le terrain de la violence avec l'apparition du terrorisme incarné par le Front de libération du Québec, dont les premières bombes explosent à Montréal en 1963.

L'arrivée à la tête du gouvernement fédéral, en 1968, de Pierre Elliott Trudeau, qui a traité les Québécois francophones de « pouilleux », n'est pas faite pour arranger les choses. Les attentats se multiplient (parfois avec la complicité de forces policières jouant la provocation), jusqu'à

LA CRISE D'OCTOBRE

Extrait du Manifeste du FLQ, 7 octobre 1970

Le Front de Libération du Québec n'est pas le messie, ni un Robin des bois des temps modernes. C'est un regroupement de travailleurs québécois qui sont décidés à tout mettre en œuvre pour que le peuple québécois prenne définitivement en mains son destin.

Le Front de Libération du Québec veut l'indépendance totale des Québécois, réunis dans une société libre et purgée à jamais de sa clique de requins voraces, les « big boss » patronneux et leurs valets qui ont fait du Québec leur chasse gardée du cheap labor et de l'exploitation sans scrupule [...].

[...] Oui, il y en a des raisons à la pauvreté, au chômage, aux taudis, au fait que vous, M. Bergeron de la rue Visitation et aussi vous, M. Legendre de Ville de Laval, qui gagnez 10 000 $ par année, vous ne vous sentiez pas libres en notre pays le Québec.

Oui, il y en a des raisons, les gars de la Lord les connaissent, les pêcheurs de la Gaspésie, les travailleurs de la Côte-Nord, les mineurs de l'Iron Ore, de Québec Cartier Mining, de la Noranda les connaissent eux aussi ces raisons [...].

[...] Les travailleurs de Dupont of Canada en savent eux aussi, même si bientôt ils ne pourront que les donner en anglais[...].

Nous en avons soupé du fédéra-

lisme canadien qui pénalise les producteurs laitiers du Québec pour satisfaire aux besoins anglo-saxons du Commonwealth ; [...].

Nous en avons soupé [...] d'un gouvernement de mitaines qui fait mille et une acrobaties pour charmer les millionnaires américains en les suppliant de venir investir au Québec [...].

Notre lutte ne peut être que victorieuse. On ne tient pas longtemps dans la misère et le mépris un peuple en réveil.

Vive le Québec libre !

Vive les camarades prisonniers politiques !

Vive la révolution québécoise !

Vive le Front de libération du Québec !

la **crise d'octobre 1970**, marquée par l'enlèvement d'un diplomate britannique et d'un ministre du gouvernement québécois, Pierre Laporte, et par la mort de ce dernier dans des circonstances demeurées suspectes. Pierre Elliott Trudeau, ex-champion de la lutte antiduplessiste et du respect des droits fondamentaux, envoie l'armée canadienne dans les rues de Montréal, invoque pour la première fois en temps de paix la Loi des mesures de guerre, suspend les libertés civiles et fait jeter en prison près de 500 personnes qui ne seront jamais accusées de quoi que ce soit. Cette tentative hargneuse d'éradiquer le nationalisme québécois et de terroriser la société constitue en quelque sorte le coup d'envoi de « l'ère Trudeau », qui durera une quinzaine d'années.

Le monde soviéto-communiste

U MOMENT OÙ LE MONDE CAPITALISTE VIT SES « TRENTE GLORIEUSES », LE MONDE SOVIÉTO-COMMUNISTE CONNAÎT ÉGALEMENT UNE PÉRIODE DE CROISSANCE TRÈS FORTE, MAIS SUR DES BASES PROFONDÉMENT DIFFÉRENTES ET MARQUÉE DE SOUBRESAUTS IMPORTANTS.

L'URSS : LES ALÉAS DU « MODÈLE » SOVIÉTIQUE

L'Union soviétique sort de la guerre victorieuse, avec un territoire qui a presque retrouvé les dimensions de la Russie des tsars grâce à l'annexion des États baltes et de la partie orientale de la Pologne. Mais elle est dévastée et exsangue, et les trois années qui suivent (1945-1948) sont terribles, certaines régions connaissant encore une fois la famine en raison de deux mauvaises récoltes. Par rapport à 1940, la production des biens agricoles a fondu de moitié, celle des chaussures, de 70 %, et celle du sucre, de 80 %. Le salaire ouvrier représente à peine 40 % de celui de 1940. Toute la progression du niveau de vie depuis 1933 a été perdue. Des millions de sans-abri errent dans les villes détruites.

Le quatrième plan quinquennal (1946-1950) s'attelle à la tâche de reconstruction sur la même base que les plans d'avant-guerre : **expropriation de la paysannerie** (travail non rémunéré, fournitures obligatoires à des prix très bas fixés par l'État, seul acheteur), **priorité absolue à l'industrie lourde** (88 % des investissements), remise à « plus tard » de l'amélioration des conditions de vie des masses soviétiques. La **mystique des méga-projets** demeure, financée par le travail gratuit des esclaves du Goulag (le canal Volga-Don coûte la vie à 250 000 forçats). La croissance recherchée est une **croissance « extensive »**, c'est-à-dire basée sur la création de nouvelles unités de production et non sur une augmentation de la productivité par une meilleure combinaison des facteurs de production (capital, travail). L'usure des machines et des hommes ainsi que le gaspillage sont la rançon de cette orientation : la production de fonte et d'acier retrouve en 1950 son niveau de 1940, mais en consommant 50 % plus de charbon et d'électricité.

Les réalisations économiques de 1940 à 1953

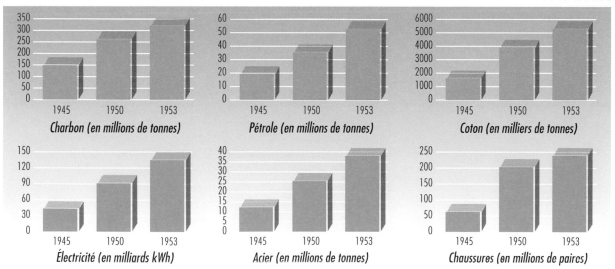

Charbon (en millions de tonnes)

Pétrole (en millions de tonnes)

Coton (en milliers de tonnes)

Électricité (en milliards kWh)

Acier (en millions de tonnes)

Chaussures (en millions de paires)

J. Elleinstein, *L'URSS contemporaine*, Paris, Éditions sociales, 1975.

Bien que le cinquième plan quinquennal, le dernier de l'ère stalinienne, tombe carrément dans la folie des grandeurs (création d'une mer d'eau douce en Sibérie, plantation de milliers de kilomètres carrés de bandes forestières) et soit très vite abandonné après la mort du dirigeant, l'URSS émerge malgré tout comme la **deuxième puissance économique mondiale**, avec un taux de croissance annuel moyen de 15 % dans le secteur industriel, impressionnant résultat symbolisé par l'explosion de la première bombe H soviétique en 1953.

En même temps qu'un retour aux grandes orientations économiques des années trente, le régime politique renoue, par-delà la guerre, où il a connu une certaine détente, avec les vieux démons du stalinisme. Le **culte de la personnalité** atteint des sommets effarants, Staline se présentant désormais comme le génie militaire organisateur de la victoire. L'**épuration**, exploitant à fond le thème de la « collaboration avec l'ennemi », frappe des peuples entiers, sauvagement déportés par centaines de milliers (400 000 Lituaniens, 400 000 Allemands de la

LE RÉALISME SOCIALISTE

Jdanov, idéologue du Parti communiste soviétique, définit la voie à suivre :

Le camarade Staline a appelé nos écrivains « les ingénieurs des âmes ». Cette définition a une profonde signification [...]. Le peuple attend des écrivains soviétiques une véritable arme idéologique, une nourriture spirituelle qui l'aide à réaliser les plans de la grandiose édification socialiste, du relèvement et du développement de l'économie nationale de notre pays [...]. Se guidant sur la méthode du réalisme socialiste, étudiant consciencieusement et attentivement notre réalité, s'efforçant de pénétrer plus profondément la nature du processus de notre évolution, l'écrivain doit éduquer le peuple et l'armer idéologiquement. Tout en choisissant les meilleurs sentiments, les vertus de l'homme soviétique, en lui montrant son avenir, nous devons montrer en même temps à nos gens ce qu'ils ne doivent pas être, nous devons fustiger les survivances du passé, les survivances qui empêchent les hommes soviétiques d'aller de l'avant. Les écrivains soviétiques doivent aider le peuple, l'État, le parti, à éduquer notre jeunesse [...].

A. JDANOV

Sur la littérature, la philosophie et la musique,
La Nouvelle Critique, Paris, 1950.

Volga, 400 000 Tchétchènes, 200 000 Tatars de Crimée, etc.). Une **répression impitoyable frappe les intellectuels**, dans le climat de la guerre froide. Un charlatan, Lyssenko, qui prétend que les lois de l'hérédité sont des inventions bourgeoises, épure l'Académie des Sciences et expédie ses contradicteurs dans les camps du Goulag. Écrivains et artistes se voient prescrire les règles esthétiques du « réalisme socialiste ». De grands compositeurs comme Prokofiev et Chostakovitch voient leurs œuvres retirées des programmes pour « formalisme antipopulaire et antinational ». Des centaines d'intellectuels juifs sont exécutés pour « cosmopolitisme », dans une **vague d'antisémitisme** qui renoue avec les traditionnels pogroms▪ du temps des tsars.

La mort de Staline, le 5 mars 1953, marque la **fin d'une époque**. Pendant presque trente ans, il a détenu un pouvoir illimité, soumettant son pays à une terrible révolution économique et sociale, imposant à son peuple un lourd fardeau, réprimant toute forme d'opposition. Sa disparition est aussitôt suivie de **mesures de soulagement**, particulièrement en faveur des paysans et des internés du Goulag. Le cinquième plan est révisé et, pour la première fois, la progression des biens de consommation doit devancer celle des biens d'équipement (13 % contre 12 %), tandis qu'on importe d'Occident, en puisant dans l'excédent de devises, les produits rares que sont devenus le beurre, la viande et les fruits, réservés cependant aux grandes villes. Après deux années de luttes intestines pour la succession de Staline, Nikita Khrouchtchev prend la direction des affaires et lance de façon fracassante la **déstalinisation** par son fameux « rapport secret » présenté au vingtième congrès du Parti communiste en 1956.

Dénonciation impitoyable du stalinisme dans toutes ses manifestations, le rapport fait l'effet d'une bombe dans le monde entier, et particulièrement chez les communistes sincères, totalement abasourdis. Bien que nullement excessive, cette dénonciation a tout de même un **double objectif politique** : il s'agit, d'une part, de dégager le Parti communiste de toute responsabilité dans l'organisation de la terreur, entièrement attribuée au seul Staline, et,

▪ **Pogrom**
Explosion de violence antisémite, souvent organisée par les autorités, marquée de pillages et de massacres.

LE « RAPPORT SECRET »

C'est Staline qui a conçu la notion d'« ennemi du peuple ». Cette expression rendait automatiquement inutile d'établir la preuve des erreurs idéologiques de l'homme ou des hommes engagés dans une controverse ; cette expression rendit possible l'utilisation de la répression la plus cruelle, en violation de toutes les normes de la légalité révolutionnaire, contre tous ceux qui, de quelque manière que ce soit, n'étaient pas d'accord avec lui, contre ceux qui étaient seulement suspects d'intentions hostiles, contre ceux qui avaient mauvaise réputation. Cette notion d'« ennemi du peuple » supprimait en fait toute possibilité de lutte idéologique, toute possibilité de faire connaître son point de vue sur telle ou telle question même de caractère pratique. Pour l'essentiel, la seule preuve de culpabilité dont il était réellement fait usage, contre toutes les normes de la science juridique contemporaine, était la « confession » de l'accusé lui-même. Et, comme l'ont prouvé les enquêtes ultérieures, les « confessions » étaient obtenues au moyen de pressions physiques contre l'accusé.

Cela a conduit à des violations manifestes de la légalité révolutionnaire, et il en a résulté qu'un grand nombre de personnes parfaitement innocentes, qui dans le passé avaient défendu la ligne du Parti, furent victimes de la répression [...].

La commission a pris connaissance d'une grande quantité de pièces des archives du N.K.V.D. et d'autres documents et établi de nombreux faits relatifs à la fabrication de procès contre des communistes, à de fausses accusations, à de flagrants abus contre la légalité socialiste — qui eurent pour conséquence la mort d'innocents. Il est apparu avec évidence que de nombreux activistes du Parti, des soviets et de l'économie, qui avaient été traités d'« ennemis » en 1937-1938, ne furent jamais en fait ni des ennemis, ni des espions, ni des saboteurs, mais ont toujours été d'honnêtes communistes [...].

Il a été établi que des cent trente-neuf membres et suppléants du Comité central du Parti qui avaient été élus au XVIIᵉ Congrès, quatre-vingt-dix-huit avaient été arrêtés et fusillés, c'est-à-dire 70 % (pour la plupart en 1937-1938). (Indignation dans la salle.)

[...] Camarades, nous devons abolir le culte de la personnalité d'une manière décisive, une fois pour toutes. Nous devons tirer de cette période des conclusions appropriées concernant le travail idéologique, théorique et pratique.

Le Rapport secret de Khrouchtchev

d'autre part, d'assurer à Khrouchtchev l'appui de l'appareil du Parti contre la vieille garde stalinienne.

La victoire de Khrouchtchev, premier authentique prolétaire à parvenir à la tête du régime depuis la révolution de 1917, ouvre les vannes d'une **réforme en profondeur de l'économie et de la société soviétiques**. Décentralisation économique, nouveau plan septennal dont l'objectif est de rattraper les pays capitalistes avancés, relèvement des prix agricoles et rémunération pour le travail fourni au kolkhoze, disparition du culte de la personnalité (Stalingrad même, ville symbole, devient Volgograd), réforme du code pénal (disparition du concept d'« ennemi du peuple »), libéralisation de la vie culturelle (autorisation du jazz et des livres de Soljenitsyne) et même révision des statuts du Parti en faveur des militants de la base (interdiction d'exercer plus de trois mandats consécutifs), marquent ce véritable « dégel », sans compter la cœxistence pacifique avec le bloc atlantique dont il a été question au chapitre précédent (voir page 290).

Mais dans sa hâte, **Khrouchtchev accumule les erreurs, les contradictions, et surtout les ennemis.** Les réformes agricoles sont un échec et, en 1963, pour la première fois dans l'histoire soviétique, il faut importer 18 millions de tonnes de blé. La décentralisation de l'économie détruit la cohésion d'ensemble et mécontente des milliers de technocrates envoyés en province. Les enfants des classes privilégiées rechignent devant le stage de deux ans dans la production imposé aux étudiants. Les contradictions de la politique extérieure et surtout l'aventure ratée des fusées à Cuba achèvent de liguer contre « Monsieur K » toute une nomenklatura■ inquiète de ses privilèges. Le 14 octobre 1964, le Comité central du Parti « libère de toutes ses fonctions » le chef du Parti et du gouvernement soviétique. Signe des temps : il ne sera pas exécuté et coulera des jours tranquilles dans sa *datcha* des environs de Moscou jusqu'à sa mort en 1971.

L'équipe qui lui succède entreprend sans tarder une « **remise en ordre** » du Parti et de l'économie. Échappant à la purge habituelle, le Parti revient aux structures d'antan avec l'annulation du principe du renouvellement systématique des dirigeants. La déstalinisation est stoppée, la lutte contre les dissidents reprend avec vigueur. En économie, la décentralisation est annulée, mais le plan tiendra désormais mieux compte des coûts réels et l'entreprise pourra conserver une part de ses bénéfices. Ces réformes, cependant, limitées à quelques entreprises et contrecarrées par la résistance des conservateurs, par le scepticisme des ouvriers et par la vétusté des équipements, n'arrivent pas à freiner le **ralentissement constant du taux de croissance** (17 % en 1950, 5 % en 1970), comparable d'ailleurs à celui de l'Occident. Constamment reportées, les réformes vraiment radicales dont a cruellement besoin le « modèle » soviétique ne verront pas le jour avant le milieu des années quatre-vingt (voir page 539).

■ **Nomenklatura**
Mot russe désignant l'ensemble des fonctionnaires de l'État et du Parti communiste.

Évolution de l'économie soviétique 1950-1975

(taux annuels moyens d'accroissement en %)

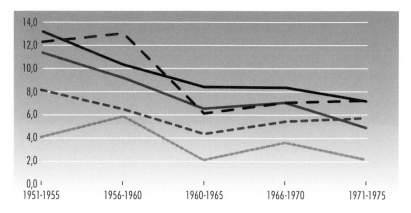

Production agricole ·········				
Productivité du travail ━ ━ ━				
Production industrielle ━━━━				
Investissements bruts ━ ━				
Revenu national ━━━━				

LES DÉMOCRATIES POPULAIRES : LES ALÉAS DE LA SATELLISATION

L'installation de régimes dits de « démocratie populaire » dans les pays d'Europe centrale et orientale ainsi que la satellisation de ces pays par l'URSS, sont d'abord le résultat de la guerre, tous ces pays ayant été libérés du nazisme par l'Armée rouge soviétique. Dès 1945, les partis communistes locaux, fortement appuyés par les émissaires civils et militaires de Moscou, mettent en marche le processus de « **soviétisation** » avec une habileté consommée. Ils entrent d'abord dans des gouvernements démocratiques de coalition (« fronts nationaux ») où ils s'emparent des postes clés de la Justice, de la Police, de l'Armée, de l'Économie, puis grugent un à un les partis adverses en les divisant (c'est la « tactique du salami »), tout en s'appliquant à noyauter progressivement l'appareil administratif et les structures sociales.

En trois ou quatre années, le fruit est mûr : les communistes assument seuls le pouvoir à la suite d'élections soigneusement préparées ou par intimidation (« coup de Prague ») et mettent sur pied des régimes qui, en théorie, proclament les grands principes démocratiques de l'Occident, mais qui, en pratique, vident ces grands principes de toute substance réelle (élections à candidature unique, etc.). C'est ce qu'on appelle des « démocraties populaires », dans des pays devenus totalement inféodés au « grand frère » soviétique.

La soviétisation et la satellisation de l'État entraînent celles de l'**économie. Soviétisation** par la collectivisation de l'agriculture (moins poussée qu'en URSS cependant), par l'étatisation des secteurs clés (industrie lourde, énergie, transports et communications, banques) et par la stratégie des plans quinquennaux axés sur l'industrialisation accélérée, avec priorité absolue aux biens d'équipement et mystique des grands chantiers. **Satellisation** par l'alignement de cette planification sur les besoins de l'Union soviétique à travers la structure du CAEM (Conseil d'assistance économique mutuelle), entraînant la coupure presque complète des relations économiques traditionnelles de ces pays avec l'Ouest (le rouble soviétique n'est pas intégré dans le Système monétaire international, et n'est donc pas convertible en devises).

La soviétisation et la satellisation ne sont pas moins étendues dans le **domaine culturel et intellectuel**. Embrigadement des intellectuels, mise au pas des Églises, conditionnement des esprits par la propagande ou la terreur s'accompagnent de grands procès spectaculaires rappelant ceux de Moscou dans les années trente, frappant jusqu'au sommet des

LA SATELLISATION

La satellisation économique

Le commerce entre l'URSS et les pays membres du CAEM

Pays	Part de l'URSS dans le commerce extérieur des pays membres du CAEM (%)			
	1950	1955	1960	1967
Albanie	50	40	54	—
Bulgarie	52	47	53	51
Hongrie	27	22	31	34
Pologne	27	32	30	35
RDA	40	38	43	42
Roumanie	52	45	40	28
Tchécoslovaquie	28	35	34	35

La part de l'URSS dans le commerce extérieur des pays membres du CAEM illustre bien la coupure des relations économiques de ces pays avec l'Ouest.

partis communistes et suscitant d'incroyables aveux des « coupables » : un président de la république (Hongrie), trois secrétaires généraux de partis communistes, quatre vice-présidents du Conseil, 43 ministres sont ainsi emprisonnés, torturés, exécutés dans certains cas. En même temps se créent partout de puissantes Associations des amis de l'Union soviétique, tandis que la langue russe devient obligatoire dans les écoles.

Un seul pays va réussir à échapper à ce rouleau compresseur : la **Yougoslavie**. Son atout le plus précieux est de n'avoir pas été libérée en 1945 par l'Armée rouge mais par ses propres partisans, dirigés par Tito. Les communistes yougoslaves, maîtres du pays dès 1945, sont en mesure d'imposer leur programme avant tous les autres : étatisation et centralisation complètes de l'économie, collectivisation de l'agriculture. Mais Tito n'entend pas se laisser dicter sa conduite par le maître du Kremlin et ce dernier, après avoir tenté sans succès de le faire tomber de l'intérieur, le fait **condamner officiellement** par le Kominform en 1948 et procède à un véritable blocus économique du pays. C'est ce qu'on appelle le « schisme yougoslave ».

Loin de céder, Tito augmente ses échanges commerciaux avec l'Occident, accepte l'aide offerte par les États-

---

LE PROCÈS SLANSKY[1]

Extraits du réquisitoire prononcé par le procureur Urvalek au procès Slansky, à Prague, en 1952 :

Les résolutions prises en 1948 et 1949, par le Bureau d'Information des Partis communistes et ouvriers [...] ont montré que la bourgeoisie restait fidèle à la vieille habitude d'embaucher des espions et des provocateurs au sein même des Partis de la classe ouvrière [...] de décomposer ces partis de l'intérieur et de les subordonner à eux [...]

Il ressort de la déposition du témoin Oskar Langer, agent sioniste international, que Slansky était le vrai chef de tous les nationalistes bourgeois juifs et que, dans un entretien avec lui, Slansky avait souligné la nécessité de mettre aux postes clefs de la vie économique, politique et publique des sionistes et des nationalistes bourgeois juifs [...]. Sionistes, trotskystes, valets de la bourgeoisie sous la Première République, et laquais des impérialistes américains dans son évolution postérieure, Slansky

groupe autour de lui des gens qui lui ressemblent [...] et il sait où les trouver : parmi ceux qui, après la guerre, sont rentrés des pays occidentaux où ils avaient noué des rapports d'espionnage et d'amitié avec les représentants du monde impérialiste, parmi les sionistes, les trotskystes, les nationalistes bourgeois, les collaborateurs et les autres ennemis du peuple tchécoslovaque [...].

ARTUR LONDON
L'Aveu, Paris, Gallimard, 1972.

1. Rudolf Slansky était secrétaire général du Parti communiste de Tchécoslovaquie.

LE SHISME YOUGOSLAVE

Les dirigeants du Parti communiste de Yougoslavie glissent de la voie marxiste-léniniste dans la voie du parti des koulaks et des populistes, sur la question du rôle dirigeant de la classe ouvrière, en affirmant que les paysans constituent « la base la plus solide de l'État yougoslave ». [...] Les dirigeants yougoslaves abaissent le rôle du Parti communiste; ils le dissolvent en effet dans le Front populaire des sans-parti, qui comprend des éléments très différents du point de vue des classes (ouvriers, paysans, travailleurs ayant une exploitation individuelle, koulaks, commerçants, petits fabricants, intellectuels bourgeois, etc.), ainsi que des groupements politiques de toute sorte, y compris certains partis bourgeois. [...]

Le Bureau d'information [Kominform] considère que la critique des fautes du [...] Parti communiste de Yougoslavie, de la part du [...] Parti communiste (bolchevik) de l'URSS et [...] d'autres partis communistes, représente une aide fraternelle au Parti communiste de Yougoslavie et crée pour la direction de ce Parti toutes les conditions nécessaires à la correction aussi rapide que possible des fautes commises. Mais, au lieu de reconnaître honnêtement cette critique et d'utiliser la voie de la correction bolchevique des fautes commises, les dirigeants du Parti communiste de Yougoslavie, en proie à une ambition sans bornes, à l'arrogance et à la présomption, ont accueilli la critique avec animosité, ont manifesté de l'hostilité envers elle et se sont engagés dans une voie anti-Parti. [...]

Le Bureau d'information constate qu'en raison de tout ce qui a été exposé le Comité central du Parti communiste de Yougoslavie se met et met le Parti communiste yougoslave en dehors de la communauté des Partis communistes frères, en dehors du front communiste unique et, par conséquent, en dehors du Bureau d'information...

Aux forces saines du Parti communiste de Yougoslavie incombe la tâche d'obliger leurs dirigeants actuels à reconnaître ouvertement et honnêtement leurs fautes et à les corriger et à renforcer par tous les moyens le front socialiste unique contre l'impérialisme; ou bien, si les dirigeants actuels du Parti communiste de Yougoslavie s'en montrent incapables, de les changer et de promouvoir une nouvelle direction internationaliste du Parti communiste de Yougoslavie.

Résolution du Kominform

Unis et, sans rien abdiquer de son indépendance, lance son pays dans un **communisme original** basé sur la décentralisation et sur l'autogestion des entreprises par des conseils ouvriers élus. La vie culturelle se libéralise quelque peu, mais le système du parti unique est maintenu, la police reste toute-puissante et le culte de la personnalité n'a rien à envier à celui de Staline. Ainsi se crée le seul pays communiste non soviétique de cette période.

La mort de Staline et surtout le rapport Khrouchtchev de 1956 créent une **immense commotion** à travers ceux qu'on appelle les pays satellites. Dès juin 1953, des **émeutes ouvrières éclatent à Berlin-Est**, vite réprimées par les chars soviétiques. Mais une dynamique est enclenchée, qui débouche sur la réconciliation avec Tito (1953) et la dissolution du Kominform (1956). Après la révélation des crimes staliniens, la Pologne et la Hongrie

GOMULKA CONTRE KHROUCHTCHEV

Le 19 octobre au matin, au moment même où Gomulka devait s'adresser au Comité central, le premier secrétaire du P.C. de l'URSS, accompagné par Molotov, Kaganovitch, Mikoyan et plusieurs officiers supérieurs de l'Armée rouge, atterrit à l'aérodrome de Varsovie. Nikita Khrouchtchev a apparemment perdu tout son sang-froid et, avant même de dire bonjour aux dirigeants polonais, il s'écrie à leur adresse: «Nous avons versé notre sang pour libérer cette terre, et maintenant vous voulez la donner aux Américains, mais cela ne réussira pas, cela n'aura pas lieu!» Il serre quand même la main d'Ochab et lui demande en désignant Gomulka du doigt: «Qui est-ce, celui-là ?» Wladyslaw lui répond sans attendre: «Je suis l'ancien secrétaire général du Parti que Staline et vous-même avez jeté en prison. Mon nom est Gomulka »…

Au Belvédère, les pourparlers entre les camarades des deux partis ne se sont pas ouverts sous les meilleurs auspices. Il a fallu un bon moment avant que Khrouchtchev ne reprenne son calme et passe à des arguments sérieux. Sa colère contre «l'ingratitude polonaise» est telle qu'il agite même son doigt devant le nez de Gomulka, et qu'on redoute qu'ils n'en viennent aux mains. Mais le leader polonais a pris l'habitude, au cours des dernières années, des grands spectacles des accusations, et ne perd pas son sang-froid. Sa réplique est brève: «Si vous ne vous calmez pas, et ne retirez pas vos menaces, je vous répondrai, mais pas ici, devant le micro de Radio-Varsovie. Je dirai à tous mes compatriotes et au monde entier quelle est votre conception de l'amitié entre les peuples et des relations polono-soviétiques.» […]

On aborde alors le chapitre des anomalies dans les anciennes relations entre Moscou et Varsovie. La présence de quatorze généraux soviétiques, en grand uniforme et couverts de médailles, n'intimide nullement les Polonais qui ouvrent à leur tour un dossier d'accusation. Molotov, silencieux, sourit devant l'impuissance de son frère ennemi, Nikita Khrouchtchev. Ce dernier, à court d'arguments, tombe d'accord sur la nécessité d'une discussion approfondie à ce sujet. Mais elle ne peut avoir lieu tout de suite et, des deux côtés, on convient de tenir une nouvelle réunion après la fin de la session du Comité central du P.C. polonais. On prépare un communiqué laconique et les Soviétiques décident de repartir. Khrouchtchev hausse les épaules et dit en guise d'adieu: «Qui vivra verra.» Il quitte Varsovie les mains vides, sans avoir même obtenu la promesse que quelques-uns de ses protégés resteront au Bureau politique.

K.S. KAROL
Visa pour la Pologne,
Paris, Gallimard, 1958.

entrent en effervescence en 1956. La **révolte polonaise** ramène au pouvoir un dirigeant communiste populaire, Gomulka, emprisonné lors des purges de l'ère stalinienne. Fort de l'appui massif du peuple polonais, Gomulka réussit à écarter une intervention soviétique en assurant au Kremlin le maintien de la Pologne dans le bloc continental. Les paysans sont les grands bénéficiaires de la crise, et 87 % des terres seront bientôt redevenues privées.

La **révolte hongroise** est autrement violente et menace directement les intérêts soviétiques. Cette fois, une **véritable révolution armée** s'étend dans le pays, avec comités révolutionnaires et conseils ouvriers, mise à sac des locaux du Parti, lynchage de policiers. Les dirigeants communistes victimes de l'ère stalinienne (Nagy, Kadar), revenus au pouvoir, sont débordés et amenés à proclamer la neutralité du pays et sa sortie du pacte de Varsovie. C'est la goutte qui fait déborder le vase : les chars soviétiques entrent à Budapest, mais quinze jours de combats et 25 000 morts leur seront nécessaires pour venir à bout de la rébellion, tandis que 500 000 Hongrois s'enfuient vers l'Ouest. Cet événement sonne le glas du « communisme national » : la **déstalinisation ne doit pas déboucher sur la désatellisation**, et dès 1957 une conférence internationale des partis communistes marque le retour du balancier en renouvelant la condamnation du « révisionnisme yougoslave ».

BUDAPEST, 1956

Staline décapité : tout un symbole...

LA « SOUVERAINETÉ LIMITÉE »

Lettre adressée par les partis communistes de Bulgarie, de Hongrie, de Pologne, de RDA et d'Union soviétique au Comité central du PC tchécoslovaque le 15 juillet 1968 (extraits).

Le cours des événements dans votre pays suscite chez nous une profonde inquiétude. L'assaut, soutenu par l'impérialisme, auquel se livre la réaction contre votre parti et les fondements du régime socio-politique de la RST[1] menace, nous en sommes profondément convaincus, de faire dévier votre pays de la voie du socialisme et, par conséquent, menace les intérêts de tout le système socialiste.

[...]

Nous n'avons pas eu et nous n'avons pas l'intention d'intervenir dans des affaires qui sont purement intérieures à votre parti et à votre État, non plus que de violer les principes de respect, d'indépendance et d'égalité dans les relations entre les partis communistes et les pays socialistes.

En revanche, nous ne pouvons accepter que des forces hostiles fassent dévier votre pays de la voie du socialisme et menacent d'arracher la Tchécoslovaquie à la communauté socialiste. Sur ce point, vous n'êtes déjà plus seuls en cause. Il s'agit de la cause commune de tous les partis et de tous les États communistes et ouvriers qui sont unis par leur alliance, leur coopération et leur amitié. C'est la cause commune de nos pays, qui se sont unis dans

le pacte de Varsovie afin d'assurer leur indépendance, ainsi que la paix et la sécurité en Europe, et de dresser une barrière insurmontable devant les menées des forces impérialistes de l'agression et de la revanche.

Nous n'accepterons jamais que ces conquêtes historiques du socialisme, ainsi que l'indépendance et la sécurité de tous nos peuples puissent être menacées. Nous n'accepterons jamais que l'impérialisme, pacifiquement ou non, de l'intérieur ou de l'extérieur, fasse une brèche dans le système socialiste et change à son avantage le rapport des forces en Europe.

La Documentation française, *Faits et Documents* (septembre-octobre 1968).

1. RST : République socialiste tchécoslovaque.

« L'ÉTÉ DES TANKS »

Prague, août 1968 : les Tchèques, désemparés, entourent les chars soviétiques.

Mais quelques années plus tard, le schisme sino-soviétique et le peu de résultats des réformes économiques entreprises par les successeurs de Khrouchtchev redonneront vigueur aux forces centrifuges. En 1968, une nouvelle équipe dirigée par Alexandre Dubček en **Tchécoslovaquie** décide d'introduire de **profondes réformes économiques et politiques** : responsabilisation des entreprises, liberté de la presse, multipartisme, suppression du passeport intérieur. Ce « socialisme à visage humain », sans exemple depuis 1917, risque de faire tache d'huile et bientôt les forces armées soviétiques, est-allemandes, bulgares, polonaises et hongroises envahissent le pays et procèdent à une « **normalisation** » musclée (épuration massive, chasse aux intellectuels), remettant en selle les anciens dirigeants inconditionnellement pro-soviétiques. L'intervention est justifiée par la doctrine de la « souveraineté limitée » énoncée par Brejnev.

La Tchécoslovaquie à peine normalisée, la Pologne entre encore une fois en convulsion. En 1970, à la suite d'émeutes ouvrières écrasées dans le sang, Gomulka est renversé. La Pologne deviendra dans les années qui suivent l'abcès de fixation des contradictions du monde soviéto-communiste en Europe.

La Chine : l'autre communisme

Au lendemain de la victoire des communistes et de la proclamation de la République populaire (voir page 284), la Chine sort d'une période de guerre civile et étrangère qui a duré près de vingt ans. L'économie est en ruines : terres rendues inutilisables par la destruction des digues et des canaux, réseaux ferroviaires largement détruits, flotte marchande partie pour Taiwan de même que toute l'encaisse-or du pays, raflée par le Guomindang.

La priorité va donc à la **reconstruction**, sur la base d'une coalition de quatre « classes révolutionnaires » : capitalistes nationaux (ceux qui n'ont pas collaboré avec les Japonais), petite bourgeoisie, ouvriers et paysans. Les premières mesures sont donc marquées d'une certaine modération, les nationalisations dans le domaine industriel se limitant aux entreprises étrangères et à celles des grandes familles du Guomindang, tandis que la réforme agraire maintient la propriété individuelle et ménage quelque peu les propriétaires riches.

Mais deux décisions marquent la volonté des dirigeants de rompre avec l'ancienne Chine féodale et de préparer l'avènement d'une Chine nouvelle, socialiste. La **Loi sur le mariage** (1950) interdit la polygamie, le mariage forcé et la « vente » de fillettes et proclame l'égalité entre les époux. La **réforme agraire** (1950) interdit les corvées, confisque les terres appartenant aux communautés religieuses et aux propriétaires non exploitants et opère une gigantesque redistribution touchant la moitié des terres cultivées et les deux tiers de la population rurale. Désormais, chaque paysan de plus de 16 ans est assuré d'un minimum de deux **mou** de terre (13 ares).

Parallèlement se développent les grandes « **campagnes de masse** » destinées à épurer ou à rallier : contre les agents du Guomindang et les sociétés secrètes (1950), contre la corruption, le gaspillage et le bureaucratisme (1951), contre les pots de vin, la fraude, l'évasion fiscale et le détournement des fonds publics (1952). Parfois brutales, ces campagnes font de un à trois millions de victimes, y compris les propriétaires exécutés pendant la réforme agraire, et paralysent par la terreur tout mouvement de résistance.

En 1953, estimant la reconstruction suffisamment avancée, les dirigeants chinois passent à une nouvelle étape, étroitement calquée sur le modèle soviétique : celle de la **transition vers le socialisme** par l'intermédiaire des plans quinquennaux, de la collectivisation de l'agriculture et du monopole du Parti communiste.

À l'instar de l'URSS, le **premier plan quinquennal** (1953 - 1957) accorde la primauté absolue à l'industrie lourde, qui reçoit 58 % des investissements (8 % à l'agriculture) et atteindra un taux de croissance spectaculaire de 14 % à 18 % par année. Les entreprises industrielles et commerciales sont étatisées presque complètement.

La **collectivisation de l'agriculture**, plutôt timide jusque-là, est fortement accélérée à partir de 1955. Dès 1956, plus d'un million de coopératives regroupent 90 % des familles paysannes. Bien qu'imposée d'en haut et implantée encore plus rapidement qu'en Union soviétique, cette collectivisation rencontre peu d'opposition dans les campagnes et ne donne pas lieu à d'aussi graves affrontements.

Sur le plan politique, la constitution de 1954 instaure, sur le modèle soviétique, le « rôle dirigeant » du Parti communiste chinois et le dualisme Parti-État qui fait du Parti la véritable instance de décision. Sont « garanties » par ailleurs les libertés fondamentales d'opinion et d'expression, particulièrement sous la forme de dazibaos (panneaux d'expression), et est élaboré un processus d'égalisation par étapes des droits de l'homme et de la femme.

Malgré le succès du plan dans le domaine industriel, la production agricole régresse dès 1956, tandis que le vent de la déstalinisation souffle depuis Moscou à travers tout le camp socialiste. La direction chinoise réagit en abandonnant le modèle soviétique et en lançant le « **grand bond en avant** », tentative démesurée et irréaliste de faire tout en même temps : industrie et agriculture, industrie lourde et industrie légère, immenses travaux et micro-ouvrages (petits hauts-fourneaux dans chaque village),

1958 : L'ANNÉE DES « 1 000 LUMIÈRES ROUGES »

Quand vint le temps de la moisson d'automne, les heures de travail allongèrent. Les moissonneurs besognaient de jour et besognaient de nuit, à la lueur des lampes à pétrole ; la journée de douze heures et de quatorze heures était devenue la règle dans maintes régions. Des hommes s'évanouissaient de fatigue, disaient certains rapports. Un peu plus tard, la moisson terminée et le travail devenant moins pressant, le pays était de nouveau mobilisé, mais cette fois pour construire, dans le « style indigène », des hauts-fourneaux. Par dizaines de millions, les paysans étaient conviés à produire du fer et de l'acier en utilisant les méthodes des artisans chinois du Moyen Âge. On les armait de pics et de pioches pour les conduire en troupes vers les montagnes, afin d'extraire le minerai de fer et de charbon ; pendant ce temps, d'autres millions d'hommes veillaient une partie de la nuit dans la chaleur des hauts-fourneaux après leur longue journée de travail aux champs. Il fallait à tout prix remplir les normes de production fixées par les cadres : quand le minerai manquait, on fondait les rails et parfois même les ustensiles de cuisine. Dans la seule province du Honan, un demi-million de fourneaux indigènes étaient sortis de terre en l'espace de quelques semaines. [...] Ils brillaient dans la nuit chinoise, comme des myriades de vers luisants. [...]

T. MENDE
La Chine et son ombre,
Paris, Le Seuil, 1960.

centralisation et décentralisation, techniques modernes et techniques traditionnelles. Objectif : « rattraper l'Angleterre en 15 ans ».

Le fer de lance de cette « voie chinoise » sera la **commune populaire**, constituée par la fusion de coopératives et regroupant environ 5 000 foyers. La collectivisation est totale : terre, équipement, bétail, habitat ; le lopin de terre privé est aboli. La commune populaire étend sa juridiction à l'éducation, à la santé, à la vie communautaire (réfectoires, crèches, maisons pour les vieillards), et même à l'organisation militaire, devenant l'image avancée de l'idéal communiste.

Trois ans plus tard, le **bilan est dévastateur** : défrichements abusifs, travaux démesurés qui bouleversent la stabilité et l'équilibre des sols, production des petits hauts-fourneaux inutilisable, résistance passive des paysans qui abattent le cheptel, critiques acerbes des intellectuels et de certains cadres du Parti. La nature s'en mêle, accumulant les calamités (typhons, inondations, sécheresses), tandis que la rupture avec Moscou prive brusquement le pays des capitaux et de l'encadrement technique dont il a grand besoin. La famine menace, évitée seulement par l'importation de céréales, particulièrement en provenance du Canada.

LA RÉVOLUTION CULTURELLE

La répartition terminée, les élèves se mettent en route pour se rendre à leur poste. La première équipe, dont Liang fait partie, doit se placer à chaque sortie du village, afin de fouiller les passants pour leur ôter ce qui a un aspect ancien, et qui n'est pas conforme au nouvel esprit de la Révolution.

« Stop, camarade ! » crie tout à coup Liang à un passant qui utilise à plein les ressources de sa bicyclette : un enfant à l'avant, sa femme derrière lui sur le porte-bagages.

« Pourquoi, camarade ? s'inquiète le cycliste [...].

— Examen révolutionnaire », indique Liang sur un ton sec, officiel.

Les quatre enfants entourent la famille et commencent le contrôle.

« Tu as le Livre Rouge sur toi ? » interroge le camarade de Liang.

« Oui. » Le cycliste sort de sa poche son petit Livre Rouge tout neuf, peu feuilleté. [...]

— Qu'est-ce que c'est ? s'exclame l'une des deux filles.

— Un gâteau pour les vieux », dit le cycliste d'un air humble.

Liang remarque un paquet rouge qui, suspendu à son guidon, se balance. Il saisit le paquet dans sa main et l'examine avec minutie.

« L'enveloppe est d'une forme ancienne, il faut l'enlever, ordonne-t-il d'une voix de chef.

— Mais c'est pour faire joli... », proteste faiblement la jeune femme qui s'approche, en prenant le bébé dans ses bras.

« Qu'est-ce que ça veut dire « faire joli » ? La Révolution est la plus belle des choses. Ça, c'est selon l'ancienne coutume et c'est laid. »

YA DING
Le Sorgho rouge, Paris, Stock, 1985.

De 1961 à 1965, pendant que la situation économique se redresse péniblement sous l'impulsion de « pragmatiques » comme Zhou Enlai, une **lutte incessante déchire le Parti** entre plusieurs « lignes », mettant en danger l'autorité même de Mao Zedong. Celui-ci déclenche alors (1965) une attaque frontale contre tous les cadres du Parti (« feu sur les états-majors ») et, pendant trois ans, la Chine sera au bord d'une nouvelle guerre civile. Des Gardes rouges totalement fanatisés se répandent dans le pays, épurant sauvagement la société, fermant les universités, détruisant des trésors artistiques millénaires en brandissant bien haut le « petit livre rouge » des pensées de Mao (on dit : « la pensée-Mao Zedong »). Un bilan officiel établi en 1979 parle de 8 à 10 millions de morts et de 200 millions de persécutés à divers degrés. C'est ce qu'on appelle la « **Grande Révolution culturelle prolétarienne** ».

La victoire de Mao, acquise en 1969 grâce à l'intervention de l'armée qui sauve le pays de l'anarchie, laisse une société épuisée, un Parti complètement déstructuré et

RETOUR À L'ORDRE

*Entouré des chefs de l'armée (à droite
Lin Biao), un Mao presque divinisé
passe devant ses partisans.*

un président devenu véritable objet d'idolâtrie. Assuré de
son pouvoir, Mao se tourne alors contre ses plus fidèles
appuis (Lin Biao), tentant de revenir à une ligne plus
modérée. Mais la Chine bouleversée n'est pas près de
retrouver la stabilité.

Conclusion

Les trente années qui suivent le second conflit mondial sont marquées, dans le monde capitaliste, par une croissance économique ininterrompue : ce sont les « Trente Glorieuses », favorisées par un nouveau système monétaire international et la libéralisation du commerce. L'Europe occidentale met en branle le processus de son intégration, pendant que les États-Unis passent de l'assurance impériale·des années cinquante aux remises en question des années soixante et que le Japon connaît une renaissance miraculeuse.

Le monde soviéto-communiste quant à lui, handicapé dès le départ par des ravages de guerre sans commune mesure avec ceux de son vis-à-vis, connaît une croissance « extensive » moins bien équilibrée, dans le cadre d'une économie planifiée. L'extension du communisme en Chine ouvre de nouvelles dimensions dans l'expérience du « socialisme réel », tandis que la déstalinisation lancée par Khrouchtchev entraîne quelques essais de désatellisation vite réprimés.

Au début des années soixante-dix, alors que le rythme de la croissance ralentit partout, les bases mêmes de cette croissance sont remises en cause au vu des inégalités qu'elle engendre et des menaces qu'elle fait peser sur l'environnement. Et l'on ne peut pas ne pas constater que, malgré trente années de décolonisation, le tiers monde n'en reçoit toujours que des miettes...

Questions de révision

1. Décrivez les facteurs de la croissance des « Trente Glorieuses » et le rôle qu'y jouent le système monétaire de Bretton Woods et le GATT

2. Quelles sont les faiblesses de cette période de croissance ?

3. À travers quelles grandes étapes l'intégration européenne commence-t-elle à se réaliser, entre 1948 et 1973 ?

4. Décrivez les principaux aspects de l'évolution intérieure des États-Unis dans les trente années qui suivent la guerre.

5. Quels sont les facteurs, respectivement, des « miracles » allemand et japonais ?

6. Comment s'explique la dépendance économique accrue du Canada à l'égard des États-Unis après la guerre ?

7. Décrivez les principaux aspects de l'évolution interne du Québec entre 1945 et 1970, particulièrement en ce qui concerne le rôle de l'État et le nationalisme.

8. Comment peut-on définir le « modèle » soviétique à l'époque stalinienne, dans les domaines économique et politique ?

9. Comment se manifeste le « dégel » sous Khrouchtchev, et quel bilan peut-on en tirer ?

10. Montrez comment se réalise la soviétisation et la satellisation des pays de l'Europe de l'Est ? Pourquoi et comment la Yougoslavie y échappe-t-elle ?

11. Décrivez les deux grandes crises internes du monde soviéto-communiste que sont la révolte hongroise de 1956 et le printemps de Prague de 1968.

12. Décrivez les grandes étapes de la « voie chinoise vers le socialisme » depuis 1949.

10

LA DÉCOLONISATION

1945·1975

PENDANT QUE LES DEUX GRANDS BLOCS DES PAYS INDUSTRIALISÉS S'AFFRONTENT DANS UNE GUERRE FROIDE PLANÉTAIRE ET CONNAISSENT UNE CROISSANCE PHÉNOMÉNALE, UN ÉVÉNEMENT MAJEUR VIENT MODIFIER EN PROFONDEUR LES RAPPORTS DE DOMINATION QUI SE SONT ÉTABLIS ENTRE L'OCCIDENT ET LE RESTE DU MONDE DEPUIS QUELQUES SIÈCLES C'EST EN EFFET DURANT LES TRENTE ANNÉES QUI SUIVENT LA SECONDE GUERRE MONDIALE QUE LA PLUPART DES COLONIES EUROPÉENNES D'AFRIQUE ET D'ASIE ACCÈDENT À L'INDÉPENDANCE, DANS DES CONDITIONS SOUVENT DRAMATIQUES SUSCITÉE PAR LES EFFETS DU COLONIALISME LUI-MÊME, ALIMENTÉE PAR LES BOULEVERSEMENTS DES DEUX GUERRES MONDIALES, CETTE LONGUE MARCHE VERS L'ÉMANCIPATION ABOUTIT À LA NAISSANCE DE PLUSIEURS DIZAINES D'ÉTATS NOUVEAUX, REMANIANT DE FOND EN COMBLE LA CARTE GÉOPOLITIQUE D'UNE BONNE PARTIE DU MONDE LA DÉCOLONISATION CONSTITUE CERTES L'UN DES ÉVÉNEMENTS MAJEURS DU XXE SIÈCLE

LA GRANDE FÊTE DE L'INDÉPENDANCE

Scène de joie à Alger le 5 juillet 1962 après la proclamation de l'indépendance.

ue reste-t-il alors à faire au colonisé ? Ne pouvant quitter sa condition dans l'accord et la communion avec le colonisateur, il essaiera de se libérer contre lui : il va se révolter.

Loin de s'étonner des révoltes colonisées, on peut être surpris, au contraire, qu'elles ne soient pas plus fréquentes et plus violentes. En vérité, le colonisateur y veille : stérilisation continue des élites, destruction périodique de celles qui arrivent malgré tout à surgir, par corruption ou oppression policière ; avortement par provocation de tout mouvement populaire et son écrasement brutal et rapide. Nous avons noté aussi l'hésitation du colonisé lui-même, l'insuffisance et l'ambiguïté d'une agressivité de vaincu qui, malgré soi, admire son vainqueur, l'espoir longtemps tenace que la toute-puissance du colonisateur accoucherait d'une toute-bonté.

Mais la révolte est la seule issue à la situation coloniale, qui ne soit pas un trompe-l'œil, et le colonisé le découvre tôt ou tard. Sa condition est absolue et réclame une solution absolue, une rupture et non un compromis. Il a été arraché de son passé et stoppé dans son avenir, ses traditions agonisent et il perd l'espoir d'acquérir une nouvelle culture, il n'a ni langue, ni drapeau, ni technique, ni existence nationale ni internationale, ni droits, ni devoirs : il ne possède rien, n'est plus rien et n'espère plus rien. [...] La situation coloniale, par sa propre fatalité intérieure, appelle la révolte. Car la condition coloniale ne peut être aménagée ; tel un carcan, elle ne peut qu'être brisée.

ALBERT MEMMI
Portrait du colonisé,
Paris, Gallimard, 1975 .
(écrit en 1954)

CHRONOLOGIE

1936	Conférence interaméricaine de Buenos Aires
1941	Charte de l'Atlantique
1945-55	Première phase de décolonisation
1945	Charte de l'ONU
	Proclamation de l'indépendance en Indonésie
1946-54	Guerre d'Indochine
1947	Indépendance de l'Inde, du Pakistan et de Ceylan
	Signature du pacte de Rio
1948	Création de l'Organisation des États américains (OEA)
	Indépendance de la Birmanie
1951	Indépendance de la Libye décidée par l'ONU
1954-62	Guerre d'Algérie
1954	Accords de Genève ; Viêt-nam partagé en deux États
	Coup d'État militaire au Guatemala
	Insurrection en Algérie
1955	Conférence de Bandœng
1956-75	Deuxième phase de décolonisation
1956-68	Indépendance des colonies françaises et britanniques d'Afrique noire
1956	Indépendance de la Tunisie, du Maroc et du Soudan
1959	Victoire des guérilleros de Fidel Castro à Cuba
1961-76	Révoltes des colonies portugaises (Angola, Guinée-Bissau, Mozambique)
1962	Indépendance de l'Algérie
1965	Intervention américaine à Saint-Domingue
1970	Élection de Salvador Allende au Chili
1973	Coup d'État militaire au Chili ; mort de S. Allende
1974-75	Indépendance des colonies portugaises d'Afrique
1980	Indépendance du Zimbabwe

Colonialisme et décolonisation : un schéma directeur

PAR-DELÀ LA TRAME ÉVÉNEMENTIELLE TOUFFUE DE CET IMMENSE PHÉNOMÈNE AUX DIMENSIONS MONDIALES, DONT LE SIMPLE RÉCIT DÉPASSERAIT DE BEAUCOUP LE CADRE DU PRÉSENT MANUEL, IL EST UTILE D'EN TRACER D'ENTRÉE DE JEU LES LIGNES DIRECTRICES.

LE COLONIALISME

C'est tout d'abord dans le colonialisme lui-même qu'on peut déceler les germes de sa propre destruction. Analysé quant à son impact sur le colonisé, le colonialisme pourrait se réduire à trois caractéristiques fondamentales : exploitation économique, sujétion politique, indignité culturelle.

Sans vouloir négliger d'autres aspects comme le prestige politique ou l'intérêt stratégique, c'est le **profit**

économique qui, la plupart du temps, a constitué le mobile fondamental de la conquête coloniale pour les métropoles. Cette phase de **conquête militaire** qui a marqué le début de l'aventure coloniale ne s'est pas faite sans violence, les futurs colonisés résistant de toutes leurs forces à l'envahisseur venu s'emparer du pays et qui, pour sa part, bénéficie d'une écrasante supériorité technique, industrielle et militaire.

Une fois la conquête menée à bien, le colonisateur organise l'**exploitation économique** du territoire. Ce sont d'abord les **ressources naturelles** qui sont mises en coupe réglée : ressources du sol (agriculture, forêts, faune) et du sous-sol (mines). Mais les **populations indigènes** elles-mêmes sont aussi victimes de cette exploitation économique, et cela sous plusieurs aspects. Exploitation de leur **force de travail** par l'instauration du travail plus ou

---

L'EXPLOITATION DE LA MAIN-D'ŒUVRE INDIGÈNE EN AFRIQUE NOIRE

La construction du chemin de fer Congo-Océan, de Brazzaville, a coûté, pour les 140 premiers kilomètres, 17 000 cadavres... Il fallait donc recruter de force la population indigène. Albert Londres a décrit les atrocités de cette chasse à l'homme :

J'ai vu construire des chemins de fer. On rencontrait du matériel sur les chantiers. Ici, que des nègres ! Le nègre remplaçait la machine, le camion, la grue. Épuisés, maltraités [...] les nègres mouraient en masse [...]. Les 8 000 hommes ne furent bientôt que 5 000, 4 000 puis 2 000... Il fallut remplacer les morts, recruter derechef [...]. Comme les indigènes se dérobaient au recrutement, on en arriva aux représailles. Des villages entiers furent punis [...].

ALBERT LONDRES
Terre D'Ébène, Albin Michel, Paris, 1929.

Il y a des territoires où 40 % et, dans l'un d'eux, 50 % de la totalité des hommes de 13 à 35 ans sont au service des Européens. [...] Il est permis de comparer le sacrifice imposé à la population congolaise par l'activité européenne à celui que représenterait l'alimentation pour un peuple de 10 millions d'âmes d'une armée de 200 000 hommes perpétuellement en campagne [...].

PIERRE ORTS
Ministre plénipotentiaire, *Le Congo belge*, 1928.

moins forcé et, de toute façon, rémunéré à des taux largement inférieurs à ceux pratiqués en métropole pour un travail équivalent ; exploitation du **pouvoir d'achat** par la réorganisation des circuits d'échanges au bénéfice du colonisateur ; exploitation des **ressources financières** par le drainage systématique des épargnes dans les institutions du colonisateur, où ces épargnes sont réinvesties selon les priorités et les intérêts de ce dernier, de telle sorte que c'est le colonisé lui-même qui finance en partie sa propre exploitation.

Toute cette exploitation multiforme a pour effet de **détruire les structures traditionnelles de l'économie** précoloniale, et par voie de conséquence de **secouer les bases de la société**. Par exemple, l'introduction de taxes et d'impôts payables en monnaie force l'agriculteur colonisé, qui ne peut payer qu'en nature, soit à abandonner son exploitation au colonisateur, quitte à demeurer sur place à titre de salarié, soit à ajuster sa production aux besoins du colonisateur afin de pouvoir la commercialiser sur les grands circuits à destination de la métropole. D'une façon ou d'une autre, cela mène la plupart du temps à l'abandon de la production vivrière■ et au passage à la monoculture d'exportation (arachides, café), vidant les campagnes des paysans qui n'y peuvent plus survivre et déstructurant les liens sociaux traditionnels.

Mais l'exploitation économique ne saurait se réaliser sans la **sujétion politique**. Même quand il laisse en place, comme dans les protectorats, les chefs politiques traditionnels (voir page 24), le **colonisateur s'empare de la réalité du pouvoir**, sans laquelle sa domination ne serait pas assurée solidement. Le colonisé est ainsi placé hors des centres de décision, exclu de la maîtrise de sa vie collective.

Cet état de sujétion a de profondes répercussions sur l'ensemble de la société colonisée. Les **cadres politiques** qui assuraient sa cohésion interne sont détruits ou vidés de toute substance tandis que s'installe, au-dessus et en dehors d'elle, une nouvelle **structure de pouvoir** qui fonctionne selon les objectifs et les principes du colonisateur. Celui-ci impose, par exemple, des découpages territoriaux

■ **Production vivrière**
Culture de produits alimentaires principalement destinés à la population locale.

aberrants qui morcellent les espaces de transhumance■ (Sahara) ou qui regroupent des communautés disparates dans des entités artificielles. Et l'exclusion forcée du pouvoir, pour peu qu'elle se perpétue, entraîne chez le colonisé une régression dans les capacités mêmes de se gouverner, que seul l'exercice du pouvoir permet de développer.

Une troisième dimension du colonialisme, et non la moindre, réside dans ce qu'on pourrait appeler « l'**indignité culturelle** » qui frappe toute la société colonisée. Tous les traits culturels qui la différencient du colonisateur sont frappés par ce dernier du sceau de la **négativité** et de l'**ignominie** : ses modes de production sont inefficaces, ses rapports sociaux primitifs, sa religion grossière, sa langue inapte à appréhender et à transcrire les réalités modernes, ses mœurs condamnables, ses coutumes, bien que pittoresques, empreintes de gaspillage et d'imprévoyance, voire de simple paresse.

En face, le **colonisateur est tout positif** : ses modes de production, ses structures sociales, son régime politique, sa religion, sa langue, possèdent une valeur intrinsèque à portée universelle. Il est donc en droit de les imposer aux

■ **Transhumance**
Migration périodique de troupeaux entre deux zones de pâturages complémentaires.

L'INDIGNITÉ CULTURELLE
Portrait du colonisé canadien-français par le colonisateur britannique (1839)

Les institutions de France durant la période de colonisation du Canada étaient, peut-être plus que celles de n'importe quelle autre nation d'Europe, propres à étouffer l'intelligence et la liberté de la grande masse du peuple. Ces institutions traversèrent l'Atlantique avec le colon canadien. Le même despotisme centralisateur, incompétent, stationnaire et répressif s'imposa à lui. [...] L'autorité ecclésiastique à laquelle il était habitué établit ses institutions autour de lui, et le prêtre continua à exercer sur lui son ancienne influence. [...] Nous ne devons donc pas nous étonner que, dans de telles circonstances, ces hommes [...] demeurent sous les mêmes institutions le même peuple ignare, apathique et rétrograde. [...] Ces gens s'accrochent aux anciens préjugés, aux anciennes lois, aux anciennes coutumes, non à cause d'un fort sentiment de leurs heureux effets, mais par la ténacité irrationnelle d'un peuple mal éduqué et stationnaire. [...] La Conquête [anglaise] les a transformés, mais très peu. Les classes plus élevées et les citadins ont adopté quelques coutumes et quelques sentiments anglais. Néanmoins, la négligence continuelle du gouvernement britannique a laissé la masse du peuple sans aucune des institutions qui l'eussent élevée à la liberté et à la civilisation. [...] Ils demeurent une société vieillie et retardataire dans un monde neuf et progressif.

LORD DURHAM
Rapport sur l'Amérique du Nord britannique,
1839.

colonisés et, entre autres, d'enseigner sa langue et son histoire dans les écoles de la colonie, faisant par exemple répéter en chœur aux petits Africains des colonies françaises : « Nos ancêtres, les Gaulois... ». Le **colonisé devient ainsi un être de carence**, exclu de la Cité et de l'Histoire, coupé de sa culture, replié sur les valeurs refuges que sont la famille et la religion, derniers espaces où puisse être protégée son existence originale. Mais ces ultimes bases de repli se sclérosent elles-mêmes, leur fonction sociale étant réduite à la survivance d'un passé d'autant plus figé que le présent et surtout l'avenir échappent désormais aux mains du colonisé.

Cette situation d'indignité culturelle, renforcée quotidiennement par la sujétion politique et l'exploitation économique, finit par être acceptée par le colonisé lui-même. Et c'est l'**étape ultime du colonialisme** : le colonisé se reconnaît et s'accepte comme colonisé, reconnaît et accepte le colonisateur comme colonisateur et va désormais conformer sa conduite à cette vision des choses, devenant peu à peu un être réellement inférieur à celui qui est désormais maître de son esprit comme de son corps. C'est bien le colonialisme qui fabrique des colonisés.

LA DÉCOLONISATION

Mais tout en fabriquant des colonisés, le **colonialisme a semé les germes de sa propre remise en cause**. En initiant les populations autochtones à l'économie monétaire, il a suscité l'apparition d'une classe d'exploitants agricoles aisés et d'une bourgeoisie commerciale, mais surtout d'une classe ouvrière déracinée, agglutinée dans les villes ou autour des grandes exploitations agricoles ou minières, et soumise aux fluctuations de la conjoncture internationale. Les vieux cadres tribaux et ethniques sont ainsi disloqués, et une nouvelle conscience peut se forger dans les masses colonisées.

Cependant, cette prise de conscience sera surtout le fait d'une classe d'**intellectuels**, recrutés par le colonisateur pour les besoins de son administration aux niveaux subalternes, et qui recevra une éducation parfois assez

L'ENSEIGNEMENT DISPENSÉ PAR LES COLONISATEURS

J'ai souvent lutté contre l'injustice. J'y étais habitué par la doctrine chrétienne. Mon père, ma mère m'ont toujours dit: «Il ne faut pas être méchant, il faut être bon.» Alors je n'ai jamais compris, dans mon pays, pourquoi à l'école on nous enseignait qu'il faut pratiquer la charité chrétienne; qu'il faut l'amitié entre les hommes et comment on peut concilier l'instruction que les Européens nous donnaient à l'école, principes de civilisation, de morale, avec les actes que les Européens commettaient vis-à-vis des populations noires.

Et alors j'ai commencé à étudier les révolutions dans l'humanité et très souvent la Révolution française. Pourquoi ces gens se sont révoltés, pourquoi ils ont lutté pour leur liberté? J'ai compris vraiment que dans toutes les révolutions il y a un élément profond: c'est la lutte contre l'injustice, contre l'oppression. Et alors, à partir de ce moment-là, j'ai commencé à comprendre.

PATRICE LUMUMBA

Fondateur du Mouvement national congolais, 15 février 1961.

poussée jusque dans les universités européennes (le Vietnamien Hô Chi Minh en France, l'Indien Nehru en Grande-Bretagne). C'est cette classe qui, confrontée à la contradiction flagrante entre les principes solennellement proclamés de l'Occident (liberté, égalité, démocratie, justice sociale) et la situation réelle dans les colonies, va pouvoir **retourner contre le colonisateur les idéaux** qui servaient à ce dernier à masquer sa domination. En même temps, cette classe, consciente de ses capacités, **rejette le portrait** mythique et dégradant que le colonisateur a dessiné du colonisé et que ce dernier a fini par accepter; elle est donc en mesure de redonner au colonisé le sens de sa dignité.

Ainsi s'amorce la décolonisation, d'abord par une radicale mise en question intellectuelle et morale, puis par la montée des revendications, de plus en plus tranchantes. Le colonisé demande d'abord l'**intégration**, qui ferait de lui un citoyen à part entière dans un vaste ensemble métropole-colonie, mais il se heurte très vite à une **fin brutale de non-recevoir**: le colonisateur ne saurait reconnaître l'égalité du colonisé avec lui.

DE L'INTÉGRATION À L'INDÉPENDANCE : ITINÉRAIRE D'UN NATIONALISTE ALGÉRIEN

En 1936

Si j'avais découvert la nation algérienne, je serais nationaliste [...]. Et cependant je ne mourrai pas pour la patrie algérienne parce que cette patrie n'existe pas. Je ne l'ai pas découverte. J'ai interrogé l'histoire, j'ai interrogé les vivants et les morts : personne ne m'en a parlé [...]. On ne bâtit pas sur du vent. Nous avons écarté une fois pour toutes les nuées et les chimères pour lier définitivement notre avenir à celui de l'œuvre française dans ce pays.

Article de Ferhat Abbas dans le journal *L'Entente*, le 23 février 1936.

En 1943

Le refus systématique ou déguisé de donner accès dans la cité française aux Algériens musulmans a découragé tous les artisans de la politique d'assimilation. Cette politique apparaît aujourd'hui aux yeux de tous comme une chimère inaccessible, une machine dangereuse mise au service de la colonisation [...]. Désormais un musulman algérien ne demandera pas autre chose que d'être un Algérien musulman.

Manifeste du peuple algérien, adressé aux Français par F. Abbas le 10 février 1943.

Alors le colonisé réclame l'**indépendance**, qui constitue la **première phase, essentielle mais non suffisante, de la décolonisation**. Dans l'immense majorité des cas, le refus net du colonisateur déclenche une spirale de violences qui va parfois déboucher sur de véritables « guerres de libération nationale » particulièrement longues et cruelles. Une fois déclenchée, la **violence gangrène peu à peu tous les protagonistes** : on la retrouve, bien sûr, entre colonisateurs et colonisés, mais aussi entre les colonisés eux-mêmes, dont une partie rejette la perspective de l'indépendance par intérêt ou par mépris de soi. On la retrouve enfin entre les colonisateurs, qui se déchirent entre « progressistes » favorables à l'émancipation et « colonialistes » farouchement attachés au maintien du lien colonial, c'est-à-dire au maintien de leur pouvoir et de leurs privilèges. Ce sont même ces colonialistes qui ont le plus à perdre dans l'aventure, et c'est pourquoi leur réaction est particulièrement virulente, allant même, en France, jusqu'à la tentative de coup d'État et d'assassinat du président de la République (de Gaulle).

Les guerres de libération nationale se déploient ainsi sur trois fronts, dont deux sont des guerres civiles (entre colonisés et entre colonisateurs), ce qui explique à la fois leur cruauté, leur complexité et la difficulté d'y mettre un terme, sans compter tout l'héritage que la violence laisse dans son sillage. Le colonialisme pourrit le colonisateur, comme il a dégradé le colonisé.

Mais l'**indépendance politique**, sanctionnée par l'accession au statut d'État souverain, **n'est pas la décolonisation**. Car cet État nouveau, maintenant reconnu, est souvent très artificiel, ses frontières ayant été délimitées par les puissances impérialistes au hasard des expéditions, des découvertes et des conflits guerriers. Devant une carte de l'Afrique, les gouvernements européens du XIXe siècle se souciaient fort peu des ensembles économiques, culturels, linguistiques, religieux ou autres qui formaient la réalité des territoires au milieu desquels ils traçaient des lignes de partage selon l'humeur du moment. Or, il se trouve qu'aucune de ces frontières héritées du colonialisme ne sera mise en cause une fois les indépendances acquises, les dirigeants du mouvement de libération étant d'abord soucieux d'instaurer et de conserver leur propre pouvoir sur les territoires libérés. Ce qui fait que la carte politique actuelle de l'Afrique ressemble comme une jumelle à celle de 1914 : il suffit simplement de changer les noms...

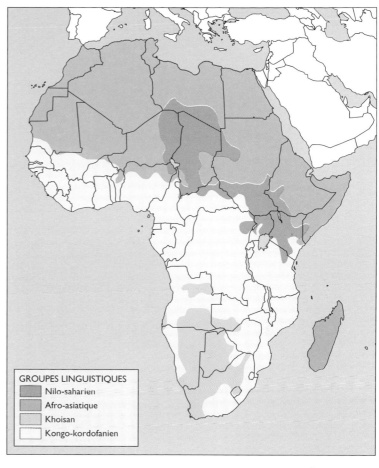

GROUPES LINGUISTIQUES
- Nilo-saharien
- Afro-asiatique
- Khoisan
- Kongo-kordofanien

DES FRONTIÈRES ARTIFICIELLES

Les États d'Afrique après la décolonisation et les principaux groupes linguistiques.

Autre difficulté : les dirigeants des mouvements nationalistes, formés au contact des métropoles, ne pensent bien souvent qu'à imiter ces dernières, plaquant sur des réalités économiques et sociales des **structures qui se révèlent en porte-à-faux** : parlementarisme et démocratie libérale, socialisme inspiré des modèles soviétique ou chinois, qu'il serait miraculeux de voir fonctionner harmonieusement. Par ailleurs, les métropoles s'étant assez peu souciées de préparer la relève au temps de leur domination, le **départ massif des compétences** administratives ou techniques au moment de l'indépendance laisse un vide impossible à combler, tandis que l'impatience du colonisé à diriger ses propres affaires le mène à des **improvisations** parfois désastreuses. La société colonisée **manque également de capitaux**, ceux-ci ayant été siphonnés depuis très longtemps par le colonisateur.

Sur le plan **économique**, l'ex-colonie est toujours largement dépendante de l'extérieur pour la vente de ses matières premières et l'importation de ses produits finis, de sorte qu'elle est pratiquement obligée de **maintenir ses liens de dépendance** à l'égard de l'ancienne métropole (ou de remplacer cette dernière par une nouvelle : voir le cas cubain). Le manque de capitaux propres se fait aussi cruellement sentir, ce qui augmente les contraintes imposées au développement du nouvel État.

C'est ainsi que l'étape des indépendances est suivie par celle du **néocolonialisme**, c'est-à-dire par la perpétuation des liens de dépendance sous des apparences de souveraineté officielle. C'est souvent la réalité que recouvre aujourd'hui l'euphémisme de l'« aide aux pays sousdéveloppés » (voir le chapitre suivant). Décolonisation : très long processus dont nous n'avons encore vu que les premiers balbutiements...

L'HÉRITAGE ÉCONOMIQUE COLONIAL

Les austères réalités de la vie économique se dressent devant les nations nouvelles aussitôt après leur libération et leur font comprendre que leur indépendance politique n'a de valeur qu'autant qu'elles obtiennent en même temps leur indépendance économique. En se dégageant d'une période prolongée de domination étrangère, chaque pays a découvert que son économie était « coloniale » dans une certaine mesure, c'est-à-dire presque inextricablement solidaire de celle de la nation métropolitaine qui la régentait. Sa monnaie était liée à celle de la métropole. Son système bancaire (à quelques exceptions près en Inde) était dominé par des banques métropolitaines. Son commerce était orienté, en général, directement vers la métropole. Certains de ses principaux produits, comme le thé en Inde, le thé et le caoutchouc à Ceylan, le pétrole, le sucre et le caoutchouc en Indonésie [...] se trouvaient aux mains des colonisateurs. Les métropoles avaient voix majoritaires même en ce qui concernait l'écoulement des produits bruts. Les ex-colonies étaient complètement paralysées et, si elles voulaient donner une substance économique à leur indépendance politique, il était évident qu'elles devaient élaborer des lignes de conduite et des mesures dont elles ne s'étaient guère préoccupées auparavant.

K.-M. PANIKKAR
Problèmes des États nouveaux, Paris, Calmann-Lévy, 1959.

L'étape des indépendances

E SCHÉMA DIRECTEUR UNE FOIS POSÉ,
C'EST LA DEUXIÈME GUERRE MONDIALE
QUI, DANS LES FAITS, MARQUE LA LIGNE
DE FAÎTE QUI SÉPARE « LES DEUX VER-
SANTS DE L'HISTOIRE » (G. DE BOSSCHÈRE) ET
QUI ENCLENCHE LA DÉCOLONISATION.

UN CONTEXTE FAVORABLE

Déjà, la **Première Guerre mondiale** avait déclenché une dynamique nouvelle. Les « Quatorze Points » de Wilson (voir page 66) avaient ouvert la voie à la reconnaissance du **droit des peuples à l'autodétermination**, et les traités de 1919 avaient effectivement « décolonisé » les peuples sous domination turque, confiant aux puissances victorieuses le « mandat » d'amener ces peuples à une indépendance dont on s'était cependant bien gardé de préciser l'échéance. L'**entre-deux-guerres** avait ensuite vu l'ascension des **mouvements nationalistes** chez les peuples dominés (voir page 111).

La **Deuxième Guerre** rend cette dynamique irréversible. Elle représente tout d'abord une **atteinte irrémédiable au prestige** du colonisateur, et singulièrement à son prestige militaire, élément essentiel du maintien de la domination coloniale. L'effondrement des puissances coloniales devant les armées hitlériennes en Europe, et surtout devant les armées japonaises en Asie, détruisent à jamais le mythe de l'invincibilité de l'homme blanc. Dans les colonies qu'ils envahissent, les Japonais jouent d'ailleurs sur ce renversement inattendu pour se présenter en libérateurs auprès des peuples colonisés, invoquant une « sphère de coprospérité » asiatique, délivrant les chefs nationalistes emprisonnés par les anciens maîtres et

L'IMPACT DE LA LUTTE ANTINAZIE

Beaucoup d'Africains ne cachent pas, écrit Tevœdjre dans l'Afrique révoltée, dans des conversations privées, qu'il faudra — aux jours d'une Afrique indépendante — élever un monument en souvenir d'un personnage maudit de l'Histoire: Hitler! Il s'agit, bien sûr, d'une boutade qui peut paraître paradoxale et choquante, mais les Européens ne savent peut-être pas suffisamment que la dernière guerre mondiale a terriblement éveillé la prise de conscience des Africains, leur a davantage ouvert le champ du monde extérieur et les a rendus plus sensibles à certaines injustices [...]. Personne ne doit plus feindre d'ignorer ou même d'oublier la célèbre apostrophe d'un député noir à l'Assemblée nationale française: «En vous aidant à vous dégager des bottes hitlériennes, nous avons mordu au pain de la liberté et ne croyez surtout pas que vous pourrez un jour nous en ôter le goût.»

C. WAUTHIER
L'Afrique des Africains, inventaire de la négritude,
coll. L'Histoire immédiate, Paris, Seuil, 1964.

leur donnant même quelques simulacres de pouvoir (Sœkarno en Indonésie). Dépouillées de leur prestige et de leur pouvoir, les puissances coloniales vont par ailleurs sortir de la guerre dans un **état d'épuisement** tel que le retour pur et simple à l'ordre ancien s'avère impossible.

Dans les colonies demeurées sous juridiction européenne, la guerre **accentue les déséquilibres économiques et sociaux** déjà suscités par la situation coloniale. Les colonies doivent fournir des quantités accrues de matières premières et de denrées agricoles, alors que la perturbation des échanges internationaux entraîne des **pénuries de produits manufacturés** ou l'effondrement de certaines exportations, comme l'arachide (Sénégal) ou le cacao (Côte-d'Ivoire). La **réquisition des indigènes** pour les travaux publics et les cultures forcées prennent de l'ampleur. En même temps, la **mobilisation militaire** amène des millions de colonisés dans les unités combattantes et cet «impôt du sang» est l'occasion rêvée pour les colonisés d'exiger des **compensations** que le colonisateur aura mauvaise conscience à refuser, mais aussi d'acquérir une précieuse **expérience des combats** qu'ils pourront mettre à profit dans leur lutte de libération. Au Viêt-nam,

L'« IMPÔT DU SANG »

Troupes coloniales au service des
puissances européennes

c'est dans la guérilla antijaponaise que les nationalistes mettent au point les structures et les stratégies qui leur permettront d'affronter les Français après 1945.

La guerre a aussi un impact décisif sur le plan **idéologique**. La charte de l'Atlantique, proclamée solennellement par Churchill et Roosevelt avant d'être adoptée par la grande coalition antinazie, réaffirme le **droit des peuples** à disposer d'eux-mêmes et à choisir la forme de gouvernement sous laquelle ils veulent vivre. Bien que Churchill ait par la suite restreint la portée du texte aux seuls peuples européens passés sous le joug nazi, Roosevelt ne semble pas avoir eu de telles réserves, et les colonisés y voient une portée universelle qui légitime leurs aspirations.

Dans l'immédiat après-guerre, de nouveaux facteurs viennent alimenter un processus déjà bien enclenché. C'est d'abord la **formation de l'ONU**, qui crée un Conseil de tutelle pour administrer un certain nombre d'anciennes colonies, celles de l'Italie par exemple, passées sous juridiction internationale. C'est surtout l'**appui des deux superpuissances** au mouvement d'émancipation qui contribue à le rendre irréversible. L'URSS se pose en effet en championne de la liberté des peuples et présente sa propre situation comme la solution idéale au problème de l'autonomie dans l'interdépendance, tandis que les

RÉSOLUTION DE L'ONU SUR LE DROIT DES PEUPLES À DISPOSER D'EUX-MÊMES (16 DÉCEMBRE 1952)

Les États membres de l'Organisation doivent reconnaître et favoriser la réalisation, en ce qui concerne les populations des territoires sous tutelle placés sous leur administration, du droit des peuples à disposer d'eux-mêmes et doivent faciliter l'exercice de ce droit aux peuples de ces territoires, compte tenu des principes et de l'esprit de la charte des Nations Unies en ce qui concerne chaque territoire et de la volonté librement exprimée des populations intéressées, la volonté de la population étant déterminée par voie de plébiscite ou par d'autres moyens démocratiques reconnus, de préférence sous l'égide des Nations Unies.

États-Unis se proposent aussi en modèles, en tant que première colonie européenne ayant réussi à se libérer de l'« oppression » de sa métropole.

Bien sûr, au-delà de ces belles déclarations de principes, des **intérêts bien concrets** sont en jeu. L'Union soviétique ne pourrait que profiter d'un affaiblissement des vieux empires et d'un rapprochement avec les dirigeants des futurs États décolonisés, tandis que les États-Unis verraient s'ouvrir de nouveaux marchés par la disparition des grands ensembles impériaux. Après l'éclatement de la guerre froide, la décolonisation devient un enjeu important de l'affrontement des blocs, et les États-Unis sont amenés à nuancer sérieusement leur position anti-colonialiste devant le risque d'un glissement des mouvements nationalistes vers un socialisme révolutionnaire qui viendrait grossir les rangs du bloc continental. C'est ainsi, par exemple, que les États-Unis vont appuyer la France dans sa lutte contre les nationalistes vietnamiens.

Mais alors que l'ordre colonial est partout contesté, les métropoles restent, pour la plupart, farouchement attachées à leurs possessions, et l'étape des indépendances qui s'ouvre sera longue, ardue, souvent sanglante.

L'ASIE

C'est en Asie que le mouvement démarre, au moment où les troupes japonaises se retirent de leurs conquêtes, abandonnant sur place quantité de matériel de guerre

LA POSITION DES ÉTATS-UNIS

Les leaders soviétiques, en établissant leur stratégie de conquête mondiale, utilisent le nationalisme comme stratagème pour gagner les peuples colonisés. Staline, dans sa vision classique des fondements du léninisme, pense que « la route qui mène à la victoire révolutionnaire en Occident passe par l'alliance avec les mouvements de libération des colonies et des pays dépendants ».

En découle un programme en deux temps : en premier lieu des agitateurs communistes stimulent les aspirations nationalistes jusqu'à la rébellion violente contre l'ordre établi, ensuite avant même que l'indépendance fraîchement acquise puisse se consolider, les communistes chercheront à noyauter les nouveaux gouvernements pour mieux entraîner les peuples dans l'orbite soviétique.

Ce complot est en marche. Dans toutes les nouvelles zones indépendantes ou dans celles qui aspirent à le devenir, les communistes opèrent ainsi, déguisés en patriotes locaux.

Peut-être certains d'entre vous trouvent-ils que notre gouvernement ne pousse pas la politique de liberté aussi vigoureusement qu'il le faudrait. Je peux vous dire trois choses :

— que nous poussons vers le self-gouvernement plus qu'il n'apparaît en surface ;

— que là où nous mettons un frein, c'est dans la conviction raisonnée qu'une action précipitée ne conduirait pas en fait à l'indépendance mais à une servitude plus dure que la dépendance présente ;

— nous avons distingué les cas où la possibilité d'invoquer la menace communiste est susceptible de justifier des délais, et les cas où il n'existe pas de raison valable.

Nous avons de bonnes raisons de souhaiter maintenir l'unité avec nos alliés occidentaux, mais nous n'avons pas oublié que nous fûmes la première colonie à arracher l'indépendance. Et nous n'avons donné de chèque en blanc à aucune puissance coloniale.

Extraits du discours de
John Foster Dulles,
secrétaire d'État américain,
le 18 novembre 1953.

LA DÉCOLONISATION EN ASIE

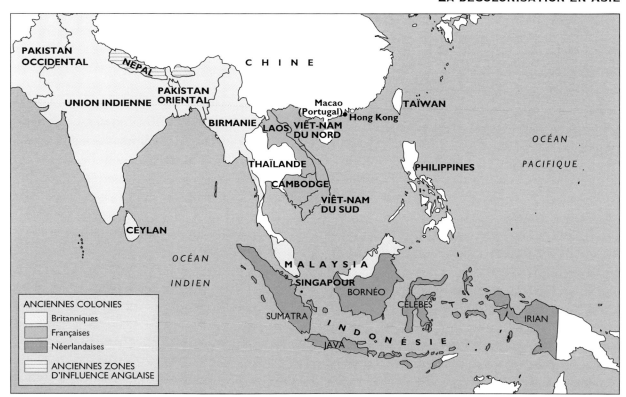

ANCIENNES COLONIES
- Britanniques
- Françaises
- Néerlandaises

ANCIENNES ZONES D'INFLUENCE ANGLAISE

récupéré par les nationalistes. Profitant du vide politique créé par le départ des Japonais, avant le retour des colonisateurs Hollandais, le chef nationaliste indonésien Ahmed Sœkarno proclame la République et rompt les liens avec les Pays-Bas le 17 août 1945. Deux tentatives de reconquête militaire ayant échoué devant la détermination des Indonésiens et les difficultés du terrain, les Pays-Bas, épuisés de toute façon par la guerre et soumis à une très forte pression internationale (les États-Unis vont jusqu'à suspendre l'aide Marshall), se résignent enfin à négocier et reconnaissent l'**indépendance de l'Indonésie** en 1949.

Entre-temps, l'**empire britannique des Indes** a été dissous, dans des circonstances plutôt dramatiques. Dès la fin de la guerre, le Royaume-Uni a engagé des négociations avec les nationalistes indiens, auxquels on avait promis l'indépendance pour prix de leur appui à l'effort de guerre contre le Japon. Mais un problème lancinant va paralyser les pourparlers pendant de longs mois. Les populations du sous-continent indien se partagent en effet entre deux grandes religions, l'Hindouisme et l'Islam. Inquiets de leur sort dans un État unique tel que le réclament les chefs de la majorité hindoue (Gandhi, Nehru), les musulmans exigent la formation de deux États sur des bases religieuses.

D'abord réticente, la Grande-Bretagne accepte finalement la « Partition » et, le 15 août 1947, deux États naissent, le **Pakistan**, à majorité musulmane, formé de deux sections distantes de 1 700 kilomètres l'une de l'autre, et l'**Union indienne**, à majorité hindoue, tous deux membres du Commonwealth britannique. Mais c'est une atmosphère de guerre civile qui accompagne la délimitation des frontières et surtout les transferts massifs de population, voulus ou forcés, qui jettent sur les routes 17 millions de personnes et s'accompagnent de massacres impitoyables. Gandhi lui-même est assassiné par un hindou fanatique en 1948.

Avec l'accession de **Ceylan** (Sri Lanka) et de la **Birmanie** à la souveraineté (1947), il ne reste à peu près plus rien du fameux empire britannique des Indes, sauf la

Malaisie, où une guérilla communiste de 7 ans devra être maîtrisée avant l'octroi de l'indépendance, le 31 août 1957. Le dernier vestige, **Hong Kong**, sera rétrocédé à la Chine en 1997.

C'est en **Indochine française** que la décolonisation connaît son plus sérieux dérapage. Comme en Indonésie, le retrait des Japonais avant le retour des Français a permis à Hô Chi Minh de proclamer la **République démocratique du Viêt-nam**, en citant mot à mot dans sa proclamation un passage de la Déclaration d'indépendance des États-Unis de 1776... Mais la France tient à garder son empire asiatique et, tout en négociant avec Hô Chi Minh, elle entreprend une reconquête militaire systématique. La rupture avec les nationalistes est consommée en novembre 1946, alors que la marine française bombarde le port d'Haiphong, tuant 6 000 personnes, ce à quoi les partisans de Hô Chi Minh, regroupés dans le Viêt-minh, répliquent par un massacre d'Européens à Hanoi

LES PRINCIPES DE L'OCCIDENT RETOURNÉS

« Tous les hommes ont été créés égaux [...] Leur Créateur leur a conféré certains droits inaliénables. Parmi ceux-ci, il y a la vie, la liberté et la recherche du bonheur. » Ces paroles immortelles sont tirées de la Déclaration d'indépendance des États-Unis d'Amérique en 1776. Prises au sens large, ces phrases signifient: tous les peuples sur terre sont nés égaux; tous les peuples ont le droit de vivre, d'être libres, d'être heureux.

La Déclaration des Droits de l'Homme et du Citoyen de la Révolution française (1789) a également proclamé: «Les hommes sont nés et demeurent libres et égaux en droits. »

Il y a là d'indéniables vérités.

Cependant, depuis plus de 80 ans, les impérialistes français, reniant leurs principes: liberté, égalité, fraternité, ont violé la terre de nos ancêtres et opprimé nos compatriotes. Leurs actions sont contraires à l'idéal d'humanité et de justice. [...]

[...] La vérité est que nous avons saisi notre indépendance des mains des Japonais et non des mains des Français. Avec la fuite des Français, la capitulation des Japonais et l'abdication de l'Empereur Bao-Daï, notre peuple a brisé les chaînes qui avaient pesé sur nous pendant près de cent ans et a fait de notre Viêt-nam un pays indépendant. Notre peuple a, en même temps, renversé le régime monarchique

établi depuis des siècles et il a fondé la République.

Pour ces raisons, nous, Membres du Gouvernement provisoire, déclarons que nous n'aurons désormais aucune relation avec la France impérialiste, que nous abolirons les traités signés par la France au sujet du Viêt-nam, que nous abolirons tous les privilèges que se sont arrogés les Français sur notre territoire. Tout le peuple du Viêt-nam, inspiré par la même volonté, est déterminé à combattre jusqu'au bout contre toute tentative d'agression de la part des impérialistes français.

Extraits de la Déclaration d'indépendance de la République démocratique du Viêt-nam, 2 septembre 1945.

ENTRÉE DES TROUPES DU VIÊT-MINH DANS HANOI, LE 9 OCTOBRE 1954

pendant que leur chef prend le maquis. La **guerre d'Indochine** a commencé.

D'abord guerre classique de guérilla dans laquelle les insurgés en viennent rapidement à contrôler les campagnes, isolant les forces d'occupation dans quelques villes, le conflit prend une **dimension nouvelle** avec le début de la guerre froide et surtout la victoire communiste en Chine. Le Viêt-minh peut maintenant engager des forces armées modernes, bien équipées, tandis que la France bénéficie de l'aide financière des États-Unis dans sa croisade anticommuniste. Mais sur le terrain, l'**avantage va au Viêt-minh**, qui obtient une retentissante victoire sur le corps expéditionnaire français à Diên Biên Phu le 7 mai 1954 (12 000 prisonniers). Pour la première fois depuis le lancement de l'impérialisme européen il y a près de 500 ans, un peuple colonisé vient d'obtenir une victoire décisive, dans une bataille rangée, avec les armes mêmes de l'Occident, contre celui-ci. Diên Biên Phu devient le symbole de la lutte de tous les peuples colonisés, et hâte la fin de la guerre.

Les **accords de Genève** de 1954 divisent provisoirement le Viêt-nam en **deux États** sur la ligne du 17e parallèle : au nord, la République démocratique du Viêt-nam, dirigée par Hô Chi Minh ; au sud, un régime pro-occidental. Des élections sont prévues dans les deux ans pour décider de la réunification. Le **Laos** et le

Cambodge deviennent des États indépendants et neutres, ce qui est toute une nouveauté dans ce monde divisé en blocs où chacun est sommé de choisir son camp ; mais il est vrai qu'en 1954 on commence déjà à parler de cœxistence.

Malgré ces accords, la paix n'est pas près de revenir dans cette partie du monde. Le gouvernement sud-vietnamien ayant refusé de tenir les élections prévues, sûr qu'il était de les perdre, des foyers de résistance se développent dans le Sud, appuyés par le Viêt-nam du Nord, dès la fin des années cinquante, tandis que les États-Unis volent au secours du gouvernement de Saigon (Sud), inefficace et corrompu. C'est le début de la **guerre du Viêt-nam**, seconde guerre d'Indochine, qui se déploie dans trois dimensions : nationalistes sud-vietnamiens contre le gouvernement du Sud, Viêt-nam du Nord contre Viêt-nam du Sud, États-Unis à la fois contre nationalistes sud-vietnamiens et Viêt-nam du Nord (voir page 310).

L'Afrique du Nord

La défaite de l'Italie dans la guerre a déjà entraîné une première décolonisation en Afrique du Nord, celle de la Libye, reconnue par l'ONU en 1951 avec celle de la Somalie. Puis, les protectorats français de Tunisie et du Maroc entrent en effervescence.

En **Tunisie**, le leader nationaliste Habib Bourguiba mêle habilement la négociation et l'appel au soulèvement populaire. Sous la pression des colons européens de Tunisie, la France rompt les négociations et fait emprisonner Bourguiba en 1951. Les troubles se multiplient alors à travers le pays, et la France doit bientôt reconnaître « l'autonomie interne de l'État tunisien » et rappeler le leader emprisonné, auquel son peuple fait un triomphe (1955). L'indépendance complète est finalement reconnue en juin 1956.

Au **Maroc**, l'*Istiqlal* (parti de l'indépendance) jouit de l'appui officieux du sultan Mohammed Ben Youssef, mais la France décide de pratiquer une politique autoritaire qui mène à un grand soulèvement à Casablanca en 1952, durement réprimé par l'armée. La France détrône alors le

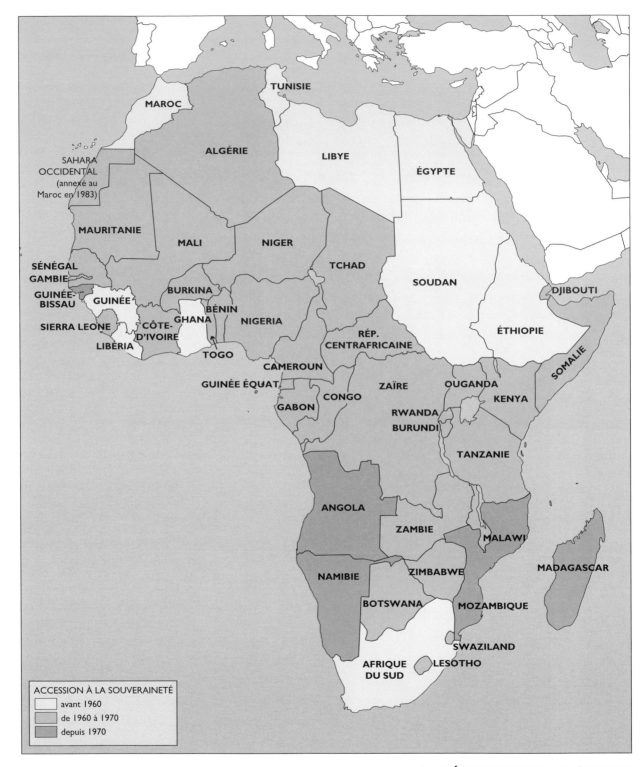

ACCESSION À LA SOUVERAINETÉ

- avant 1960
- de 1960 à 1970
- depuis 1970

LA DÉCOLONISATION EN AFRIQUE

Les dates indiquées sont celles de l'accession à l'indépendance des différents États.

sultan et le déporte à Madagascar, mais l'insurrection gagne tout le pays. Débordée, la France doit ramener le sultan et ouvrir des négociations qui aboutissent à la reconnaissance de l'indépendance du Maroc le 2 mars 1956.

C'est en **Algérie** que la tragédie va frapper, entraînant la plus longue et la plus sanglante des guerres de libération nationale. L'Algérie constitue, il est vrai, un cas assez particulier. Considérée par la France comme faisant partie du territoire national, elle est dirigée par un gouverneur général et contient la plus forte minorité de colons européens de toutes les colonies : 1 million (dont 80 % sont nés en Algérie), contre 9 millions d'Algériens. Dans ces « départements français », la société est très inégalitaire, le vote d'un citoyen français valant dix fois celui d'un musulman de « statut coranique ».

L'insurrection ayant été déclenchée le 1er novembre 1954 par le Front de libération nationale, la France envoie jusqu'à 900 000 soldats en Algérie, pendant que les relations entre les deux communautés se dégradent rapidement par suite d'**aveugles massacres** de part et d'autre.

« L'ALGÉRIE, C'EST LA FRANCE »
Deux dirigeants français, pourtant progressistes, réagissant au déclenchement de l'insurrection algérienne :

Déclaration du président du Conseil à l'Assemblée nationale

1954 (12 novembre)
À la volonté criminelle de quelques hommes doit répondre une répression sans faiblesse, car elle est sans injustice. Les départements d'Algérie font partie de la République, ils sont français depuis longtemps [...]. Jamais la France, jamais aucun parlement, jamais aucun gouvernement ne cédera sur ce principe fondamental. Qu'on n'attende de nous aucun ménagement à l'égard de la sédition, aucun compromis avec elle. On ne transige pas lorsqu'il s'agit de défendre la paix intérieure de la nation et l'intégrité de la République [...]. Entre l'Algérie et la métropole, il n'y a pas de sécession concevable. Cela doit être clair pour tout le monde.

P. MENDÈS FRANCE.

Déclaration du ministre de l'Intérieur

À l'Assemblée nationale

1954 (7 novembre)
L'Algérie, c'est la France et la France ne reconnaîtra pas chez elle d'autre autorité que la sienne.
À la Commission de l'Intérieur

1954 (5 novembre)
La seule négociation, c'est la guerre.

1954 (12 novembre)
Des Flandres au Congo il y a une seule loi, une seule nation, un seul Parlement.

F. MITTERAND

La répression féroce et le recours systématique à la **torture** par l'armée divisent profondément l'opinion publique française, achevant de paralyser une IVe République de plus en plus mal en point. Le 13 mai 1958, une émeute de colons amène la formation d'un pouvoir insurrectionnel à Alger et, devant la **menace de guerre civile** en France, l'Assemblée nationale fait appel au général de Gaulle, retiré de la vie politique depuis dix ans, auquel elle donne les pleins pouvoirs.

Ayant doté la France d'une nouvelle constitution (la Ve République), de Gaulle, devenu Président, ouvre bientôt des négociations avec le FLN, et les accords d'Évian de 1962 reconnaissent l'**indépendance de l'Algérie**. Déjà les colons français d'Algérie (les « pieds-noirs ») se sont déchaînés, à la fois contre les musulmans et contre le gouvernement français, déclenchant un **contre-terrorisme** qui vise jusqu'à de Gaulle lui-même, objet de plusieurs tentatives d'assassinat. Une fois les accords d'Évian conclus, le terrorisme des colons se poursuit en Algérie dans le but d'en empêcher l'application, forçant à l'exil près d'un million d'Européens qu'une France honteuse ne recevra pas de gaieté de cœur. Le bilan : 30 000 morts français, au moins 500 000 morts algériens (on parle même d'un million), et une blessure lancinante, toujours prête à se rouvrir, dans la conscience collective française.

L'AFRIQUE NOIRE

L'accession à l'indépendance des colonies d'Afrique noire se fait **de façon beaucoup plus pacifique**, malgré quelques « bavures » parfois sanglantes. À partir de 1957, la plupart des colonies britanniques et françaises se voient reconnaître leur indépendance, et l'ONU se gonfle en moins de dix ans (1957 - 1965) d'une vingtaine de nouveaux membres africains.

C'est là où le nombre de colons blancs est le plus élevé que les difficultés sont les plus grandes : au **Kenya**, au Nyassaland (futur **Malawi**) en Rhodésie du Nord (future **Zambie**) et surtout en Rhodésie du Sud, où les Blancs, plus nombreux, proclament l'indépendance à leur profit

UNE INDÉPENDANCE AU GOÛT AMER

À vous tous, mes amis qui avez lutté sans relâche à nos côtés, je vous demande de faire de ce 30 juin 1960 une date illustre que vous garderez ineffaçablement gravée dans vos cœurs, une date dont vous enseignerez avec fierté la signification à vos enfants, pour que ceux-ci à leur tour fassent connaître à leurs fils et à leurs petits-fils l'histoire glorieuse de notre lutte pour la liberté.

Car cette indépendance du Congo, si elle est proclamée aujourd'hui dans l'entente avec la Belgique, pays ami avec qui nous traitons d'égal à égal, nul Congolais digne de ce nom ne pourra jamais oublier cependant que c'est par la lutte qu'elle a été conquise, une lutte de tous les jours, une lutte ardente et idéaliste, une lutte dans laquelle nous n'avons ménagé ni nos forces, ni nos privations, ni nos souffrances, ni notre sang. C'est une lutte qui fut de larmes, de feu et de sang, nous en sommes fiers jusqu'au plus profond de nous-mêmes, car ce fut une lutte noble et juste, une lutte indispensable pour mettre fin à l'humiliant esclavage qui nous était imposé par la force.

Ce que fut notre sort en quatre-vingts ans de régime colonialiste, nos blessures sont trop fraîches et trop douloureuses encore pour que nous puissions les chasser de notre mémoire.

Nous avons connu le travail harassant exigé en échange de salaires qui ne nous permettaient ni de manger à notre faim, ni de nous vêtir ou de nous loger décemment, ni d'élever nos enfants comme des êtres chers. Nous avons connu les ironies, les insultes, les coups que nous devions subir matin, midi et soir, parce que nous étions des Nègres. Qui oubliera qu'à un Noir on disait «Tu», non certes comme à un ami, mais parce que le «Vous» honorable était réservé aux seuls Blancs ?

Nous avons connu nos terres spoliées au nom de textes prétendument légaux, qui ne faisaient que reconnaître le droit du plus fort ; nous avons connu que la loi n'était jamais la même, selon qu'il s'agissait d'un Blanc ou d'un Noir, accommodante pour les uns, cruelle et inhumaine pour les autres.

Qui oubliera, enfin, les fusillades où périrent tant de nos frères, ou les cachots où furent brutalement jetés ceux qui ne voulaient pas se soumettre à un régime d'injustice ?

Tout cela, mes frères, nous en avons profondément souffert, mais tout cela aussi, nous, que le vote de vos représentants élus a agréés pour diriger notre cher pays, nous qui avons souffert dans notre corps et dans notre cœur de l'oppression colonialiste, nous vous le disons, tout cela est désormais fini.

La République du Congo a été proclamée et notre cher pays est maintenant entre les mains de ses propres enfants.

PATRICE LUMUMBA
Discours prononcé en présence du roi des Belges le jour de la proclamation d'indépendance du Congo belge, futur Zaïre.

---

malgré l'opposition de Londres en 1965. Ce n'est qu'en 1980, après transfert du pouvoir à la majorité noire, que le pays sera reconnu, sous le nom de **Zimbabwe**.

Le dernier empire européen d'Afrique, celui du Portugal, connaît une longue suite de conflits sanglants dans lesquels la métropole engloutit, au début des années soixante-dix, plus du tiers de son budget. C'est un coup d'État de généraux anticolonialistes au Portugal même qui débloque la situation en 1974, amenant l'accession à l'indépendance des dernières colonies africaines (Guinée-Bissau, Angola, Mozambique).

Reste l'Afrique du Sud, cas tout à fait spécial puisqu'il s'agit d'un pays déjà souverain, totalement dominé par une forte minorité blanche installée sur place depuis quelques siècles et qui défend farouchement ses privilèges dans le cadre d'un État intégralement raciste où tout est fonction de la couleur de la peau. Cette politique d'**apartheid** est cependant combattue de plus en plus violemment de l'intérieur et condamnée par la communauté internationale (boycott, expulsion du Commonwealth), mais à l'orée des années soixante-dix l'horizon semble bouché.

L'Amérique latine entre indépendance et décolonisation

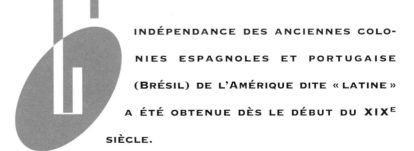

INDÉPENDANCE DES ANCIENNES COLONIES ESPAGNOLES ET PORTUGAISE (BRÉSIL) DE L'AMÉRIQUE DITE « LATINE » A ÉTÉ OBTENUE DÈS LE DÉBUT DU XIXE SIÈCLE.

Mais ce phénomène n'a pas grand-chose en commun avec celui que nous venons de décrire, car il s'agissait, en Amérique, de colonies de peuplement, où les colonisateurs blancs étaient largement et depuis longtemps installés, voire majoritaires dans la plupart des cas. Cette indépendance s'était donc faite par et pour les « créoles » de souche européenne, maintenant dans un état de sujétion les Autochtones amérindiens et les Noirs encore tenus en esclavage.

Par ailleurs, la faiblesse des États ainsi promus à la souveraineté les avait vite fait retomber sous domination économique étrangère, d'abord britannique, puis, de plus en plus, américaine.

« SI LOIN DE DIEU, SI PRÈS DES ÉTATS-UNIS »

Au début du XXᵉ siècle, l'Amérique latine est ainsi devenue la **chasse gardée des États-Unis**, du moins dans sa portion nord, où les interventions armées américaines se multiplient au Mexique, dans les Caraïbes, en Amérique centrale, faisant de certains pays de véritables protectorats de Washington (Cuba, Haïti, Panama, Nicaragua et autres).

C'est la Révolution mexicaine, commencée en 1910, qui marque la première tentative de « décolonisation » face au puissant et encombrant voisin (voir page 30). Dans les années trente, la crise économique et la situation internationale, de même que la montée de l'antiaméricanisme, amènent les États-Unis à modifier leur stratégie dans la région, et c'est le président Roosevelt qui lance en 1933 la

---

UN EXEMPLE DES INTÉRÊTS AMÉRICAINS EN AMÉRIQUE CENTRALE

L'isthme qui relie le Mexique à l'Amérique du Sud est constitué de six pays indépendants, qui sont, du nord au sud, le Guatemala, le Salvador, le Honduras, le Nicaragua, le Costa Rica et Panama. Sauf pour Panama, les relations des cinq autres États avec les États-Unis sont intimement liés à une société privée, la United Fruit Company (UFC), qui exploite principalement des plantations de bananes pour le marché nord-américain. Fondée en 1870 par Minor C. Keith (1848-1929), cette société a été, jusqu'à nos jours, toute-puissante en Amérique centrale. Elle a instauré un protectorat économique de fait, soutenant tout gouvernement qui respecte ses intérêts. Elle a favorisé l'installation de dictatures locales, généralement inefficaces politiquement et socialement, mais assurant à l'UFC, moyennant quelques concessions financières, une exploitation de tout repos.

LISE POTHIER
Histoire des États-Unis d'Amérique, Mont-Royal, Modulo, 1987.

nouvelle « politique du bon voisinage » (*good neighbour policy*). L'intervention directe est solennellement abandonnée à la Conférence interaméricaine de Buenos Aires (1936), qui adopte à l'unanimité un protocole spécial interdisant toute intervention « directe ou indirecte, et pour quelque raison que ce soit » dans les affaires « internes ou externes » de l'un ou l'autre des États signataires. Les troupes américaines se retirent alors du Nicaragua et d'Haïti, tandis que des ententes abrogent une série de « traités inégaux » qui donnaient aux États-Unis le droit de superviser les finances ou d'intervenir militairement dans certains pays (Haïti, Cuba, Panama, Nicaragua, République dominicaine).

Cette politique de bon voisinage ne fait cependant que remplacer la « diplomatie de la canonnière » par une forme de **mainmise indirecte** plus subtile mais tout aussi efficace. On procédera maintenant par des **crédits** de l'American Eximport Bank pour attacher plus solidement l'économie de ces pays à celle des États-Unis, on assistera financièrement les **régimes dictatoriaux** favorables aux intérêts américains, et on entraînera des **forces de police** « nationales » destinées à prendre la relève des troupes américaines dans la lutte contre les mouvements progressistes. C'est ainsi qu'au Nicaragua le chef rebelle Cesar Augusto Sandino, dont les *marines* américains n'avaient pas réussi à venir à bout, sera assassiné, après leur retrait, par la Garde nationale nicaraguayenne, dont le chef, Anastasio Somoza, instaurera dans le pays, en 1936, une dictature familiale qui durera un demi-siècle.

La Deuxième Guerre mondiale accélère la « satellisation » de l'Amérique latine par les États-Unis. Les liens commerciaux avec l'Europe étant à toutes fins utiles coupés, la **production est réorientée** en fonction des besoins en matières premières des États-Unis, et exportée vers eux à des prix artificiellement bas en échange de crédits bancaires. Quand la demande pour ces productions de guerre s'effondre brusquement en 1945, une difficile période de reconversion contribue à approfondir encore la dépendance des pays latino-américains à l'égard de la superpuissance du Nord. La guerre est aussi l'occasion de **raffermir les liens militaires** entre Washington et le sud du continent, afin d'assurer la défense commune et la sécurité collective. C'est ainsi que tous les pays d'Amérique latine seront amenés, malgré parfois de vives réticences (Argentine), à déclarer officiellement la guerre aux puissances de l'Axe et à fournir aux forces américaines des bases de ravitaillement essentielles.

Les années d'après-guerre voient l'Amérique latine aux prises avec des difficultés économiques et sociales croissantes qui menacent sa stabilité politique, un peu à l'image de l'Europe au même moment. Mais alors que l'Europe occidentale peut s'abreuver largement aux sources du plan Marshall, **il n'y aura pas de plan de redressement** pour le continent sud-américain, malgré de pressantes demandes en ce sens. La menace de subversion communiste y était-elle trop lointaine pour justifier un tel effort ? Les États-Unis vont par ailleurs s'opposer systématiquement à tout mécanisme international de régulation des prix des matières premières, dont les fluctuations vastes et anarchiques rendent impossible une croissance

LA SAIGNÉE DE L'AMÉRIQUE LATINE

« Ce qui caractérise le capitalisme moderne, où règne le monopole, c'est l'exportation de capitaux », avait écrit Lénine. *De nos jours [...] l'impérialisme importe des capitaux des pays où il opère. Durant la période 1950-1967, les nouveaux investissements nord-américains en Amérique latine atteignirent [...] un total de trois milliards neuf cent vingt et un millions de dollars ; les versements et dividendes expédiés à l'extérieur par les entreprises furent de douze milliards huit cent dix-neuf millions de dollars. Les gains dépassèrent le triple du montant des nouveaux capitaux placés sur le continent. Le président Kennedy avait déjà reconnu en 1960 : « Du monde sous-développé qui a besoin de capitaux nous avons retiré un milliard trois cents millions de dollars alors que nous n'avions exporté que deux cent millions en capitaux de placement. » (Discours de Miami, le 8 décembre 1961.) Depuis [...] la saignée des bénéfices s'est accrue ; pour les dernières années, ils dépassent de cinq fois les nouveaux investissements ; l'Argentine, le Brésil et le Mexique ont eu à supporter les plus fortes de ces évasions. Encore s'agit-il d'un calcul conservateur. [...]*

En emportant beaucoup plus de dollars qu'elles n'en apportent, les entreprises contribuent à aviver la soif chronique en devises du continent ; les pays « bénéficiaires » se décapitalisent au lieu de se capitaliser. C'est alors qu'entre en action le mécanisme de l'emprunt. Les organismes internationaux de crédit jouent un rôle très important dans le démantèlement des fragiles citadelles défensives de l'industrie latino-américaine à capital national, et favorisent la consolidation des structures néocoloniales.

E. GALLEANO
Les veines ouvertes de l'Amérique latine,
Paris, Plon, 1981.

économique soutenue. Enfin, la guerre froide amène la signature du pacte de Rio (1947) et la création de l'**Organisation des États américains** (1948), alliance de lutte anticommuniste qui, dans la situation géopolitique de l'Amérique latine, ne peut être dirigée que contre la subversion intérieure.

Ainsi, au Guatemala, quand le président Jacobo Arbenz lance une ambitieuse réforme agraire et exproprie 225 000 acres de terres non exploitées de la United Fruit Company, les États-Unis organisent en sous-main un coup d'État militaire qui renverse le dirigeant en 1954 et l'envoie en exil, en violation flagrante du protocole de Buenos Aires de 1936. Aussitôt installée, la junte■ victorieuse s'empresse d'annuler la réforme agraire, mais l'événement provoque une **flambée d'antiaméricanisme** à travers tout le continent, et la visite de « bon voisinage » entreprise par le vice-président Richard Nixon en 1958 tourne à l'émeute, particulièrement à Caracas (Venezuela), où la voiture du visiteur est violemment prise à partie et lapidée par une foule au cri de « Yankee, go home ! ». Huit mois plus tard, les guérilleros cubains dirigés par Fidel Castro entrent à La Havane, modifiant brusquement toutes les données de la situation.

■ **Junte**
Gouvernement issu d'un coup d'état militaire.

CUBA : LA RÉVOLUTION « EXEMPLAIRE » ?

Depuis 1933, Cuba est sous la coupe d'une personnalité haute en couleurs, Fulgencio Batista, qui a dirigé le pays, directement ou par hommes de paille interposés, à peu près sans interruption. En 1952, il instaure une dictature personnelle marquée par la corruption, la violence, un anti-communisme primaire qui lui attire les bénédictions des États-Unis et fait de Cuba une sorte de dépotoir pour tous les vices que la vertueuse Amérique ne veut pas voir chez elle (jeu, prostitution, drogue). L'économie cubaine, largement dominée par les intérêts américains, dépend presque exclusivement de la monoculture de la canne à sucre, dont la moitié de la production est exportée vers les États-Unis, et la propriété des terres est extrêmement concentrée.

Le jeune avocat **Fidel Castro**, déjà célèbre pour une attaque ratée contre une caserne militaire en 1953, organise à partir de 1956 un foyer de guérilla contre Batista dans les montagnes de la Sierra Mæstra et reçoit un appui de plus en plus généralisé dans l'île et à l'extérieur, où son image de révolutionnaire intègre lui attire de larges sympathies. Le 1er janvier 1959, les guérilleros défilent victorieusement dans une La Havane en liesse que Batista a fui la veille.

Dès lors se développe à Cuba une révolution telle que l'Amérique latine n'en a jamais connu. Elle commence par une vaste **réforme agraire** qui limite sévèrement la taille des propriétés foncières et exproprie les surplus au profit des coopératives et des petites propriétés individuelles. Cette première véritable réforme agraire dans l'histoire de l'Amérique latine sonne l'alarme à Washington. Une **escalade** de contre-mesures et de rétorsions s'ensuit, marquée par l'arrêt des achats de sucre par les États-Unis, immédiatement compensée par des achats soviétiques, la saisie des raffineries américaines qui refusent de traiter le

L'ESPOIR D'UN PEUPLE

Fidel Castro s'adresse à une foule immense à la Havane, 1959.

pétrole soviétique à Cuba, l'entraînement par les États-Unis de groupes d'exilés cubains en vue d'une reconquête de l'île, la rupture des relations diplomatiques et finalement la transformation du régime de Castro en « démocratie populaire » ainsi que son alignement sur le bloc soviétique. Le tout culmine avec l'expédition de la baie des Cochons (1961) et surtout la crise des fusées (1962), dont il a été question au chapitre 8 (voir page 297).

Une fois libérée de la menace immédiate d'une intervention américaine, la révolution castriste se déploie dans tous les secteurs de la vie cubaine et devient le foyer d'attraction des progressistes de l'ensemble du continent. L'**économie socialisée** assure une redistribution plus égalitaire de la richesse collective et l'accès de tous aux bases élémentaires du confort, bien que la dépendance excessive à l'égard de la monoculture de la canne à sucre demeure une faiblesse toujours aussi grave. L'**alphabétisation** fait des pas de géant, touchant 90 % de la population, record absolu de l'Amérique latine. Les **soins de santé** connaissent un développement spectaculaire, particulièrement chez les enfants, dont le taux de mortalité est rapidement réduit, ce qui provoque une forte croissance démographique. Les **logements sociaux** se multiplient, de même que les équipements de loisirs, tandis que de sérieux efforts sont accomplis pour combattre la discrimination

---

CUBA : UNE TROISIÈME VOIE ?

Dans l'état d'incertitude, et souvent de désespoir, où l'Amérique latine se trouvait plongée, toute solution paraissait acceptable, à condition qu'elle fût capable de sortir l'ensemble continental de l'ambiguïté douloureuse qui l'écartelait, de lui permettre de trouver un équilibre réel. Le choix n'était pas très étendu. On pouvait penser que les États-Unis, devant le danger de subversion, infléchiraient leur politique dans le sens d'une aide moins intéressée et plus bénéfique; on pouvait estimer aussi, que, découragés par le caractère largement mercantile de la politique nord-américaine, les peuples latino-américains évolueraient vers le communisme, qui n'était pas sans rapport avec certains traits ancestraux de leur mentalité et de leur organisation sociale. C'est pourtant une troisième voie qui se dessine à partir de 1959. La « Révolution cubaine », en développant ses effets, donne une nouvelle dimension à un continent, jusqu'alors sous-estimé; elle entraîne, pour l'avenir du monde, des répercussions innombrables. Mais, est-elle vraiment cet élément primordial d'un équilibre durable, auquel les peuples aspirent plus ou moins consciemment?

P. LÉON
Économie et sociétés de l'Amérique latine,
Paris, S.E.D.E.S., 1969.

raciale qui frappe les Noirs (bien que la grande majorité des hauts dirigeants soient toujours de race blanche).

Politiquement, le régime est caractérisé par le règne du **parti unique**, la lutte implacable contre toute dissidence, une **censure sévère** et l'utilisation d'une **propagande intensive**, multiforme, omniprésente, souvent entachée d'un **culte de la personnalité** qui n'a pas d'équivalent en Amérique latine.

Un continent entre guérillas et dictatures

Dès le départ, la révolution cubaine se veut latino-américaine, tablant sur l'antiaméricanisme qui s'est développé depuis de longues années et sur un vaste sentiment d'identité qui, favorisé par la communauté de langue, transcende les frontières. De fait, des **foyers de guérilla** vont surgir ici et là dans tout le sous-continent, prenant Cuba comme source d'inspiration, quand ils ne sont pas directement soutenus, voire créés par les Cubains. Ernesto « Che » Guevara, compagnon d'armes de Castro, lui-même d'origine argentine, quitte ainsi Cuba pour aller fonder une guérilla en Bolivie, où il trouvera la mort dans une embuscade. Cette menace de créer « un, deux, plusieurs Viêt-nam » force une révision en profondeur de la stratégie américaine dans le sous-continent, en même temps qu'elle y sème la panique dans les classes dirigeantes.

« Créer un, deux, plusieurs Viêt-nam »

Une manifestation en hommage à Che Guevara, La Havane (23 août 1967).

Guérillas et principaux
mouvements castristes
en Amérique latine

**LES « FOCOS » EN AMÉRIQUE
LATINE**

En 1961, le président Kennedy annonce en grande pompe son « **Alliance pour le progrès** », qui prévoit une aide massive, de l'ordre de 20 milliards de dollars sur dix ans, pour sortir l'Amérique latine du sous-développement et y effectuer les réformes élémentaires jugées essentielles au maintien des régimes en place. On annonce également qu'on s'appliquera à chercher les moyens de **stabiliser les prix des matières** premières, vieux problème qui pourrait recevoir un début de solution. Mais l'**entreprise est un échec** : les élites locales refusent les réformes agraires et fiscales même les plus insignifiantes, d'énormes quantités d'aide financière sont détournées par des dirigeants corrompus couvrant habilement leurs exactions sous un anticommunisme virulent qui dupe Washington, et les régimes autoritaires qui se multiplient refusent tout retour à la démocratie en invoquant le sacro-saint principe de la « sécurité nationale ».

Aussi l'Alliance pour le progrès va-t-elle se muer rapidement en **lutte contre-insurrectionnelle**. En 1965, pour la première fois depuis la proclamation de « bon voisinage » de Roosevelt, 25 000 marines américains interviennent directement, cette fois à Saint-Domingue pour sauver une junte militaire menacée par un soulèvement populaire. Et les dictatures se multiplient, parfois sanglantes, avec des tortionnaires formés par des experts américains à l'École des Amériques (Panama) : Argentine, Paraguay, Brésil, Pérou, Équateur, Nicaragua, Guatemala, Haïti. Les Somosa, Duvalier et autres « défenseurs de l'Occident » acculent leurs peuples à la misère et au désespoir, torturant leurs opposants, amassant d'immenses fortunes sous les yeux complaisants des États-Unis.

Et lorsqu'au **Chili**, par exemple, en 1970, une élection impeccablement démocratique porte à la présidence le socialiste Salvador Allende, qui nationalise aussitôt le cuivre chilien en expropriant deux compagnies américaines, alors les États-Unis organisent une immense entreprise de déstabilisation. Suspension des crédits du Fonds monétaire international, subventions généreuses aux journaux d'opposition demeurés parfaitement libres, organisation de grèves ouvrières par des syndicats manipulés (camionneurs) engendrent peu à peu la paralysie et le chaos, jusqu'à ce qu'un coup d'État militaire, au cours duquel Allende trouve la mort, amène au pouvoir en 1973 le général Augusto Pinochet, qui instaure sur le Chili la chape de plomb d'une dictature de tortionnaires qui durera près de vingt ans.

Conclusion

Les trente années qui suivent la Deuxième Guerre mondiale sont marquées par la fin des grands empires coloniaux européens mis en place depuis l'époque des grandes découvertes du XVIe siècle et particulièrement au cours du XIXe siècle. Suscitée par les profondes mutations économiques et sociales introduites dans les colonies par le colonisateur lui-même, accélérée par les bouleversements de la guerre, appuyée à des degrés divers par les deux superpuissances au sortir du conflit, la décolonisation a d'abord frappé en Asie, région de vieilles civilisations et de vastes multitudes humaines, avant de se transporter en Afrique, accompagnée de conflits allant jusqu'à de longues et sanglantes guerres de libération nationale.

En Amérique latine se développe au même moment, sous la façade d'États juridiquement souverains, la domination économique des États-Unis, mise à mal à Cuba mais qui résiste farouchement à toute mise en cause partout ailleurs.

Mais à travers ces péripéties est né un monde nouveau, à côté du monde capitaliste et du monde soviéto-communiste : le tiers-monde, réalité multiforme qui regroupe les deux tiers de l'humanité et devra maintenant assumer son propre destin.

LA CHUTE DE SALVADOR ALLENDE

Les facteurs extérieurs qui ont amené la chute d'Allende ne peuvent être négligés : durant la demi-douzaine d'années qui précédèrent l'expérience Allende, le Chili reçut un milliard de dollars en assistance économique par le truchement d'organismes internationaux [...]. Durant le mandat Allende, ces agences, sous contrôle américain, n'accordèrent pratiquement aucune aide mais réclamaient les dettes accumulées par les gouvernements précédents. Après la chute d'Allende, le régime Pinochet recevra, dès les six premiers mois de son existence, environ 470 millions de crédits. Parallèlement, la CIA intervenait directement dans le financement des grèves destinées à paralyser l'économie chilienne...

G. CHALIAND
Mythes révolutionnaires du tiers-monde,
Paris, Seuil,
coll. « Points Politique », 1979.

QUESTIONS DE RÉVISION

1. Analysez trois caractéristiques fondamentales du colonialisme quant à son impact sur le colonisé.

2. Montrez comment le colonialisme sème les germes de sa propre mise en cause.

3. Décrivez les trois dimensions dans lesquelles se déploient les guerres de libération nationales.

4. Quelles sont les difficultés majeures qui expliquent le développement du néocolonialisme après l'indépendance des ex-colonies ?

5. Décrivez le contexte favorable à la décolonisation qui s'instaure à l'occasion et à la suite de la Deuxième Guerre mondiale.

6. Dans quelles conditions concrètes se réalise l'accession à l'indépendance des colonies néerlandaises, britanniques et françaises d'Asie ?

7. Décrivez les circonstances particulières de l'accession de l'Algérie à l'indépendance.

8. Comment l'étape des indépendances se réalise-t-elle en Afrique noire ?

9. En quoi consiste la « politique de bon voisinage » inaugurée par Roosevelt en ce qui concerne l'Amérique latine et quels sont les effets de cette politique ?

10. Comment la Deuxième Guerre mondiale et ses suites accélèrent-elles la satellisation économique de l'Amérique latine au bénéfice des États-Unis ?

11. En quoi la révolution cubaine peut-elle être considérée comme « exemplaire » ?

12. Comment évoluent les relations entre l'Amérique latine et les États-Unis dans les années soixante et le début des années soixante-dix ?

11

LES TIERS-MONDES EN MUTATION

A U MOMENT DE SA CRÉATION, L'ORGANISATION DES NATIONS UNIES COMPTAIT 51 MEMBRES ✺ EN 1972, ALORS QUE S'ACHÈVE LA GRANDE VAGUE DE LA DÉCOLONISATION, CE NOMBRE EST PASSÉ À 131 ✺ DE CES 80 NOUVEAUX MEMBRES, 59 SONT D'ANCIENNES COLONIES EUROPÉENNES D'ASIE ET D'AFRIQUE DEVENUES DES ÉTATS SOUVERAINS ✺ MALGRÉ LEUR IMMENSE DIVERSITÉ, TOUS CES PAYS NOUVEAUX PRÉSENTENT DES CARACTÉRISTIQUES FONDAMENTALES COMMUNES QUI LEUR ONT VALU L'APPELLATION DE « TIERS-MONDE », EN RÉFÉRENCE AU « TIERS ÉTAT » DE LA SOCIÉTÉ DE L'ANCIEN RÉGIME ✺ CE TROISIÈME MONDE REGROUPE EN EFFET TOUS LES HUMAINS QUI SE SITUENT À L'EXTÉRIEUR DE LA ZONE DES PAYS DÉVELOPPÉS DU MONDE CAPITALISTE COMME DU MONDE SOVIÉTO-COMMUNISTE ✺ IL S'AGIT TOUT DE MÊME DES TROIS QUARTS DE L'HUMANITÉ, DONT LES ÉNORMES DIFFICULTÉS DE PASSAGE À LA MODERNITÉ CONSTITUENT L'ÉLÉMENT MAJEUR DE CE DERNIER DEMI-SIÈCLE ✺

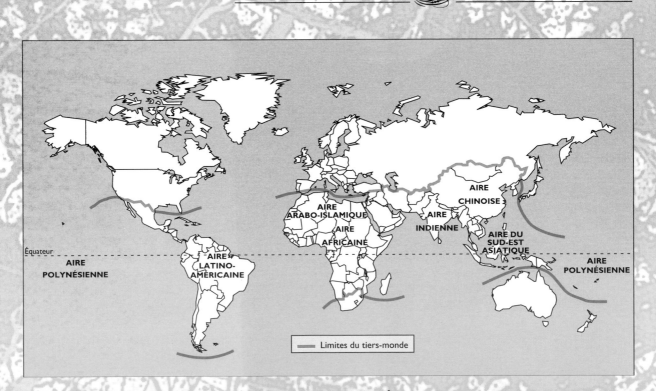

LES GRANDES AIRES GÉOCULTURELLES DANS LE TIERS-MONDE

*N*ous parlons volontiers des deux mondes en présence, de leur guerre possible, de leur coexistence, etc., oubliant trop souvent qu'il en existe un troisième, le plus important et, en somme, le premier dans la chronologie. C'est l'ensemble de ceux que l'on appelle, en style Nations Unies, les pays sous-développés. [...]

Les pays sous-développés, le troisième monde, sont entrés dans une phase nouvelle : certaines techniques médicales s'introduisent assez vite pour une raison majeure : elles coûtent peu. [...] Pour quelques cents la vie d'un homme est prolongée de plusieurs années. De ce fait, ces pays ont notre mortalité de 1914 et notre natalité du dix-huitième siècle. Certes, une amélioration économique en résulte : moins de mortalité de jeunes, meilleure productivité des adultes, etc. Néanmoins, on conçoit bien que cet accroissement démographique devra être accompagné d'importants investissements pour adapter le contenant au contenu. Or ces investissements vitaux se heurtent au mur financier de la guerre froide. Le résultat est éloquent : le cycle millénaire de la vie et de la mort est ouvert, mais c'est un cycle de misère. [...]

Néophytes de la domination, mystiques de la libre entreprise au point de la concevoir comme une fin, les Américains n'ont pas nettement perçu encore que le pays sous-développé de type féodal pouvait passer beaucoup plus facilement au régime communiste qu'au capitalisme démocratique. Que l'on se console, si l'on veut, en y voyant la preuve d'une avance plus grande du capitalisme, mais le fait n'est pas niable. Et peut-être, à sa vive lueur, le monde numéro un pourrait-il, même en dehors de toute solidarité humaine, ne pas rester insensible à une poussée lente et irrésistible, humble et féroce, vers la vie. Car enfin, ce tiers-monde ignoré, exploité, méprisé comme le tiers état, veut, lui aussi, être quelque chose.

A. SAUVY
Dans *L'Observateur* du 14 août 1952.

CHRONOLOGIE

1945	Création de la Ligue arabe
1947	Conférence des relations asiatiques à New Delhi
1949	Création du Programme des Nations Unies pour le développement (PNUD)
1952	Apparition du mot tiers-monde (A. Sauvy)
1955	Conférence de Bandung ; début du mouvement des non-alignés
1960	Création de l'Organisation des pays exportateurs de pétrole (OPEP)
1961	Premier sommet des pays non-alignés à Belgrade (25 participants)
1962	Création de la Ligue islamique mondiale
1963	Création de l'Organisation de l'unité africaine (OUA)
1964	Première Conférence des Nations Unies pour le commerce et le développement (CNUCED) Conférence des non-alignés au Caire (47 membres)
1966	Création de l'Organisation de solidarité des peuples d'Asie, d'Afrique et d'Amérique latine (OLAS)
1970	Conférence des non-alignés à Lusaka (53 membres)
1973	Conférence des non-alignés à Alger (75 membres) Quadruplement des prix du pétrole
1974	Déclaration de l'ONU sur l'instauration d'un nouvel ordre économique international
1975	Premier accord de Lomé entre la Communauté européenne et 46 pays ACP (Asie-Caraïbes-Pacifique)
1979	Conférence des non-alignés à La Havane (92 membres) Révolution islamique en Iran
1980	Début d'un mouvement de démocratisation en Amérique latine
1981	Conférence des Nations Unies sur les pays les moins avancés (PMA)
1983	Conférence des non-alignés à New Delhi (plus de cent participants)
1987	Début d'un mouvement de démocratisation en Afrique
1994	Premières élections multiraciales en Afrique du Sud

Le fléau du sous-développement

DANS CE TIERS-MONDE QUI REGROUPE À LA FOIS DES ÉTATS TOUT NOUVEAUX ISSUS DE LA DÉCOLONISATION ET DES ÉTATS PLUS ANCIENS DEMEURÉS EN SITUATION DE DÉPENDANCE (AMÉRIQUE LATINE), L'UN DES TRAITS LES PLUS FONDAMENTAUX ET LES PLUS PERSISTANTS EST CELUI DU SOUS-DÉVELOPPEMENT.

LES CARACTÈRES GÉNÉRAUX DU SOUS-DÉVELOPPEMENT

La notion de sous-développement recouvre une multitude de dimensions qui ne sont pas toujours toutes présentes, mais dont la conjonction permet de cerner les frontières du tiers-monde.

Il y a d'abord des **conditions démographiques**, marquées par une forte natalité combinée à une chute importante du taux de mortalité, induisant une « démographie galopante », avec un fort taux de croissance naturelle malgré une mortalité infantile qui demeure élevée. Par

UNE CROISSANCE
DÉMOGRAPHIQUE
« ARTIFICIELLE » ?

La population du tiers-monde s'accroît à un taux de 2,6-2,7 % par an. Soit une multiplication par 13 en un siècle. Durant le démarrage des pays occidentaux, la population y progressait à des taux avoisinant 0,6 %. Cette comparaison laisse entrevoir l'ampleur du problème posé par l'inflation démographique dont est affligé le tiers-monde. Dans les pays occidentaux, la croissance démographique a été largement favorisée par les progrès des disponibilités de produits alimentaires, l'impact de la médecine n'étant intervenu que plus tard. Dans le tiers-monde, la cause essentielle de la rapide progression démographique réside dans l'application accélérée d'une médecine originaire des pays développés dans des sociétés dont les ressources alimentaires par habitant sont, soit en faible diminution, soit stables.

P. BAIROCH
Le tiers-monde dans l'impasse, Paris, Gallimard, 1971.

ailleurs, la population tend à se concentrer dans des villes hypertrophiées incapables d'absorber un afflux trop rapide.

Cependant, ces conditions démographiques sont loin d'être suffisantes pour expliquer le sous-développement. Dans l'Europe des XVIIIe et XIXe siècles, elles furent même les moteurs de l'industrialisation. De nombreuses autres conditions doivent donc s'y ajouter.

Sur le plan économique, le sous-développement se caractérise par la prédominance du secteur primaire, surtout d'une agriculture à faible productivité, par la faiblesse du secteur secondaire (industrie de transformation), marqué par la coexistence d'une industrie traditionnelle peu performante avec quelques secteurs de pointe (économie « dualiste ») et par l'insuffisance des moyens de transport. L'exportation est totalement dominée par les matières premières, et l'importation, par les produits finis, alors que les capitaux manquent pour l'investissement productif.

Sur le plan social, un niveau de vie général très bas (faiblesse du PNB par habitant) se combine avec de très fortes inégalités, plus fortes encore que dans les pays développés. L'alimentation est insuffisante en quantité et en qualité, avec moins de 2 500 calories par jour, tandis que la faiblesse des équipements sanitaires empêche de combattre efficacement des maladies endémiques. Le taux d'analphabétisme est élevé.

Pourcentage d'illettrés dans le monde

	%
Europe du Nord	1
CEE	2
Europe méditerranéenne	15
Europe de l'Est	5
URSS	1
Australie	1
États-Unis, Canada	1
Japon	1
Afrique du Nord	66
Afrique tropicale	80-90
Afrique du Sud	43
Asie du Sud-Ouest	60
Asie du Sud-Est	70
Subcontinent indien	70
Chine	25
Amérique du Sud	30
Mexique	25
Argentine, Chili, Uruguay	10

Source : *Annuaire de l'Unesco.*

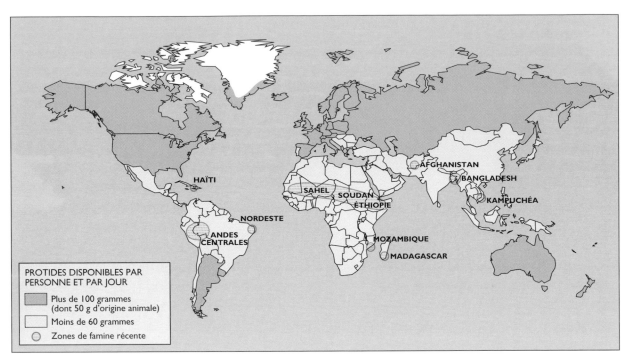

**RATIONS ALIMENTAIRES
DANS LE MONDE**

Sur le plan politique, le cadre national n'est pas toujours adéquat à cause de l'hétérogénéité ethnique et religieuse de la population, les institutions paraissent fragiles (multiplication des coups d'État) et l'administration souffre d'un manque de compétences et est souvent outrageusement corrompue.

LES CAUSES DU SOUS-DÉVELOPPEMENT

En constatant sur une carte que la « ceinture du sous-développement » recouvre toutes les zones tropicales de la planète et ne déborde que fort peu dans les zones tempérées, on pourrait penser que les **conditions géographiques** suffisent à rendre compte du phénomène. Celui-ci serait donc lié à la dureté des climats, à la pauvreté des sols, à une pluviosité ou trop abondante ou trop limitée. Mais le sous-développement étant une notion relative, c'est-à-dire ne pouvant se concevoir que par référence au développement, force est de constater que **c'est l'histoire qui en fournit l'explication de départ**.

QU'EST-CE QUE LE
« DÉVELOPPEMENT » ?

Le développement — en tant que changement de civilisation et émergence de la société technicienne — ne peut s'expliquer que par une convergence exceptionnelle de causes ou de conditions favorables, à un moment donné de l'histoire de l'humanité, dans une certaine aire géographique. Le développement est le produit d'une somme de causes très diverses. Le non-développement résulte par conséquent de l'absence de certaines de ces causes. Le sous-développement va donc s'expliquer de manière différente selon les pays concernés. Il y a, dès lors, un certain danger à prendre les causes les unes après les autres et à les rejeter à partir de certains contre-exemples que l'on peut toujours trouver. On peut dire que l'Argentine a une zone tempérée, que la Corée n'a pas de ressources naturelles, que Maurice est christianisée, que les Bamilékés sont des entrepreneurs, etc. Cela démontre simplement que, pour le pays concerné, la cause retenue n'est pas l'explication valable et qu'elle n'est sans doute jamais la cause unique. Cela ne veut pas dire qu'il ne s'agit pas d'un facteur explicatif important. Par ailleurs, il semble évident que si un pays n'a pas de ressources naturelles, pas d'accès à la mer, ne connaissait pas l'écriture, avait des langues peu adaptées à l'abstraction, avait une religion islamique ou fétichiste, n'a pas d'entrepreneurs, est dirigé par un sous-officier devenu général-président, ce pays est, pour un certain temps au moins, indéveloppable [...]. Dans le même ordre d'idées, il faut, je crois, éviter des comparaisons trompeuses. [...] La création de la société technicienne, base du développement, a été une réalité historique du XIXᵉ siècle. Entrer dans le développement à la fin du XXᵉ siècle est une autre réalité historique. Ce qui était possible il y a un siècle ne l'est plus aujourd'hui, parce que les pays développés ont évolué. Le développement est mouvement et l'histoire ne se renouvelle pas à l'identique, il faut donc se méfier des comparaisons historiques.

M. PENOUIL
« Savoir éviter tout simplisme »,
Tiers-monde, controverses et réalités,
Économica, 1987.

La révolution industrielle du XIXᵉ siècle a, en effet, fourni une telle avance technologique à l'Europe que celle-ci a été en mesure d'imposer au monde entier sa domination économique et politique. La **situation coloniale** a donc mis en place une division internationale du travail qui a maintenu les peuples colonisés dans le rôle de fournisseurs de matières premières et d'acheteurs de produits finis venant des pays industrialisés. Les investissements se sont cantonnés dans le secteur primaire (mines, plantations) et dans l'équipement ferroviaire et portuaire nécessaire aux besoins de la métropole. Le colonialisme est donc à la source du sous-développement.

Cependant, les conditions générales de la période des « Trente Glorieuses », au cours de laquelle s'effectue la décolonisation, se révèlent particulièrement défavorables aux pays du tiers-monde. Depuis la fin de la guerre de Corée, qui a occasionné une courte flambée du prix des

L'évolution des termes de l'échange des pays du tiers-monde non producteurs de pétrole (1953-1977)

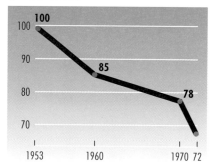

Source : *Banque mondiale.*

■ **Terme de l'échange**
Rapport de l'indice des prix à l'exportation sur l'indice des prix à l'importation ; quand les termes de l'échange se détériorent, cela signifie qu'un pays doit exporter une plus grande quantité de ses produits pour acheter une même quantité de produits importés qu'auparavant.

IMITATION DE L'OCCIDENT ET MÉGALOMANIE

En Côte-d'Ivoire, le président Félix Houphouët-Boigny a fait construire dans son village natal, Yamassoukro, la plus grande basilique du monde, sur le modèle de Saint-Pierre-de-Rome.

matières premières, le marché mondial est caractérisé par une nette **détérioration des termes de l'échange**■ : alors que les prix des produits manufacturés demeurent stables ou sont à la hausse, le cours des matières premières est frappé d'énormes fluctuations à court terme et ne cesse de baisser à long terme. Cette dégradation sur le long terme est due à l'accroissement de la production mondiale, à la concurrence entre les producteurs et au développement de produits de synthèse dans les pays industrialisés.

À cela s'ajoutent les **carences internes** des pays sous-développés : fascination des « modèles » capitalistes ou socialistes entraînant de graves erreurs de gestion (encouragées d'ailleurs par les « conseillers » dépêchés sur place par les pays industrialisés), destruction des cultures vivrières au profit des cultures d'exportation, énormes investissements improductifs, particulièrement dans l'achat d'armements démesurés, corruption et mégalomanie des dirigeants, insuffisances du système d'éducation et « drainage des cerveaux » vers les pays riches.

LE PIÈGE DE L'ENDETTEMENT

En 1973, le tiers-monde représente les deux tiers de l'humanité mais n'assure même pas 10 % de la production industrielle mondiale. Le « **choc pétrolier** » (voir pages 429 et 430) provoque alors une augmentation brutale du coût des importations énergétiques des pays non producteurs de pétrole et un afflux massif de capitaux vers les pays producteurs. N'étant pas en mesure, bien souvent, d'absorber ces capitaux excédentaires, les pays producteurs les recyclent sur le marché international des capitaux. Les pays sous-développés veulent alors profiter de cette manne inattendue pour contracter d'**énormes emprunts** destinés à d'ambitieux projets d'infrastructures qui permettraient enfin le « décollage » de leur économie. La dette totale de ces pays monte ainsi de 86 milliards de dollars en 1971 à 524 milliards en 1981, pour dépasser les 1 200 milliards à la fin des années quatre-vingt.

Toutefois, trois éléments viennent rapidement perturber cette course au développement miracle : la hausse vertigineuse des taux d'intérêt à partir de 1979 et l'appréciation de la valeur du dollar américain après 1980

La dette du tiers-monde en 1985

	En milliards de dollars	En pourcentage des recettes d'exportation
Brésil	107	38,2 %
Mexique	99	34,1 %
Argentine	51	25,4 %
Venezuela	33,6	10,4 %
Pérou	13,4	7,9 %
Équateur	8,5	24,8 %
Costa-Rica	4	24 %
Nigeria	19	12,1 %
Maroc	14	12,7 %
Côte-d'Ivoire	8	18,4 %
Chili	21	42,9 %
Philippines	25	12,3 %
Yougoslavie	19,6	12,4 %

La dette et la croissance du PNB dans le tiers-monde

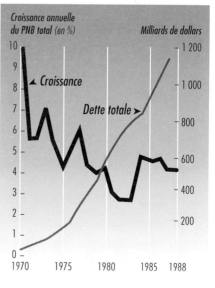

Source : *Banque mondiale.*

accroissent brutalement le poids de la dette, alors que les cours des produits bruts connaissent une rechute diminuant les revenus d'exportation des pays endettés.

L'Amérique latine, championne toutes catégories de cette spirale de l'endettement, consacre ainsi près de 50 % de ses recettes d'exportation au remboursement de sa dette et, en 1982, le Mexique, pourtant producteur de pétrole, devient le premier pays incapable d'honorer ses paiements et contraint de demander un moratoire et un rééchelonnement de sa dette. Dès lors, les **cessations de paiement** se multiplient (Brésil, Argentine, Pérou) et des **procédures de rééchelonnement** sont mises sur pied en catastrophe, mais ces reports de dette ne sont en fait que de nouveaux emprunts qui ne font que permettre de gagner du temps sans régler les problèmes de fond. Ils sont accompagnés d'ailleurs de plans d'austérité rigoureux qu'impose le FMI et qui accroissent les inégalités sociales, la misère et les tensions internes dans les pays « bénéficiaires », retardant d'autant leur accès au développement véritable.

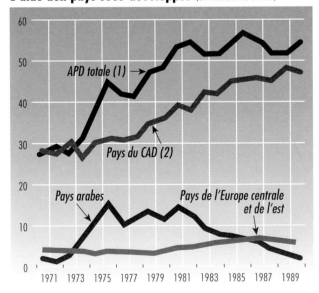

L'aide aux pays sous-développés (en milliards de dollars)

(1) APD: aide publique au développement
(2) CAD: Comité d'aide au développement, dépendant de l'OCDE.

L'AIDE AU TIERS-MONDE

C'est à la fin du second conflit mondial que s'est imposée l'idée que les **pays riches se doivent d'aider les pays pauvres**, pour des raisons morales mais aussi politiques et économiques. En 1949, l'ONU a mis sur pied le Programme des Nations Unies pour le développement (PNUD), et presque tous les pays du bloc atlantique se sont engagés à y participer, ceux du bloc continental restant quelque peu en retrait en alléguant leur manque de ressources et leur non-responsabilité dans l'impérialisme occidental, source du retard des pays pauvres.

Cette aide au développement, dont l'aide militaire ne fait pas partie, prend de nombreuses formes. **Aide publique** d'une part, d'État à État, sous forme de dons ou de prêts à faible taux d'intérêt ou encore sous forme de coopération technique. Cette aide publique au développement peut être **multilatérale**, lorsqu'elle est distribuée par l'entremise d'organisations internationales, ou, plus souvent (80 %), **bilatérale**, quand elle est offerte directement d'un État à un autre. Elle peut être **non liée**, c'est-à-dire sans contrepartie exigée du destinataire, mais elle est le plus souvent **liée** à des achats de ce dernier dans le pays donateur. L'aide publique est complétée d'une **aide privée**, distribuée par le canal d'organisations non gouvernementales (ONG).

Le **bilan général** de l'aide au tiers-monde est extrêmement difficile à établir. En Asie, il n'est pas douteux qu'elle ait contribué à l'éclosion de la « révolution verte » qui a assuré la sécurité alimentaire de ce continent. Elle reste nécessaire pour faire face à des situations d'urgence

LES ONG — DES ROBINS DES BOIS ?

S'agissant de la lutte contre le sous-développement ou contre la faim, c'est d'abord aux organisations non gouvernementales (ONG) que les opinions publiques occidentales accordent leur confiance. Divers sondages en font foi. Est-ce parce que les « Robins des bois du développement », comme les appelait A.W. Klausen, l'ancien président de la Banque mondiale, doivent faire parler d'elles et savent le faire ? C'est un fait que, dans les relations Nord-Sud, le rôle des ONG est devenu incontournable. Même les gouvernements semblent l'admettre : pour l'ensemble des pays de l'OCDE, les subventions publiques aux organisations bénévoles ont augmenté et représentent en 1987 le tiers des disponibilités financières des ONG.

Au total, en 1983, les organisations humanitaires ont transféré vers les pays en voie de développement (PVD) quatre milliards de dollars, soit le dixième de l'aide publique au développement. Dix mille volontaires européens bénévoles (dont mille cinq cents Français) travaillent dans divers pays d'Afrique, d'Amérique latine et d'Asie. Dans la plupart des pays riches, le nombre des ONG n'a cessé de croître : sur les cent trente ONG que compte le Japon, soixante-dix avaient moins de dix ans en 1986 [...].

Petites ou grandes, anciennes ou nouvelles, nationales ou locales, confessionnelles ou laïques, indépendantes ou attachées à un syndicat, une municipalité, un parti politique, une Église ou même une entreprise ; avec ou sans volontaires, de courte ou de longue durée (plus de deux ans) ; spécialisées ou non sur un village, un pays ou un continent du Sud ; concentrant ou non leurs efforts sur un domaine particulier (santé, éducation, enfance, alimentation), les ONG, en France, se comptent par milliers. Le volume des activités salariées ou bénévoles qu'elles canalisent ne cesse de s'accroître [...] et le montant cumulé de leurs ressources financières s'élève à un milliard trois cents millions de francs [...]. 69 % de ces ressources sont transférées dans les PVD. L'Afrique en absorbe la moitié.

C. CONDAMINES
« Les Robins des bois du développement », *L'État du monde, 1987-1988*, La Découverte, 1989.

— cataclysmes naturels et famines — et aujourd'hui pour le paiement de la dette.

Mais cette aide se trouve **vigoureusement contestée** pour ses effets pervers. L'**aide liée** n'est bien souvent qu'un moyen détourné d'aider... le pays donateur, et l'on s'aperçoit que, dans plusieurs cas, le transfert net de ressources se fait des pays pauvres vers les pays riches, et non l'inverse. L'**aide alimentaire** contribue à faire baisser le prix des denrées sur le marché intérieur, désorganisant la production locale et dispensant à bon compte les gouvernements des pays aidés de mettre en œuvre des politiques agricoles efficaces et novatrices. L'**aide industrielle** débouche trop souvent sur la construction d'infrastructures copiées sur le modèle occidental (mégaprojets « clés en mains »), d'un entretien coûteux et d'une douteuse utilité. D'autres formes d'aide n'ont servi qu'au gonflement pléthorique d'appareils administratifs inefficaces. Tout cela fait que plusieurs pays, particulièrement en Afrique, se retrouvent aujourd'hui **plus pauvres qu'il y a vingt ans**, malgré toute l'aide reçue. Le cas d'Haïti est particulièrement éloquent à cet égard.

À la recherche de l'État

CÔTÉ DES LOURDES HYPOTHÈQUES QUI GRÈVENT SON DÉVELOPPEMENT ÉCONOMIQUE, LE TIERS-MONDE SOUFFRE DE GRAVES FAIBLESSES AU NIVEAU POLITIQUE, LA PLUPART DES ÉTATS QUI LE COMPOSENT N'ÉTANT QUE DES ASSEMBLAGES ARTIFICIELS D'ÉLÉMENTS ETHNIQUES, CULTURELS, RELIGIEUX, LINGUISTIQUES EXTRÊMEMENT DISPARATES, SINON PARFOIS ANTAGONISTES.

L'héritage de la colonisation

Ici encore, il faut bien reconnaître que c'est la colonisation qui est à la source des difficultés. Car les **frontières** des États du tiers-monde, qu'ils soient anciens, comme ceux d'Amérique latine, ou plus récents, ont été fixées la plupart du temps au hasard des explorations et des expéditions militaires, sans tenir compte des populations indigènes, ni même du relief ou de l'hydrographie. Elles prennent même parfois l'allure de lignes droites tirées au cordeau pour délimiter des « droits de possession » négociés dans les officines diplomatiques européennes.

C'est ainsi que de vastes territoires de transhumance semi-nomade, dans la zone saharienne, ont été morcelés par des frontières étatiques, détruisant les bases économiques de peuples comme les Touaregs. Ailleurs, ce sont des ethnies que tout sépare : langue, religion, culture, qui ont été regroupées dans de vastes entités dépourvues de cohésion et promises aux affrontements internes. Ainsi, le Gabon compte trente ethnies différentes, et l'on parle plus de 850 langues et dialectes à l'intérieur de l'Union indienne ! Ailleurs encore, les populations autochtones, déjà diversifiées, ont reçu un afflux important d'éléments exogènes déplacés pour les besoins du colonisateur : esclaves africains en Amérique latine, Indiens d'Asie en Afrique orientale, Chinois en Indonésie. D'autre part, une même ethnie s'est parfois retrouvée divisée entre plusieurs territoires, comme les Kurdes, morcelés dans cinq pays du Moyen-Orient, ou les Bakongos, à cheval sur le Zaïre, le Congo et l'Angola.

Le **sentiment national**, dans ces pays si hétérogènes, n'a pu commencer à prendre racine que dans la lutte commune contre le colonisateur, et le départ de ce dernier a laissé face à face, sans plus de raison de vivre ensemble, des groupes ethnoculturels qui avaient parfois de longues traditions d'hostilité les uns envers les autres.

Enfin, la **cohésion linguistique** minimale nécessaire à la bonne marche de ces États n'a pu être trouvée que dans la langue du colonisateur, adoptée par la plupart des anciennes colonies, ce qui pose d'emblée des problèmes

Dosage ethnique au Cameroun

En prêtant serment après sa réélection, le président Biya a souligné que « l'appartenance à une ethnie n'est pas une preuve de compétence ». Bien que l'on évoque ces questions avec réticence dans les cercles officiels, le partage du pouvoir sur des bases tribales demeure une des clefs de la vie politique camerounaise. Catholique et homme du sud, M. Biya a succédé à un musulman né au nord [...]. Le chef de l'État ne peut pas ignorer [...] la nécessité du dosage ethnique dans l'appareil d'État [...] Constitué de populations aux religions et aux langues variées, le Cameroun connaît en plus les difficultés d'un pays formé d'une majorité francophone et d'une minorité anglophone, puisque, avant l'indépendance, la France et la Grande-Bretagne se partagèrent un mandat de la Société des Nations sur l'ancien Kamerun allemand.

Le Monde, 13 juillet 1988.

d'inégalité sociale (éducation réservée à une mince élite) et de définition d'une identité nationale (imitation servile des modèles occidentaux).

LES DIFFICULTÉS DE LA VOIE DÉMOCRATIQUE

Bien que la grande majorité des pays du tiers-monde aient proclamé leur attachement aux principes et aux formalités de la démocratie libérale, fort peu de gouvernements les ont effectivement implantés, et l'importance des régimes autoritaires, voire dictatoriaux, pourrait laisser croire à une sorte de fatalité selon laquelle sous-développement et démocratie seraient incompatibles.

En fait, d'énormes **obstacles historiques et socio-culturels** rendent extrêmement ardu, voire impossible, l'épanouissement d'une « voie démocratique » dans toute cette zone. Au-delà du manque de cohésion nationale dont nous venons de parler, qui constitue un premier handicap tenace, on constate un second obstacle : le divorce entre des institutions calquées sur le modèle occidental et des structures sociales caractérisées par de très fortes inégalités et par la persistance, en Inde par exemple, d'un système rigide de castes théoriquement aboli par la

---

INDE : LA SURVIVANCE DU SYSTÈME DES CASTES

Dans l'Inde moderne, l'inégalité ne se camoufle pas plus qu'autrefois ; en dépit de protestations spectaculaires, la condition méprisée de l'intouchable va de soi. Conservatoire des plus anciennes traditions, musée anthropologique vivant, l'Inde perpétue les avantages et les tares liés à une organisation sociale antique qui s'est imposée à tous les Hindous, bien sûr, mais aussi aux musulmans, chrétiens, bouddhistes et parsis [...].

Cette permanence est d'autant plus étonnante que les castes n'ont plus d'existence officielle en Inde. Depuis 1931, elles n'ont plus été dénombrées par les recensements décennaux et, après l'indépendance en 1947, la constitution de la République indienne, qui ne connaît que des citoyens égaux, les ignore. Néanmoins, un statut spécial est réservé à quelque cent millions de personnes, les castes annexes, qui représentent les anciens intouchables. Malgré cette ignorance officielle, dans n'importe quel cercle social de la so-

ciété indienne — atelier, bureau, école, village, etc. —, chacun connaît toujours la caste de tous les autres. Alors, pourquoi cette négation silencieuse d'une réalité intensément présente ? Il faut probablement y voir la volonté de l'intelligentsia et des partis politiques qui cherchent à gommer une réalité trop archaïque qui nuirait à une image moderne de la société indienne. Or une réalité sociale de cette importance ne se gomme pas.

J. DUPUIS
L'Histoire, n° 81, septembre 1985.

UNE DÉMOCRATIE AUTRE ?

Je voudrais dire ce que les États indépendants d'Afrique noire ont gardé de cette démocratie, même quand ils ont l'air de s'inspirer des modèles européens... Je ne retiendrai que l'exemple extrême : celui du régime présidentiel avec parti unique, qui est, au demeurant, le plus fréquent en Afrique noire. On a vite fait de crier à la dictature et à l'alignement sur les démocraties populaires. Ce n'est qu'une première impression et fausse, qu'une analyse tant soit peu attentive finit par dissiper. Tout d'abord, le régime présidentiel exprime l'esprit de la philosophie négro-africaine, qui est axée non pas sur l'individu mais sur la personne. Le président personnifie la Nation, comme le Monarque du temps jadis « son » peuple. Les masses ne s'y trompent pas qui parlent du « règne » de Modibo Keita, de Sékou Touré ou d'Houphouët-Boigny en qui ils voient, avant tout, l'élu de Dieu par le Peuple. Mais toujours, chez les Négro-Africains, le réalisme complète le mysticisme en l'enracinant. Dans ce monde du XXᵉ siècle, le pouvoir partagé, bicéphale, du régime parlementaire ne peut résoudre rapidement, efficacement, les problèmes nombreux et complexes qui se posent à l'État. [...] Quand au parti unique, j'en parle d'autant plus librement que nous ne l'avons pas institué au Sénégal. Je ferai observer, tout d'abord, qu'il procède souvent du dialogue ou du colloque : de la libre discussion entre partis nationaux. Qu'il est conspiration dans la tradition de l'unanimité négro-africaine. [...] J'ai parlé du Dialogue. C'est là l'apport majeur de l'Afrique noire, comme de l'Afrique arabo-berbère. [...] Le parti unique né du Dialogue ne peut se maintenir que par le Dialogue. [...] En Afrique noire, le parti unique est un parti de masse où tout adulte, voire tout adolescent des deux sexes, a vocation d'entrer. On y entre en initiation, comme jadis, dans le Bois sacré.

LÉOPOLD SÉDAR SENGHOR
Président du Sénégal, *discours à l'Université de Strasbourg,* 21 novembre 1964.

Constitution. Notons toutefois que certaines traditions locales ont établi des formes de démocratie authentique qui n'ont rien à envier aux formes occidentales, même si elles en diffèrent profondément.

Ajoutons aux obstacles susmentionnés l'**absence de préparation** à la vie démocratique pendant l'époque coloniale, le manque de formation politique de masses largement analphabètes, le manque de cadres expérimentés, la faiblesse ou l'inexistence des partis politiques et des syndicats, et l'on ne s'étonnera pas que la voie démocratique ne se soit pas ouverte très largement dans l'ensemble du tiers-monde et que, là où elle existe, ses difficultés de fonctionnement l'aient discréditée.

C'est ainsi que le paysage politique du tiers-monde est dominé par des régimes autoritaires ou dictatoriaux aux formes nombreuses : régimes de caudillos■ en Amérique latine (Peron en Argentine), tyrannies familiales comme les Duvalier en Haïti ou les Marcos aux Philippines,

■ **Caudillo**
Mot espagnol désignant un chef politico-militaire à la tête d'un régime autoritaire appuyé sur la force armée (voir page 29).

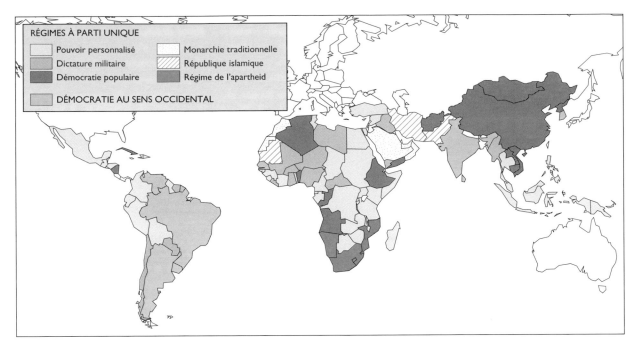

LES RÉGIMES POLITIQUES DES PAYS DU TIERS-MONDE EN 1989

RÉGIMES À PARTI UNIQUE

Pouvoir personnalisé
Dictature militaire
Démocratie populaire
Monarchie traditionnelle
République islamique
Régime de l'apartheid

DÉMOCRATIE AU SENS OCCIDENTAL

dictatures sanguinaires aux dimensions d'abêtissement ahurissantes d'un Idi Amine Dada en Ouganda ou d'un « empereur Bokassa » en Centrafrique, lequel se fait couronner dans une cérémonie invraisemblable calquée sur le sacre de Napoléon Ier et à laquelle les pays développés délèguent complaisamment des représentants officiels...

Quand le pouvoir civil est trop discrédité (ou trop dangereux pour les intérêts occidentaux), alors l'armée intervient, les **coups d'État** se multiplient, des dictatures militaires s'installent, parfois marquées d'une volonté de réforme plus ou moins radicale (Éthiopie, Pérou).

Tous ces systèmes sont marqués par la **violation systématique des droits humains** les plus fondamentaux, l'utilisation massive de la **torture**, une **censure** sévère. Les généraux argentins au pouvoir dans les années soixante-dix ont fait « disparaître » plus de 10 000 opposants, poussant l'ignominie jusqu'au rapt des enfants des victimes, « adoptés » par les bourreaux après falsification de leur état civil. Au Brésil, au Salvador, des « escadrons de la mort » formés de militaires et de policiers en civil assassinent sans vergogne opposants politiques, jeunes délinquants, enfants abandonnés.

Les années quatre-vingt semblent cependant amorcer un **recul** des régimes dictatoriaux. En une douzaine d'années, toutes les dictatures militaires d'Amérique latine vont disparaître, tandis qu'en Afrique et en Asie s'installent malaisément ce qu'on a appelé des « démocratures ». Mais en dépit de ces percées prometteuses, la route semble encore longue et semée d'embûches dans l'accession des peuples à un minimum de démocratie réelle.

ÉCHEC DU FÉDÉRALISME ET CONFLITS INTERNES

À ces difficultés de fonder des États stables répondant mieux aux données géographiques et ethnoculturelles, le **fédéralisme**■ apparaissait comme une solution pleine de promesses. Aussi, les pays latino-américains, dès leur naissance, s'étaient empressés de se regrouper dans des ensembles fédéraux plus vastes : Grande Colombie (Colombie, Venezuela, Équateur) ou États-Unis d'Amérique centrale. Au moment de la décolonisation du XXe siècle, plusieurs tentatives sont faites pour opérer quelques regroupements dans cette Afrique balkanisée par les Blancs : Ghana et Guinée (1958), Fédération du Mali (Haute-Volta, Sénégal, Dahomey, 1959).

La plupart de ces tentatives échouent. En Amérique latine, dès avant 1830, les fédérations ont éclaté (sauf au Brésil). En Afrique, le Nigeria, de taille géante, demeure un des rares pays fédéraux, de même que l'Inde en Asie, pays aux dimensions d'un sous-continent et où l'immense diversité des populations impose la solution fédérale. C'est donc l'**État unitaire** qui **domine dans tout le tiers-monde**, comme une sorte de compensation de l'absence d'unité naturelle.

Fédéraux ou unitaires, ces États sont à peu près tous secoués par des **tensions internes** : luttes interethniques pour la mainmise sur le pouvoir, résistance des ethnies exclues de ce pouvoir, refus par des groupes minoritaires de se voir imposer une langue étrangère (Mauritanie, Malaisie, Inde), voire réveil de l'indianisme en Bolivie ou au Guatemala.

■ **Fédéralisme**
Système politique dans lequel les pouvoirs de l'État sont répartis entre deux ordres de gouvernement : le gouvernement central, ou fédéral, et les gouvernements des provinces, ou des États-membres.

LA GUÉRILLA KURDE EN TURQUIE

Voyageurs interceptés et tués à des barrages routiers, raids contre des villages de «collaborateurs» et affrontements violents avec les forces de sécurité [...], il est certain que la lutte entre le PKK (parti des travailleurs du Kurdistan) et les forces armées a récemment atteint un niveau de violences sans précédent au cours de huit ans de guérilla indépendantiste. Parallèlement à l'action des pech-mergas[1] kurdes irakiens, de l'autre côté de la frontière, les forces de sécurité ont poursuivi leur «lutte jusqu'au bout» contre les combattants du PKK et leurs partisans sur le territoire turc [...]. Il existe un danger réel de tensions ethniques entre les deux communautés qui cohabitent dans l'est du pays, surtout si le nombre des victimes de la lutte séparatiste — plus de 1 700 cette année — continue d'augmenter à ce rythme.

Le Monde, 14 octobre 1992.

1. Combattants.

Ces tensions internes débouchent parfois sur une tentative de **sécession** afin de former un nouvel État, comme au Zaïre (Katanga), en Éthiopie (Érythrée), au Nigeria (Biafra), en Inde (Sikhs). Ces tentatives se heurtent immédiatement à une opposition farouche du pays concerné, appuyé en général par tous ses voisins, car le succès d'une seule de ces tentatives remettrait en cause tout l'échafaudage des frontières artificielles héritées du colonisateur. Le Katanga, le Biafra, les Sikhs sont ainsi brutalement réduits à la soumission dans ce qui prend parfois l'allure de guerres particulièrement sanglantes. Les Kurdes, en rébellion presque continuelle contre cinq pays différents, n'ont jamais réussi à former le Kurdistan qui leur avait pourtant été promis en 1919. Seul le Bangladesh, section orientale du Pakistan, a réussi à se séparer et à former un État souverain, mais il était distant de 1 700 kilomètres de la section occidentale dominante et appuyé par l'Inde, qui souhaitait précisément l'éclatement de son voisin.

Sociétés et cultures en mutation

DANS CET IMMENSE TIERS-MONDE QUI EST EN FAIT LE «PREMIER MONDE», PUISQU'IL RASSEMBLE TROIS HUMAINS SUR QUATRE, SOCIÉTÉS ET CULTURES SONT ENTRÉES DANS DE PROFONDES MUTATIONS CAUSÉES PAR LE CONTACT AVEC LA CIVILISATION TECHNICIENNE.

LA VIE DES VILLAGEOISES DU BURKINA-FASO

C'est là [autour des puits] que, chaque jour, les femmes des villages se rassemblent. Elles sont dix ou vingt, échangent leurs réflexions et surtout peinent ensemble. Chaque fillette, dès son plus jeune âge, apprend que ce sera là son lot quotidien [...] du moins durant une bonne partie de sa vie.

Ces puits traditionnels, lieu de convivialité et de véritable solidarité, constituent en quelque sorte l'arbre à palabres des femmes [...]. C'est souvent là qu'elles expriment leurs vraies préoccupations : leur santé, celle de leurs enfants, leurs réactions à un nouveau projet du village, etc. À cette corvée d'eau s'ajoutent combien d'autres tâches qui réclament autant de temps et d'énergie : coupe et transport du bois, pilage des grains, cuisson de la nourriture, travail aux champs en hivernage ; parfois jardinage en saison sèche sans oublier les activités de petit commerce, le nettoyage de la case, etc. Tout cela paraît si normal aux habitants du village qu'on n'y prête même plus attention [...]. Même les femmes entre elles, pressées qu'elles sont par toutes leurs responsabilités, si habituées à cette âpre vie, en viennent à se dire que c'est là leur destin, une sorte de fatalité, la volonté d'Allah.

R. DUMONT
Pour l'Afrique, j'accuse,
Paris, Plon, 1986.

RURAUX ET CITADINS

Les sociétés du tiers-monde sont encore **largement rurales**, les trois quarts de la population vivant toujours à la campagne et la production agricole fournissant encore 20 % du produit intérieur brut (PIB) et jusqu'à 40 % dans quelques cas, exception faite des pays pétroliers. De vastes régions sont encore exploitées selon des **méthodes traditionnelles** à faible productivité, avec une mécanisation très faible voire inexistante, et la pratique de la jachère. Dans ces régions, la propriété de la terre est souvent collective et l'exploitation soumise aux contraintes communautaires. En Amérique latine subsiste le latifundium, immense domaine privé sur lequel une main-d'œuvre abondante et mal payée travaille au profit d'un propriétaire fortuné souvent non résident.

Mais cette agriculture traditionnelle est partout secouée par l'irruption des **grandes exploitations modernes**, consacrées à la monoculture d'exportation et appartenant à une aristocratie foncière locale ou à de grandes sociétés

L'ÉCONOMIE TRADITIONNELLE
Labourage d'une rizière, Indonésie.

VIVRE DANS UN DÉPOTOIR...
(À MEXICO)

agro-industrielles multinationales. Cette évolution se fait le plus souvent au détriment des masses rurales salariées, dont les conditions de vie se détériorent (travail, logement, salaire).

On considère aujourd'hui que 100 millions de paysans n'ont pas de terre et que 700 millions d'autres survivent sur des tenures de taille insuffisante. Devant ce fait, de nombreux États ont entrepris, certains depuis fort longtemps (le Mexique depuis 1915...), des réformes agraires dont la plupart ont été par trop prudentes ou sont restées inachevées, ou encore ont été annulées après un changement de gouvernement, comme au Chili en 1973.

Alors les **ruraux**, chassés des campagnes par la misère, **affluent vers les villes**, mirages d'abondance et de liberté. La population urbaine dans le tiers-monde est passée de 99 millions en 1900 à près de 200 millions en 1985, et elle s'accroît chaque année de 40 millions. Mexico, Sao Paulo, Le Caire, Calcutta dépassent les 10 millions d'habitants chacune et en reçoivent 1 000 nouveaux chaque jour. Sauf, dans une certaine mesure, au Mexique et au Brésil, cette explosion urbaine n'est cependant pas accompagnée, comme dans l'Europe du XIXᵉ siècle, de développement économique et d'industrialisation, de sorte qu'elle **aggrave encore les disparités** de sociétés déjà très inégalitaires. Une petite oligarchie associée aux firmes multinationales, détenant l'essentiel du pouvoir politique et économique, y vit dans des quartiers somptueux, tandis que la grande masse des citadins est formée d'un sous-prolétariat de marginaux sans emploi régulier, entassés dans des bidonvilles dans d'effroyables conditions sanitaires. Au Caire, 60 000 familles vivent dans le cimetière ; à Manille, le plus grand dépotoir est devenu « quartier résidentiel »...

LE « DUALISME »

En fait, on considère de plus en plus aujourd'hui que ce qui caractérise le mieux l'ensemble du tiers-monde, malgré toute sa diversité et ses situations fort inégales, c'est le **dualisme■** généralisé de ses structures économiques, sociales ou politiques.

■ **Dualisme**
Cœxistence de deux systèmes de production et d'échange dans une économie ; s'applique également à une société radicalement divisée entre très riches et très pauvres, presque dépourvue de classes intermédiaires.

On retrouve ce dualisme d'abord **dans le domaine économique**, où cohabitent une économie traditionnelle préindustrielle relativement fermée et une économie moderne reliée au marché mondial. Dans le secteur primaire, consacré à la production brute de matière non transformée, l'agriculture, dont nous venons d'évoquer le caractère dualiste, entre elle-même en contraste avec des activités extractives très concentrées et à forte incidence de capital, particulièrement l'exploitation pétrolière. Les industries de transformation, qui forment le secteur secondaire, demeurent extrêmement faibles, tandis que le secteur tertiaire, celui des services, apparaît hypertrophié.

Une industrie traditionnelle au Niger.

Dans le domaine social, le dualisme recouvre le divorce profond entre le monde rural encore marqué par les traditions et le monde urbain happé par le mirage de l'Occident, entre « les riches plus riches et les pauvres plus pauvres que partout ailleurs » (Y. Lacoste), entre les masses analphabètes et les élites cultivées, en l'absence de classes moyennes étendues et vigoureuses comme en Occident.

Le **caractère paralysant** de ce dualisme vient de ce qu'il n'est pas le fruit d'une évolution interne naturelle, où les secteurs seraient complémentaires, mais qu'il résulte d'une irruption brutale d'apports extérieurs qui créent un secteur nouveau, « moderne », complètement étranger au secteur traditionnel. De là l'écartèlement de ces sociétés qui, déboussolées, cherchent confusément leurs voies entre le repli sur soi et une prise en charge harmonieuse de la modernité.

LE RENOUVEAU DE L'ISLAM

L'adhésion des musulmans à la modernité occidentale a commencé, de façon spectaculaire, avec la révolution turque de Mustafa Kemal (voir page 108). Dans les colonies d'Afrique du Nord, les mouvements nationalistes de l'entre-deux-guerres s'inspirent presque tous des idéaux de la philosophie des Lumières et de la Révolution française, la grande majorité de leurs militants ayant été éduqués dans les universités européennes.

**L'ÉMANCIPATION
DES FEMMES
EN PAYS MUSULMAN :
L'EXEMPLE TUNISIEN**

*Août 1956 : Code de la famille.
Interdiction de la polygamie. Divorce judiciaire ouvert aux deux conjoints.*

Mai 1957 : Droit de vote aux femmes, qui deviennent aussi éligibles.

Février 1964 : Âge minimum du mariage fixé à 17 ans (et non plus 15) pour la femme qui peut ainsi recevoir une formation scolaire professionnelle.

Juillet 1965 : Vente libre de produits anticonceptionnels. Droit à l'avortement médical pour toute femme ayant 5 enfants vivants. Interdiction d'employer des jeunes filles de moins de 14 ans.

1966 : Garde de l'enfant, en cas de divorce, réglée en considération de l'intérêt de l'enfant (qui pourra donc être confié à la femme).

1968 : Peines identiques pour l'homme et la femme en cas d'adultère.

C'est ainsi que dès l'accession à l'indépendance, ces pays s'efforcent de **laïciser la société** en supprimant les tribunaux religieux (Tunisie), en étatisant les biens religieux (Égypte), en réformant le statut des personnes en faveur de l'émancipation des femmes (Algérie), en faisant de l'islam simplement la religion du pays, et non celle de l'État. Plus que sur la notion d'islamisme, on insiste désormais sur celle d'**arabisme** (Ligue arabe fondée en 1945, République arabe unie en 1968), tandis qu'en matière économique le socialisme supplante les préceptes coraniques, menant à la nationalisation du pétrole iranien (1951) ou à celle du canal de Suez (1956). En 1970, le Yémen du Sud se réclame officiellement du marxisme-léninisme et devient la République démocratique populaire du Yémen. Une grande partie des élites adopte le mode de vie et les valeurs occidentales, négligeant les pratiques religieuses (jeûne, abstinence).

Cette occidentalisation est cependant loin de toucher tous les pays et, dans les pays qu'elle touche, elle demeure confinée à une fraction somme toute restreinte de la

LA LIGUE ARABE ET L'ARABISME

**Par le premier secrétaire général de la ligue des États arabes,
Adb Al-Rahman Azzan.**

Nous autres, Arabes, avons reçu de la renaissance du VIIe siècle un noble héritage auquel nous invitons les hommes à se rallier aujourd'hui, non en tant que religion, puisque les hommes sont libres en matière de croyances, mais plutôt en tant qu'idéaux, principes et règles adoptés par nos ancêtres et qui aideront à réaliser l'unité internationale, la paix perpétuelle et la fraternité entre les hommes. [...]

Si vous me demandez ce qu'est cette nouvelle ligue arabe, je répondrai que c'est le noyau autour duquel je donne corps à ces grandes espérances [...]. Il s'agit d'un pacte que d'autres pourraient considérer comme idéal, puisque nous coopérons, sous son égide, sur la base du principe de l'égalité en droits de tous les États.

ANOUAR ABDEL-MALEK
La pensée politique arabe contemporaine,
Paris, Le Seuil, coll. Points Politique, 1970.

population. Pendant que partout les masses rurales et urbaines restent largement attachées à l'islam traditionnel, quelques États maintiennent sans faiblir la loi islamique, en particulier l'Arabie Saoudite, gardienne des lieux saints de La Mecque et organisatrice du grand pèlerinage qui attire chaque année d'immenses foules venues du monde entier. En 1962, l'Arabie Saoudite crée même une Ligue islamique mondiale destinée à faire contrepoids à l'arabisme laïcisant et révolutionnaire de l'Égypte, de la Syrie ou de l'Irak.

Mais le « modèle » moderniste va bientôt entrer en crise, incapable d'assurer un développement économique harmonieux et de combattre la paupérisation et l'urbanisation sauvage, tandis que la liberté des mœurs occidentales, étalée à pleins écrans de cinéma et de télévision et véhiculée par la publicité, scandalise les gens modestes qui y voient le symbole de la corruption et de la désintégration de la société.

Une réaction se dessine alors, sous la forme d'un **fondamentalisme religieux** désireux de renouer avec la « vraie foi ». Le mouvement se développe à une vitesse fulgurante et débouche bientôt sur l'**islamisme**, idéologie et mouvement politique dont l'objectif est de renverser les pouvoirs établis, même les plus conservateurs, comme en Arabie, afin d'instaurer un État intégralement régi par les préceptes coraniques et par ceux qui sont chargés de les interpréter : ulémas ou mollahs du clergé.

C'est en Iran que le mouvement connaît son succès le plus spectaculaire, avec la révolution de 1979, qui instaure le premier régime islamiste du monde arabo-musulman (voir page 450). Depuis lors, l'islamisme n'a cessé de gagner du terrain et s'insinue aujourd'hui dans la presque totalité des pays arabo-musulmans, particulièrement en Égypte et en Algérie.

Mais il faut bien distinguer entre cet islamisme, appelé aussi intégrisme, mouvement politique non dénué d'ambiguïtés (il exploite à fond les moyens modernes de propagande), et le fondamentalisme, mouvement religieux de ressourcement qui fait de nombreux convertis même jusque chez les chrétiens.

FEMMES IRANIENNES DANS UN MAGASIN DE ROBES DE MARIÉE, SEPTEMBRE 1979

FONDAMENTALISME ET INTÉGRISME

Jean Daniel, directeur du Nouvel Observateur, converse avec le roi du Maroc Hassan II

J.D. — « Puis-je vous proposer ma version de l'intégrisme, valable d'ailleurs pour toutes les religions ? C'est le mélange explosif entre le besoin individuel de mystique et un esprit collectif de croisade. Cela se traduit par un respect autoritaire de la lettre au détriment de l'esprit du message. »

Hassan II. — « J'accepte cette définition. Elle m'incite à différencier radicalement le fondamentalisme, qui relèverait de l'exigence personnelle, et l'intégrisme, qui est l'exploitation de cette exigence à des fins nettement politiques. Comme l'islam règle le comportement des croyants et que la distinction est moins nette qu'ailleurs entre le spirituel et le temporel, certains musulmans croient pouvoir se servir de la religion pour fixer une fois pour toute l'organisation de la cité musulmane et pour rendre cette organisation obligatoire pour le monde musulman. L'intégrisme, c'est le fondamentalisme conçu comme instrument de pouvoir. »

28 mars 1986.

Le tiers-monde dans le monde

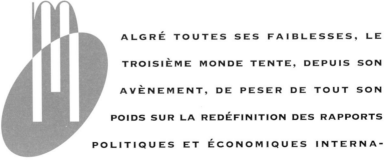

MALGRÉ TOUTES SES FAIBLESSES, LE TROISIÈME MONDE TENTE, DEPUIS SON AVÈNEMENT, DE PESER DE TOUT SON POIDS SUR LA REDÉFINITION DES RAPPORTS POLITIQUES ET ÉCONOMIQUES INTERNATIONAUX.

NAISSANCE ET SOUBRESAUTS DU « NON-ALIGNEMENT »

Le mouvement qui va peu à peu regrouper les pays du tiers-monde naît à New Delhi (Inde) en 1947, lors d'une première « Conférence des relations asiatiques » qui rassemble 25 pays pour discuter de décolonisation et de sous-développement. Additionné de quelques nouveaux pays arabes, le « groupe afro-asiatique » se réunit de nouveau à **Bandung**, en Indonésie, en 1955, dans une conférence qui marque véritablement l'avènement du tiers-monde sur la scène internationale. Le communiqué final de la Conférence de Bandung affirme avec force le droit des peuples à l'autodétermination, l'égalité entre tous les États souverains et le refus de toute ingérence étrangère dans leurs affaires internes. Il réclame en outre le désarmement et l'interdiction des armes nucléaires, et il jette les bases d'une « troisième voie » dans l'affrontement des deux blocs qui déchire le monde.

Cette troisième voie, c'est le « **non-alignement** » : le refus des blocs, quels qu'ils soient. C'est à Belgrade (Yougoslavie) en 1961 que le principe est érigé en doctrine, à l'instigation de trois figures dominantes : le Yougoslave Tito, l'Indien Nerhu et l'Égyptien Nasser. Le mouvement des non-alignés se développe rapidement dans les années suivantes, passant des 25 pays fondateurs à 47 membres à la Conférence du Caire (1964), puis à

COMMUNIQUÉ FINAL DE LA CONFÉRENCE DE BANDUNG (1955)

La conférence afro-asiatique a pris note du fait que l'existence du colonialisme dans plusieurs parties de l'Asie et de l'Afrique, sous quelque forme qu'il se présente, non seulement entrave la coopération culturelle mais aussi le développement des cultures nationales. Certaines puissances coloniales ont refusé à leurs sujets coloniaux les droits élémentaires en matière d'éducation et de culture, ce qui entrave le développement de leur personnalité et aussi la collaboration culturelle avec les autres peuples d'Afrique et d'Asie. Cela est particulièrement vrai pour la Tunisie, l'Algérie et le Maroc où le droit fondamental de ces peuples d'étudier leur propre langue et leur culture a été supprimé. De semblables discriminations ont été pratiquées contre les Africains et les peuples de couleur dans certaines parties du continent africain.

La conférence condamne un tel défi des droits fondamentaux de l'homme [...] comme une forme d'oppression culturelle.

La conférence déclare approuver entièrement les principes fondamentaux des Droits de l'homme, tels qu'ils sont définis dans la Charte de l'ONU [...] et appuyer entièrement le principe du droit des peuples et des nations à disposer d'eux-mêmes tel qu'il est défini dans la Charte [...].

La conférence, après avoir discuté le problème des peuples dépendants du colonialisme et des conséquences de la soumission des peuples à la domination et à l'exploitation étrangères, est d'accord:

— Pour déclarer que le colonialisme sous toutes ses formes est un mal auquel il doit être rapidement mis fin.

— Pour affirmer que la soumission des peuples au joug étranger et à l'exploitation étrangère constitue une violation des droits fondamentaux de l'homme, est contraire à la Charte des Nations Unies et est un obstacle à la consolidation de la paix mondiale.

— Pour affirmer son soutien à la cause de la liberté et de l'indépendance de tels peuples.

LE NON-ALIGNEMENT

L'impérialisme est sur son déclin. Les empires coloniaux et les autres formes d'oppression étrangère imposées aux peuples en Asie, en Afrique et en Amérique latine disparaissent peu à peu de la scène de l'histoire [...].

Les gouvernements des pays participant à la Conférence rejettent catégoriquement la thèse qui veut que la guerre, et notamment la guerre froide, soit inévitable, car cette thèse est un aveu d'impuissance et de désespoir.

[...] Le monde où nous vivons est caractérisé par l'existence de systèmes sociaux différents. Les pays participants ne considèrent pas que ces différences constituent un obstacle insurmontable à la stabilisation de la paix, à condition qu'il n'y ait pas de tentatives de domination et d'ingérence dans les affaires intérieures des autres peuples et nations [...].

Les pays participants considèrent que, dans ces conditions, la coexistence pacifique, selon ces principes, est la seule solution si l'on veut sortir de la guerre froide et du risque d'une catastrophe nucléaire universelle.

[...] Les pays non alignés représentés à la Conférence ne prétendent pas créer un nouveau bloc et ne peuvent pas constituer un bloc. [...]

Condamnent résolument la politique d'apartheid pratiquée par l'Union sud-africaine [...].

Condamnent les politiques impérialistes poursuivies au Moyen-Orient et donnent leur appui au plein rétablissement de la population arabe de Palestine dans tous ses droits.

Extraits de la déclaration finale de la conférence de Belgrade (1961).

53 à Lusaka (1970), à 75 à Alger (1973), à 92 à La Havane (1979) et à plus d'une centaine à New Delhi en 1983.

À mesure qu'il s'élargit, cependant, le mouvement devient de plus en plus hétérogène et parcouru de **graves dissensions** entre des pays aux situations géographiques, aux structures politiques, aux niveaux de développement économique et aux conceptions idéologiques totalement divergentes. Entre la sympathie pour l'URSS qui dominait au début et l'inféodation au bloc capitaliste de plusieurs nouveaux États, entre la volonté algérienne d'opposer l'ensemble d'un Sud pauvre à l'ensemble d'un Nord riche et l'alignement inconditionnel sur Moscou d'un Fidel Castro, le mouvement se désintègre peu à peu et son non-alignement perd toute crédibilité, victime, lui aussi, de la bipolarisation du monde.

La condamnation de l'impérialisme ayant largement perdu sa raison d'être avec la fin des empires, le désarmement ayant été relégué au magasin des accessoires verbaux, au vu des guerres qui déchirent les pays non alignés et du surarmement dans lequel ils plongent aveuglément, ce sont les préoccupations économiques qui, à partir de 1970, dominent les discussions.

La recherche d'un nouvel ordre économique international

Le choc pétrolier et la crise généralisée qui frappent les pays industrialisés au début des années soixante-dix semblent créer un contexte favorable à une redéfinition fondamentale des relations économiques internationales, au bénéfice des pays sous-développés. Ceux-ci réclament alors l'établissement d'un **nouvel ordre économique international** (NOEI) fondé sur la **pleine souveraineté des États** sur leurs ressources et activités économiques, sur une **amélioration des termes de l'échange** et sur un traitement privilégié des pays riches à l'égard des pays pauvres.

En 1974, l'assemblée générale de l'ONU adopte une « déclaration » et un « programme d'action » relatifs à l'instauration d'un NOEI, ainsi qu'une « Charte des droits et devoirs économiques des États », qui doivent servir de base aux discussions dans le cadre de la CNUCED (Conférence des Nations Unies sur le commerce et le développement). De nombreuses conférences « Nord-Sud » aboutissent à des résultats concrets : système généralisé de préférence dans les droits de douane, constitution de fonds de stabilisation des cours de 19 produits de base, extension de la propriété des eaux côtières jusqu'à 360 kilomètres des côtes.

Malheureusement, le **bilan ne répondra pas aux vastes espoirs** suscités par ces avancées fragmentaires. Le système généralisé de préférence sera tout sauf généralisé, les pays riches vont continuer à protéger leur production nationale, le fonds de stabilisation des produits de base ne fonctionne pas pour cause de résistances dans les pays riches. La coopération Sud-Sud, sous la forme de cartels de producteurs ou de regroupements économiques régionaux, ne donnera pas les résultats escomptés, même dans le cas de l'OPEP (Organisation des pays exportateurs de pétrole) qui, après l'euphorie des années soixante-dix, sera incapable d'éviter la chute des cours dans les années quatre-vingt.

POUR UN NOUVEL ORDRE ÉCONOMIQUE INTERNATIONAL

Le nouvel ordre économique international devrait être fondé sur le plein respect des principes ci-après :

a) Égalité souveraine des États, autodétermination de tous les peuples, inadmissibilité de l'acquisition de territoires par la force, intégrité territoriale et non-ingérence dans les affaires intérieures d'autres États ; [...]

c) Participation pleine et réelle de tous les pays, sur une base d'égalité, au règlement des problèmes économiques mondiaux dans l'intérêt commun de tous les pays, compte tenu de la nécessité d'assurer le développement rapide de tous les pays en voie de développement ; [...]

e) Souveraineté permanente intégrale de chaque État sur ses ressources naturelles et sur toutes les activités économiques [...]. En vue de sauvegarder ces ressources, chaque État est en droit d'exercer un contrôle efficace sur celles-ci et sur leur exploitation par les moyens appropriés à sa situation particulière, y compris le droit de nationaliser ou de transférer la propriété à ses ressortissants [...].

Aucun État ne peut être soumis à une cœrcition économique, politique ou autre, visant à empêcher l'exercice libre et complet de ce droit inaliénable ;

f) Droit pour tous les États, territoires et peuples soumis à une occupation étrangère, à une domination étrangère et coloniale ou à l'apartheid, d'obtenir une restitution et une indemnisation totale pour l'exploitation, la réduction et la dégradation des ressources naturelles et de toutes les autres ressources de ces États, territoires et peuples ;

g) Réglementation et supervision des activités des sociétés multinationales par l'adoption de mesures propres à servir l'intérêt de l'économie nationale des pays où ces sociétés multinationales exercent leurs activités sur la base de la souveraineté de ces pays ; [...]

j) Rapports justes et équitables entre les prix des matières premières, des produits primaires, des articles manufacturés et semi-finis exportés par les pays en voie de développement et les prix des matières premières, des produits primaires, des articles manufacturés, des biens d'équipement et du matériel importés par eux, en vue de provoquer, au profit de ces pays, une amélioration soutenue des termes de l'échange, qui ne sont pas satisfaisants, ainsi que l'expansion de l'économie mondiale ;

k) Octroi par l'ensemble de la communauté internationale d'une assistance active aux pays en voie de développement sans aucune condition d'ordre politique ou militaire.

Déclaration des Nations Unies,
1er mai 1974.

D'autre part, l'accroissement des écarts entre pays du tiers-monde et la montée fulgurante des « nouveaux pays industrialisés » (NPI) semblent remettre en cause la thèse du sous-développement « exogène », c'est-à-dire résultant de facteurs extérieurs aux pays sous-développés. Aujourd'hui, ce sont les problèmes liés à l'endettement qui sont devenus les plus pressants, alors que la notion même de « tiers-monde » éclate de toutes parts.

DES TIERS-MONDES ÉCLATÉS

L'unité du tiers-monde, déjà problématique dans les années cinquante, ne résiste pas aux luttes nées de la construction nationale, aux affrontements interétatiques et surtout aux disparités de plus en plus grandes qui fractionnent aujourd'hui cet ensemble en trois ou quatre groupes très différents les uns des autres.

Les **conflits interétatiques** n'ont pas manqué, à commencer par l'Amérique latine qui, dès le XIXᵉ siècle, voit des guerres meurtrières mettre aux prises, à un moment ou à un autre, la presque totalité des pays du sous-continent. En Asie, une guerre pour le Cachemire lance l'Inde contre le Pakistan pendant douze ans de 1947 à 1959, et de nouveau en 1965. Après la victoire du Viêt-nam du Nord en 1975, le Cambodge est envahi et occupé par les forces vietnamiennes, pendant que la Chine déclenche de sanglants incidents à la frontière nord du Viêt-nam. En Afrique, les conflits sont innombrables, alimentés par le caractère artificiel des frontières. Mais c'est au Moyen-Orient qu'éclatent les pires affrontements, surtout une guerre particulièrement meurtrière de huit ans entre l'Irak et l'Iran (1980 - 1988).

LA GUERRE IRAN-IRAK

Tous ces conflits ont pour effet d'enclencher une absurde **course aux armements** entre des pays où les populations meurent de faim et où les budgets militaires absorbent jusqu'à 25 % des dépenses de certains États. Le tiers-monde est ainsi devenu le plus gros consommateur d'armes de la planète, à la grande satisfaction des pays producteurs, dont les plus importants sont tous, comme par hasard, des pays riches... On a pu calculer que, pour chaque dollar d'aide reçue, le tiers-monde en débourse trois pour s'armer. Qui aide qui ?

Mais c'est surtout l'évolution économique qui amène **l'éclatement du tiers-monde** en quatre groupes de plus en plus inégaux. En tête, les « rentiers du pétrole » sont parmi les pays les plus riches de la planète, avec des PNB par habitant atteignant 15 000 dollars au Koweït, 20 000 dans les Émirats arabes unis, soit plus que les États-Unis ou la Suisse. Les « nouveaux pays industriels » suivent, où le processus d'industrialisation et de modernisation est solidement enclenché au point de menacer l'hégémonie

1985 : 145 milliards de dollars de dépenses militaires dans le tiers-monde

Pays	Dépenses militaires en % PIB	Dépenses d'éducation en % PIB
Chine	3,8	2,7
Inde	3,9	3,2
Pakistan	5,8	2
Iran	13,5	3,8
Irak	33,7	3,6
Égypte	9,6	4,1
Libye	2,4	3,7
Tchad	15,3	2,6
Algérie	1,6	4,5
Angola	17,9	4,4
Afrique du sud	3,7	—
Brésil	2,7	3,2
Chili	8,5	5,8
Pérou	7,8	4,4

D'après les données de *L'État du monde 1986*, La Découverte.

séculaire du Nord : le Brésil, la Corée du Sud et une vingtaine d'autres appartiennent à cette catégorie. Les « pays à revenu intermédiaire » forment un ensemble composite à la situation fragile, que l'endettement menace continuellement d'effondrement (presque toute l'Amérique latine se situerait dans ce groupe, de même que l'Afrique du Nord, le Pakistan et l'Indonésie).

Au bas de l'échelle, dans une situation souvent désespérée qui leur a valu le qualificatif de « **quart-monde** », se retrouvent les « pays les moins avancés » (PMA), immense domaine de la faim et de la malnutrition, de la démographie galopante, du sous-développement chronique, et qui voit se creuser chaque jour l'écart qui le sépare du reste de l'humanité. La plupart de ces pays se situent en Afrique subsaharienne, à quoi il faut ajouter le Bangladesh et, plus près de nous, Haïti, qui fait figure de scandale permanent jeté à la face de la bonne conscience des nantis, toujours ravis d'aller couler des vacances heureuses dans quelque Club Med loin des « rigueurs » de l'hiver...

Quelque part au milieu de toutes ces catégories, la Chine et l'Inde rassemblent un humain sur quatre dans un groupe à part, où la faiblesse du revenu par habitant dissimule une croissance réelle de la production agricole et industrielle.

Conclusion

Le vaste mouvement de décolonisation des années cinquante et soixante a donné naissance à un ensemble plutôt hétéroclite qu'on a baptisé « tiers-monde » et dont la caractéristique principale est le sous-développement. Pendant que des États aux origines plus ou moins factices essaient malaisément de s'y constituer sur les ruines et avec les héritages de la colonisation, les sociétés et les cultures connaissent de profondes mutations engendrées par le passage à une « modernité » venue d'ailleurs. Après l'échec relatif du non-alignement, l'exigence d'un nouvel ordre économique international se heurte à des résistances tenaces, tandis que se creusent les disparités entre pays et que naît un « quart-monde » dont la seule existence constitue l'irrémissible scandale de cette fin de siècle, qui a vu l'Homme tout à la fois marcher sur la Lune et crever de faim, de misère et de désespoir sur les plateaux d'Éthiopie ou dans les faubourgs de Port-au-Prince.

Questions de révision

1. Analysez les caractéristiques et les causes du sous-développement.

2. Comment se déclenche la « course à l'endettement » des pays du tiers-monde à partir de 1973, et quel en est l'impact ?

3. Décrivez les différentes formes que prend l'aide au tiers-monde et signalez ses réussites et ses effets négatifs.

4. Montrez comment les États issus de la colonisation sont souvent artificiels.

5. La démocratie est-elle incompatible avec le sous-développement ? Justifiez et expliquez votre réponse.

6. Analysez le phénomène du « dualisme » dans les pays du tiers-monde, dans les domaines économique et social.

7. Quelles sont les principales manifestations du renouveau de l'islam depuis l'entre-deux-guerres ?

8. Décrivez la naissance, la montée et la désintégration du mouvement des non-alignés.

9. Quelles sont les bases du nouvel ordre économique international réclamé par le tiers-monde dans les années soixante-dix et quel bilan peut-on en tirer ?

10. Décrivez les quatre groupes qui émergent aujourd'hui dans la foulée de l'éclatement du tiers-monde.

12

LE NOUVEAU DÉSORDRE MONDIAL, 1973-1985

À LA FIN DES ANNÉES SOIXANTE, LA CROISSANCE ININTERROMPUE DES TRENTE GLORIEUSES S'ESSOUFFLE POUR FAIRE PLACE À UNE CRISE PERSISTANTE QUE PERSONNE N'A PRÉVUE ET DONT LES ASPECTS INSOLITES DÉROUTENT TOUT AUTANT LES ÉCONOMISTES QUE LES GOUVERNEMENTS PARALLÈLEMENT, LA DÉTENTE INTERNATIONALE SE DÉGRADE SENSIBLEMENT, AU POINT OÙ PLUSIEURS ÉVOQUENT LE RETOUR DE LA GUERRE FROIDE ❧ IL SEMBLE QUE TOUS LES ÉQUILIBRES (ÉCONOMIQUES, SOCIAUX, INTERNATIONAUX), ÉCHAFAUDÉS PARFOIS DIFFICILEMENT DEPUIS LA FIN DE LA DEUXIÈME GUERRE MONDIALE, SOIENT REMIS EN QUESTION ET QUE LE « NOUVEL ORDRE MONDIAL » AUQUEL BEAUCOUP ASPIRENT AURA PLUTÔT DES AIRS DE DÉSORDRE RENOUVELÉ ❧

L'ORDRE DU DÉSORDRE
Exposition d'armements au camp de Satory, dans les Yvelines, en 1985.

D e 1945 à la fin des années soixante-dix, pendant un peu plus de trente ans, le monde a connu des bouleversements considérables : triomphe de l'atome et de l'informatique, uniformisation des modes de vie liés à la société de consommation, explosion démographique, conquête de l'espace, surgissement de nouveaux États-nations sur les ruines des vieux empires coloniaux, mondialisation des enjeux et des mécanismes internationaux, etc. Ces mutations qui en annoncent d'autres, et qui ne sont pas toutes achevées, se sont accomplies dans le cadre d'un système international enfanté par la guerre, dont la principale caractéristique aura été sa relative stabilité. L'équilibre de la terreur sur lequel il repose, depuis que les deux superpuissances ont la possibilité de se détruire mutuellement plusieurs dizaines ou plusieurs centaines de fois, en entraînant dans l'holocauste le reste de la planète, a eu au moins un mérite : celui d'éviter l'affrontement suicidaire et d'offrir une longue plage de paix aux pays qui avaient subi sur leur sol les ravages des deux premiers conflits mondiaux. Or, mille indices révèlent aujourd'hui que ce monde-là appartient au passé, que nous sommes appelés à vivre, ou à mourir, d'ici à la fin du siècle, sous le signe de l'instable et de l'insécurité, et qu'à l'ordre imposé par les deux grands vainqueurs de la guerre s'est substitué, sans que l'on y prenne garde ni que l'on sache où il nous conduit, un nouveau désordre mondial.

PIERRE MILZA
Le nouveau désordre mondial,
Paris, Flammarion, 1983.

CHRONOLOGIE

1971	Suppression de la convertibilité du dollar US en or
1973	Premier choc pétrolier
1975	Début de la guerre civile au Liban
1976	Réunification du Viêt-nam
1977	Début de l'installation des fusées soviétiques SS-20
1979	Invasion du Cambodge par le Viêt-nam
	Victoire des sandinistes au Nicaragua
	Intervention soviétique en Afghanistan
	Révolution islamique en Iran
	Accord SALT II
	Second choc pétrolier
	Margaret Thatcher, premier ministre en Grande-Bretagne
	Première élection du Parlement européen au suffrage universel
	Accord de Camp David entre Israël et l'Égypte
1980	Boycott des jeux Olympiques de Moscou par plusieurs pays occidentaux
	Début de la guerre Iran-Irak
	Accords de Gdansk
1981	Ronald Reagan devient président des États-Unis
	Coup d'État militaire en Pologne
1982	Intervention israélienne au Liban
1983	Intervention des États-Unis à Grenade (Antilles)
1984	Contre-choc pétrolier et effondrement des prix
1986	Naissance de l'« Europe des Douze »

Une nouvelle grande dépression ?

U DÉBUT DES ANNÉES SOIXANTE-DIX, L'ÉCONOMIE MONDIALE ENTRE DANS UNE PÉRIODE DE DIFFICULTÉS QUI RAPPELLE À PLUSIEURS ÉGARDS LE SOUVENIR DE LA GRANDE DÉPRESSION DE L'ENTRE-DEUX-GUERRES. LES ORIGINES FONDAMENTALES DE CETTE CRISE SONT À CHERCHER DANS LES CONDITIONS MÊMES DE LA CROISSANCE DES ANNÉES PRÉCÉDENTES, ET SES ORIGINES IMMÉDIATES, DANS L'ÉBRANLEMENT DU SYSTÈME MONÉTAIRE INTERNATIONAL ET DANS LE « CHOC PÉTROLIER ».

LES ORIGINES DE LA CRISE

La croissance des « Trente Glorieuses » a été possible grâce à l'effet conjugué d'une **hausse continue de la productivité**, obtenue par la rationalisation et la « taylorisation »■ des procédés de production, et d'une **hausse parallèle des salaires**, grâce à laquelle a pu être maintenue une consommation de masse capable d'absorber la

■ **Taylorisation**
Recherche de l'efficacité technique maximale par la décomposition du travail humain en une série de gestes simples confiés à des ouvriers différents qui doivent les répéter à l'infini.

production supplémentaire (c'est ce qu'on appelle le « fordisme », du nom du pionnier de cette façon de faire, Henry Ford).

C'est l'ensemble de ce système qui se détraque vers la fin des années soixante. Pendant que la **taylorisation du travail est remise en cause** au nom de la « qualité de vie », ce qui entraîne un absentéisme et un roulement de personnel croissants, la hausse des coûts salariaux dépasse celle des gains de productivité, ce qui a pour effet de faire **baisser le taux de profit** des entreprises. Ce tassement des gains de productivité est le résultat d'une **crise de compétitivité** : dans une économie qui se mondialise de plus en plus, les investissements sont attirés vers certains pays pauvres, en particulier asiatiques, disposant d'une énorme main-d'œuvre à très bas salaires, non syndiquée, et où l'absence de protection sociale maintient les impôts à un niveau nettement moins lourd que dans les pays développés.

La **consommation de masse commence elle aussi à s'essouffler**, les ménages étant désormais largement équipés en biens de consommation durables (cuisinières, réfrigérateurs, automobiles). Pendant que le **chômage s'étend** progressivement, l'augmentation de la masse monétaire, en particulier sous forme de crédit à la consommation (généralisation des cartes de crédit), entraîne une

La baisse du taux de profit en France, 1970-1980
(En % de la valeur ajoutée)

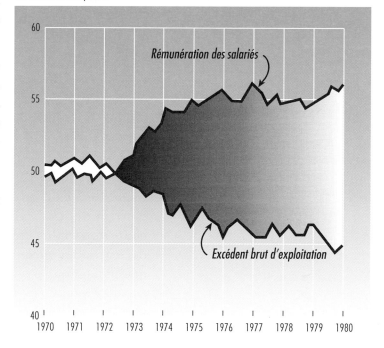

L'équipement des ménages français entre 1960 et 1984
(Taux d'équipement pour 100 ménages)

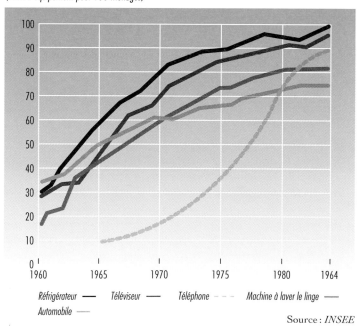

Source : *INSEE*

forte poussée inflationniste. Le taux de croissance recule, particulièrement dans le domaine industriel, où il devient même fortement négatif en 1974-1975 (-25 % au Japon).

À ces facteurs structurels fondamentaux s'ajoutent les difficultés de la « régulation keynésienne » de l'économie. On a vu (page 142) comment l'économiste Keynes avait proposé de résoudre la crise des années trente. Après la guerre, tous les pays développés du bloc atlantique ont adopté à divers degrés des mesures inspirées du modèle keynésien, qui se traduisent par une augmentation de l'intervention de l'État dans l'économie et par la mise en place de l'État providence. Cette évolution entraîne évidemment un **alourdissement des impôts et des charges sociales** des entreprises, mais aussi le recours au **déficit budgétaire** par les gouvernements, entraînés dans une dynamique irrésistible. Or, le modèle keynésien strict aurait exigé, en période de croissance, d'engendrer des surplus budgétaires en réduisant les dépenses de l'État, alors que c'est l'inverse qui se produit, alimentant l'inflation.

C'est dans cette conjoncture déjà passablement dégradée qu'éclatent les deux événements qui marquent le début de la crise.

Le 15 août 1971, le président des États-Unis Richard Nixon annonce la **suppression complète de la convertibilité du dollar américain en or**. C'est la fin du système

---

LA FIN DU SYSTÈME DE BRETTON WOODS (15 AOÛT 1971)

J'ai donné l'instruction à M. John Connally, secrétaire au Trésor, de suspendre temporairement la convertibilité du dollar en or ou en autres instruments de réserve [...].

Cette mesure aura pour effet de stabiliser le dollar [...].

À nos amis étrangers, y compris les nombreux dirigeants de la communauté bancaire internationale, qui ont à cœur la stabilité et le maintien des échanges commerciaux, je donne l'assurance suivante : l'Amérique a toujours été et continuera d'être un partenaire soucieux de l'avenir et digne de confiance. Avec la pleine coopération du Fonds monétaire international et de ceux qui commercent avec nous, nous réclamons les réformes nécessaires pour mettre sur pied de toute urgence un nouveau système monétaire international.

La stabilité et l'équité constituent les intérêts fondamentaux de tout le monde. Je suis fermement décidé à faire en sorte que le dollar ne soit plus jamais un otage aux mains des spéculateurs internationaux.

Nous devons protéger la position du dollar américain en tant que pilier de la stabilité monétaire dans le monde.

Message du président des États-Unis, Richard Nixon.

de Bretton Woods (voir page 317) et de la stabilité monétaire qu'il avait assurée. Désormais, il n'y a plus d'étalon de change international, et toutes les monnaies vont « flotter », c'est-à-dire fluctuer les unes par rapport aux autres selon la loi du marché. Rendue inévitable par l'énorme déficit commercial des États-Unis, cette décision déclenche une insécurité monétaire qui généralise l'inflation, encourage la spéculation au détriment de l'investissement productif et désorganise les échanges internationaux en rendant imprévisibles les conditions de la concurrence. Dans les faits, cela signifie aussi que **c'est désormais le dollar-papier qui remplace l'or comme moyen de paiement international**, ce qui permet aux États-Unis de solder à peu de frais, par la planche à billets, leur dette internationale. Pendant ce temps, la dévaluation du dollar et la hausse des taux d'intérêt frappent durement les pays emprunteurs et conduisent tout droit au second événement clé, le choc pétrolier.

En octobre 1973, à l'occasion de la guerre du Kippour (voir page 307), les pays arabes membres de l'OPEP (Organisation des pays exportateurs de pétrole) imposent un quadruplement des prix du pétrole en trois mois. L'opération, complétée par la nationalisation des installations

LE TRIOMPHE DU DOLLAR-PAPIER

En utilisant l'arme du pétrole et du dollar, les États-Unis ont fait capituler l'Europe et le Japon sur un point décisif. [...] Ils ont fait reconnaître le dollar-papier en lieu et place de l'or comme moyen international de paiement. Cela impliquait que l'immense accumulation des dettes liquides américaines (plus de 200 milliards de dollars en 1977) allait s'accroître chaque année, alimentée par le montant croissant de nouveaux déficits américains et des achats massifs de services réels payés au poids du papier, ce qui constituait, en fait, un prélèvement de biens réels sur les pays créanciers en faveur des États-Unis. Cela signifiait aussi que le système perdait tout contrôle sur le mécanisme inflationniste lié à l'emploi du dollar-papier comme moyen de paiement international, sa fabrication étant dominée par les intérêts spécifiques du capitalisme américain.

J.-P. VIGIER
Le Monde diplomatique, Paris, mai 1978.

occidentales, a deux objectifs : forcer l'Occident à reconnaître la légitimité des revendications arabes sur la Palestine, et peut-être surtout contrebalancer la baisse des prix réels provoquée par la dévaluation du dollar américain, base de calcul des prix du pétrole. Ce « premier choc pétrolier » sera suivi d'un second, en 1979-1980, dû à une réduction de l'offre consécutive à la guerre Iran-Irak. En **1982, le prix du pétrole aura été multiplié par 10** par rapport à 1972 (de 3 à plus de 30 dollars le baril). Or, le pétrole à bon marché a été au cœur de la croissance capitaliste depuis les années cinquante, et fournit en 1970 près de 40 % de toute l'énergie consommée dans le monde.

Dans les pays importateurs, le choc pétrolier a pour effet à la fois d'accélérer la **hausse des prix** et de déclencher des **mesures d'austérité** qui amplifient une crise déjà amorcée, les gouvernements cherchant d'une part à freiner la consommation intérieure pour diminuer la facture pétrolière et d'autre part à accroître les exportations pour rééquilibrer leur balance commerciale. Pour les pays importateurs sous-développés, entièrement dépendants de leurs exportations de matières premières, il s'agit d'une véritable catastrophe.

Le prix du pétrole, 1973-1986

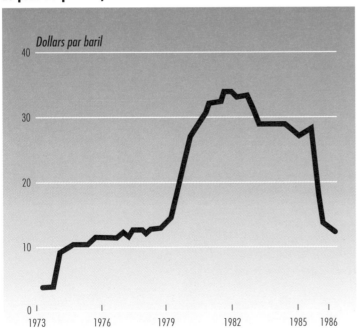

Pour spectaculaire que soit la crise pétrolière, il faudrait se garder d'en faire le facteur essentiel des difficultés de la période. La meilleure preuve en est que, depuis 1984, le prix du pétrole a fondu de plus de 70 %, retournant à son prix d'avant 1973 en termes réels, sans pour autant relancer l'économie mondiale. Par ailleurs, le choc pétrolier n'a pas que des aspects négatifs dans les pays développés : des **marchés d'équipement nouveaux** et fort lucratifs s'ouvrent dans les pays producteurs miraculeusement enrichis (279 milliards de dollars de recettes pour la seule année 1980) ; l'**URSS**, devenue premier producteur mondial, pourra se procurer les **devises fortes** dont elle a besoin pour ses achats à l'Ouest ; les pays consommateurs vont élaborer des politiques d'**économie d'énergie** généralement efficaces ; les prix très élevés vont également relancer la prospection et la **mise en exploitation de nouveaux champs pétrolifères** (Alaska, mer du Nord, Terre-Neuve), ce qui diminuera sensiblement la dépendance de l'Europe à l'égard du Moyen-Orient.

UNE CRISE INSOLITE

La crise qui se déclenche ainsi au début des années soixante-dix ne répond pas au schéma traditionnel des crises de l'ère industrielle. Ce schéma veut que la crise soit le résultat d'une surproduction due aux mauvaises prévisions des investisseurs et qu'elle se manifeste par une chute généralisée des prix, des faillites, une contraction du commerce international aggravée par la montée du protectionnisme, une baisse de la production et un recul de la consommation consécutif à une hausse du chômage.

Or, alors que la crise à laquelle tout le monde se réfère, celle des années trente, a entraîné un effondrement de 40 % de la production mondiale en trois ans, cette fois, la **production** non seulement ne recule pas, mais elle **continue de croître** : c'est seulement l'ampleur de cette croissance qui est touchée, sauf en 1974-1975 et en 1980-1981, où le secteur industriel connaît une baisse marquée. Mais au total, le taux de croissance de la production mondiale se maintient à 3 % par année en moyenne pour la période 1974-1985, ce qui représente une baisse sensible par rapport aux Trente Glorieuses, mais qui demeure supérieur aux périodes prospères du XIXᵉ siècle.

La manne des «pétrodollars»

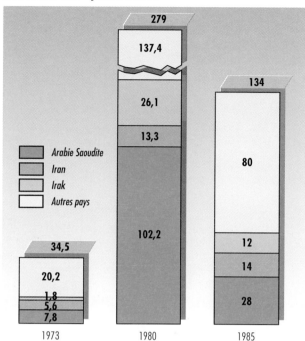

REVENUS DES EXPORTATIONS PÉTROLIÈRES DES PAYS DE L'OPEP
(EN MILLIARDS DE DOLLARS)

L'accroissement du PIB (produit intérieur brut) des pays industrialisés, de 1973 à 1983, en volume (en pourcentage)

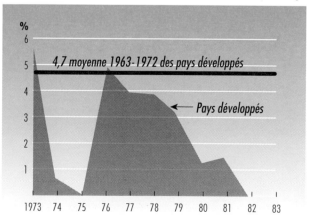

Toutefois, cette croissance globale cache d'**énormes disparités** sectorielles et géographiques. Certains **secteurs** sont carrément sinistrés, tels la sidérurgie, la construction navale, le textile, voire l'automobile, alors que de nombreux autres sont en pleine expansion : industrie nucléaire stimulée par le renchérissement du pétrole, construction aéronautique et spatiale, et tout le secteur lié aux progrès de l'électronique : informatique, télécommunications, robotique. Par ailleurs, alors que les vieilles **régions** industrielles de l'Europe et du Nord-Est américain périclitent au point où l'on parle de « désindustrialisation », la ceinture du Pacifique connaît un véritable boom et devient le nouveau centre actif du capitalisme : Californie, Japon et les « quatre dragons » (Corée du Sud, Taiwan, Hong Kong, Singapour).

Ce qui ressemble un peu plus à la crise de référence de 1929, c'est la **montée du chômage**, qui frappe 40 millions de personnes (10 % de la population active) en 1986 dans les pays de l'OCDE (Europe de l'Ouest et Amérique du Nord). Ce chômage, provoqué par la destruction massive

La redistribution de la production industrielle mondiale

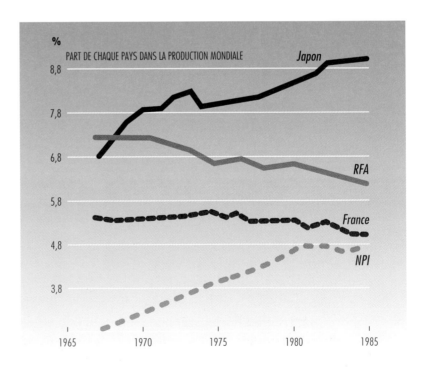

NPI : Nouveaux pays industrialisés

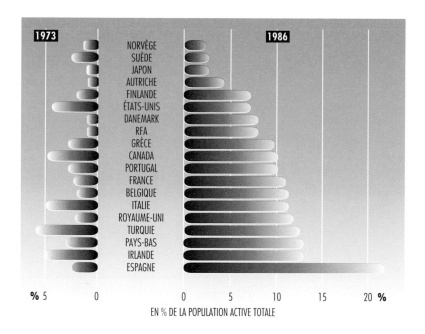

1973 **1986**

NORVÈGE
SUÈDE
JAPON
AUTRICHE
FINLANDE
ÉTATS-UNIS
DANEMARK
RFA
GRÈCE
CANADA
PORTUGAL
FRANCE
BELGIQUE
ITALIE
ROYAUME-UNI
TURQUIE
PAYS-BAS
IRLANDE
ESPAGNE

% 5   0   0   5   10   15   20 %

EN % DE LA POPULATION ACTIVE TOTALE

d'emplois industriels, est sélectif : il frappe particulièrement les jeunes, les femmes, les travailleurs âgés de plus
de cinquante ans, les ouvriers des industries traditionnelles, les ouvriers peu qualifiés. Ici encore, les disparités
sont énormes : entre 1970 et 1986, les États-Unis créent
28 millions d'emplois (96 % dans les services), pendant
que le Royaume-Uni, l'Allemagne fédérale, la France et
l'Italie en perdent 1 million.

Ce qui est tout à fait inusité, en revanche, c'est que
jusqu'au début des années quatre-vingt la hausse du
chômage s'accompagne d'une **hausse du pouvoir d'achat**,
car les salaires continuent d'augmenter et les chômeurs
reçoivent des allocations parfois substantielles, permettant de maintenir un certain niveau de consommation. À
partir de 1980, cependant, les salariés acceptent, pour
conserver leur emploi, ou se font imposer des blocages ou
même des reculs de leur pouvoir d'achat, les prestations
de chômage sont réduites, l'emploi devient précaire et les
effectifs syndicaux déclinent à cause du déplacement de
l'économie vers le secteur des services, plus difficile à syn-
diquer.

Autre différence avec la crise des années trente : la
hausse des prix, loin de se ralentir, s'**accélère**, avec un

L'inflation dans les sept pays les plus industrialisés*

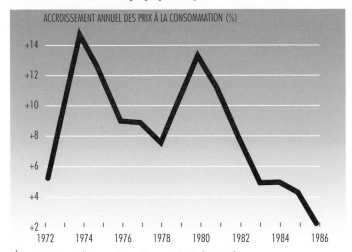

ACCROISSEMENT ANNUEL DES PRIX À LA CONSOMMATION (%)

*États-Unis, Japon, Allemagne, France, Royaume-Uni, Italie, Canada.

taux d'inflation qui dépasse, en 1980, le double de ce qu'il était vingt ans plus tôt. Encore ici, les différences sont marquées, entre un Japon où ce taux passe de 5,6 à 9,7 et une Italie où il grimpe de 3,9 à 16,6, alors qu'aux États-Unis il croît de 1,8 à 8,15. Les facteurs de cette hausse sont nombreux, depuis de mauvaises récoltes qui font flamber le prix des céréales, jusqu'au choc pétrolier qui fait affluer dans le circuit monétaire international les énormes quantités de « pétrodollars » (revenus des exportations de pétrole) que les pays producteurs « recyclent » vers les pays développés. Cette conjonction d'une forte inflation avec un ralentissement de la croissance et une hausse du chômage bouleverse toutes les théories économiques, et il faut inventer un mot nouveau pour traduire le phénomène : la *stagflation* (contraction de stagnation et inflation).

Ce qui différencie également, de façon radicale, cette crise par rapport à toutes les précédentes, c'est le maintien, voire le **développement du commerce international**. Pendant la crise des années trente, tous les pays ont fermé leurs frontières à la concurrence étrangère, croyant ainsi pouvoir maîtriser leur crise interne mais ne faisant que l'aggraver par l'effondrement du commerce international. Cette fois, la tentation du repli est évitée : après que la CEE eut ouvert ses frontières aux produits d'une trentaine de pays ACP (Afrique-Caraïbes-Pacifique) par les accords de Lomé en 1975, une nouvelle ronde de négociations (Tokyo Round) dans le cadre du GATT aboutit en 1979 à un accord sur une **réduction des tarifs douaniers** et des barrières non tarifaires. De **nouveaux courants commerciaux** se développent, par exemple entre les pays producteurs de pétrole et les pays occidentaux pour des biens d'équipement lourd, ou entre le bloc atlantique et le bloc continental, les pays socialistes livrant des hydrocarbures contre des denrées alimentaires ou des biens d'équipement.

1929, 1974 : L'HISTOIRE NE SE RÉPÈTE PAS...

Il y a bien des points communs entre la dégradation actuelle et l'entre-deux-guerres : paralysie des politiques antérieurement employées, montée du chômage (même si elle est beaucoup plus lente), instabilité financière des États périphériques et des entreprises du centre, déséquilibre des échanges extérieurs et désordres monétaires. [...]

Cependant, quelques différences énormes sautent aux yeux. La première tient aux dispositifs de protection sociale qui garantissent à la plupart des chômeurs dans les pays occidentaux un niveau de vie minimal, sans doute chichement défini parfois, et inégalitaire, mais réel. La détresse prend donc une dimension d'exclusion sociale et psychologique avant tout. Ensuite, si l'engagement de l'État dans la vie économique est souvent critiqué, il n'en reste pas moins vrai que les possibilités d'intervention publique sont sans commune mesure, dans leur ampleur et leur rapidité, avec celles des années trente. Sans se faire d'illusions sur la clairvoyance des responsables gouvernementaux, on doit souligner qu'ils ont à leur disposition des techniques puissantes de prévision et d'évaluation économique : on peut tester les effets immédiats de telle ou telle mesure sur un pays, même si la modélisation d'ensemble souligne plus les contraintes actuelles qu'elle n'indique comment s'en affranchir. Ces estimations faisaient cruellement défaut en 1929. Enfin, quelles que soient leurs réussites, les États socialistes de l'Est ne constituent plus une alternative [sic] crédible, à la différence de l'URSS isolée avant le second conflit mondial, qui poursuivait une croissance industrielle lourde brillante face au marasme américain. Les contreparties sociales, policières, agricoles de cet effort n'ont été soulignées que plus tard.

On n'observe donc pas une montée de pression populaire comme en 1935-1937 : les changements politiques semblent obéir à la logique qui pénalise les gouvernements en place, qu'ils soient de droite ou de gauche, et il n'y a pas d'essor syndical ou revendicatif particulier. Mais peut-être une maturation est-elle en cours ? C'est plutôt la détresse persistante du tiers monde, en dépit de kystes industrialisés, qui semble porteuse de tensions croissantes et appelle la réorientation des pratiques industrielles et commerciales : le monde occidental actuel peut bien compter plus de 30 millions de chômeurs, cet effondrement interne paraît limité face aux désastres alimentaires dans la périphérie « en voie de développement ».

B. GAZIER
La Crise de 1929, Paris, PUF, coll. « Que sais-je ? », 1983.

En revanche, une véritable **guerre économique** se déchaîne aux dimensions de la planète, entre Europe de l'Ouest, États-Unis et Japon, alors que la montée fulgurante des « dragons » asiatiques met en danger des pans entiers de l'économie des vieux pays industriels (textile, sidérurgie). La fameuse « mondialisation de l'économie » par le libre-échange va peser lourdement sur les politiques anti-crise de tous les pays, forcés maintenant de se soumettre aux « lois du marché » et d'accepter des contraintes externes qui leur imposent un renforcement de la division internationale du travail.

À LA RECHERCHE D'UNE SORTIE

Devant cette crise que personne n'a prévue et qui présente des aspects tout à fait incongrus, gouvernants et experts sont désarçonnés.

La première réaction, en stricte orthodoxie keynésienne, est d'adopter des **politiques de relance** axées sur le soutien à la consommation par la sauvegarde de l'emploi et le développement des dépenses publiques. Adoptées par les travaillistes en Grande-Bretagne, les gaullistes et les socialistes en France, les démocrates aux États-Unis, les libéraux au Canada, ces politiques se révèlent impraticables car, intervenant dans un contexte de stagflation, elles ne font qu'alimenter l'inflation sans résorber le chômage. Par ailleurs, elles ne tiennent pas compte de la mondialisation des échanges, et profitent donc surtout à la concurrence étrangère, favorisant les exportations japonaises ou allemandes. La recherche d'une sortie de crise dans un seul pays, déjà inadéquate dans les années trente, se révèle carrément utopique quarante ans plus tard.

Autour de 1980, ce sont donc des **politiques** dites « **monétaristes** » qui sont mises en place par les conservateurs de Margaret Thatcher en Grande-Bretagne et les républicains de Ronald Reagan aux États-Unis, la « vague conservatrice » s'étendant ensuite de proche en proche dans tout le bloc atlantique, tant dans la France au gouvernement pourtant socialiste qu'au Canada ou au Québec. Ces politiques, axées sur l'offre plutôt que sur la demande, ont pour objet de stimuler cette offre en s'**attaquant prioritairement à l'inflation** par un contrôle très strict de la masse monétaire (taux d'intérêt élevés), par une stratégie de rigueur budgétaire (lutte au déficit), par le désengagement de l'État (dénationalisation, déréglementation), par la réduction des impôts directs et des charges sociales et par l'affaiblissement des syndicats, dont les demandes salariales « excessives » sont présentées comme l'une des causes fondamentales de la crise.

Cette « médecine de choc » est appliquée de façon brutale en Grande-Bretagne à partir de 1979 (« thatchérisme ») et aux États-Unis à partir de 1981 (« reaganomie »).

LES POLITIQUES MONÉTARISTES, OU L'ÉCONOMIE DE L'OFFRE

Pour revenir à la prospérité et à la stabilité, il faut rétablir l'économie du marché dans ses droits, d'où elle a été chassée par des décennies de croissance ininterrompue de l'interventionnisme étatique. L'économie de l'offre prend ainsi le contre-pied exact des deux principaux messages de la pensée keynésienne : à savoir, d'une part, que l'État doive prendre soin par ses interventions des échecs économiques du marché, de la production des services sociaux essentiels et de la redistribution des revenus ; qu'il doive assurer d'autre part le maintien du plein-emploi des ressources par une politique macro-économique, monétaire et budgétaire, de régulation de la conjoncture.

La stratégie de l'économie de l'offre est de diminuer simultanément les impôts directs sur les personnes et sur les entreprises et les dépenses publiques d'intervention économique et sociale : il devrait en résulter une relance telle de l'investissement et de l'activité que le déficit budgétaire s'annulerait rapidement. [...]

Pour revenir à une conjoncture économique stable, il convient d'éliminer la politique macro-économique, par une remise en cause des instruments de la politique monétaire et de la politique budgétaire. En effet, l'action budgétaire de l'État n'a pas le pouvoir de stimuler ni de freiner l'activité économique, car le déficit budgétaire ne fait que se substituer à une demande privée. D'autre part, la croissance du volume des crédits distribués à l'économie ne fait qu'accroître la hausse des prix. Ses effets réels sur la production et sur la croissance sont nuls : on retrouve là la base de la doctrine monétariste.

L'économie de l'offre, on le voit, prend le contre-pied exact de tout l'enseignement de la science économique, non seulement depuis Keynes mais depuis les néoclassiques. Tout son édifice théorique repose finalement sur les deux hypothèses fondamentales suivantes : l'offre crée sa propre demande. Elle ne cherche rien moins qu'à renouer avec les principes de l'économie classique, celle du XIXe siècle, où la politique économique se réduisait au laisser-faire, et où le seul bon État était l'État minimum.

CHRISTIAN STOFFAËS
« La Reaganomie en perspective »,
Économie et prospective internationale,
Paris, La documentation française, n° 9,
1er trim. 1983.

La « révolution thatchérienne » se manifeste par les cinq « D » : la désindustrialisation fait perdre 2 millions d'emplois industriels, la dénationalisation fait passer à l'entreprise privée de nombreuses sociétés d'État, dont British Petroleum, la défiscalisation amène une baisse de l'impôt sur le revenu, particulièrement sur les hauts revenus, la désyndicalisation est marquée par l'échec de la grève des charbonnages en 1984 et la désinflation réduit la hausse des prix de 13,6 % à 3,4 % entre 1979 et 1986. En 1987, après sept années de ce régime, le **bilan économique apparaît contrasté** : hausse de la productivité, surplus budgétaires (dus en partie aux privatisations, qui ont alimenté le Trésor à coups de milliards), redressement monétaire, mais sévère récession dans les premières années, montée dramatique du chômage (multiplié par trois), propagation des zones industrielles sinistrées,

Le bilan du thatcherisme

	1979	1980	1981	1982	1983	1984	1985	1986	1987
Taux annuel de croissance du PIB (en %)	− 1,4	− 2,2	− 1	0,9	3,7	2,1	3,6	4,5	3,3
Hausse des prix (en %)	13,6	16,8	11,1	8,3	5,1	5	5,1	3,4	4
Chômage (% de la population active)	4,9	6,2	9,4	10,9	11,9	13,2	11,7	11,6	11,2
Indice de la production industrielle (base 100 : 1980)	107	100	96,3	98	100,7	103	105	110	113
Balance commerciale (en milliards de dollars)	+ 3	+ 3,05	+ 6,48	+ 3,55	− 0,81	− 5,68	− 2,28	− 12,14	− 16

■ **Hooliganisme**
Méfaits commis par un groupe de voyous.

L'endettement américain

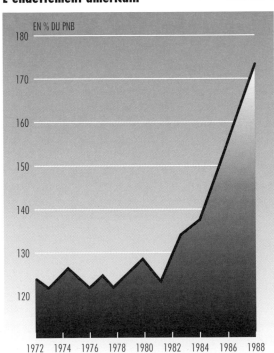

croissance des disparités régionales. Sur le plan social, l'essentiel du Welfare State est maintenu (sécurité sociale, santé), mais les subventions au logement sont sévèrement réduites de même que la progressivité de l'impôt, qui frappe désormais moins lourdement les plus hauts revenus. Le dualisme social se trouve renforcé, ce qui alimente les affrontements raciaux et le « hooliganisme »■.

L'arrivée de Ronald Reagan à la Maison Blanche, au début de 1981, marque le début du démantèlement de l'édifice du New Deal rooseveltien (voir page 136). **Recul draconien de la législation sociale**, déréglementation tous azimuts, réapparition des bidonvilles et multiplication des sans-abri rappellent les images dramatiques de l'époque de Hoover. Une **dure récession** fait reculer le PNB (produit national brut) vers des taux négatifs, tandis que le chômage atteint un sommet depuis les années trente (quoique encore bien en-deçà de ces années-là). La **déréglementation** provoque une concurrence sauvage et les faillites se multiplient, pendant que l'activité boursière s'emballe par la **spéculation** jusqu'au krach de l'automne 1987. Malgré ses promesses solennelles, Reagan ne réduit pas le **déficit budgétaire** qui, au contraire, s'envole, stimulé par les dépenses militaires de la « nouvelle guerre froide ». Pour financer ce déficit qui prend la dimension d'un

gouffre, on fait appel aux capitaux étrangers par la **hausse
des taux d'intérêt**, et bientôt
les États-Unis accumulent la
dette la plus élevée de tous les
pays du monde (plus de 1 000
milliards de dollars en 1985),
tandis que les pays pauvres
sont littéralement asphyxiés.

Au milieu des années quatre-
vingt, la crise mondiale dure
depuis dix ans et les politiques
monétaristes ont tout au plus
provoqué une légère remontée
sur des bases plutôt fragiles
(krach boursier de 1987), tout
en entraînant des coûts sociaux
très élevés.

Une nouvelle guerre froide ?

QUI AIDE QUI ?

*Depuis la profonde récession de 1982, les États-Unis ont bénéficié
de la plus longue période de croissance en temps de paix de leur
histoire. Dix-sept millions d'emplois ont été créés. Le chômage est
revenu à 5,5 % par rapport à ses sommets de 10,7 % en 1982. Le
rythme annuel de l'inflation a été ramené à 4 % contre 14,5 %
durant l'été 1980. Les taux d'intérêt sur les bons du Trésor sont
redescendus à 7,4, contre 15 % huit ans auparavant. Mais
comment cela est-il arrivé ? Certainement pas de la façon dont les
conseillers de M. Reagan, partisans de « l'économie de l'offre »,
l'avaient suggéré. Un allègement massif de la fiscalité était censé
stimuler l'épargne privée et l'investissement. Le déficit du budget
devait ainsi disparaître avant la fin du premier mandat de
M. Reagan.*

*Dans les faits, la part de l'épargne privée dans le produit national
brut (PNB) est tombée de 19 % à 16 % ; l'investissement privé est
inférieur à son niveau de 1979 ; le déficit budgétaire a atteint, en
moyenne, 4,3 % du PNB, et la dette nationale s'est accrue de plus
de 1 000 milliards de dollars, soit davantage que durant les deux
cents premières années de l'histoire des États-Unis. Qu'est-il donc
arrivé ? D'où vient la prospérité ? La réponse est simple : elle a été
largement financée par le reste du monde. Durant les six dernières
années, les Américains ont consommé et investi quelques milliards
de dollars de plus qu'ils n'ont produit.*

S. MARRIS
« La vie à crédit », *Le Monde*, 25 octobre 1968.

LORS QUE LE DÉBUT DES ANNÉES
SOIXANTE-DIX A MARQUÉ L'APOGÉE DE
LA DÉTENTE (VOIR PAGE **302**), LE MILIEU
DE LA DÉCENNIE MARQUE UNE DÉGRA-
DATION SENSIBLE DE L'ENVIRONNEMENT
INTERNATIONAL, À TEL POINT QUE LE SPECTRE D'UN RETOUR
À LA GUERRE FROIDE VIENT HANTER LES ESPRITS DES
DIRIGEANTS ET DES PEUPLES.

LA DÉGRADATION DE LA DÉTENTE

Cette dégradation est surtout le fait des Soviétiques, qui avancent résolument plusieurs pions sur l'échiquier planétaire, alors que les Américains apparaissent engourdis par le traumatisme de leur échec vietnamien.

En **Asie du Sud-Est**, c'est la chute de Saigon aux mains du Viêt-nam du Nord (1975) et la réunification des deux Viêt-nams (1976) au profit de ce dernier qui marquent la poussée soviétique. Les communistes vietnamiens, pris entre la Chine et l'Union soviétique, préfèrent se rapprocher de cette dernière, plus lointaine et moins suspecte d'hégémonisme dans cette partie du monde. Une fois réunifié, le Viêt-nam va étendre son protectorat sur toute l'Indochine, au Laos de façon indirecte et au Cambodge par une invasion militaire, en 1979, justifiée aux yeux de l'opinion internationale par les excès sanguinaires des dirigeants « Khmers rouges » prochinois. Un gouvernement fantoche provietnamien est installé à Phnom Penh, et la Chine se trouve subitement entourée de régimes prosoviétiques.

En **Afrique**, les Soviétiques profitent de la décolonisation tardive des colonies portugaises pour implanter leur influence en Angola et au Mozambique, tandis qu'une révolution interne amène au pouvoir en Éthiopie de jeunes officiers marxistes-léninistes. Mais la présence soviétique sur le continent africain se fait surtout par Cubains interposés. Les **troupes cubaines** s'installent en effet en Angola, au Mozambique, en Éthiopie, en Tanzanie, voire au Congo et au Bénin, faisant de la petite île des Caraïbes la première puissance étrangère sur le continent noir, à la fois mercenaire de Moscou et porte-étendard de l'antiaméricanisme. L'Union soviétique acquiert ainsi des positions stratégiques cruciales sur la route du pétrole qui doit contourner l'Afrique depuis la fermeture du canal de Suez lors de la guerre des Six Jours (1967).

Les Soviétiques semblent même pousser leur avantage jusque dans l'arrière-cour du géant américain, avec le développement de foyers de guérilla au Salvador et au

Guatemala, et surtout la victoire, au **Nicaragua** (1979), de l'insurrection sandiniste, mouvement révolutionnaire se réclamant du souvenir d'Augusto Sandino (voir page 382). Bien que ce soient d'abord et avant tout des conditions locales qui expliquent ces phénomènes (dictature de Somoza au Nicaragua), ils sont présentés par les États-Unis comme le fruit d'un complot soviéto-cubain contre les intérêts américains dans la région. Le fait que les États-Unis y soutiennent sans discontinuer les régimes les plus répressifs pousse, il est vrai, les mouvements insurrectionnels à prendre appui sur la révolution cubaine, ne serait-ce que de façon symbolique. C'est d'ailleurs le « lâchage » de Somoza par le président Carter, au nom de sa politique des droits humains, qui assure la victoire des sandinistes au Nicaragua.

C'est cependant en Asie centrale que l'avancée soviétique est la plus directe, la plus puissante et la plus « déstabilisante » pour l'équilibre international, du moins telle qu'on la présente dans le bloc atlantique. En **Afghanistan**, en 1978, un coup d'État renverse la monarchie et amène au pouvoir un gouvernement prosoviétique qui doit aussitôt faire face à de vigoureux mouvements de résistance intérieure. À la fin de 1979, devant la menace d'effondrement du régime, les troupes soviétiques

LES SOVIÉTIQUES EN AFGHANISTAN

Entrée des troupes soviétiques à Kaboul, décembre 1979.

interviennent en masse et une véritable guerre se déclenche, que plusieurs vont qualifier de « Viêt-nam soviétique ». Pendant que Moscou déploie plus de 100 000 hommes lourdement armés et fait donner l'aviation, les rebelles s'appuient sur des bases au Pakistan pour alimenter la résistance à l'envahisseur dans des conditions particulièrement éprouvantes.

La guerre d'Afghanistan constitue le point tournant de cette période. Condamnée par l'Assemblée générale de l'ONU (à une énorme majorité de 104 voix contre 18), dénoncée unanimement par les pays islamiques, l'URSS voit son prestige moral sérieusement entamé, particulièrement auprès des pays du monde arabo-musulman. Dans le bloc atlantique, la clameur indignée et un peu trop vertueuse qui se déchaîne marque le réveil de l'Amérique impériale.

Jusqu'à cette intervention en Afghanistan, la **réplique des États-Unis** à la poussée soviétique a été marquée par une sorte de **torpeur** consécutive à l'échec vietnamien et à

LES THÉÂTRES DE LA NOUVELLE GUERRE FROIDE

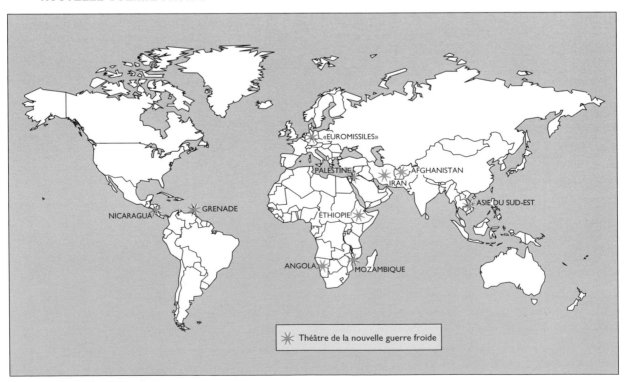

l'affaiblissement du pouvoir présidentiel dans le « scandale du Watergate » qui a entraîné la démission du président Nixon. À partir de 1977, le nouveau président Jimmy Carter met de l'avant sa **politique des « droits humains »**, qui l'amène à s'éloigner des régimes proaméricains les plus détestables (Nicaragua de Somoza, Iran du Shah) et à s'en remettre à des intermédiaires pour les interventions les plus voyantes (la France en Afrique). Taxée de faiblesse et d'angélisme devant la poussée soviétique, cette politique est abandonnée à l'occasion de la guerre d'Afghanistan qui, combinée à la révolution iranienne (voir plus loin, page 450), secoue la léthargie américaine et ouvre une période de tension renouvelée entre les deux superpuissances.

La riposte de Carter à l'invasion de l'Afghanistan prend la forme d'un embargo (partiel, d'ailleurs) sur les ventes de céréales et d'équipement de haute technologie à l'URSS, et d'un boycott des jeux Olympiques de Moscou

---

Une « menace pour la paix mondiale »

Nous sommes confrontés à l'un des défis les plus graves de l'histoire de la nation. L'invasion soviétique en Afghanistan est une menace pour la paix mondiale, pour les relations Est-Ouest et pour la stabilité régionale ainsi que pour le mouvement du pétrole. L'attaque soviétique contre l'Afghanistan et l'extermination impitoyable de son gouvernement ont modifié de façon très menaçante la situation stratégique dans cette partie du monde. Elle a amené l'Union soviétique à une distance d'où l'océan Indien et même le golfe Persique peuvent être frappés. Elle a éliminé un État tampon entre l'Union soviétique et le Pakistan, et place l'Iran face à une nouvelle menace. Ces deux pays sont maintenant beaucoup plus vulnérables à l'intimidation politique soviétique. Si cette intimidation s'avérait efficace, l'Union soviétique pourrait très bien contrôler une région d'un intérêt stratégique et économique vital pour la survie de l'Europe occidentale, de l'Extrême-Orient et finalement des États-Unis.

Il est clair que le sous-continent asiatique tout entier est menacé, et spécialement le Pakistan. Je demande donc au Congrès, en priorité, de voter un ensemble d'aides économiques et militaires destiné à aider le Pakistan à se défendre lui-même.

PRÉSIDENT JAMES CARTER
Discours prononcé devant le Congrès, 21 janvier 1980.

en 1980, suivi par la plupart des petits pays du bloc atlantique, dont le Canada. Mais cette attitude, encore trop timorée au goût de l'opinion publique américaine, ne parvient pas à sauver Carter d'une humiliante défaite électorale, en 1980, devant un champion de l'anti-soviétisme, Ronald Reagan.

L'arrivée de Reagan à la Maison Blanche semble **remettre la guerre froide à l'ordre du jour**. Qualifiant l'URSS d'« empire du Mal » et les partisans de Somoza de « combattants de la liberté », le nouveau président prend le contre-pied de son prédécesseur. En **Amérique centrale**, Washington finance la guérilla antisandiniste de la *Contra* et fait miner les ports nicaraguayens, en contravention des règles du droit international. Lorsque le Congrès coupe les subsides à la *Contra*, le président organise en secret toute une structure d'aide illégale financée par des ventes secrètes d'armes à l'Iran de Khomeiny, pourtant ennemi juré des intérêts américains au Moyen-Orient. En 1983, des troupes américaines sont expédiées sur l'île de **Grenade** pour renverser un gouvernement procubain. En **Afrique**, les insurrections anticommunistes d'Angola et du Mozambique reçoivent l'aide des États-Unis, qui se rapprochent également de l'Union sud-africaine raciste et de la dictature pro-occidentale et corrompue de Mobutu au Zaïre. Enfin, à travers le **Pakistan** du dictateur Zia Ul-Haq, les rebelles afghans vont aussi profiter des largesses de Washington et être en mesure de faire pièce aux troupes soviétiques, embourbées dans un cloaque à la vietnamienne.

LA COURSE AUX ARMEMENTS

Après quelques années de répit consécutives aux accords SALT I de 1972 (voir page 302), la course aux armements reprend de plus belle au milieu de la décennie. L'effort se porte essentiellement, dans un premier temps, sur les **missiles de portée intermédiaire**, non touchés par les accords SALT, et sur la **multiplication des « têtes »** portées par chaque missile (MIRV: Multiple Independent Re-entry Vehicles). Cette percée technologique entraîne une « nouvelle donne stratégique » qui ne fait qu'accélérer la course-poursuite.

À partir de 1977, l'URSS installe ainsi 330 fusées SS-20 en Europe orientale, plaçant toute l'Europe occidentale sous la menace directe du feu nucléaire (chaque SS-20 porte trois têtes de 150 kilotonnes chacune à 5 000 kilomètres de distance). Les États-Unis, quant à eux, mettent au point l'engin balistique Pershing 2 et le missile Cruise (missile de croisière), volant à très basse altitude, échappant à la détection radar, et équipé d'un système de guidage sophistiqué lui donnant une grande précision. Pour répliquer au déploiement des SS-20, les Américains, à partir de 1983, installent en Europe de l'Ouest, malgré d'immenses protestations pacifistes, une centaine de Pershing et plus de 400 missiles de croisière.

La même année, le président Reagan annonce le lancement de l'**Initiative de Défense Stratégique** (IDS), mieux connue sous le nom de « Guerre des étoiles ». Il

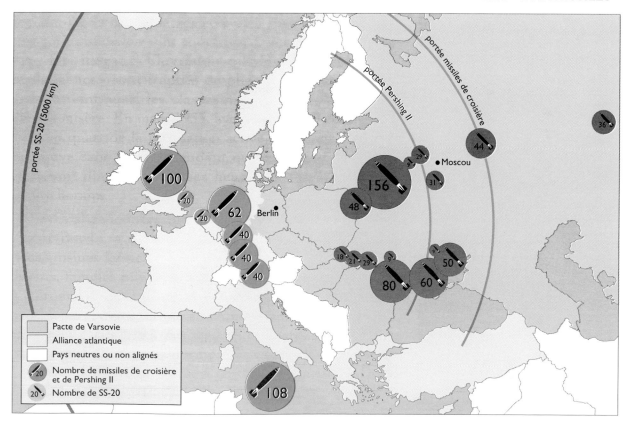

s'agit d'un projet supersophistiqué de détection et de destruction dans l'espace des missiles ennemis, devant assurer la protection complète du territoire national face à la menace soviétique. Bien qu'elle relève encore largement de la science-fiction, cette initiative dégrade un peu plus un climat déjà tendu, car sa réalisation signifierait que l'« équilibre de la terreur » serait rompu, les États-Unis étant désormais à l'abri d'une frappe soviétique. Cette perspective inquiète même les alliés des États-Unis, qui craignent le « découplage » entre une Amérique bien protégée et une Europe de l'Ouest dont le rôle de « glacis protecteur » serait réduit à néant, la laissant seule face au bloc continental.

« NI SS-20, NI PERSHING »

J'ai réuni tous les experts militaires, je me suis fait communiquer tous les dossiers, et j'ai constaté que sur le plan conventionnel des armes classiques l'Union soviétique disposait, en Europe, d'un énorme avantage, que sur le plan nucléaire dit tactique[1] elle disposait d'un réel avantage, et que sur le plan nucléaire stratégique[2] une certaine suprématie pouvait se dessiner à partir des années 1985-1986. Dès lors, j'ai pensé qu'il était nécessaire de préserver ou de rétablir l'équilibre, ce qui m'a fait approuver certaines propositions américaines. Voilà le premier point. Le deuxième point, c'est que je ne veux pas qu'on inverse le mouvement au point de rétablir la suprématie d'un des deux blocs, ou d'une des deux superpuissances.

S'il ne faut pas de SS-20, qui sont des fusées russes qui peuvent détruire tout le dispositif militaire de l'Europe occidentale du nord de la Norvège au sud de l'Italie en l'espace d'un quart d'heure et à 100 mètres près de précision, bien entendu, j'estime que la future installation des Pershing 2, qui sont américaines et qui peuvent atteindre les centres vitaux de l'Union soviétique en l'espace de cinq à six minutes, tandis que les forces stratégiques soviétiques doivent mettre vingt minutes pour traverser l'Atlantique, créerait un déséquilibre. Alors, il ne faut ni des SS-20 ni des Pershing 2, et cela c'est un langage que les Soviétiques commencent à comprendre. »

FRANÇOIS MITTERRAND, PRÉSIDENT DE LA FRANCE
Déclaration du 10 décembre 1981.

1. Engins à moyenne portée.
2. Engins intercontinentaux.

Toutes ces décisions, outre qu'elles réveillent l'angoisse des peuples devant des perspectives d'apocalypse, provoquent l'**ensablement des négociations de désarmement** qui s'étaient multipliées depuis quelques années. Difficilement menés à terme, les accords SALT II (1979) ne seront même pas présentés au Congrès américain pour ratification, les pourparlers MBFR (Mutual Balanced Forces Reduction) pour la réduction des forces en Europe piétinent, les entretiens sur les forces nucléaires intermédiaires (FNI) ne donnent aucun résultat, ni les négociations START (Strategic Armement Reduction Talks), entreprises sans conviction en 1982 et qui tournent rapidement à l'impasse.

Pendant que les **budgets militaires** des deux superpuissances atteignent des niveaux fantastiques (6 % du PNB des États-Unis et jusqu'à 13 % de celui de l'URSS), la course aux armements se déchaîne dans le monde entier et particulièrement dans le tiers-monde, où des régimes instables

LANCEMENT DU MISSILE PERSHING 2

LA GUERRE PERMANENTE ?

La guerre est toujours perçue dans sa discontinuité. Or, avec le développement des armes économiques, l'hypothèse de la guerre continue paraît plus vraisemblable dans un monde surarmé. Le conflit armé apparaît alors comme un moment de crise aiguë dans une situation d'agressivité réciproque constante. Plus généralement, la guerre peut être considérée comme un facteur économique, même si ses déterminants ne sont pas exclusivement économiques. La menace de guerre est d'ailleurs souvent aussi efficace que la guerre elle-même pour le pays dominant.

La guerre continue est suscitée par plusieurs causes, d'ordre directement économique :
• Les dépenses militaires constituent un volant de sécurité, à grande inertie, pour contrôler la croissance du surplus (défini comme l'écart entre la puissance productive et l'absorption de la production). La guerre permet le gaspillage organisé, créant une demande artificielle propre à écouler le surplus. Elle se présente comme un instrument de régulation.
• La menace de guerre offre un soutien logistique puissant aux négociations commerciales, soit par la protection offerte en

échange d'avantages économiques, soit par la crainte produite (approvisionnement en pétrole), soit encore par l'aide qu'elle apporte aux régimes favorables au développement de relations asymétriques entre les pays (rapports américano-chiliens).
• Enfin, la guerre peut favoriser la mise en place, rendue nécessaire par la crise, d'un nouveau mode de production.

J. FONTANEL
L'Économie des armes, Paris, La Découverte-Maspéro, 1983.

Les dépenses militaires du tiers-monde

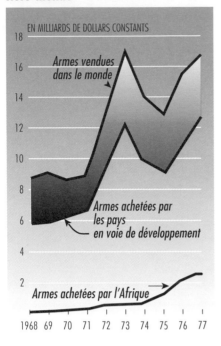

EN MILLIARDS DE DOLLARS CONSTANTS

18
16
14
12
10
8
6
4
2

Armes vendues dans le monde

Armes achetées par les pays en voie de développement

Armes achetées par l'Afrique

1968 69 70 71 72 73 74 75 76 77

PEUPLES APPAUVRIS...

et corrompus sont trop heureux de bénéficier de la nouvelle guerre froide pour se suréquiper, d'abord et avant tout en vue d'assurer le maintien de leurs propres peuples dans la soumission. En 1982, les dépenses militaires de l'ensemble du monde totalisent 500 milliards de dollars, soit plus d'un million de dollars à la minute. Les armements sont devenus l'un des postes clés du commerce international, les États-Unis et l'URSS assurant à eux seuls près des trois quarts des ventes, suivis de loin par la France et la Grande-Bretagne. Les pays du Moyen-Orient effectuent 57 % des achats mondiaux, consacrant ainsi leur rôle de « poudrière » de la planète, contre 13 % à l'Afrique et 12 % à l'Amérique latine. Ce qui, dans le cas de l'Afrique, représente tout de même 65 milliards de dollars, pour un continent où se concentrent la plupart des pays les plus pauvres du monde. Pays pauvres, ou peuples appauvris ?...

LES DIFFICULTÉS INTERNES DES BLOCS

Ce retour à la guerre froide ne parvient cependant pas à masquer les difficultés internes que doivent affronter chacun des blocs.

Dans le bloc atlantique, la construction de l'Europe se ralentit après l'entrée en vigueur de l'« Europe des Neuf » en 1972 (voir page 323). Seconde puissance économique du monde avec ses 250 millions d'habitants, la Communauté économique européenne (CEE) connaît quelque embarras à achever son union douanière, devant les **tentations protectionnistes** issues de la crise mondiale. **L'instabilité monétaire** pousse à la création d'un système monétaire européen, le SME, basé sur une monnaie de compte, l'ECU (European Currency Unit), défini par référence à un « panier » de diverses monnaies

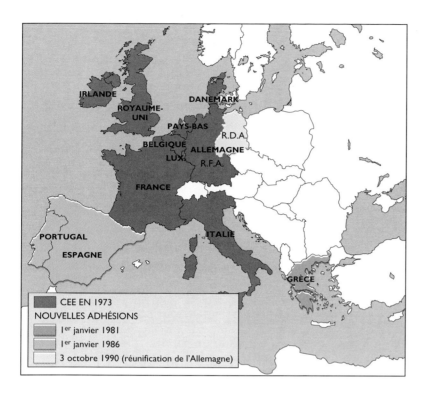

IRLANDE
ROYAUME-UNI
DANEMARK
PAYS-BAS
R.D.A.
BELGIQUE
ALLEMAGNE
LUX.
R.F.A.
FRANCE
PORTUGAL
ITALIE
ESPAGNE
GRÈCE

■	CEE EN 1973

NOUVELLES ADHÉSIONS

	1er janvier 1981
	1er janvier 1986
	3 octobre 1990 (réunification de l'Allemagne)

nationales. Mais l'Europe communautaire peine à définir une attitude commune dans la crise pétrolière, dans la lutte contre l'inflation et le chômage, et dans le domaine de la technologie de pointe. Sur le plan politique, la première élection au suffrage universel d'un Parlement européen, en 1979, ressemble plutôt à une série d'élections nationales parallèles. L'extension de la Communauté se poursuit cependant vers l'Europe du Sud, avec les adhésions de la Grèce (1981), de l'Espagne et du Portugal (1986), qui portent l'« **Europe des Douze** » à 315 millions d'habitants en 1986.

Les **relations atlantiques** prennent également un coup de froid avec le développement d'une véritable **guerre économique** à trois entre la CEE, les États-Unis et le Japon. Les exportations de ce dernier quadruplent entre 1975 et 1986, ce qui suscite de vives tensions et des accusations croisées de protectionnisme et de déloyauté. Une querelle éclate entre les États-Unis et la CEE à propos de la construction du gazoduc sibérien, essentiel aux besoins de l'Europe, mais que les Américains condamnent comme un transfert de haute technologie profitable à l'URSS, allant même jusqu'à imposer des sanctions aux firmes européennes engagées dans ce mégaprojet. Les **malentendus politiques** ne sont pas moins importants, particulièrement sur les « euromissiles » (Pershing et Cruise), où les gouvernements européens doivent composer avec des mouvements pacifistes de vastes dimensions, et sur la « Guerre des étoiles ».

Mais la secousse la plus dure pour le bloc atlantique va lui venir de son bastion ouest-asiatique avec la **révolution iranienne**. Devenu le « gendarme » de l'Occident dans cette partie du globe, le shah d'Iran Mohammed Reza Pahlavi a reçu depuis 1970 une aide militaire massive des États-Unis, qui ont équipé son pays des armes les plus perfectionnées. Cependant, la modernisation autoritaire et trop rapide imposée par le shah, le recours systématique à la torture par sa police secrète (la SAVAK), l'emprise croissante des sociétés américaines sur l'économie du pays et la décadence des mœurs d'une élite occidentalisée, qui scandalise en terre d'islam, ont accumulé les oppositions, tant au sein du bazar (petits commerçants) que dans les milieux progressistes et chez les fondamentalistes religieux. Au début de 1979, après plusieurs mois de manifestations, peu soutenu par un président Carter choqué par certains aspects de son régime, le shah est renversé et une République islamique s'installe à Téhéran, non moins sanguinaire que le régime précédent, bien que jouissant d'un réel appui populaire, sous la direction de l'ayatollah Khomeiny et du clergé chiite.

La révolution iranienne modifie toutes les données de l'équilibre dans la région du golfe Persique, essentielle à l'approvisionnement en pétrole de l'Europe de l'Ouest et du Japon. L'Iran devient un **foyer d'agitation** anti-américaine et propalestinienne, et même de **déstabilisation** interne des pays arabes par la propagation du fondamentalisme islamique. Combinée à l'invasion soviétique dans l'Afghanistan voisin, la révolution iranienne inflige une sévère défaite au bloc atlantique, soulignée par la prise en otage, pendant plus d'un an, du personnel de l'ambassade américaine à Téhéran.

LA RÉVOLUTION IRANIENNE

La foule brandit le portrait de l'ayatollah Khomeiny.

La révolution iranienne déclenche aussi une dynamique qui échappe au contrôle traditionnel des grandes puissances. Voulant profiter des troubles intérieurs iraniens pour imposer son hégémonie dans le golfe Persique, l'**Irak envahit l'Iran** en 1980, déclenchant une guerre qui durera huit ans et fera plus d'un million de morts, sans compter qu'elle provoquera un vaste réalignement des forces dans la région. Les Occidentaux et l'URSS appuient l'Irak, les premiers pour protéger la route du pétrole, la seconde par crainte d'une contagion intégriste dans ses propres républiques à majorités musulmanes. L'Iran reçoit l'appui de la Syrie, ravie des difficultés de son voisin irakien, d'Israël, qui cherche à diviser ses ennemis pour les affaiblir, et de la Chine, toujours en rupture avec l'URSS. Épuisés, les belligérants acceptent de cesser le feu en 1988, sous l'égide de l'ONU. Mais l'aide tant occidentale que soviétique a contribué à faire de l'Irak une puissance militaire dangereuse pour ses voisins.

Le bloc continental connaît des difficultés internes encore plus profondes que celles du bloc atlantique et qui préparent le grand effondrement de la fin des années quatre-vingt. Les forces centrifuges continuent en effet leur œuvre en sourdine en Europe de l'Est après la « normalisation » musclée de la Tchécoslovaquie en 1968 (voir page 346). Mais alors qu'en Roumanie ce détachement progressif s'accompagne d'un très fort durcissement

Lech Walesa, dirigeant de Solidarité, s'adressant à la foule au moment des accords de Gdansk en août 1980.

LES OBJECTIFS DE SOLIDARNOŚĆ

Le but supérieur du syndicat indépendant Solidarité est de créer des conditions de vie dignes, dans une Pologne souveraine économiquement et politiquement, une vie libérée de la pauvreté, de l'exploitation, de la peur et du mensonge, dans une société organisée démocratiquement et sur la base du droit. Aujourd'hui, la nation attend :
— l'amélioration du ravitaillement par la mise en place d'un contrôle sur la production, la distribution et les prix, en collaboration avec le syndicat Solidarité des agriculteurs individuels ;
— une réforme de l'économie par la création de conseils d'autogestion authentiques dans les entreprises et par la liquidation de la nomenklatura du Parti ;
— la vérité par un contrôle social sur les médias et la suppression du mensonge dans l'éducation et la culture polonaises ;
— la démocratie par l'introduction d'élections libres à la Diète et aux conseils du peuple ;
— la justice par l'assurance de l'égalité de chacun devant la loi, la libération des prisonniers d'opinion et la défense des personnes poursuivies pour leurs activités politiques, éditoriales ou syndicales [...].

Déclaration finale du 1er Congrès de Solidarność, 10 septembre 1981.

REMERCIEMENTS

Vous avez grandement contribué à la cause du développement de l'internationalisme prolétarien. Nous vous remercions pour votre compréhension de la situation difficile et dramatique dans notre pays, pour l'aide économique qui permet d'atténuer les effets des difficultés que nous connaissons.

La société polonaise a pu se convaincre une nouvelle fois que, dans les moments difficiles, elle peut toujours compter sur ses amis soviétiques. Nous demeurons fermes sur le principe du renforcement des idées du socialisme, de l'indépendance et de la souveraineté de l'État polonais. Nous œuvrons résolument pour son développement démocratique dans l'esprit du renouveau socialiste, pour la mise en œuvre des principes du marxisme-léninisme dans les conditions nationales polonaises.

Message du général Jaruzelski à Leonid Brejnev, une semaine après la proclamation de l'État de guerre en Pologne (décembre 1981).

interne sous la houlette de Nicolæ Ceausescu, alors qu'en Hongrie il avance à pas feutrés, c'est de Pologne que surgit maintenant le mouvement décisif.

La force du **sentiment national** polonais, marqué par de longues années d'oppression sous la Russie des tsars, l'ampleur de la **crise économique** qui frappe ce pays et à laquelle ses dirigeants n'ont pas trouvé d'autre réponse qu'une fuite vertigineuse dans l'endettement, et la **puissance de l'Église catholique**, galvanisée par l'élection d'un Polonais à la papauté (Jean-Paul II, 1978), expliquent l'ampleur du mouvement de protestation qui va soulever la Pologne. Au milieu des années soixante-dix, un syndicat indépendant baptisé *Solidarnosć* (Solidarité) prend racine dans les chantiers navals de Gdansk et se répand comme une traînée de poudre dans tout le pays, dépassant bientôt les dix millions de membres.

En 1980, une brutale hausse des prix décrétée par l'État déclenche une vague de grèves sans précédent, forçant les autorités à négocier avec Solidarité les **accords de Gdansk**, qui reconnaissent officiellement le syndicalisme libre, cas unique dans le monde communiste. Ces accords n'étant à peu près pas respectés par le pouvoir, le fossé se creuse entre le « pays légal » et le « pays réel », et l'inquiétude gagne les autres satellites et l'Union soviétique. Aux prises avec le bourbier afghan, l'URSS ne souhaite cependant pas intervenir directement et appuie plutôt un **coup d'État militaire** interne qui porte au pouvoir à Varsovie, en 1981, le général Jaruzelski. Le pays est placé sous la loi martiale et les dirigeants de Solidarité sont emprisonnés sous les clameurs de l'Occident.

Toutefois, cette première dictature militaire en régime communiste ne jouit d'aucune crédibilité, ni intérieure ni internationale, et se révèle bien incapable d'affronter les problèmes gigantesques posés par la désintégration de l'économie et par la résistance obstinée de tout un peuple. Dès 1983, l'état de guerre est levé, les dirigeants de Solidarité sont libérés (Lech Walesa recevra le prix Nobel de la Paix) et des négociations sont entreprises avec la hiérarchie catholique. La crise polonaise se répercute ensuite dans toute l'Europe de l'Est, mettant en branle d'immenses forces de désagrégation du bloc continental.

… ET LE MOYEN-ORIENT, TOUJOURS…

La quatrième guerre israélo-arabe (guerre du Kippour, 1973) a quelque peu modifié les données au Moyen-Orient, les succès initiaux de l'armée égyptienne et l'utilisation fracassante de l'arme pétrolière ayant contrebalancé les humiliations subies lors des guerres précédentes (voir chapitre 8). Abandonnant le vieux rêve nassérien de l'unité arabe, le nouveau président égyptien Anouar El-Sadate rompt avec l'Union soviétique, se rapproche des États-Unis et, dans un geste inattendu et spectaculaire, vient lui-même à Jérusalem tendre le rameau d'olivier aux Israéliens. Cette initiative enclenche une dynamique nouvelle et, sous le parrainage du président Carter, **Israël et l'Égypte signent un traité de paix** à Washington en 1979. Ce premier traité de paix entre Israël et l'un de ses voisins prévoit la restitution à l'Égypte du Sinaï conquis en 1967, de même que la création par étapes d'une « entité territoriale palestinienne » aux contours maintenus volontairement flous.

Ce traité est cependant **loin de ramener la paix** dans la région. Il aboutit d'abord à isoler complètement l'Égypte des pays arabes, qui l'excluent de la Ligue arabe en 1976 et dont les plus radicaux organisent en 1977 le « Front du refus » (Algérie, Libye, Irak). L'unité arabe est bien rompue, et Sadate lui-même sera assassiné par des militants islamistes en 1981. Pendant que l'OLP renforce sa crédibilité internationale par son admission comme observatrice à l'ONU et par l'autorisation qu'elle reçoit d'ouvrir des missions officielles dans plusieurs capitales occidentales, Israël, tout en évacuant le Sinaï conformément au traité de Washington, poursuit ses implantations de colons en Cisjordanie et à Gaza, annexe formellement à son territoire le plateau du Golan et

ISRAËL ET L'ÉGYPTE FONT LA PAIX

Signature des accords de Camp David en présence du président Carter, Washington, 1979.

transfère sa capitale de Tel-Aviv à Jérusalem, ville symbole, aussi « sainte » aux yeux des musulmans qu'à ceux des juifs.

C'est vers le **Liban** que se déplace maintenant le contentieux israélo-arabe. Formé d'une mosaïque de groupes sociaux, ethniques et religieux, ce petit pays, détaché de la Syrie au temps du « mandat » français installé en 1919 (voir page 108), est une véritable caisse de résonance de toutes les contradictions qui traversent le Moyen-Orient. L'afflux massif de combattants palestiniens (fedayin) après leur expulsion de Jordanie en 1970 (voir page 306) a détruit le complexe et fragile édifice sur lequel le pays est bâti, et une **guerre civile** a éclaté en 1975 entre des regroupements baptisés un peu hâtivement de « chrétiens conservateurs » et de « palestino-progressistes ». Pendant que le Liban se dissout en microcommunautés et que la Syrie voisine tente d'assurer son hégémonie en poussant les factions les unes contre les autres, une véritable zone palestinienne s'installe dans le sud du pays, d'où les fedayin effectuent de nombreux raids en territoire israélien.

Rassuré sur sa frontière sud par le traité avec l'Égypte, **Israël décide d'en finir avec l'OLP en envahissant le Liban** en 1982. Encerclés dans Beyrouth assiégée, les combattants palestiniens doivent s'incliner et sont dispersés dans neuf pays arabes, depuis la Tunisie jusqu'au Yémen. Mais le recul militaire de l'OLP est compensé par un recul moral de l'État hébreu, universellement condamné pour son « agression » et dont les troupes n'ont pas su, ou pas voulu, empêcher le massacre de milliers de civils palestiniens par un commando chrétien libanais dans les camps de réfugiés de Sabra et de Chatila. L'opinion israélienne elle-même est profondément secouée

LE LIBAN DANS LA TOURMENTE

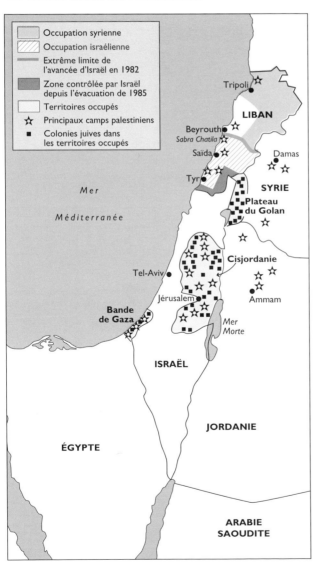

par cet événement à odeur de pogrom, et l'armée israélienne se retire du Liban dans la confusion en 1983.

Une « force d'interposition » multinationale, composée
de contingents américains, français, italiens et britanniques, s'installe alors pour tenter de ramener la paix et de
bloquer les visées syriennes, mais un terrible attentat au
camion piégé coûte la vie à près de 300 soldats, dont 241
Américains. La force se retire, abandonnant au chaos un
pays totalement décomposé.

Conclusion

Après trente années « glorieuses » d'expansion, le monde
occidental est entré, au début des années soixante-dix,
dans une nouvelle dépression dont le caractère inusité
déconcerte experts et dirigeants. Inscrite au cœur même
de la croissance qui l'a précédée, déclenchée en dernière
instance par la suppression de la convertibilité du dollar
en or et par le premier choc pétrolier, la crise se déploie
irrésistiblement malgré l'application de remèdes d'inspiration « monétariste » qui entraînent par ailleurs d'immenses coûts sociaux.

Parallèlement, se dessine une nouvelle guerre froide,
marquée par une sensible dégradation de la détente et par
la relance d'une course éperdue aux armements. Pendant
que les blocs connaissent des difficultés internes qui pré-
sagent une dislocation du bloc continental, les positions
du bloc atlantique sont mises en danger dans la région du
golfe Persique par la guerre d'Afghanistan et par la révolution iranienne. Mais la région de tous les dangers
demeure toujours le Moyen-Orient, où la paix israélo-
égyptienne fait éclater une unité arabe fragile et largement factice sans apporter le moindre élément de solution
au problème central, essentiel, obstiné, de ce coin de
planète : celui du peuple palestinien privé de patrie depuis
40 ans.

Toutefois, vers le milieu des années quatre-vingt, des événements cruciaux se préparent, qui vont redéfinir de façon fondamentale le monde issu de la Deuxième Guerre mondiale. Décidément, la réalité s'ingénie à déjouer les calculs des prévisionnistes...

Questions de révision

1. Montrez comment la croissance des « Trente Glorieuses » porte en elle-même les facteurs principaux de la crise des années soixante-dix et quatre-vingt.

2. Décrivez les impacts du choc pétrolier et de la suspension de la convertibilité en or du dollar américain sur l'économie mondiale.

3. Décrivez les aspects insolites de la crise des années soixante-dix et quatre-vingt par rapport aux crises « classiques », comme celle des années trente. Pourquoi les solutions « keynésiennes » échouent-elles, cette fois ?

4. Quels remèdes « monétaristes » sont appliqués à partir de 1979-1980, particulièrement en Grande-Bretagne et aux États-Unis, et avec quels résultats ?

5. Décrivez les initiatives soviétiques et les ripostes américaines qui marquent le retour de la guerre froide après 1973. En quoi la guerre d'Afghanistan constitue-t-elle un point tournant dans cette évolution ?

6. Décrivez les données de base de la course aux armements après 1972.

7. Dégagez l'impact de la révolution iranienne sur l'équilibre des forces dans la région du golfe Persique.

8. Comment la Pologne introduit-elle un germe de désintégration dans le bloc continental ?

9. Comment évolue le conflit israélo-palestinien après la guerre du Kippour ?

13

MUTATIONS SOCIOCULTURELLES EN OCCIDENT DEPUIS 1945

LUC LEFEBVRE

LA DEUXIÈME GUERRE MONDIALE ACHÈVE DE METTRE À BAS LES VALEURS D'UN ANCIEN MONDE QUI A COMMENCÉ À S'ÉCROULER EN 1914 ✱ ALORS QUE LES FORCES SE DIVISENT ENTRE L'EST ET L'OUEST ET QUE LES EMPIRES COLONIAUX DES GRANDES PUISSANCES EUROPÉENNES SE DISLOQUENT, L'OCCIDENT, LES ÉTATS-UNIS EN TÊTE, ENTRE DANS UNE PÉRIODE DE PROFONDES TRANSFORMATIONS TANT SUR LE PLAN SOCIAL QUE CULTUREL ✱ REPRISE ÉCONOMIQUE ET HAUSSE DE NATALITÉ SE CONJUGUENT POUR BOULEVERSER LES STRUCTURES SOCIALES ✱ UN RELÈVEMENT GÉNÉRAL DU NIVEAU DE VIE PERMET LA MISE EN PLACE, POUR LA PREMIÈRE FOIS, D'UNE SOCIÉTÉ OÙ LA CONSOMMATION, TANT MATÉRIELLE QUE CULTURELLE, DEVIENT LA PRIORITÉ ✱ L'OCCIDENT DE L'APRÈS-GUERRE EST ÉGALEMENT UN LIEU DE CONTESTATION : LES FEMMES VEULENT ÊTRE RECONNUES COMME DES ÊTRES HUMAINS À PART ENTIÈRE, LES JEUNES REJETTENT LA SOCIÉTÉ DE CONSOMMATION ET LES ENVIRONNEMENTALISTES CHERCHENT À ÉVEILLER LES CONSCIENCES FACE AUX DANGERS D'UNE CROISSANCE EFFRÉNÉE ✱

L'Occident de l'après-guerre est envahi par les jeunes issus du baby-boom, qui imposeront leurs goûts et leur culture. De nombreuses manifestations de jeunes auront lieu particulièrement durant les années 1960. Nulle manifestation n'est plus représentative de cette époque que le festival de Woodstock de 1969.

D ans l'histoire des sociétés, il arrive que tout concurremment resplendisse. À considérer l'histoire des années soixante, on a le sentiment que la société se moque des difficultés internationales et se trouve grisée par la prospérité économique autant que par les nouvelles manières de vivre, même si elle en conteste la finalité. Cet optimisme est d'abord celui des élites, ingénieurs, diplômés des écoles de gestion, médecins, ni propriétaires inaccessibles ni ouvriers anonymes, réunis par le sentiment commun d'une maîtrise et d'une responsabilité effectives. Dotés d'une autorité nouvelle, ils se cherchent une identité en empruntant à la bourgeoisie traditionnelle des canons qu'ils adaptent au goût de l'heure: la toilette qui distingue, les loisirs et les intérieurs cossus. Mais le changement gagne également l'ensemble des consommateurs, ouvriers qui découvrent de nouvelles formes de sociabilité, paysans transplantés dans l'univers urbain, familles qui consacrent une attention grandissante à leurs enfants. Au moment où la consommation est saisie par le vertige, ce qui se trouve mis en cause, ce sont aussi bien les schémas traditionnels de différenciation entre groupes sociaux que le diagnostic à porter sur l'homogénéité des sociétés.

BERNARD DROZ ET ANTHONY ROWLEY,
Histoire générale du XXᵉ siècle. 3. Expansion et interdépendance 1950-1973,
coll. Points Histoire,
Paris, Éditions du Seuil, 1987.

CHRONOLOGIE

1947	Mise au point du transistor.
1949	Publication du *Deuxième Sexe* par Simone de Beauvoir.
1950	Apparition de la première organisation de paiement par carte de crédit, le Diner's Club.
1952	À Montréal, début des émissions télévisées de la Société Radio-Canada.
1957	Apparition de la pilule contraceptive.
1961	Claire Kirkland-Casgrain devient la première femme élue à l'Assemblée législative du Québec.
1962	Ouverture du concile Vatican II. Lancement de *La Galaxie Gutenberg*, de Marshall McLuhan.
1964	Au Québec, égalité juridique de la femme mariée avec son mari.
1966	Fondation de la National Organization for Women (NOW), par Betty Friedan.
1968	Manifestations étudiantes dans tout l'Occident, particulièrement violentes en France.
1969	400 000 jeunes assistent au festival pop de Woodstock.
1972	Sortie du premier jeu vidéo.
1975	Année internationale de la femme. Apparition des systèmes vidéo Beta et VHS.
1979	Mise au point du premier baladeur.
1986	Le plus grave accident nucléaire de l'histoire se produit à Tchernobyl, en URSS.

La démographie

La fin de la Deuxième Guerre mondiale constitue une date charnière dans l'évolution démographique de l'Occident. Une brève reprise des naissances mais surtout des déplacements importants de population par l'urbanisation et l'immigration transformeront le paysage social.

DU BABY-BOOM AU RECUL

À partir de 1930, le monde occidental connaît une **période de crise** (récession économique et guerre) très importante qui agit comme un **frein sur la natalité**. Dans le quart de siècle suivant, on note une **augmentation** de 29 % de la population dans les 20 pays les plus industrialisés du monde occidental. Deux facteurs expliquent cette poussée d'après-guerre : **la hausse de la natalité et le recul de la maladie.**

On a appelé **baby-boom** le phénomène de reprise des naissances après 1945. Il ne s'agit pas d'un retour aux familles nombreuses d'autrefois mais plutôt d'un **rattrapage** consécutif à la période de crise de 1930-1945 qui a eu pour effet de diminuer le nombre de mariages; le départ de hommes vers le front et l'entrée massives des femmes sur le marché du travail ont amené une chute du nombre des naissances. La fin de la guerre et la prospérité qui l'accompagne règlent en grande partie ce problème. Après 1945, les femmes n'auront pas nécessairement plus d'enfants, mais plus de femmes auront des enfants, à cause de la **reprise de la nuptialité■**.

L'autre facteur expliquant l'augmentation marquée de la population est le **recul de la maladie**. Partout dans le monde occidental, on assiste à une baisse régulière du taux de mortalité. Une meilleure hygiène, une alimentation plus complète et plus équilibrée, de meilleures conditions de travail et les développements spectaculaires de la médecine constituent autant de facteurs qui contribuent à faire augmenter l'espérance de vie. Les progrès les plus importants résident certainement dans le déclin de la mortalité infantile. Exemple frappant de ce phénomène, le taux de mortalité infantile du Québec passe de 120 sur 1 000 en 1931 à 7,5 sur 1 000 en 1984.

■ **Nuptialité**
En démographie, étude statistique des mariages dans une population.

Taux de natalité en Occident (1943-1950) (par mille naissances)

	1943	1944	1945	1946	1947	1948	1949	1950
Allemagne*	16	15,8	12,6	15,3	15,3	16,6	16,8	16,2
Belgique	15	15,3	15,7	18,3	17,8	17,6	17,2	16,9
Canada	24	23,8	23,9	26,9	26,8	27,3	27,3	27,1
Espagne	22,9	22,5	23	21,4	21,3	23,3	21,7	20,2
États-Unis	21,5	20,2	19,6	23,3	25,8	24,2	23,9	23,5
France	15,7	16,1	16,2	20,6	21	21,1	21	20,6
Italie	20	19,4	18,5	22,7	21,9	21,9	20,3	19,6
Pays-Bas	23	24	22,6	30,2	27,8	25,3	23,7	22,7
Royaume-Uni	16,6	17,9	16,2	19,4	20,8	18,1	17	16,3

* À partir de 1944, les taux de natalité allemands ne touchent que la zone occidentale.

Du baby-boom au recul
Taux de natalité en Occident entre 1935 et 1991
(par mille naissances)

	1935	1945	1955	1965	1975	1985	1991
Allemagne	18,9	12,6*	16**	17,7	9,7	9,6	11,2
Belgique	15,5	15,7	16,8	16,4	12,3	13,2	12,8
Canada	20,4	23,9	28,2	21,3	15,3	14,4	15,4
Espagne	25,9	23	20,6	21,1	18,2	10,9	10,2
États-Unis	16,9	19,6	24,7	19,4	14,7	15,7	16,4
France	15,3	16,2	18,6	17,8	13,6	14,1	13,3
Italie	23,4	18,5	18,1	19,1	13,9	10,1	9,8
Pays-Bas	20,2	22,6	21,3	19,9	13	12,3	13,2
Royaume-Uni	15,2	16,2	15,5	18,4	12,4	13,6	13,8

* Pour l'année 1945, le taux de natalité touche la zone occidentale.
** À partir de 1955, les taux de natalité sont ceux de la République fédérale d'Allemagne.

Hausse de l'espérance de vie en Occident après 1945 selon le sexe

	1950	1970	1990
Canada	H=62 F=66	H=69 F=76	H=73 F=80
États-Unis	H=61 F=66	H=68 F=76	H=72 F=79
France	H=56 F=62	H=69 F=76	H=73 F=81
Italie	H=66 F=70	H=69 F=75	H=73 F=80
Royaume-Uni	H=68 F=74	H=69 F=75	H=72 F=78

Recul de la mortalité infantile en Occident après 1945
(par mille naissances)

	1935	1945	1955	1965	1975	1985	1990
Canada	71	51,3	31,3	23,6	15,2	7,3	6,8
Québec	120	62	38	32	13,4	7,5	6
États-Unis	55,7	38,3	26,4	24,7	16,1	10,1	8,9
France	68,9	108,2	38,6	22	11	9,7	8,4
Italie	101,2	98,1	50,9	35,6	20,7	9,5	8,5
Royaume-Uni	60,4	48,8	25,8	19,6	16	9,1	7,3

Il est généralement admis que la période du baby-boom s'étend de la fin de la guerre au milieu des années cinquante. À partir des années soixante, après une période de stabilité, le monde occidental enregistre une **baisse de la natalité**. La fin de la guerre amène une transformation des valeurs qui, à long terme, peut expliquer le ralentissement des naissances.

Le **travail des femmes mariées**, phénomène largement favorisé par la guerre, devient de plus en plus valorisé en Occident. Occupées à l'extérieur du foyer, ces femmes ont moins de temps à consacrer aux tâches traditionnelles, ce qui les pousse à recourir à des méthodes plus rigoureuses de planification des naissances. Un autre élément important est la **remise en question de la religion** et de tout son système de valeurs. Finalement, la **société de consommation**, à laquelle accèdent les premiers humains depuis la nuit des temps, accorde une place prépondérante à la recherche du confort et de l'hédonisme■. Les nouvelles valeurs du travail féminin et du bien-être s'avèrent incompatibles avec le modèle de vie familiale d'avant-guerre.

■ **Hédonisme**
Doctrine ayant comme principe premier la recherche du plaisir et de la satisfaction.

L'accroissement de la population et de la longévité entraîne une **hausse marquée du nombre de personnes âgées** dans la société. Dans certains pays, ce groupe dit du troisième âge peut constituer jusqu'à 15 % de la population. Parallèlement, l'**augmentation du nombre de consommateurs** fait croître la demande, apaisant les producteurs, qui cherchent à oublier les longues années de récession. Finalement, l'augmentation de la population amène un engorgement du monde urbain.

URBANISATION ET SUBURBANISATION

Après 1945, en effet, les villes occidentales voient leur population augmenter sans cesse, les rythmes de l'urbanisation suivant de près ceux de l'industrialisation.

Le mouvement touche aussi bien la campagne que la ville. Promettant instruction, distractions et confort à un monde rural ultramécanisé qui offre de moins en moins de débouchés à sa population, **la ville devient un aimant**

REGARD PORTÉ SUR L'URBANISATION

Une population entassée

Au-delà de six étages, le taux de criminalité enregistre une nette progression. Il existe une étroite liaison entre certaines formes d'habitat ou d'urbanisation (grands ensembles, tours) et la présence d'actes de violence contre les personnes.

Une population ségrégée

Ségrégation diverse, multiple, par couches de revenus tout d'abord [...]: nous avons le bloc du travailleur, celui de l'employé, la résidence du cadre moyen ou celle du cadre supérieur [...]. Dans ces villes défaites et éclatées, classes sociales et classes d'âges s'ignorent. Il n'y a plus mélange ni d'échanges.

Une population anonyme

Face à une architecture reproduite à des milliers d'exemplaires [...], les citadins des nouveaux quartiers perdent leurs points de repère et d'identité. Ils se dépersonnalisent dans la monotonie du béton.

Rapport du Comité d'étude sur la violence (documentation française).

YVES TROTIGNON ET COLL.
Histoire de 1959 à nos jours,
Paris, Scodel, 1983.

pour les ruraux en quête d'emplois. C'est également vers les villes occidentales qu'affluent les immigrants, chassés par la guerre ou quittant le tiers-monde dans l'espoir d'améliorer leur sort.

Dans la ville, on trouve habituellement un **quartier des affaires**, un centre-ville, dont les gratte-ciel bourdonnent d'activité le jour et sont pratiquement déserts la nuit. Le centre-ville est entouré d'une **ceinture résidentielle** abritant les classes défavorisées (ouvriers, immigrants). Ces quartiers deviennent le refuge de l'insécurité et de la délinquance, conséquences directes de la ségrégation sociale et raciale existant dans ces ghettos.

Ayant fui l'insécurité de la ville centrale, les classes plus aisées se regroupent dans les **banlieues**, paradis de la maison individuelle. Bientôt, elles sont rejointes par les industries manufacturières et leurs sièges sociaux. La croissance de ces zones est si forte que certaines finissent par se rejoindre pour former ce que l'on appelle des mégalopoles (par exemple, Boston — New York — Philadelphie — Washington). Dans certaines cités, comme Los Angeles, le concept de centre-ville disparaît.

L'avènement des banlieues ne se fait pas sans heurts pour les villes. Les classes les plus aisées ne sont pas remplacées, ce qui fait **chuter dramatiquement l'assiette fiscale**. Le bon fonctionnement des divers services publics (transport, police, incendie...) n'étant plus assuré, de plus en plus de gens quitteront la ville au profit des zones périphériques, accentuant ainsi davantage le phénomène de dégradation urbaine.

La base du développement des banlieues est sans contredit l'**automobile**. Devenue un objet de consommation très répandu à la fin de la Deuxième Guerre mondiale, la voiture permet à la population de se libérer du carcan des transports en commun et de s'installer en périphérie, modifiant ainsi l'environnement physique des villes de façon importante. Une nouvelle culture, celle du « *drive-in* », fait son apparition.

Pour faire rouler toutes ces nouvelles voitures, les gouvernements doivent consacrer d'énormes sommes d'argent à la construction d'**autoroutes**. Aux États-Unis, par

VUE AÉRIENNE DE
LOS ANGELES

Los Angeles constitue l'exemple parfait d'une ville née de la civilisation de l'automobile. Tout le développement s'est effectué autour d'un spectaculaire réseau routier.

exemple, depuis 1945, 75 % des dépenses du gouvernement en matière de transport ont été affectées à la construction d'autoroutes contre 1 % pour les transports en commun. Autres signes de la place prépondérante qu'occupe désormais l'automobile : intégration du **garage** à l'architecture des maisons et apparition, dans les banlieues, de **centres commerciaux** aux stationnements immenses, de **ciné-parcs** ou de **restaurants** avec service à l'auto. Même les vacances et les loisirs sont organisés en fonction de la voiture. Les **caravanes**, **maisons mobiles** et **motels** sont d'autres innovations directement attribuables à l'essor de l'automobile.

Les conséquences de l'urbanisation sont multiples. La ville devient un **gouffre économique** dans les pays pauvres, incapables de financer les infrastructures nécessaires à son bon fonctionnement. Les conséquences les plus importantes de ce fait se font sentir sur le plan humain. L'organisation traditionnelle des rapports humains s'en trouve complètement modifiée : le **noyau familial** se désintègre, il y a **baisse de la natalité** et **désaffection à l'égard des valeurs religieuses**, incapables de s'implanter solidement en ville. Le **bruit** et l'**entassement** font naître une société de type nouveau souvent associée à

L'AUTOMOBILE, NOUVEL
OBJET DE CONVOITISE

Je crois que l'automobile est aujourd'hui l'équivalent assez exact des grandes cathédrales gothiques : je veux dire une grande création d'époque, conçue passionnément par des artistes inconnus, consommée dans son image, sinon dans son usage, par un peuple entier qui s'approprie en elle un objet parfaitement magique.

ROLAND BARTHES
Mythologies,
Paris, Seuil, coll. Pierres vives, 1957.

la **violence** et à la **criminalité**. Finalement, le déplacement des populations et de nombreuses industries vers les banlieues a tendance à **tuer le sens communautaire** propre aux petites villes.

L'IMMIGRATION

La simple poussée démographique de l'après-guerre ne suffit toutefois pas à expliquer l'important développement urbain. Cette croissance est également le fait d'une immigration de plus en plus diversifiée.

La guerre a entraîné un **déplacement massif de populations** fuyant les combats ou changeant de lieu d'établissement par suite du réaménagement des frontières. Ce mouvement migratoire s'intensifie après la guerre mais pour de nouveaux motifs dont le principal est l'**emploi**. L'internationalisation des échanges économiques provoque en effet un déplacement important de **salariés** qui doivent suivre leur entreprise. Mais la migration de type économique est surtout le fait de **chômeurs** ou de **travailleurs misérables** en quête d'emplois.

Si les États-Unis constituent la terre d'accueil par excellence au tournant du siècle, l'Europe du Nord-Ouest devient celle de l'après-guerre. Le redémarrage industriel européen, favorisé par le plan Marshall (voir page 280),

---

MANIFESTATION DE RACISME À L'ENDROIT DES ÉTRANGERS : LE CAS DES TSIGANES EN FRANCE

Le rejet des tsiganes par les collectivités locales se fait particulièrement sentir dans les politiques de stationnement. Aujourd'hui, le refus de les accueillir n'est plus motivé par la méfiance à l'égard des prétendus voleurs de poules ou d'enfants, mais parce que les nomades constituent un facteur de dégradation du patrimoine foncier, un élément d'insécurité; ils sont accusés de ternir l'image de marque des villes et des quartiers où ils s'implantent. Certains sédentaires n'hésitent pas à les assimiler à des ordures: à Sorgues, dans le Périgord, l'ouverture d'un parc de stationnement (pour les Tsiganes) fut immédiatement suivie de dépôts d'immondices d'origines locales...

ALAIN REYNIERS

« Les Tsiganes : de la séduction au rejet », dans
Le Monde Diplomatique, Manière de voir, no 9, 1990.

attire des travailleurs du bassin méditerranéen, d'Afrique et même d'Asie, régions cherchant toutes à se débarrasser de leur trop-plein de chômeurs.

Ce mouvement d'immigration ne ressemble plus à celui du siècle précédent, où des colons partaient vers le Nouveau Monde en quête de liberté et d'indépendance. Les immigrants de l'après-guerre vivent **en marge** de la société industrielle, confinés à des tâches **peu rémunératrices** et **peu valorisantes**.

Un autre type de migration découle directement de la **conjoncture politique**. Les déplacements de population suivent en effet les bouleversements consécutifs aux différents conflits : Allemands de l'Est fuyant vers l'Ouest, Juifs du monde entier se déplaçant vers le nouvel État d'Israël et Palestiniens le quittant, Vietnamiens abandonnant un pays déchiré par la guerre dans l'espoir de trouver une vie meilleure aux États-Unis.

Ce mouvement migratoire a des **effets bénéfiques** dans la mesure où les pays d'accueil, plus industrialisés, profitent d'une **main-d'œuvre peu coûteuse** et d'un **apport culturel** indéniable, tandis que les pays de départ acceptent des **devises étrangères** en provenance des émigrés. Le mouvement a toutefois des **effets néfastes**, plusieurs pays se vidant de leurs **éléments jeunes et dynamiques**, installés à demeure dans leurs pays d'adoption, bien qu'ils y soient soumis à des manifestations de **racisme** et de **xénophobie** qui rendent problématique leur intégration dans leur nouvelle société.

Les mutations socioprofessionnelles

ES TRANSFORMATIONS DÉMOGRAPHIQUES DE LA FIN DE LA GUERRE ENTRAÎNENT UN RÉAMÉNAGEMENT DANS LA DIVISION DU TRAVAIL. LA VILLE, LA CAMPAGNE ET LES CLASSES SOCIALES ELLES-MÊMES SERONT À UN TEL POINT TOUCHÉES QU'ELLES PRÉSENTERONT DES VISAGES RADICALEMENT DIFFÉRENTS.

DES SOCIÉTÉS SANS PAYSANS ?

La perception que l'on a du paysan change radicalement après la guerre, car le monde agricole subit alors des transformations structurelles issues du progrès technique.

Mentionnons d'abord que l'agriculture est l'un des domaines où la production a le plus augmenté. Certains vont même parler de **révolution agricole**, surtout en ce qui a trait à la **motorisation** et à la **mécanisation** (révolution du tracteur qui remplace le cheval). L'agriculture profite aussi du développement scientifique, qui permet la mise au point de **fertilisants** et de **pesticides** puissants, tandis que la **génétique**, elle, favorise une sélection plus efficace des semences et des races animales.

Ces changements se traduisent d'abord par une **hausse marquée de la productivité**. Ils entraînent ensuite une **augmentation de la taille des exploitations**, sans pour autant offrir plus de débouchés aux populations rurales. On assiste en fait à une **concentration** des exploitations agricoles dans le but de **maximiser** les rendements.

Urbanisation de l'Occident après la Deuxième Guerre mondiale

Pourcentage de la population urbaine					
	1940-50	1951-60	1961-70	1971-80	1981-90
Canada	54	63	76	77	76
Québec	63	67	74	80	77
États-Unis	56	64	73	74	74
Belgique	61	63	87	87	95
France	53	56	70	71	73
Royaume-Uni	79	81	78	77	87

La première conséquence de cette révolution agricole est le départ de nombreux paysans vers la ville, phénomène que l'on a qualifié d'**exode rural**. Cette diminution des effectifs signifie une baisse du poids du monde rural dans une société de plus en plus industrialisée. Toutefois, ceux qui demeurent sur la terre sont mieux intégrés à ce monde puisqu'ils doivent être à la fois agronomes et gestionnaires. Ils doivent en plus apprendre à s'intégrer aux grands réseaux d'échanges pour s'approvisionner et écouler la production.

Une autre conséquence est la **dépendance** accrue des agriculteurs à l'égard des grands propriétaires, qui sont les seuls à pouvoir acquérir d'immenses exploitations. Dépendance aussi par rapport aux banquiers puisque les agriculteurs doivent faire des emprunts massifs pour se moderniser. L'agriculture à grande échelle, de plus, mène le monde au bord d'un **désastre écologique** ; la surexploitation des sols et la surutilisation des produits chimiques altèrent la valeur des aliments et détruisent les écosystèmes.

En somme, l'agriculture est devenue une **activité spécialisée** et l'agriculteur se pose maintenant comme un industriel de la terre, laquelle est devenue un investissement davantage qu'un patrimoine familial à conserver. Le mode de vie du producteur agricole s'apparente de plus en plus à celui du travailleur urbain. Le passage de la

LA FIN DES PAYSANS ?

Principale activité humaine jusqu'au premier tiers du XXe siècle, l'agriculture semble incapable de trouver des structures stables adaptées à l'innovation technologique, à la croissance économique et aux changements sociaux. [...] À cela s'ajoute un traumatisme majeur, patent dans les sociétés industrielles et prévisible à l'horizon 2000 partout : la disparition du paysan. S'efface ainsi l'assise «naturelle» des sociétés, l'une des figures majeures de notre histoire.

Or le paysan meurt d'avoir trop bien réussi son intégration dans le monde moderne. Du calcul des rations alimentaires pour le bétail au choix des semences et aux techniques d'irrigation, la gestion a envahi le monde rural. Du coup, l'apprentissage héréditaire, la perception spontanée des qualités du sol paraissent comme des traces d'une éducation inadaptée. Il n'y a plus d'enfants, ni de vieux, mais des entrepreneurs. La raison a remplacé les automatismes et à juste titre, si l'on s'en tient aux gains de productivité et de production.

BERNARD DROZ ET ANTHONY ROWLEY
Histoire générale du XXe siècle, 4, Crises et mutations (de 1975 à aujourd'hui), Paris, coll. Points Histoire, Seuil, 1992.

paysannerie à l'agro-économie fait **disparaître graduellement** un ancien système de valeurs basé sur la communauté familiale, l'attachement affectif à la terre et une pratique religieuse fidèle. Il s'agit peut-être là de la conséquence la plus importante.

UNE NOUVELLE CLASSE OUVRIÈRE ?

La révolution technique vient également profondément bouleverser le monde du travail. L'**organisation scientifique du travail** (voir taylorisme) débouche sur l'utilisation de plus en plus importante de **machines** capables d'accomplir des tâches autrefois réservées aux ouvriers spécialisés. Ces **cols bleus** des secteurs primaires et secondaires voient leur poids et leur nombre diminuer au profit des **cols blancs** du secteur tertiaire, affectés aux activités de services et d'encadrement.

Bien que son poids relatif diminue, le monde ouvrier profite de la **hausse des salaires** résultant de la prospérité d'après-guerre. Les ouvriers peuvent accéder à la société de consommation et offrir aux générations suivantes une chance de se sortir de la condition ouvrière. En effet, le monde occidental, pendant si longtemps coupé entre bourgeoisie et prolétariat, permet une plus grande **mobilité sociale** fondée sur les progrès de la scolarisation.

La principale conséquence de ce phénomène est de brouiller les frontières, autrefois si nettes, entre les classes sociales. Les styles de vie s'uniformisant, on a tendance à employer les termes *travailleurs* ou *masses laborieuses* pour désigner les gens au travail. Le mot *ouvrier*, associé à un mode de vie et de pensée bien précis, ne désigne plus que les travailleurs manuels, de moins en moins bien considérés dans un monde qui, semble-t-il, ne valorise que le travail intellectuel.

SALARISATION ET TERTIARISATION

Si la révolution technique vient bouleverser le monde ouvrier, elle se fait également au détriment du travail artisanal et indépendant. En d'autres termes, la concentration des entreprises fait presque disparaître les petits commerçants et producteurs tout en augmentant sans cesse les rangs des **salariés**. On estime qu'aujourd'hui plus de 80 % de la population active des pays industrialisés est salariée.

Une large couche des salariés se retrouvent dans les rangs des cols blancs, ces travailleurs du secteur tertiaire. Si les **activités d'encadrement** se développent, c'est qu'elles sont maintenant essentielles pour faire respecter les nouvelles normes de qualité et de production imposées par la « technostructure ». Quant aux **activités de service**, elles se multiplient avec le développement des infrastructures urbaines (transport, banques, assurances, commerce...).

Une **nouvelle bourgeoisie** se constitue, fondée non pas sur le patrimoine familial mais sur l'importance du revenu. Les chefs d'entreprises et les cadres deviennent une nouvelle élite de cols blancs, avec les travailleurs professionnels du secteur des services. La **tertiarisation** du monde du travail offre également des débouchés importants pour les femmes qui veulent s'insérer davantage dans le monde du travail.

LA CLASSE OUVRIÈRE A-T-ELLE CHANGÉ ?

Les critères tirés de la vie quotidienne (logements, loisirs, costumes, alimentation, etc.) ne suffisent plus à fonder une classification.

Les différenciations fondées sur tels ou tels critères technologiques sont tout aussi arbitraires. Si certaines catégories ouvrières continuent d'exercer leur travail dans des conditions physiques très dures, ces conditions ne diffèrent point de celles de certains services classés dans la fonction publique. [...] Enfin, les critères juridiques — mensuels ou horaires — sont de moins en moins significatifs. [...]

Il ne nous reste plus qu'une seule situation commune à de nombreuses catégories de salariés : celle d'exercer un rôle productif et d'être exclu de la propriété ou de la gestion des instruments de production, critère unique, et, me semble-t-il, suffisant.

S. MALLET
La nouvelle classe ouvrière,
Paris, Seuil, 1963.

QU'EST-CE QUE LA TECHNOSTRUCTURE ?

La technologie moderne, avec le besoin de qualification qu'elle a suscité, les exigences de son administration et de sa gestion, impose aux firmes du sous-système industriel une organisation poussée. Un individu n'est plus en mesure de contrôler seul la totalité des informations importantes. Ces firmes, quand elles atteignent leur plein développement, sont donc dirigées collégialement par des ingénieurs, des directeurs des ventes, des spécialistes de marketing, des chefs de publicité, des comptables, des juristes, des démarcheurs de ministères: la « technostructure » [...].

J.K. GALBRAITH
« Les ruses de la technostructure »,
Le Nouvel Observateur, 1971.

LA MONTÉE DES CADRES

Sont considérés comme cadres les personnes « ayant une connaissance approfondie d'une profession ou d'un art et capables de diriger un groupe d'ouvriers ou d'employés » (cadres moyens) et les personnes « capables d'organiser et de prendre les responsabilités afférentes à la direction d'un service ou d'une entreprise » (cadres supérieurs). [...] Les cadres ne sont pas des patrons, mais des salariés du niveau hiérarchique le plus élevé. [...] Le personnel « cadres » représente 3 % des effectifs salariés dans les mines, 5 à 6 % dans les industries textiles, 12 % dans les industries mécaniques et chimiques, 18 % dans les industries du gaz et de l'électricité, 19 % dans celle du pétrole. [...] 18 % dans les banques et les assurances.

G. DUPEUX
La Société française, 1789-1960, Paris, A. Colin, 1964.

La révolution féministe

L NE FAUT PAS CROIRE QUE L'UNIQUE CAUSE DE L'INSERTION DES FEMMES DANS LE MONDE DU TRAVAIL RÉMUNÉRÉ SOIT LA DEUXIÈME GUERRE MONDIALE. IL S'AGIT PLUTÔT DU RÉSULTAT D'UN PROCESSUS QUI S'EST AMORCÉ AU SIÈCLE PRÉCÉDENT ET QUI A AMENÉ LES FEMMES À REVENDIQUER UN RÔLE PLUS LARGE DANS LA SOCIÉTÉ. CE PHÉNOMÈNE, CERTAINEMENT L'UN DES PLUS IMPORTANTS DU SIÈCLE, NE S'EST PAS FAIT SANS HEURTS ET N'EST PAS ENCORE TERMINÉ.

Origines et premières luttes du mouvement féministe

À la lumière de recherches encore assez récentes, il devient évident que les personnes les plus affectées par la **Révolution industrielle** ont été les **femmes**. Outre qu'elles accomplissaient les **tâches ménagères** qui leur étaient traditionnellement réservées, les femmes sont devenues, au XIXᵉ siècle, un **bassin de main-d'œuvre** à bon marché dont il était facile de tirer profit en cas de besoin.

Des femmes (et quelques rares hommes) ont alors essayé d'apporter des correctifs à cette situation en plaçant leurs espoirs dans un **socialisme** qui ne dissociait pas la condition féminine de la question sociale. Mais dans la seconde moitié du siècle est apparu un mouvement, d'abord soutenu par des bourgeoises et des ouvrières, affirmant que l'**émancipation** des femmes ne pouvait venir que des femmes elles-mêmes.

Le **féminisme populaire** a donc commencé à prendre pied, à la fin du siècle, dans plusieurs pays industrialisés. Un **Conseil international des femmes** (International Council of Women - ICW), fondé en 1884, a organisé, de peine et de misère, deux conventions : Washington (1888) et surtout Londres (1899), qui regroupait 5 000 femmes représentant 600 000 membres réparties dans 11 pays. Même s'il faisait face à une opposition féroce en provenance de groupes antiféministes, le féminisme, à l'orée du XXᵉ siècle, était prêt à s'affirmer.

Les premières luttes féministes tournaient autour de la **reconnaissance des droits** familiaux, économiques et politiques des femmes. On souhaitait voir, entre autres, la **maternité** placée sur un pied d'égalité avec le travail masculin, la **libre disposition du salaire** pour la travailleuse mariée et, surtout, l'**obtention du droit de vote**. On croyait, à cette époque, que l'obtention de droits politiques ouvrirait des portes aux femmes.

Sont ainsi apparus, à la veille de la Première Guerre mondiale, des mouvements de **suffragettes** (mot formé en

Bref aperçu de l'histoire des femmes au XXᵉ siècle

Oublieuse des massacres et des années noires, la perception positive du XXᵉ siècle, d'un XXᵉ siècle conquérant opposé au siècle victorien, est modelée par une série d'images : la « garçonne », produit de la guerre et des Années folles, la femme « libérée », produit de la pilule, ou bien encore la « superwoman » des années quatre-vingt, produit du féminisme et de la société de consommation, capable de jongler avec bonheur entre sa carrière, ses enfants et ses amours.

FRANÇOISE THÉBAUD
Dans Georges Duby et Michelle Perrot, *Histoire des femmes, Tome 5, Le XXᵉ siècle*, Paris, Plon, 1992.

Dates d'obtention du droit de vote pour les femmes en Occident

	Années
Finlande	1906
Norvège	1913
Danemark	1915
Islande	1915
Autriche	1918
Irlande	1918
Pays-Bas	1919
Allemagne	1919
Luxembourg	1919
Canada	1920
États-Unis	1920
Suède	1921
Angleterre	1928
Espagne	1931
Québec	1940
France	1944
Italie	1945
Belgique	1948
Grèce	1952
Suisse	1971

anglais sur le mot *suffrage*) qui manifestaient afin d'obtenir ce droit longtemps refusé. Certains groupes, en particulier celui mené par **Emmeline Pankhurst** en Angleterre, avaient recours à des moyens extrêmes (violence, grèves de la faim) en guise de protestation. Le mouvement a porté fruit puisqu'au début des années vingt, plus d'une vingtaine de pays ont reconnu aux femmes le droit de vote.

Ce n'est pas un hasard si les gouvernements bougent sur cette question après la Première Guerre mondiale. La participation féminine à l'**effort de guerre** s'est avérée essentielle. Le vide amené par le départ des hommes vers le front a permis aux femmes de montrer qu'elles pouvaient accomplir un grand nombre de tâches qui, jusque-là, leur étaient inaccessibles. Elles sont devenues **chefs de famille**, **ouvrières dans les usines de munitions**, **conductrices de tramways**... En somme, les femmes ont accédé, en apparence, à un monde nouveau.

Nous disons en apparence parce que le **rôle émancipateur** qu'on a longtemps accordé à la Grande Guerre est aujourd'hui remis en question. Plusieurs historiennes et historiens du féminisme admettent volontiers les changements amenés par cette guerre, mais ils affirment, du même souffle, que ces transformations sont **superficielles**. Les recherches montrent en effet que la culture de masse qui est apparue dans les années vingt tendait à l'**uniformisation** et laissait peu de place à la diversité. Les **thèses révisionnistes** soulignent aussi le fait que l'identité masculine, malmenée par le féminisme extrêmement revendicateur du tournant du siècle, a été réaffirmée après 1918. Par conséquent, derrière des apparences de libération (droit de vote, port du pantalon, coiffure à la garçonne, usage du tabac), les femmes ont eu plutôt tendance, durant l'entre-deux-guerres, à retourner, comme le dit Françoise Thébaud, dans l'ouvrage *L'histoire des femmes, Le XXe siècle*, « à leur place de mères prolifiques, de ménagères au mieux libérées par le management ménager, et d'épouses soumises et admiratives ».

Cela n'empêche pas le féminisme de l'époque de poursuivre sa lutte en se concentrant sur la **défense des droits** des travailleuses, sur la **contraception** et sur l'**accès à l'éducation**, trois clés pour obtenir une plus grande autonomie pour les femmes. Cependant, les revendications visant la libération sexuelle des femmes sont absolument proscrites dans les pays à tendance fasciste qui commencent à apparaître en Europe. En Allemagne, en Italie et en Espagne, la femme est perçue comme un **être inférieur** destiné à servir son mari et à fournir des enfants à la Nation.

FEMMES AU TRAVAIL DANS UNE USINE D'OBUS

La Première Guerre mondiale ouvre les portes du marché du travail à de nombreuses femmes, comme ces Françaises travaillant dans une usine d'obus en 1915.

L'ÉTAT FASCISTE ET LES FEMMES

Derrière les prises de position de Hitler et de Mussolini, se profilait une longue histoire d'une offensive menée pour écarter les femmes de la société, grâce à de véritables lois, aussi bien en Allemagne qu'en Italie. Voici quelques dispositions prises en Italie :

Décret du 20 janvier 1927 : Les salaires féminins sont ramenés par les syndicats fascistes à la moitié des salaires masculins correspondants. [...]

Décret du 30 janvier 1927 : Les femmes sont exclues des enseignements des Lettres et de Philosophie dans les lycées.

Dispositions de loi contre l'instruction des femmes — 1928 : Les femmes ne peuvent plus être nommées directrices des établissements de l'enseignement secondaire du premier cycle, par décret ; les étudiantes doivent payer double taxe dans le secondaire et à l'université.

Décret-royal du 28 novembre 1933 présenté par Mussolini aux Chambres : « Les administrations de l'État [...] sont autorisées à décider dans les avis de concours pour nomination à des emplois [...] l'exclusion des femmes. [...] dans les bureaux le nombre des hommes doit être prépondérant à celui des femmes, parce que les femmes étant destinées à la famille, elles pourraient difficilement concilier les devoirs de leur bureau et ceux de la maternité.

Décret-loi du 1er septembre 1938 : décret qui ramène l'entrée du personnel féminin dans les services publics à 10 % de l'ensemble des postes de travail.

[Ces dispositions reprennent] la thèse mussolinienne selon laquelle l'activité intellectuelle des femmes diminuait la virilité masculine. Les femmes ne devaient donc aspirer qu'aux travaux que les hommes ne considéraient pas comme portant atteinte à leur propre virilité.

M.A. MACCIOCCHI

« Les femmes et la traversée du fascisme », dans
Éléments pour une analyse du fascisme,
Paris, 10/18, 1976.

LE FÉMINISME APRÈS 1945

La Deuxième Guerre mondiale entraîne, une fois de plus, une **mobilisation massive** de la main-d'œuvre féminine pour la production de guerre. Mais, une fois les combats terminés, les femmes doivent à nouveau retourner au foyer pour faire place aux soldats démobilisés. Le fossé entre les salaires masculins et féminins, sensiblement réduit pendant la guerre, s'élargit à nouveau.

L'évolution des salaires féminins aux États-Unis (1939-1966)

Type de travail	Pourcentage du salaire masculin gagné par les femmes		% de changement
	1939	1966	
Manufacture	61,4	55,9	- 5,44
Transport et communication	70,2	64,3	- 5,90
Vente au détail	63,6	53,9	- 9,70
Services professionnels	74,0	67,2	- 6,76
Administration publique	72,7	73,1	+ 0,41

Cette fois, le retour au foyer est moins bien accepté. Les femmes instruites des classes moyennes se sentent de plus en plus à l'étroit dans leur rôle de femme au foyer. Ce malaise est alimenté par une **littérature féministe** qui a tendance à vouloir renverser « l'ordre naturel des choses ». Dans son ouvrage *Le Deuxième Sexe*, paru en 1949, **Simone de Beauvoir** tente de secouer la léthargie des femmes constamment soumises à leur mari et affirme que ce n'est pas la nature qui délimite les rôles sexuels mais plutôt un ensemble de lois, de coutumes et de préjugés. Bien que cet appel soit entendu partout en Occident, la perception de la femme en tant que **force de production et de reproduction** ne disparaît pas pour autant. Les transformations sur ce point ne s'opéreront qu'au milieu des années soixante.

Le thème majeur du féminisme des années soixante est la nécessité de **séparer sexualité et reproduction**. Simone de Beauvoir affirme d'ailleurs que la libération

SIMONE DE BEAUVOIR SE PRONONCE SUR LA QUESTION DU MARIAGE

[...] c'est la société élaborée par les mâles et dans leur intérêt, qui a défini la condition féminine sous une forme qui est à présent pour les deux sexes une source de tourments.

C'est dans leur intérêt commun qu'il faudrait modifier la situation, en interdisant que le mariage soit pour la femme une «carrière». Les hommes qui se déclarent anti-féministes sous prétexte que «les femmes sont déjà assez empoisonnantes comme ça» raisonnent sans beaucoup de logique: c'est justement parce que le mariage en fait des «mantes religieuses», des «sangsues», des «poisons» qu'il faudrait transformer le mariage et, par conséquent, la condition féminine en général. La femme pèse si lourdement sur l'homme parce qu'on lui interdit de se reposer sur soi: il se délivrera en la délivrant, c'est-à-dire en lui donnant quelque chose à faire en ce monde.

Le Deuxième Sexe, Paris, Éditions Gallimard, 1949.

des femmes commence par le ventre. Les progrès importants des techniques de contraception, notamment avec l'apparition de la **pilule contraceptive** à la fin des années cinquante, procurent aux femmes une meilleure emprise sur cette fécondité qui les gardait enfermées dans le rôle de mère.

Un autre phénomène intéressant de cette période est l'apparition d'une foule de **mouvements** regroupant des femmes nées durant et après la crise et qui, habituées à entendre parler des droits de la personne et des droits des peuples, réclament une plus grande reconnaissance. Des mouvements comme le **NOW** (National Organization for Women), fondé en 1966 par l'Américaine **Betty Friedan**, deviennent des groupes de pression extraordinaires et atteignent un auditoire international. Ces groupes sont animés par un désir de proposer des **solutions de remplacement** aux modèles féminins traditionnels (femme au foyer, femme fatale, prostituée). Ils font pression sur les pouvoirs politiques afin de promouvoir le **droit à l'emploi**, à l'**égalité salariale**, à la **contraception**, à l'information...

**MANIFESTE DU MOUVEMENT
DE LIBÉRATION DES FEMMES
(MLF) 1974**

*Nous voulons vivre notre rêve,
pas le leur;
Nous voulons exister, nous voulons
réinventer la vie;
Nous ne revendiquons pas leur droit
mais le nôtre;
Nous voulons cesser d'avoir le choix
qu'entre bavarder et nous taire;
Nous voulons que nos filles
s'aiment, soient fortes
et non plus soumises;
Nous voulons sortir de nos
maisons-prisons;
Nous voulons vivre ensemble, dans
l'amour et la fête recréés;
Nous voulons tout et le reste, tout de
suite et sans limitation.*

De plus en plus **scolarisées** et **actives**, les femmes remettent donc en question toutes les vieilles idéologies donnant la primauté à l'homme. Elles recherchent par exemple des solutions de remplacement au mariage (famille monoparentale, union libre), luttent contre la culture dite sexiste, s'engagent activement dans le monde politique et syndical et dénoncent vigoureusement toutes les manifestations de violence sexuelle (viol, femmes battues).

La plus grande réussite de ces mouvements réside dans ce que les femmes se perçoivent maintenant comme des **êtres humains** à part entière après des siècles de réclusion dans les rôles traditionnels. On essaie de faire disparaître la notion de féminité, jugée trop limitative, et de proposer le rôle de femme au foyer ou de mère de famille comme des choix parmi d'autres.

PERSPECTIVES MONDIALES

Un aspect fascinant des luttes féministes vient du fait que les idées avancées traversent les frontières et créent des liens indéfectibles. Cette **solidarité** internationale a permis, dans plusieurs pays, de se rapprocher de l'idéal de l'égalité des sexes. Cependant, malgré les progrès, des **inégalités** demeurent au travail et en éducation notamment. De plus, bien que davantage présentes, les femmes sont encore **sous-représentées** dans le monde politique. En somme, le monde occidental a encore du mal à accepter les transformations importantes provoquées par une moitié de la population que l'on avait toujours laissée pour compte.

Le mouvement féministe, à l'approche du XXIe siècle, aura peut-être à **modifier** son discours, à **adapter** ses luttes. Le droit à l'avortement, par exemple, est venu remplacer le combat pour le droit à la contraception. L'autre grand défi pour les mouvements de femmes de l'Occident est d'adapter leur discours pour rejoindre les pays du **tiers-monde**, particulièrement ceux où le fondamentalisme religieux est très fort. Dans ces régions, le système patriarcal est encore souvent bien en place et perçoit mal les idées féministes.

Vers une nouvelle société?

SI LE NIVEAU DE VIE AUGMENTE CON-SIDÉRABLEMENT EN OCCIDENT, L'IDÉE DE LA SOCIÉTÉ DE CONSOMMATION NE VA PAS SANS ÊTRE CONTESTÉE, SURTOUT PAR UNE JEUNESSE PLUS PRÉSENTE QUE JAMAIS. À PARTIR DES ÉTATS-UNIS, DES MOUVEMENTS DE CONTES-TATION S'ÉTENDENT, DANS LES ANNÉES SOIXANTE, À TOUTES LES SOCIÉTÉS INDUSTRIELLES. SI LE MOUVEMENT S'ESTOMPE PAR LA SUITE, IL A QUAND MÊME AMENÉ UNE PRISE DE CONS-CIENCE DE CERTAINS ASPECTS CACHÉS D'UNE CROISSANCE ÉCONOMIQUE DONT ON NE VOYAIT QUE LES ASPECTS POSITIFS.

CONTESTATIONS ET CONTRE-CULTURE

C'est aux États-Unis que la conjoncture est la plus favo-rable au développement d'une **idéologie de contestation**. Le baby-boom a rajeuni la population à un tel point qu'en 1960 la **moitié de la population n'a pas encore 25 ans**. La psychologie populaire, intéressée par le phénomène de la jeunesse, encourage une éducation basée sur une **per-missivité** plus large. La publicité, attirée par cette masse de consommateurs potentiels, contribue à lui donner un **pouvoir** qu'elle n'avait jamais eu auparavant. Soulignons aussi que ces jeunes demeurent plus longtemps à l'école et que le développement spectaculaire des médias, parti-culièrement la télévision, leur ouvre les portes du monde. Finalement, la conjoncture économique favorise la con-testation : n'ayant pas de responsabilités familiales ni de soucis pour l'avenir, car on est encore en période de plein

[...] alors ils s'en allaient, dansant dans les rues comme des clochedingues, et je traînais derrière eux comme je l'ai fait toute ma vie derrière les gens qui m'intéressent, parce que les seules gens qui existent pour moi sont les déments, ceux qui ont la démence de vivre, la démence de discourir, la démence de discourir, la démence d'être sauvés, qui veulent jouir de tout dans un seul instant, ceux qui ne savent pas bâiller ni sortir un lieu commun mais qui brûlent, qui brûlent [...].

[...] Un gars de l'Ouest, de la race solaire, tel était Dean. Ma tante avait beau me mettre en garde contre les histoires que j'aurais avec lui, j'allais entendre l'appel d'une vie neuve, voir un horizon neuf, me fier à tout ça en pleine jeunesse. Et si je devais avoir quelques ennuis [...], qu'est-ce que cela pouvait me foutre ?

Quelque part sur le chemin, je savais qu'il y aurait des filles, des visions, tout, quoi; quelque part sur le chemin on me tendrait la perle rare.

JACK KÉROUAC
Sur la route,
Paris, Gallimard, 1960.

emploi, les jeunes disposent de tout le temps nécessaire pour **remettre en question** le monde qui les entoure. Cette jeunesse est, en quelque sorte, la grande **bénéficiaire** du système qu'elle rejette.

Les premiers signes de contestation apparaissent durant les années 1950 autour de ceux qu'on a appelé les **beatniks**. S'inspirant de poètes tels que **Allen Ginsberg** et **William Burroughs** ou du romancier d'origine canadienne-française **Jack Kérouac** (dont le roman *On the Road*, publié en 1957, inspirera toute une génération), les beats embrassent tout ce que leurs parents désapprouvent. Ce rejet de l'*American Way of Life* se manifeste surtout à travers une nouvelle forme musicale, largement inspirée par la musique noire, le **rock and roll**. Entre 1956 et 1958, **Elvis Presley**, par ses interprétations suggestives, devient une idole pour les uns et la personnification de tous les maux de la jeunesse pour les autres.

À partir du courant beatnik, se développe en Californie, vers 1963, le mouvement **hippie**, qui poussera plus loin le **rejet de la société de consommation**. S'organisant en communautés et vivant à l'extérieur des grands centres urbains, les hippies, par leur style de vie basé sur la **liberté sexuelle**, l'**usage de drogues** et le **retour à la nature**, dénoncent les puissances d'argent, l'establishment, la famille et la guerre. Encore ici, c'est par la musique que s'expriment largement les frustrations de ce groupe voué à la paix et à la non-violence. Les **Beatles**, **Joan Bæz**, **Janis Joplin**, **Bob Dylan** et **Jimi Hendrix**, entre autres, se posent comme les **porte-parole** de toute cette période.

Alors que le mouvement hippie prend de l'importance, les campus universitaires deviennent le lieu de premières grandes manifestations. À l'université **Berkeley**, près de San Francisco, les étudiants dénoncent le conformisme et l'uniformisation de la société et prônent une **révolution** afin de libérer chaque citoyen de ses contraintes socio-économiques. À mesure que l'on avance dans les années soixante, les grands rassemblements prennent une tournure nettement politique avec la multiplication des manifestations pour stopper l'engagement américain au Viêtnam. « **Faites l'amour et non la guerre** » devient un refrain repris par une large couche de la jeunesse américaine.

Contestations et contre-culture produisent des **événements spectaculaires**. Aux États-Unis, les mouvements hippie et étudiant se fondent en un seul festival de **Woodstock** en 1969. Pendant trois jours, 400 000 jeunes se réunissent pour écouter les plus grands noms de la musique rock mais aussi pour chanter la **paix et l'amour**. Cependant, les manifestations étudiantes ne sont pas le seul fait des Américains ; en France, par exemple, au mois de **mai 1968**, la population étudiante, très politisée et tentée par l'aventure marxiste, effectue un rapprochement sérieux avec le monde syndical pour ébranler une classe politique hâtivement qualifiée de fasciste et pour remettre en cause les structures même de la société de consommation.

Avec l'arrivée des années soixante-dix, le ralentissement de la croissance économique mène inévitablement à l'**essoufflement** des mouvements de contestation. La génération du baby-boom délaisse les grandes manifestations pour se concentrer sur un avenir des plus incertains.

RIPOSTE DE MANIFESTANTS AUX CHARGES POLICIÈRES LORS DES ÉVÉNEMENTS DE MAI 1968

CONTESTATION DU RÉGIME PAR LES ÉTUDIANTS FRANÇAIS

Les journaux parlent des enragés, d'une jeunesse dorée qui tromperait son oisiveté en se livrant à la violence, au vandalisme.

Non ! Nous nous battons [...] parce que nous refusons de devenir : des professeurs au service de la sélection dans l'enseignement dont les enfants de la classe ouvrière font les frais ; des sociologues fabricants de slogans pour les campagnes électorales gouvernementales ; des psychologues chargés de faire fonctionner les équipes de travailleurs selon les intérêts des patrons ; des scientifiques dont le travail de recherche sera utilisé selon les intérêts exclusifs de l'économie de profit.

Nous refusons cet avenir de «chien de garde». Nous refusons les cours qui apprennent à le devenir. Nous refusons les examens et les titres qui récompensent ceux qui ont accepté d'entrer dans le système. Nous refusons d'être recrutés par ces mafias. Nous refusons d'améliorer l'université bourgeoise. Nous voulons la transformer radicalement afin que, désormais, elle forme des intellectuels qui luttent aux côtés des travailleurs et non contre eux.

Tract du mouvement du 22 mars 1968.

CONTESTATION DU RÉGIME

PAR LES ÉTUDIANTS FRANÇAIS

Le drapeau rouge de la classe ouvrière flotte sur les facultés et sur les usines. Des millions de travailleurs occupent les entreprises. Les masses laborieuses, qu'on disait «apathiques», se sont mises en mouvement.

Le 13 mai 1968, elles ont pris conscience de la force immense qu'elles représentent, en même temps qu'elles mesuraient la faiblesse réelle du Pouvoir.

Seule l'action directe et résolue des masses est capable de faire plier l'État gaulliste. Telle est la leçon que des millions de travailleurs ont tirée du combat victorieux des étudiants. Aujourd'hui le centre de gravité de la lutte s'est déplacé des facultés vers les usines. La contestation de l'Université bourgeoise s'est transmuée en contestation de la société capitaliste.

Tract des Jeunesses communistes révolutionnaires, 21 mai 1968.

DE NOUVELLES PRÉOCCUPATIONS : L'ÉCOLOGIE ET LA SANTÉ

Dans la foulée du mouvement hippie qui propose de vivre en harmonie avec la nature, une **réflexion écologique** s'impose en Occident au début des années soixante-dix. Production accélérée et consommation accrue ont semblé, pendant longtemps, être le paradis pour le monde occidental. La prise de conscience des effets du développement d'une société de consommation ne s'est pas faite immédiatement. La **détérioration de l'environnement**, déjà bien amorcée depuis la première révolution industrielle, s'accélère à un rythme affolant. Aux anciennes causes de **contamination** (elles-mêmes décuplées) se sont ajoutées des sources nouvelles : chimie organique de synthèse, énergie nucléaire.

Les éléments essentiels de la vie sont menacés. En ville, l'oxygène disparaît au profit des **émanations des voitures**, le **bruit est une source de malaises**, l'**eau manque et est polluée**. À la campagne, la végétation et la faune sont **victimes des produits chimiques**. Les **rejets toxiques** s'accumulent. Les grandes entreprises rejettent les **boues et les eaux usées** dans la mer ou les rivières, causant des torts irréparables à la faune aquatique. L'**enfouissement massif** des déchets, souvent **non-biodégradables**, prend des proportions plus qu'inquiétantes.

Signe des temps, l'ONU se penche sur la question en 1972, mais les résultats sont lents. Les actions d'éclat sont accomplies surtout par des associations écologistes qui visent à frapper l'imagination populaire. Si un groupe comme **Green Peace** s'attaque à ceux qu'il considère comme de grand pollueurs, d'autres se lancent dans l'arène politique, comme en fait foi la naissance de nombreux **partis verts** partout en Occident. Les appels répétés des écologistes trouvent un écho parmi les intellectuels, dont certains fondent, en 1972, le **Club de Rome**, dont le cri de ralliement est : **Halte à la croissance** ! Cependant, les États, résolus à créer de l'emploi, sont lents à réagir parce que les politiques de protection de l'environnement sont coûteuses et vont à l'encontre des intérêts des grandes entreprises, davantage soucieuses de profit.

MAÎTRISER LES PROBLÈMES GLOBAUX DE L'HUMANITÉ

Si l'on veut à tout prix nous classifier, je dirai que nous tentons d'être un centre de réflexion pour l'humanité, c'est-à-dire que nous l'incitons à réfléchir sur ce qu'elle est et sur ce qu'elle veut devenir. Car la planète est tout à fait différente de celle que les hommes ont connue jusqu'ici. Tout se passe comme si quatre milliards de super-hommes et de super-femmes venaient de débarquer sur une terre appauvrie. Ils ont un pouvoir immense, des connaissances encyclopédiques (on publie chaque année dans le monde six cent mille livres, et quelques millions d'articles scientifiques) mais sont dans l'incapacité de mettre ces acquis à profit. Ils peuvent changer le climat, détruire les espèces, mais ils ne savent pas comment conserver la nature.

Il est nécessaire de prendre conscience que nous sommes des super-hommes enfantins, des géants au cerveau, non développé mais développable. Voilà la fonction du Club de Rome. Il a commencé par dire : «Attention, on ne peut pas croître physiquement et indéfiniment dans un environnement fini. Donc essayons d'organiser une croissance équilibrée.» C'était une opération de commando intellectuel destinée à ouvrir une brèche par laquelle d'autres idées pouvaient s'engouffrer [...].

[...] Ce que dit le Club de Rome est clair : si les tendances du monde restent ce qu'elles sont, nous allons sûrement au-devant de désastres écologiques, militaires, sociaux, psychologiques, économiques. Quel est le premier élément qui déclenchera les autres ? Nous ne le savons pas, mais nous sommes certains que l'humanité va vers un déclin progressif, vers des situations plus difficiles, des problèmes plus complexes, et cela sans qu'elle ait appris à les maîtriser. C'est seulement en connaissant mieux les problèmes globaux de l'humanité que nous pourrons les maîtriser [...].

Interview d'Aurelio PECCEI, président du Club de Rome, *Le Monde*, 2 juin 1979.

Le naufrage du pétrolier Exxon Valdez au large des côtes de l'Alaska en 1989 provoque une des plus importantes marées noires de l'histoire.

Plus récemment, devant l'urgence du problème environnemental, la concertation progresse plus rapidement. Le **protocole de Montréal** (1987) sur la protection de la couche d'ozone est un exemple de **collaboration** internationale. De plus, le long **travail d'éducation** des masses semble porter fruit. La conscience populaire, souvent galvanisée par des désastres écologiques, comme les marées noires trop fréquentes (Exxon Valdez 1989), se lance dans la **récupération** et souhaite des changements dans les méthodes de production.

L'autre débouché de la réflexion écologique est une prise de conscience de la nécessité de **vivre en bonne santé**. De plus en plus, les populations occidentales intègrent le plein air à leurs activités. Il est maintenant courant de voir des gens organiser leurs loisirs et même leurs vacances annuelles en vue d'une meilleure **communion avec la nature**. Au-delà des réflexions écologiques, il faut également souligner le fait que la hausse du niveau de vie permet à un plus grand nombre de personnes de s'adonner à des activités réservées autrefois aux mieux nantis.

À la liste des causes pouvant expliquer la nouvelle attention apportée aux activités physiques, il faut ajouter les **considérations politiques**. Maintenant responsables des réseaux de santé et plus soucieux de rendements, les États encouragent la population à maintenir ou à développer sa forme physique. Au moyen de ministères de la Jeunesse et des Sports, les gouvernements occidentaux ont tendance à privilégier la **participation massive** aux activités sportives au détriment du sport d'élite.

Évidemment, dans une société de consommation, toute activité populaire devient, pour certains, une occasion de s'enrichir. Ainsi, toute une industrie s'est développée autour des loisirs. De grandes entreprises d'articles de sports se sont constituées et se livrent quotidiennement une lutte sans merci, à grands coups d'argent, pour s'attribuer une part de ce marché lucratif. Tout ce développement est cependant paradoxal puisque la considération économique a maintenant préséance sur l'impératif de la bonne santé. De plus, la multiplication des équipements et des infrastructures destinés à la pratique des sports finissent par éloigner les citadins du **cadre naturel** avec lequel ils voulaient initialement communier.

Parallèlement au développement des activités de masse, le sport d'élite — peut-être l'appellation de **sport-spectacle** est-elle plus juste ? — connaît une croissance spectaculaire. Popularisé par la radio au début du siècle, le sport-spectacle connaît un nouveau boom grâce à l'avènement de la télévision, qui permet la retransmission instantanée des images des grandes rencontres (Jeux olympiques, Mundial de football, Super Bowl) à l'échelle planétaire. En montrant les athlètes en action, la télévision favorise également un **rapprochement** entre eux et le consommateurs. Ce dernier, souvent à la recherche de héros, s'identifie à l'athlète de grand calibre, qui devient une **soupape** à ses **frustrastions** provoquées par les problèmes sociaux. Les nombreux exemples de violences entourant les grandes manifestations sportives au cours des dernières années peuvent témoigner à la fois du degré élevé d'**identification** du consommateur à l'athlète et du **malaise** présent dans les grandes sociétés industrielles.

IDENTIFICATION D'UN PEUPLE À UN HÉROS SPORTIF

Pour ce petit peuple, au Canada français, Maurice Richard est une sorte de revanche (on les prend où l'on peut). Il est vraiment le premier dans son ordre, il allait encore le prouver cette année. Un peu de l'adoration étonnée et farouche qui entourait [Wilfrid] Laurier se concentre sur lui; mais avec plus de familiarité, dans un sport plus simple et plus spectaculaire que la politique. C'est comme des petites gens qui n'en reviennent pas du fils qu'ils ont mis au monde et de la carrière qu'il poursuit et du bruit qu'il fait [...].

ANDRÉ LAURENDEAU

Dans *Le Devoir* au lendemain des émeutes qui ont suivi la suspension de Maurice Richard au mois de mars 1955.
Nos Racines, l'histoire vivante des Québécois,
Gauche et autonomie.

LE RETOUR DU RELIGIEUX

Fortement remise en question, en même temps que la majorité des valeurs traditionnelles, la religion semble, depuis le début des années quatre-vingt, effectuer un retour. Déçu par les rêves inassouvis des années soixante, inquiet face au problème environnemental, désabusé devant une conjoncture économique très incertaine et apeuré par le danger nucléaire, l'Occident semble rechercher dans la **spiritualité** un **réconfort** qu'il ne trouve plus ailleurs.

Ce retour vers les croyances favorise d'abord les **Églises chrétiennes**, dominantes en Occident. Il ne s'agit plus, cependant, des mêmes institutions que durant la première moitié du siècle. Devant le rejet de ses cadres dans les décennies suivant la Deuxième Guerre mondiale et surtout devant la montée de la foi musulmane, le monde chrétien a réagi et **s'est ouvert au monde**. Chez les catholiques, par exemple, le **concile**▪ **Vatican II** (1962-1965) propose un rapprochement de la religion avec la population : on encourage, entre autres, une plus grande participation des **laïcs** dans les affaires religieuses et la formation de prêtres capables de comprendre les phénomènes associés à la modernité. Le concile lance

▪ **Concile**
Assemblée des évêques de l'Église catholique, convoquée pour statuer sur des questions de dogmes, de morale ou de discipline.

VATICAN II ET LA LIBERTÉ RELIGIEUSE

Objet et fondement de la liberté religieuse. En vertu de leur dignité, tous les hommes, parce qu'ils sont des personnes, c'est-à-dire doués de raison et de volonté libre, et par suite, pourvus d'une responsabilité personnelle, sont pressés par leur nature même et tenus par obligation morale à chercher la vérité, celle tout d'abord qui concerne la religion. Ils sont tenus aussi à adhérer à la vérité dès qu'ils la connaissent et à régler toute leur vie selon les exigences de cette vérité. Or, à cette obligation les hommes ne peuvent satisfaire, d'une manière conforme à leur propre nature, que s'ils jouissent, outre la liberté psychologique, de l'immunité à l'égard de toute contrainte extérieure [...]. C'est pourquoi le droit à cette immunité persiste en ceux-là même qui ne satisfont pas à l'obligation de chercher la vérité et d'y adhérer: son exercice ne peut être entravé dès lors que demeure sauf un ordre public juste.

Déclaration sur la liberté religieuse, 7 décembre 1965.

également l'idée d'un rapprochement des grandes religions chrétiennes, l'**œcuménisme**▪. Chez les protestants, un phénomène d'ouverture similaire s'est produit, les Anglicans acceptant même l'ordination des femmes (1992).

Tous ces changements n'ont cependant pas l'heur de plaire à tous. Il existe toujours, surtout dans les pays riches, une couche de croyants très attachés aux **valeurs séculaires** et qui s'opposent au bouleversement des valeurs. Les crises successives des années quatre-vingt et l'éloignement des Églises traditionnelles de leurs origines favorisent l'émergence de **mouvements fondamentalistes** très orientés à droite. Ces mouvements prennent toutes sortes de formes : charismatiques chez les catholiques, pentecôtistes chez les protestants.

■ Oecuménisme
Mouvement favorable au rapprochement de toutes les églises chrétiennes.

LES CATHOLIQUES ET L'ŒCUMÉNISME

Dans l'action œcuménique, les fidèles de l'Église catholique [...] se montreront pleins de sollicitude pour les frères séparés; ils prieront pour eux, parleront avec eux des choses de l'Église, feront vers eux les premiers pas. Ils considéreront surtout avec loyauté et attention tout ce qui, dans la famille catholique elle-même, a besoin d'être rénové et d'être réalisé [...].

Il faut en tout cultiver la charité. Il est nécessaire que les catholiques reconnaissent avec joie et apprécient les valeurs réellement chrétiennes qui ont leur source au commun patrimoine et qui se trouvent chez nos frères séparés [...].

Pour cela une étude est nécessaire, et il faut la mener avec loyauté et bienveillance. Des catholiques dûment préparés doivent acquérir une meilleure connaissance de la doctrine et de l'histoire, de la vie spirituelle et culturelle, de la psychologie religieuse et de la culture propres à leurs frères [...].

Tous les hommes sans exception sont appelés à cette œuvre commune [...]. Cette collaboration [...] doit sans cesse être accentuée [...] soit en faisant estimer à sa valeur la personne humaine, soit en travaillant à promouvoir la paix, soit en poursuivant l'application sociale de l'Évangile [...].

Par cette collaboration, tous ceux qui croient au Christ peuvent facilement apprendre comment on peut mieux se connaître les uns les autres, s'estimer davantage et préparer la voie à l'unité des chrétiens.

CARDINAL L. JAEGER
Le décret de Vatican II sur l'œcuménisme, Paris, Casteman, 1965.

ÉTATS-UNIS : LA VAGUE « FONDAMENTALISTE »

L'organisation elle-même procède, comme son nom l'indique, d'une idée simple: il existerait aux États-Unis une majorité de citoyens favorables à un mode de vie traditionnel fondé sur la croyance en Dieu, le respect de l'autorité, l'indissolubilité du mariage et la décence dans le mœurs. La voix de cette majorité aurait été étouffée par les politiciens libéraux qui ont supprimé les prières dans les écoles publiques, légalisé l'avortement, autorisé le déferlement de la pornographie, cherché à codifier les droits des homosexuels et d'une façon générale ont sapé les bases mêmes de la société américaine.

La majorité morale est réactionnaire au sens étymologique de cet adjectif puisqu'elle entend faire revenir la société en arrière, en abolissant les lois qui ont pris acte de l'évolution des mœurs depuis un quart de siècle [...].
[....] Cet activisme évangélico-politique est surtout visible dans le monde rural et dans les petites villes du Sud et de l'Ouest. Dans le Sud, il tire sa substance du courant «fondamentaliste», qui transcende les différences entre les diverses Églises protestantes (encore qu'il soit surtout présent chez les baptistes et, à un moindre degré, chez les méthodistes) au nom d'une interprétation littérale de la Bible.
Les «fondamentalistes», qui accordent un crédit absolu au récit de la Genèse et aux chronologies bibliques, refusent les thèses évolutionnistes de Darwin et s'indignent de les voir figurer, comme des vérités scientifiques, dans les manuels scolaires des écoles publiques, alors qu'il ne s'agit à leurs yeux que d'hypothèses non prouvées. Ils ont obtenu que, dans plusieurs manuels, l'affirmation que l'homme descend du singe soit présentée au conditionnel, de même que l'âge supposé de la Terre: quelques milliards d'années selon les géologues. Quelques milliers selon la Bible [...].

DOMINIQUE D'HOMBRES
« L'Amérique de M. Reagan. La nouvelle droite chrétienne », *Le Monde*, 22 janvier 1981.

Ceux qui ne trouvent pas le réconfort au sein des Églises traditionnelles se tournent vers des religions nouvelles en Occident. L'islam, par exemple, effectue une percée importante chez les Noirs américains et également en Europe, résultat de la forte immigration nord-africaine. La spiritualité orientale, dont les hippies étaient particulièrement friands, donne naissance à plusieurs sectes : Krishnas, moonistes et quelques yogis rassemblent plusieurs adeptes. Même la télévision joue un rôle majeur dans ce retour du religieux. Phénomène typiquement américain, des **télévangélistes** conduisent des prières télévisées et font appel à la générosité des auditeurs pour la bonne marche des œuvres. Devenus parfois de véritables empires financiers, **ces groupements viennent combler un vide spirituel** toujours présent durant les périodes de grandes mutations.

Conclusion

La seconde moitié du XXe siècle est marquée par un **renversement des structures sociales** et des valeurs culturelles auxquelles l'Occident était habitué. La fin des hostilités en 1945 se traduit par une reprise économique et une **poussée des naissances** qui, elles, bouleversent les structures sociales : **exode rural, urbanisation, réaménagement des classes sociales**. La hausse du niveau de vie s'accompagne d'une **consommation de masse** tellement effrénée qu'elle menace sérieusement l'**environnement**. Ce type de consommation et la culture qui en découle sont bientôt **contestés par une jeunesse** plus scolarisée et mieux informée grâce aux progrès dans le domaine des communications. Mais le revirement le plus important est peut-être le **changement profond d'attitude à l'égard du rôle des femmes dans la société**. Pendant longtemps confinées à des rôles domestiques, les femmes sont de plus en plus perçues et acceptées comme des personnes capables de jouer un rôle social plus large.

Questions de révision

1. Quels sont les grands facteurs qui peuvent expliquer le phénomène du baby-boom ?

2. Nommez et expliquez les causes et les conséquences de l'exode rural.

3. Quels liens peut-on établir entre la généralisation du salariat et l'avènement d'une nouvelle classe ouvrière ?

4. Quelles ont été les répercussions de la Première Guerre mondiale sur le mouvement féministe ?

5. Quelles ont été les répercussions de la Deuxième Guerre mondiale sur le mouvement féministe ?

6. Décrivez brièvement les grands combats menés par les mouvements de femmes dans les années soixante.

7. Décrivez les conditions qui permettent une plus grande consommation après 1945.

8. Faites ressortir les grandes étapes du mouvement de contestation des jeunes.

9. Pourquoi peut-on parler de désastre écologique après 1945 ? Quelles sont les solutions ?

10. Quel est le média d'information qui connaît le plus grand développement après 1945 ? En quoi est-il si important ?

14

LE MOUVEMENT DE LA SCIENCE, DE LA PENSÉE ET DE L'ART DEPUIS 1945

PATRICE RÉGIMBALD

L' ÉTUDE PARALLÈLE DU MOUVEMENT DE LA SCIENCE ET DE L'ART DEPUIS 1945 POSE LE PROBLÈME DE LA RÉUNION DE DEUX SPHÈRES D'ACTIVITÉ TRÈS DISSEMBLABLES, DE DEUX FAÇONS DE CONCEVOIR, SURTOUT, L'EXISTENCE DES HOMMES ET DES SOCIÉTÉS ✧ LA PREMIÈRE RELÈVE DE LA CONNAISSANCE ET DE L'USAGE DE LA RAISON DANS L'ÉTUDE DE LA RÉALITÉ ET LA SECONDE TOUCHE À LA CRÉATIVITÉ ET À LA REPRÉSENTATION SENSIBLE ✧ ET POURTANT, L'ÉVOLUTION DE CES ACTIVITÉS DEPUIS UN DEMI-SIÈCLE PRÉSENTE DES CARACTÈRES COMMUNS : POURSUITE DES EXPÉRIENCES AMORCÉES AVANT LA GUERRE, EXPANSION GÉNÉRALE EXTRAORDINAIRE, MULTIPLICATION DE LEURS CHAMPS D'APPLICATION, IRRUPTION DE LA PRÉPONDÉRANCE AMÉRICAINE, PRÉSENCE ACCRUE DANS LA VIE QUOTIDIENNE DES SOCIÉTÉS ✧ ENFIN, L'ART ET LA SCIENCE CONSTITUENT DES RÉVÉLATEURS DE LA PENSÉE, DE L'ÉTAT DES VALEURS, DES INQUIÉTUDES ET DES ESPOIRS DES SOCIÉTÉS DANS LESQUELLES S'INSCRIT LEUR DÉVELOPPEMENT, ET C'EST ÉGALEMENT DE CELA QU'IL S'AGIT DE RENDRE COMPTE ✧

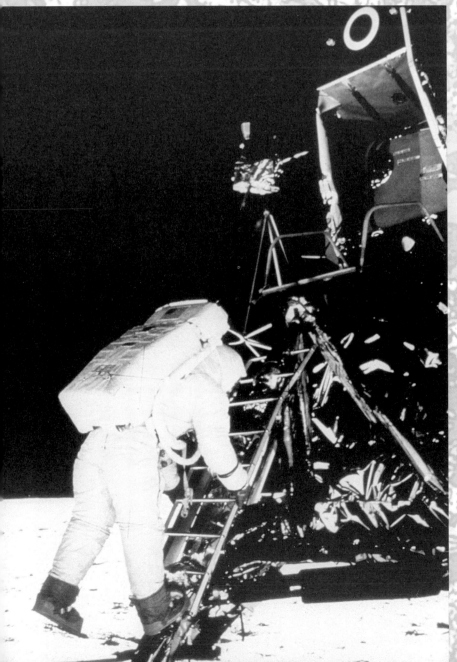

ALUNISSAGE

a nouveauté révolutionnaire de cette seconde moitié du XXᵉ siècle, c'est, à partir de ces fécondes ruptures, l'extraordinaire accélération des progrès de la connaissance et du mouvement de la création dans tous les domaines, l'irruption massive de leurs effets dans la vie sociale et individuelle. Des possibilités inouïes s'ouvrent au genre humain.

Cependant, depuis les années soixante, ces puissantes avancées scientifiques et culturelles s'opèrent au sein d'une crise de plus en plus globale — quoique très différenciée selon les régimes sociaux — qui les marque en profondeur et qu'elles marquent fortement en retour: émiettement du savoir, ambiguïtés de la culture, interrogations anxieuses sur la portée de la raison et des valeurs, le sens de la vie et de l'histoire. L'an 2000 éblouit, mais il fait peur.

SERGE WOLIKOW (DIR.)
Histoire du temps présent 1959/1982,
Paris, Messidor et
Éditions Sociales, 1982.

CHRONOLOGIE

1945	Premières bombes atomiques américaines
1946	Publication de *L'existentialisme est un humanisme*, de Jean-Paul Sartre
1948	Invention du transistor Publication de *Refus global*
1952	Mise au point de la bombe à hydrogène
1953	Découverte de la structure de l'ADN
1957	Lancement du premier satellite artificiel, *Spoutnik 1*
1958	Publication de l'*Anthropologie structurale*, de Claude Lévi-Strauss
1961	Youri Gagarine, premier homme dans l'espace
1969	Neil Armstrong, premier homme sur la Lune
1972	Premier microprocesseur
1978	Premier bébé-éprouvette
1981	Lancement de la navette spatiale américaine *Columbia*
1986	Accident à la centrale nucléaire de Tchernobyl
1988	Incendie d'un entrepôt de BPC à Saint-Basile-le-Grand
1992	Sommet de la planète Terre, à Rio de Janeiro

La révolution scientifique

DEPUIS 1945, LES DÉCOUVERTES ET LES CONNAISSANCES SCIENTIFIQUES CONNAISSENT UNE CROISSANCE VERTIGINEUSE PENDANT QUE LES BOULEVERSEMENTS TECHNOLOGIQUES S'ACCÉLÈRENT: PAR DES RECHERCHES ET DES EXPÉRIMENTATIONS SUR L'ATOME ET LE CODE GÉNÉTIQUE, L'HOMME DE CETTE FIN DE MILLÉNAIRE COMMENCE À COMPRENDRE ET À MAÎTRISER LES MÉCANISMES QUI RÉGISSENT LA MATIÈRE ET LA REPRODUCTION DE LA VIE.

Ces mutations profondes ont toutefois des répercussions sur l'ensemble de la société. Le saccage de l'environnement, le risque de cataclysme nucléaire, les manipulations génétiques suscitent inquiétudes et désarrois, soulèvent des crises de conscience et des remises en question de la science et de ses effets.

LES CONDITIONS NOUVELLES DE LA RECHERCHE : EXPLOSION ET REDÉFINITION

Les sciences humaines et les sciences de la nature connaissent, au lendemain de la Deuxième Guerre mondiale, une **croissance phénoménale**. Cela se traduit d'abord par une **explosion du nombre de chercheurs** : alors que l'on en dénombrait une quinzaine de milliers aux États-Unis durant les années vingt, leur nombre passe de 400 000 durant les années cinquante à près d'un million en 1990, et ce dans le seul secteur des sciences de la nature. Le nombre de revues scientifiques et d'articles publiés suit la même tangente : durant la décennie des années 1980, le nombre d'articles publiés annuellement dans le seul secteur biomédical passe de 260 000 à 400 000.

Le financement et l'exécution de la recherche-développement
en % (moyenne OCDE, 1985)

Secteurs	Origine des fonds	Secteur d'exécution
Entreprises	52	68
État	43	14
Université	0	15
Étranger	1	0
ISBL*	0	3
Autres	4	0

* Instituts sans but lucratif.

> ### UNE MESURE DE LA CROISSANCE DU NOMBRE DES PUBLICATIONS SCIENTIFIQUES
>
> *Depuis les débuts de la science, environ 10 millions de papiers scientifiques ont été publiés, et nous leur ajoutons, compte tenu d'un doublage tous les 10 ans, équivalent à un accroissement de 6 % par an, environ 600 000 nouveaux textes par an. Ceux-ci paraissent dans quelque 30 000 périodiques, qui contiennent chacun par conséquent une moyenne de 20 articles par an. Or, 10 millions de papiers supposent à peu près 3 millions d'auteurs, la plupart d'entre eux actuellement vivants, compte tenu de la croissance exponentielle. On a donc approximativement une revue pour 100 auteurs.*
>
> **DEREK J. DE SOLLA PRICE**
> Science et suprascience, Paris, Fayard, 1972.

Cette expansion se vérifie également au niveau de **l'organisation de la recherche**. Financée pour une moitié par le secteur privé et pour l'autre par le secteur public, l'activité scientifique se déroule désormais dans **quatre grands secteurs d'exécution** : l'État, les entreprises, les universités et les instituts sans but lucratif.

Soulevées par cette explosion, **certaines disciplines** se sont complètement **transformées** ou ont dû se **redéfinir** ; d'autres qui n'existaient pas sont apparues. Les **échanges** et les **interactions** entre les disciplines deviennent la **règle commune**; de nouveaux domaines et chantiers de recherche se constituent à la frontière de ce qui séparait autrefois deux, trois et même quatre disciplines distinctes.

La **condition du chercheur** elle-même a connu une **profonde redéfinition professionnelle et sociale**. Naguère activité individuelle, la recherche scientifique se pratique désormais dans l'anonymat du travail collectif; même les sciences humaines, jadis chasse-gardée de l'artisan-chercheur, isolé et autonome, emboîtent le pas. Le chercheur contemporain travaille désormais en équipe, dans le cadre d'institutions qui lui assurent un salaire, et s'inscrit dans différents réseaux de collègues à l'œuvre dans le même domaine. Sa tâche s'en trouve profondément transformée : à la divulgation du savoir par la publication et à sa valorisation par l'enseignement, la conférence et la participation à des comités scientifiques, s'est ajoutée la recherche de financement, qui mobilise une bonne partie du temps du chercheur.

L'irruption de la prépondérance américaine dans le domaine des sciences et des techniques est un autre phénomène qui se précise au lendemain du second conflit mondial; ce rôle croissant des États-Unis, favorisé par la qualité générale de leurs organismes de recherche et de leur réseau universitaire, se manifeste par l'**anglicisation croissante** des publications scientifiques et par le nombre de **lauréats américains** des prix Nobel scientifiques.

Enfin, le **mouvement d'internationalisation de la science**, amorcé durant les décennies précédentes par l'exode vers les démocraties libérales, pour des raisons politiques et idéologiques, de milliers de savants juifs et non juifs de l'Allemagne et des pays de l'Est, se poursuit sous une nouvelle forme après 1950 : le **drainage des**

Les langues de la science de 1900 à 1980 *(nombre d'articles en %, hors sciences humaines et sociales)*

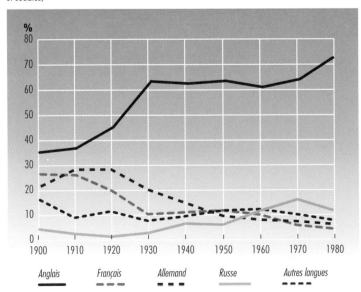

| Anglais | Français | Allemand | Russe | Autres langues |

Les publications scientifiques et les prix Nobel : un signe de la domination américaine ?

Attribution des prix Nobel de chimie, de physique et de physiologie-médecine, par aires géographiques, 1900 - 1993.

	1900-1945		1946-1993	
États-Unis	18	(13 %)	141	(51,6 %)
Europe*	117	(84,7 %)	112	(41 %)
Autres pays	3	(2,2 %)	20	(7,3 %)

* Europe y compris URSS et pays de l'Est.

cerveaux en provenance de pays en voie de développement. Seulement pour l'Inde, on estime cette perte à plusieurs dizaines de milliers, dont 40 000 à 50 000 vers les États-Unis. Ce mouvement d'internationalisation est complété par la constitution d'équipes de chercheurs de différents pays et par la répartition internationale des charges et des tâches dans des domaines de recherche où le financement est particulièrement lourd. Malheureusement, les mécanismes nationaux d'organisation de la recherche favorisent assez peu la coordination internationale. Duplication et chevauchement des chantiers de recherche sont plus souvent la norme que l'exception.

LES SCIENCES DE LA NATURE ET LES TECHNIQUES

En cinquante ans, les façons de vivre et de produire des sociétés industrielles développées ont été complètement modifiées par la science et les techniques. Celles-ci sont devenues l'objet d'enjeux fondamentaux, tant politiques et économiques que culturels et moraux.

Depuis 1945, les sciences de la nature ont repoussé toujours plus loin les frontières de la compréhension de la matière, de l'univers et de la vie ; de nouveaux concepts sont nés ; des rencontres entre disciplines, par exemple dans les neurosciences ou l'astrophysique, ont permis des avancées dans la connaissance du cerveau et des origines

La théorie de la grande unification des forces

Modèle théorique selon lequel, à l'origine de l'Univers actuel (moins de 10^{-35} s. après le Big Bang) la force électromagnétique, l'interaction faible et l'interaction forte constituaient une force unique. Puis, l'Univers s'étant refroidi, la force électrofaible s'est séparée de l'interaction forte et, enfin, la force électrofaible se serait elle-même dissociée en force électromagnétique et interaction faible.

ROGER CARATINI
L'Année de la science 1990,
Paris, Robert Laffont, 1991.

■ **Interaction faible**
Interaction qui se manifeste dans certains processus radioactifs, comme la désintégration spontanée du neutron ; c'est l'une des quatre forces fondamentales de la nature.

■ **Interaction forte**
Interaction fondamentale qui assure la cohésion des particules à l'intérieur des noyaux et la cohésion des quarks à l'intérieur des protons et des neutrons.

de l'univers ; des observations et des interrogations nouvelles ont orienté la recherche vers des objets et des voies jusque-là inexplorés.

Les **physiciens**, dans la foulée des travaux d'Einstein, ont fait progresser la connaissance de la matière en travaillant à l'élaboration d'un modèle standard, relevant à la fois de la mécanique et de la physique des particules, fondé sur **l'unification des quatre forces fondamentales** ; ils y sont parvenus partiellement en 1967 en réunissant la force électromagnétique et l'interaction faible■ en une seule : la force électrofaible ; l'intégration de l'interaction forte■ et de la gravitation au modèle semble toutefois beaucoup plus problématique. De même, dans le domaine de la **biologie**, la découverte en 1953 par deux savants britanniques, Francis Crick et James Watson, de l'**ADN** (acide désoxyribonucléique), la substance porteuse du code génétique pour l'ensemble des êtres vivants, puis celle du gène en 1969, ont donné son envol à la **biologie moléculaire**, science révolutionnaire qui promet de démonter les mécanismes fondamentaux de la création et de l'évolution de la matière vivante.

Ces progrès de la connaissance s'accompagnent d'une **liaison** de plus en plus marquée **entre sciences et**

REPRÉSENTATION GRAPHIQUE D'UNE SÉQUENCE D'ADN

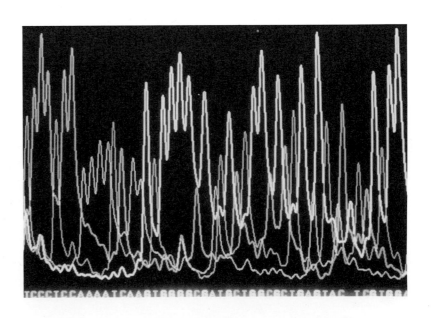

techniques. La distinction que l'on établissait jadis entre la recherche fondamentale et ses applications est devenue obsolète. Une grande convergence des connaissances et du savoir-faire technique s'est instaurée depuis 1945. Bien sûr, la technologie de pointe dérive directement des avancées de la science, mais son perfectionnement fournit par ailleurs des moyens d'investigation toujours plus efficaces. Ainsi, dans le domaine spatial, une science comme l'astronomie a contribué à la réalisation technique de l'exploration du système solaire et a bénéficié en retour d'une moisson d'informations indispensables au progrès du savoir.

Cette **symbiose** entre recherche fondamentale et technologie d'avant-garde est particulièrement évidente dans ce que l'on nomme les « **sciences lourdes** », où de gros équipements sont nécessaires, comme dans la physique des hautes énergies, pour les expériences sur la fusion nucléaire, ou dans la physique des particules où des accélérateurs linéaires et circulaires de plusieurs kilomètres sont mis à contribution pour livrer les secrets de l'atome.

Le **financement de la recherche fondamentale**■ requiert des moyens de plus en plus considérables ; sa rentabilisation, par la mise au point d'applications pratiques, devient une exigence pratiquement systématique de la part des bailleurs de fond, tant privés que publics. Aussi la **recherche-développement**■ est-elle devenue, aujourd'hui plus que jamais, la **voie privilégiée** de l'investissement scientifique et technique.

Le **fait nucléaire**, de par son importance politique et symbolique, peut être considéré comme l'un des domaines fondamentaux du progrès technique de l'après-guerre. L'utilisation des connaissances nées de la physique nucléaire est d'abord orientée vers le **secteur militaire**. Américains et Soviétiques s'engagent alors dans une surenchère technique de l'armement nucléaire qui contribue à augmenter les tensions politiques. Les **applications pacifiques** de l'énergie nucléaire permettront parallèlement de produire de l'électricité en abondance. La crise pétrolière de 1973 accélère cette reconversion

■ **Recherche fondamentale**
Recherche ayant pour fin l'avancement de la connaissance.

■ **Recherche-développement**
Recherche consistant dans l'utilisation des connaissances nées de la recherche fondamentale pour la mise au point de nouveaux produits ou de nouveaux procédés de fabrication.

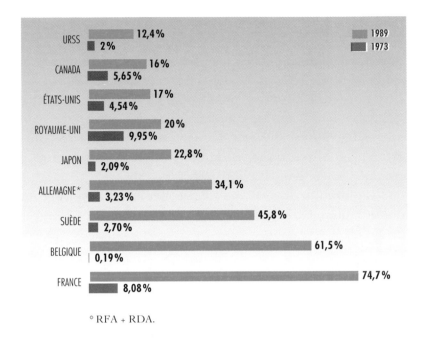

Production d'électricité à partir d'énergie nucléaire
(% du total)

	1989	1973
URSS	12,4%	2%
CANADA	16%	5,65%
ÉTATS-UNIS	17%	4,54%
ROYAUME-UNI	20%	9,95%
JAPON	22,8%	2,09%
ALLEMAGNE*	34,1%	3,23%
SUÈDE	45,8%	2,70%
BELGIQUE	61,5%	0,19%
FRANCE	74,7%	8,08%

* RFA + RDA.

Dates clefs

La conquête spatiale	Électronique et informatique	L'atome
1957 Lancement du premier satellite artificiel *Spoutnik* (URSS)	**1946** Première génération d'ordinateurs à lampes et à programmation externe	**1945** Bombes atomiques sur Nagasaki et Hiroshima
1958 Création de la NASA	**1948** Invention, par des ingénieurs des Laboratoires Bell, du transistor (USA)	**1949** Première bombe A soviétique
1961 Premier vol spatial humain, I. Gagarine (URSS)	**1958** Invention du circuit intégré à un seul transistor (USA)	**1952** Première bombe H ou à hydrogène (USA)
1962 Premier vol spatial américain, J. Glenn ; survol de Vénus par la sonde *Mariner 2* (USA)	**1959** Deuxième génération d'ordinateurs, à transistors, avec intégration d'une mémoire centrale dans l'ordinateur	**1954** Premier sous-marin à propulsion nucléaire, le *Nautilus* (USA)
1965 Première sortie extra-véhiculaire dans l'espace, A. Leonov (URSS)	**1972** Premier microprocesseur par la société Intel, regroupant 2 300 transistors sur une plaquette de silicium carrée de 7 mm de côté (USA)	**1956** Première centrale nucléaire (Grande-Bretagne)
1966 La sonde Luna 9 réussit le premier atterrissage en douceur sur la Lune (URSS)	**1975** Micro-ordinateur Apple 1	**1978** Autorisation de la fabrication de bombes à neutrons par le Congrès américain
1969 Premier débarquement humain sur la Lune, N. Armstrong, E. Aldrin (USA, 21 juillet)	**1981** Ordinateur personnel IBM PC	**1979** Accident à la centrale nucléaire américaine Three Miles Island
1972 *Anik 1*, premier système national de télécommunications par satellites (Canada)	**1984** Micro-ordinateur MacIntosh d'Apple	**1983** Première centrale nucléaire québécoise, Gentilly 2
1981 Premier vol d'une navette spatiale (USA)	**1989** Microprocesseur 1860 de la firme Intel, regroupant 1 million de transistors	**1986** Accident à la centrale nucléaire de Tchernobyl (Ukraine, URSS)
1986 Explosion en vol de la navette spatiale *Challenger* (28 janvier)		
1990 Lancement du télescope spatial géant *Hubble* (USA)		

énergétique du nucléaire, particulièrement en Occident, où la production de pays comme la France, la Belgique, la Suède et l'Allemagne est largement tributaire de cette forme d'énergie.

La **conquête de l'espace**, également marquée par la rivalité américano-soviétique, s'oriente dans **deux directions**. L'une, plus proprement scientifique, est jalonnée par une série de missions d'exploration et de mesures : envoi du premier homme sur la Lune, l'Américain Neil Armstrong (20 juillet 1969), réalisation des stations orbitales *Saliout* et *Mir* soviétiques, lancement de sondes interplanétaires et de satellites astronomiques. L'autre direction consiste à placer en orbite des satellites d'observation, d'abord militaires, puis de météorologie et de télécommunications, domaine dans lequel le Canada s'affirmera, géographie et unité nationale obligent, en mettant en service avec *Anik 1* le premier système national de télécommunications. Comme pour la bombe nucléaire, la conquête de l'espace est devenue l'**enjeu d'une nouvelle course pour la puissance et le prestige**. De nouveaux intervenants, comme la Chine, l'Inde ou le Japon, ont mis au point leurs propres lanceurs spatiaux ; l'Europe, avec la fusée *Ariane*, a même réussi, depuis le milieu des années quatre-vingt, à accaparer la moitié du marché des satellites commerciaux.

L'**électronique** et l'**informatique** constituent sans doute les domaines les plus nouveaux et dynamiques de l'après-guerre. Des ordinateurs géants (30 tonnes) avaient déjà été mis au point aux États-Unis durant les années quarante, notamment pour l'élaboration de la bombe atomique. L'invention du transistor, en 1948, qui est d'un très faible encombrement et qui ne chauffe pas, puis du circuit intégré (1964) et du microprocesseur■ (1972), ces petites plaquettes de silicium qui réunissent des milliers, sinon des millions de transistors, vont permettre la **miniaturisation** des ordinateurs et l'**augmentation** de leurs capacités et de leur rapidité. Les technologies de l'information et leurs applications à la production — robotique, bureautique et télématique — sont considérées depuis 1975 comme les vecteurs essentiels d'une nouvelle révolution industrielle.

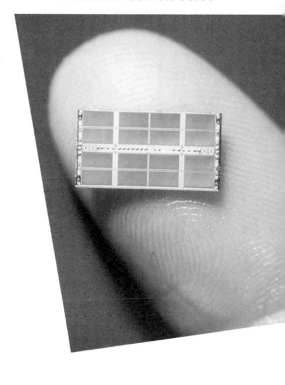

■ **Microprocesseur**
Cerveau central de l'ordinateur. Circuit formé de composants électroniques miniaturisés, intégrés et dotés d'une très forte puissance de travail, permettant de transmettre une information ou une commande à partir de signaux électriques.

Enfin, les innovations ont été nombreuses dans les domaines de la **chimie organique** et des **biotechnologies**, dont les découvertes et les travaux sont souvent liés. On a conçu de nouveaux produits de synthèse grâce aux progrès de la chimie des molécules : carburants, caoutchouc, colorants, détergents, pesticides, colles, matières plastiques et fibres textiles de toutes sortes, analgésiques, barbituriques et antibiotiques (pénicilline, cortisone, insuline).

Les **mutations** les plus profondes de la science depuis 1945 consistent dans les rapports qu'elle entretient avec nous. Jamais celle-ci n'a-t-elle touché nos **vies** et nos **modes de vie** d'aussi près. Notre quotidien et notre environnement de travail sont constamment remodelés par les nombreuses innovations techniques issues de la science : le four à micro-ondes et la cuisine sous-vide, le magnétoscope et le lecteur laser, le télécopieur et l'ordinateur domestique ne sont que quelques-unes de ces nouveautés dont l'emploi a commencé à se généraliser durant les années quatre-vingt. La place de plus en plus grande que la science occupe dans notre système d'éducation, l'effort croissant de sa vulgarisation dans les médias, son exposition dans les musées ne font qu'accentuer sa présence.

Mais, plus fondamentalement, les sciences et les techniques sont devenues des **leviers essentiels** de la puissance et du succès économique des pays développés. Un des traits spécifiques des économies de la seconde moitié du XXe siècle est l'**application** systématique et généralisée des **méthodes scientifiques** au domaine de la **production** : secteurs de l'automobile, de l'aéronautique, de la chimie organique et de l'industrie électrique durant les années 1950-1960, secteurs de l'électronique, de l'informatique et de la pharmacologie durant les décennies 1970-1980. La technologie joue désormais un rôle fondamental dans la croissance économique. Depuis 1945, les entreprises japonaises, en canalisant de façon systématique leurs efforts de recherche vers la fabrication et le développement technique, ont su assurer leur prépondérance commerciale sur des marchés, tels ceux de l'auto-

Progrès techniques et gains de productivité

Exemple d'un atelier de fabrication de culasses de moteurs d'automobiles

	Outillage utilisé	Production (par ouvrier et par mois)
1950	26 machines desservies individuellement	250 pièces
1953	1 machine-transfert semi-automatique effectuant 13 opérations successives	745 pièces
1957	1 machine-transfert entièrement automatique effectuant 27 opérations (nécessitant 3 postes de contrôle)	6 500 pièces

mobile et de l'électronique, où l'innovation technologique est essentielle.

L'effort consacré par les différentes puissances à la recherche-développement, mesuré en pourcentage du PIB, est devenu un **indice de dynamisme économique**. Tous les grands États participent au financement direct de la recherche publique et universitaire tout en contribuant au soutien des laboratoires privés.

La **guerre froide** a été un moment particulièrement fort de cette compétition entre États. La Deuxième Guerre mondiale avait déjà tracé la voie en ce sens : la victoire définitive des Alliés avait reposé en bonne partie sur leur capacité supérieure à mobiliser les ressources de la haute

Les dépenses intérieures de recherche-développement

(en % du PIB)

Pays	1975	1990
États-Unis	2,32	2,79
Japon	1,81	2,85*
Allemagne	2,24	2,82
France	1,79	2,39
Royaume-Uni	2,17	2,20**
Canada	1,10	1,35
Suède	1,79	2,76*

* 1989 ; ** 1985

Les crédits pour la défense dans les budgets publics de recherche-développement (1990)

Pays	1990
États-Unis	62,6 %
Japon	5,1 %*
Allemagne	13,7 %
France	37,0 %*
Royaume-Uni	45,5 %
Canada	7,8 %
Suède	23,6 %

* Données 1989.

technique, notamment pour la mise au point de la bombe atomique. Les besoins militaires, relayés au lendemain de la guerre par la forte rivalité politique entre les États-Unis et l'URSS, ont stimulé les efforts de la recherche scientifique et technique ; celle-ci n'a été possible, en revanche, qu'au prix de sa **subordination** au **complexe militaro-industriel**. Totalement intégrées dans la planification, les politiques de recherche en URSS constituaient des composantes essentielles des programmes industriels et militaires. La situation n'était guère différente aux États-Unis, à tout le moins en ce qui concerne les crédits pour la défense dans les budgets publics de recherche-développement : encore en 1990, ces crédits représentaient 63 % du total (8 % au Canada).

La justification de ces dépenses par l'argument des retombées technologiques ne résiste pas à l'analyse : pour quelques exemples d'application civile de technologies militaires —le cas du *Bœing 707* qui dérive directement du ravitailleur militaire *KC135*—, que d'efforts et de ressources financières perdues ! Ainsi, l'Initiative de défense stratégique (IDS) du président Reagan, mieux connue sous l'appellation de Guerre des Étoiles, qui tenait davantage du bluff politique que de la faisabilité technologique, a englouti 32 milliards de dollars en pure perte.

Toutes ces transformations de l'environnement technique et physique posent d'énormes défis aux sociétés humaines, qui doivent s'adapter aux nouvelles conditions.

Des débats grandissants, sur la **maîtrise sociale des techniques**, se font jour à chacune des nouvelles mégacatastrophes industrielles : émission de gaz toxiques à Bhopal en Inde en 1984 (2 000 morts), accident nucléaire de Tchernobyl en 1986, marées noires de l'*Exxon Valdez* en 1989 ou, plus près de nous, l'incendie de l'entrepôt de BPC à Saint-Basile-le-Grand en 1988. L'hypermédiatisation de ces événements attise les réactions, souvent irrationnelles, du grand public, augmente sa méfiance face à la chose scientifique, suscite des condamnations, sans appel, de la civilisation technicienne.

Des **inquiétudes** nouvelles sur le devenir de la planète et de l'espèce humaine se sont également manifestées.

Soulevés par la communauté scientifique internationale, des phénomènes de pollution diffuse, comme la raréfaction des ressources hydrauliques et des combustibles fossiles, la destruction de la couche d'ozone et l'accumulation des déchets domestiques, industriels et nucléaires, ont éveillé le sentiment d'un intérêt et d'un péril communs. Une nouvelle **conscience planétaire** a pris naissance durant les années quatre-vingt, concrétisée par la tenue de conférences internationales : sommet sur la protection de l'atmosphère du globe à Stockholm en 1989, conférence mondiale sur le climat à Genève en 1990, sommet de la planète Terre à Rio de Janeiro en 1992.

Ce sont surtout les applications sociales des sciences biologiques qui soulèvent les débats les plus âpres depuis le début des années soixante-dix. En effet, les **biotechnologies** se sont engagées dans des voies de recherche — manipulations génétiques, thérapies géniques, techniques de reproduction — qui, en permettant la transformation des espèces animales et végétales, posent de graves **questions morales et éthiques**.

■ **Biotechnologie**
Ensemble des techniques utilisant soit des micro-organismes, soit des cellules végétales ou animales, pour la production industrielle de molécules ou l'amélioration des espèces.

L'ÉVEIL D'UNE CONSCIENCE PLANÉTAIRE

Dans la longue suite des temps, nous sommes [...] les premières générations, trois millions d'années peut-être après l'apparition de nos lointains ancêtres, à prendre conscience des lois physiques qui nous gouvernent. Essayons de formuler celles qui donnent à notre rencontre de Rio son véritable sens.

La première est que la Terre est un système vivant dont les parties sont interdépendantes et donc que le sort de toutes les espèces, hommes, animaux, végétaux, est lié.

La deuxième nous dit que les ressources de la Terre sont limitées.

La troisième, qu'on ne peut séparer l'homme de la nature, car il est la nature même comme le sont l'eau, l'arbre, le vent, le fond des mers. Dominé par les éléments depuis la nuit des temps, il est capable désormais de tuer toute vie sur la terre et par là de s'anéantir. Telle est bien la question. Un jour on nous dira, vous saviez tout cela, qu'avez-vous fait ?

FRANÇOIS MITTERAND
Président de la République Française,
Allocution prononcée au sommet de Rio (juin 1992).

Pourtant, les exemples d'applications potentiellement bénéfiques du génie génétique sont nombreux et variés, notamment dans le secteur agricole. Les grandes firmes agroalimentaires ont d'ores et déjà mis au point des plantes « **transgéniques** » qui, grâce à l'introduction d'un gène étranger, deviennent résistantes aux virus, aux parasites ou aux maladies. Leur commercialisation demeure toutefois incertaine, en raison de fortes résistances du corps social. « À quoi bon augmenter la productivité alors que la production agricole est déjà excédentaire ? », s'interroge-t-on dans divers milieux ? À ce problème s'ajoute celui d'une incertitude quant à leur impact sur l'environnement ou sur la santé humaine. Et si ces plantes et ces animaux transgéniques présentaient des propriétés imprévues et indésirables pour l'homme ?

Cette question, pomme de discorde éternelle entre écologistes et biologistes, est loin d'être résolue. Pour les premiers, la cause est entendue : il existerait une **différence** entre les organismes génétiquement manipulés et les autres êtres vivants ; ils ne doivent donc pas quitter les laboratoires. Pour les seconds, ces organismes ne sont pas différents des milliers de plantes et d'animaux qui ont été créés par l'homme depuis des millénaires, par simple hybridation. Ceux-ci seraient donc **sans danger**.

De même, dans le secteur biomédical, les **thérapies géniques** promettent de guérir certaines maladies héréditaires par simple **introduction**, dans les cellules du sujet, d'un gène correcteur. Pour le moment, nous sommes toutefois loin du compte, les progrès de cette technique s'étant davantage concrétisés dans le domaine du diagnostic plutôt que des interventions thérapeutiques. Ce décalage soulève de vives inquiétudes. La divulgation de l'inventaire des maladies héréditaires dont un individu serait susceptible de souffrir, à un moment ou l'autre de sa vie, pourrait être la source d'une nouvelle forme de discrimination dans les domaines de l'assurance-vie et de l'emploi, par exemple.

Le questionnement **moral** et **éthique** s'est toutefois cristallisé, depuis la naissance en 1978 du premier « bébé-éprouvette », autour des **technologies de reproduction**.

Procréation « **artificielle** » pour les uns, « **médicalement assistée** » pour les autres, ces techniques soulèvent les passions et opposent ceux qui refusent toute incursion humaine dans le domaine de la création — c'est la position officielle de l'Église catholique depuis 1986 — et ceux qui les considèrent essentiellement comme des moyens nouveaux, pour les couples infertiles, de faire des enfants.

Ce débat, quasi théologique, objet de tous les fantasmes et emballements, s'est fixé autour d'une série de spectres : celui des **individus inter-espèces**, celui de la **parthogénèse** (fécondation de l'ovule par l'ovule), de l'**eugénisme** (sélection ou amélioration de l'espèce humaine à des fins non thérapeutiques) et du **clonage** (reproduction à l'identique d'un être humain). Une équipe de chercheurs américains du centre médical de l'Université de Wahington a d'ailleurs transgressé ce dernier tabou en réalisant, en octobre 1993, la première expérience de clonage humain.

Les possibilités inquiétantes du génie génétique ont amené la plupart des pays occidentaux à créer des

CLONAGE HUMAIN

Représentation imaginaire d'une expérience de clonage humain ou la reproduction à l'identique d'un œuf humain.

La biologie est à la mode. Elle fascine et elle inquiète à la fois, comme la physique d'il y a un demi-siècle ; mais la physique atomique menaçait et continue de menacer les peuples, alors que la biologie médicale ne concernerait que les individus qu'elle soigne. On ignore encore si l'assistance prêtée par la médecine aux couples stériles peut modifier l'enfant conçu en laboratoire par rapport à tous les autres conçus dans un lit ou dans un escalier. [...] Tant qu'on ne s'attaquera pas à l'identité de l'œuf ou à la production massive d'êtres semblables entre eux, les enfants issus de la procréation assistée devraient bien ressembler aux enfants du hasard. Mais la seule rumeur autour de ces « enfants de la science » influencera autant qu'eux-mêmes leurs contemporains nés de façon traditionnelle.

JACQUES TESTART

L'œuf transparent, Paris, Flammarion, coll. « Champs », 1986.

organismes de surveillance pour encadrer la recherche et des comités d'éthique pour en définir la conduite et les limites. Le développement de ces techniques n'a toutefois pas fini de bouleverser les rapports entre la science et la société et de poser le problème de sa maîtrise sociale.

LES SCIENCES HUMAINES ET LA PENSÉE

Les phénomènes qui marquent l'évolution des sciences humaines depuis la Deuxième Guerre mondiale ne présentent guère de caractères originaux par rapport aux sciences de la nature : croissance de l'effectif des chercheurs, création de nouvelles disciplines, dialogue et rencontres interdiciplinaires.

Les deux grandes attitudes qui se manifestent face à l'objet scientifique sont analogues au sein des deux grandes familles de sciences. D'une part, une approche **empirique et inductive**■, fondée sur l'observation et l'expérience, dont la prépondérance, bien qu'universelle,

■ **Induction**
Méthode qui consiste à remonter des faits particuliers à la loi, des cas singuliers à la proposition générale.

DEUX GRANDES APPROCHES SCIENTIFIQUES

L'étude des rapports entre les faits et les théories a déterminé deux grandes attitudes philosophiques qui, dans les Temps modernes, ont été élaborées pour résoudre un certain nombre de questions logiquement distinctes mais historiquement liées. Ces attitudes sont nommées « rationalisme » et « empirisme », termes qui tiennent leur origine du latin rationalis*, « raisonnable », « rationnel », « dépendant de la raison » ; et du grec* empeiros*, « qui se rattache à l'expérience », « prouvé par l'expérience ». [...] Le rationaliste considère les théories explicatives comme une étape, sinon comme la totalité, du chemin à parcourir vers les vérités nécessaires, tandis que pour l'empiriste, quelle que soit la manière dont les théories éclairent les faits, elles doivent de toute façon leur être confrontées. L'opposition de leurs points de vue sur cette question ne justifie pas seulement leurs appellations — dérivées, l'une de* rationalis*, « dépendant de la raison », et l'autre de* empeiros*, « prouvé par l'expérience » — mais elle est également centrale dans le domaine de la philosophie des sciences.*

W.M. ONEIL
Faits et Théories, Paris, Armand Colin, 1972.

est davantage manifeste au sein de certaines disciplines, comme l'**histoire**, ou dans certaines aires géographiques, comme en **Grande-Bretagne** et aux **États-Unis**. On y refuse généralement, au nom de la complexité du réel, toute forme d'explication réductrice et systématisante. D'autre part, on observe une multitude de **tentatives systémiques**, fondées sur une approche théorique, dominantes au sein de certaines disciplines comme la **linguistique** et l'**ethnologie**, où l'on recherche, au contraire, une explication générale par l'analyse de la totalité des relations existant à l'intérieur d'un système cohérent que l'on appelle la structure. La confrontation de ces deux tendances, qui cœxistent et se superposent tout à la fois, constitue un des axes majeurs de l'évolution récente des sciences humaines.

Par ailleurs, le **développement extraordinaire** des sciences humaines durant le dernier demi-siècle s'est accompagné d'un phénomène d'**échanges interdisciplinaires**, voire d'**hybridation** et de **métissage**, tout aussi impressionnant : selon le point de vue où l'on se place, on peut dénombrer aujourd'hui entre huit et quinze disciplines distinctes et plus d'une centaine de sous-disciplines.

Durant la période de l'immédiat après-guerre, **l'histoire** se situe au **carrefour** de ces échanges interdisciplinaires ; tandis que cette vieille discipline se renouvelle par l'absorption des méthodes des sciences sociales, ces dernières tentent d'intégrer à leur questionnement la perspective diachronique propre à l'histoire.

En France, l'École des Annales (voir page 201), après avoir entretenu initialement des liens très étroits avec la géographie, s'ouvre à l'économie et à l'analyse quantitative au début des années cinquante, puis à l'anthropologie et la sociologie durant les années soixante et soixante-dix, pour tenter un retour au politique durant les années quatre-vingt. Ce mouvement d'ouverture n'a toutefois jamais pu surmonter l'écueil des résistances et des corporatismes institutionnels ; pour quelques cas de réelle symbiose théorique et méthodologique, plus nombreux sont les exemples de sous-disciplines qui, bien que proches parentes, s'ignorent complètement. Histoire anthropologique et anthropologie historique, sociologie historique et histoire sociale, l'accent est toujours placé sur l'une ou l'autre des disciplines, l'important résidant moins dans leur rencontre que dans l'hégémonie que l'une semble vouloir exercer sur l'autre.

De toutes les sciences humaines et sociales, la **sociologie** constitue la discipline qui a été appelée aux plus grands développements. Et pourtant, le bilan que l'on peut tracer de son évolution des cinquante dernières années est partagé. Cela tient sans doute à sa double vocation : **réformer** la société et l'**analyser**.

Comme **pratique d'intervention sociale**, ses succès sont indiscutables. Il suffit de penser à l'utilisation aujourd'hui généralisée de certains de ses procédés d'enquête, comme le sondage d'opinion ou certaines de ses modalités d'action dans les domaines de l'organisation de la production ou des affaires dites « sociales ».

Comme **science**, par contre, la sociologie s'enferme dans un interminable questionnement sur sa légitimité et sur la valeur de sa production scientifique. Associée dès sa naissance par **Auguste Comte** à une recherche des lois de l'évolution des sociétés, conçue par ses pères fondateurs, **Durkheim** et **Weber**, comme l'étude des régularités historiques et des relations fonctionnelles entre les phénomènes sociaux, la sociologie a cru pouvoir devenir la science du tout social et de son devenir. L'**impasse** dans laquelle elle s'est engagée tient largement à l'incapacité de ses praticiens à s'entendre et à se rassembler autour d'un modèle théorique opératoire.

Le **fonctionnalisme**, qui s'est imposé à partir de 1950, est la dernière de ces vastes tentatives pour « **systématiser** » le réel. Pour ses représentants les plus illustres, les Américains **Bronislaw Malinowski** (1884-1942) et **Talcott Parsons** (1902-1979), les phénomènes sociaux particuliers doivent être expliqués par les **fonctions qu'ils exercent**, soit par rapport à la société dans son ensemble, soit par rapport à certains segments de cette société. Cette théorie, où les faits sociaux ne sont que ce à quoi ils servent, sera contestée de toutes parts : Lévi-Strauss notera : « Dire qu'une société fonctionne est un truisme ;

BRÈVE AXIOMATIQUE DU FONCTIONNALISME

A La culture est avant tout un appareil instrumental qui permet à l'homme de mieux résoudre les problèmes concrets et spécifiques qu'il doit affronter dans son milieu lorsqu'il donne satisfaction à ses besoins.

B C'est un système d'objets, d'activités et d'attitudes dont chaque élément constitue un moyen adapté à une fin.

C C'est un tout indivis dont les divers éléments sont interdépendants.

D Ces activités, ces attitudes et ces objets sont organisés autour d'une besogne importante et vitale et forment des institutions comme le clan, la tribu, la famille, la communauté locale ainsi que des équipes organisées de coopération économique, d'activité politique, juridique et pédagogique.

E Du point de vue dynamique, c'est-à-dire du point de vue du type d'activité, on peut décomposer la culture en un certain nombre d'aspects : éducation, contrôle social, économie, systèmes de connaissance, de croyances et de moralité ; modes d'expression et de création artistiques.

BRONISLAW MALINOWSKI

Une théorie scientifique de la culture, Paris, Maspéro (La Découverte), 1968.

mais dire que tout fonctionne dans une société est une absurdité. » Les marxistes, quant à eux, opposeront, à ces sociétés consensuelles, placées sous le signe de l'équilibre et du fonctionnement harmonieux, la conception d'un système dynamique où les luttes sont actives pour la prépondérance politique et socio-économique.

L'ethnologie, dont le but est d'analyser le fonctionnement et le comportement des hommes en société, ne présente guère de différences fondamentales avec la sociologie, si ce n'est que cette dernière discipline est le fait de savants réfléchissant sur leur propre culture, alors que les ethnologues cherchent à comprendre des **cultures autres que les leurs**.

Née à la fin du XIXe siècle dans la foulée du colonialisme européen, l'ethnologie connaît un essor remarquable au lendemain de la Deuxième Guerre mondiale. Ce conflit, par sa barbarie, ayant réduit à néant l'autorité morale et spirituelle de l'Europe, les peuples du monde, et notamment les **sociétés exotiques et rustiques**, revêtent

Comme la langue, il me semble que la cuisine d'une société est analysable en éléments constitutifs qu'on pourrait appeler dans ce cas des « gustèmes », lesquels sont organisés selon certaines structures d'opposition et de corrélation. On pourrait alors distinguer la cuisine anglaise de la française au moyen de trois oppositions : endogène/exogène (c'est-à-dire, matières premières nationales ou exotiques) ; central/périphérique (base du repas et environnement) ; marqué/non marqué (c'est-à-dire savoureux ou insipide). On aurait alors un tableau où les signes + et - correspondent au caractère pertinent ou non pertinent de chaque opposition dans le système considéré :

	Cuisine anglaise	*Cuisine française*
Endogène/exogène	+	+
Central/périphérique	+	-
Marqué/non marqué	-	-

Autrement dit, la cuisine anglaise compose les plats principaux du repas de produits nationaux préparés de façon insipide, et les environne de préparations à base exotique où toutes les valeurs différentielles sont fortement marquées (thé, cake aux fruits, marmelade d'orange, porto). Inversement, dans la cuisine française, l'opposition endogène/exogène *devient très faible ou disparaît, et des gustèmes également marqués se trouvent combinés entre eux, aussi bien en position centrale que périphérique.*

CLAUDE LÉVI-STRAUSS
Anthropologie Structurale, Paris, Plon, 1958.

un intérêt nouveau pour les chercheurs : des milliers de monographies, sur les Papous, les aborigènes australiens ou même les Canadiens français (Horace Miner, *Saint-Denis, un village québécois*) décrivent dans le détail le comportement de ces sociétés. De cette immense production se dégage la figure dominante de **Claude Lévi-Strauss** (1908-) qui, grâce à ses travaux sur les systèmes de parenté et d'alliance, formalise un modèle théorique et méthodologique, l'analyse structurale, dont l'apport à l'ensemble des sciences humaines, du moins en France, sera inestimable.

Par-delà l'évolution particulière de chacune des sciences humaines, de **larges hypothèses théoriques** et **orientations méthodologiques** traversent, si ce n'est l'ensemble, du moins un bon nombre d'entre elles. Un de ces nouveaux paradigmes, qui s'impose après la Deuxième Guerre mondiale et auquel le marxisme n'est pas étranger, concerne l'**insistance prioritaire** accordée aux **groupes** — et non plus aux individus — et aux **structures socio-économiques** — et non plus aux réalités et aux objets singuliers.

L'histoire, la sociologie et l'économie sont particulièrement sensibles à ce type de recherches et d'études dites **structurelles** ; malgré le caractère flou et changeant de la notion de structure, le terme est employé pour désigner le **caractère systématique** d'un objet, pour indiquer que l'on a affaire à un ensemble de **caractères interdépendants** et qu'aucun des éléments ne peut être défini par lui seul mais est déterminé au contraire par sa

LA NOTION DE STRUCTURE CHEZ BRAUDEL

*Par structure, les observateurs du social entendent une orga-
nisation, une cohérence, des rapports assez fixes entre réalités et
masses sociales. Pour nous, historiens, une structure est sans doute
assemblage, architecture, mais plus encore une réalité que le temps
use mal et véhicule très longuement. Certaines structures, à vivre
longtemps, deviennent des éléments stables d'une infinité de
générations : elles encombrent l'histoire, en gênent, donc en
commandent l'écoulement. D'autres sont plus promptes à
s'effriter... Songez à la difficulté de briser certains cadres
géographiques, certaines réalités biologiques, certaines limites de
la productivité, voire telles ou telles contraintes spirituelles : les
cadres mentaux aussi sont prisons de longue durée.*

FERNAND BRAUDEL

« Histoire et Sciences Sociales : La longue durée », dans *Écrits sur l'Histoire*,
Paris, Flammarion, 1969.

position dans l'ensemble. Dans ce type d'analyse, la
structure entre dans le domaine des faits constatables
(structures agraires, structures d'évolution des prix,
mouvements structurels et cycliques de l'économie, etc.) ;
elle est un « **donné** ».

Toute différente se veut l'analyse « **structurale** ». Les
différents penseurs que l'on a regroupés sous l'étiquette
de « structuralistes » appartiennent à des disciplines et à
des horizons très divers : psychologie (Piaget), psychanalyse (Lacan), critique littéraire (Barthes), philosophie
(Derrida et Foucault), linguistique (Chomsky),
ethnologie (Lévi-Strauss), marxisme (Althusser,
Goldman). Né d'un mariage entre la linguistique et
l'ethnologie, ce mouvement de pensée, qui a connu son
apogée en France durant les années soixante, bien que
très peu homogène, présente des caractères communs
dont la plupart se retrouvent dans les travaux de Claude
Lévi-Strauss.

En gros, le **structuralisme anthropologique** de Lévi-
Strauss est fondé sur l'idée que la réalité d'une culture est
trompeuse et que seule l'étude des **structures profondes
et cachées** peut rendre compte de la façon dont fonctionne une société. À l'étude des systèmes de relations

LA NOTION DE STRUCTURE
CHEZ LÉVI-STRAUSS

Le principe fondamental est que la notion de structure sociale ne se rapporte pas à la réalité empirique, mais aux modèles construits d'après celle-ci. Ainsi apparaît la différence entre deux notions si voisines qu'on les a souvent confondues, je veux dire celle de structure sociale et celle de relations sociales. Les relations sociales sont la matière première employée pour la construction des modèles qui rendent manifeste la structure sociale elle-même. En aucun cas celle-ci ne saurait donc être ramenée à l'ensemble des relations sociales, observables dans une société donnée.

CLAUDE LÉVI-STRAUSS
Anthropologie Structurale,
Paris, Plon, 1958.

observables, telle que la pratique l'analyse structurelle, Lévi-Strauss oppose une **modélisation théorique** et **déductive**, où l'explication du système est à chercher du côté d'une **structure inconsciente et sous-jacente**. Pour Lévi-Strauss, les cultures doivent être considérées comme des systèmes symboliques dont les formes sont fondamentalement les mêmes pour tous les esprits, anciens ou modernes, primitifs ou évolués. Cette croyance en la **pérennité** de la nature humaine et en la **permanence des structures** sera contestée par l'historien Fernand Braudel qui, reprochant à Lévi-Strauss son mépris du facteur temps, insiste plutôt sur le **caractère dynamique et périssable des structures**.

Le **marxisme** occupe dans l'histoire des idées une place tout à fait singulière. En effet, ce mouvement de pensée se veut à la fois une **construction théorique** et un **guide pour la pratique**, une **philosophie de l'histoire** et une **méthode d'action sociale et politique**. L'articulation de ces deux dimensions conduit à la naissance d'une « science révolutionnaire », capable de parvenir à la **compréhension** complète des processus sociaux et d'assigner à l'action la **maîtrise totale** du devenir historique.

Auréolé d'un prestige nouveau, ne serait-ce qu'en raison du tribut payé par les différents mouvements de résistance d'obédience communiste (France, Yougoslavie, Grèce, Italie) et par l'URSS dans leur lutte contre le fascisme, le marxisme exerce au lendemain de la guerre une influence considérable. Celle-ci s'exerce à deux niveaux : celui de l'**idéologie** et des moyens d'action, inséparable de l'évolution des régimes politiques qui se réclament de cette doctrine, et celui plus proprement « **scientifique** », qui concerne l'étude et l'analyse de la totalité sociale, la difficulté étant de séparer ce second plan du premier. Le défi est d'autant plus grand que l'on assiste à une **multiplication pléthorique** des tentatives pour réactualiser la pensée de Marx : marxismes occidental (Gramsci et Lukacs), existentialiste (Jean-Paul Sartre), structuraliste (Louis Althusser), écoles italienne (Volpe) et de Francfort (Habermas, Marcuse, Benjamin, Adorno), théologie de la libération (Gutierez), *New Left* aux États-Unis. Il n'y a donc pas d'unité du marxisme, mais plutôt un ensemble de concepts qui s'organisent autour de deux axes majeurs : la critique de la politique — lutte des classes, idéologie, dictature du prolétariat, communisme — et la critique de l'économie politique — forces productives, rapports de production, plus-value.

Cela étant, la perspective marxisante, comme l'analyse structurelle et le structuralisme, se caractérise par le peu de place qu'elle accorde au **sujet** ; celui-ci n'a pas d'**existence propre**, il n'est que traversé par un ensemble de déterminations, de rapports de production, de systèmes de parenté, d'idéologies dominantes, qui inscrivent leurs effets sur lui et le qualifient de telle ou telle façon. Dans de tels systèmes, la liberté et la réalité de la personne n'ont pas leur place.

Il est toutefois un courant de pensée qui place l'existence humaine au centre de la réflexion philosophique et qui est appelé à un retentissement très important au lendemain de la guerre : l'**existentialisme**.

L'**existentialisme** est une **philosophie de l'existence et de la liberté** proposée surtout par des penseurs français du milieu du XXᵉ siècle — Sartre, Beauvoir, Merleau-Ponty, Camus — bien que des philosophes allemands comme Heidegger aient tracé la voie au début du siècle en posant la question de la vérité de l'être (voir page 202).

L'**existentialisme athée** de Jean-Paul Sartre et Simone de Beauvoir, développé aussi bien dans des essais philosophiques que dans des romans et des pièces de théâtre, affirme le **primat du vécu** : l'existence humaine précéderait et déterminerait l'**essence** des choses, Sartre s'opposant à l'idéalisme et à la croyance en une nature humaine universelle. Pour lui, la vie humaine est **projet**, l'homme est **liberté** et la vie n'a d'autre sens que celui que nous avons choisi de lui donner. Il appartient donc à l'homme d'inventer sa conduite et d'en choisir l'idéal, ce qui pour Merleau-Ponty signifie la nécessité de réinsérer la pensée dans l'univers sensible, et notamment celui du corps, alors que Camus, avec le thème de l'homme révolté, insiste sur les conséquences du mal et de la souffrance, ce qui n'exclut pas une attitude noble et

L'EXISTENTIALISME SARTRIEN

L'existentialisme athée que je représente est plus cohérent. Il déclare que si Dieu n'existe pas, il y a au moins un être chez qui l'existence précède l'essence, un être qui existe avant de pouvoir être défini par aucun concept et que cet être c'est l'homme [...]. Qu'est-ce que signifie ici que l'existence précède l'essence ? Cela signifie que l'homme existe d'abord, se rencontre, surgit dans le monde, et qu'il se définit après. L'homme tel que le conçoit l'existentialiste, s'il n'est pas définissable, c'est qu'il n'est d'abord rien. Il ne sera qu'ensuite, et il sera tel qu'il se sera fait.

JEAN-PAUL SARTRE
L'existentialisme est un humanisme,
Paris, Éd. Nagel, 1970.

courageuse, comme on peut le voir dans des œuvres comme *La Peste*.

Ce courant philosophique, qui pose le principe de la totale liberté et de la pleine responsabilité humaine, trouve auprès des jeunes générations un auditoire très réceptif. Après six années de guerre totale, de privations et de souffrances, une soif de liberté euphorique anime la jeunesse, qui se veut à l'écoute de nouveaux maîtres à penser, cherchant dans la fréquentation des cafés de Saint-Germain-des-Prés à Paris, dans un étourdissement de musique de jazz, de danses frénétiques et de transgressions provocatrices, de nouveaux modèles de conduite et de vie.

L'art depuis 1945

EUX PHÉNOMÈNES PRINCIPAUX MAR-QUENT L'ÉVOLUTION DE L'ART DEPUIS 1945: L'APPRONDISSEMENT DES EXPÉ-RIENCES AMORCÉES DURANT LA PREMIÈRE MOITIÉ DU SIÈCLE, MOUVEMENT CARACTÉRISÉ ESSENTIELLEMENT PAR LA RECHERCHE FORMELLE ET L'EXPLORATION DES RESSOURCES DU MODERNISME, ET LA PROLIFÉRATION TOUJOURS CROISSANTE DES COURANTS NOUVEAUX OU D'AVANT-GARDE ET DES EXPÉRIMENTATIONS INÉDITES.

LA PEINTURE

New York profite de la guerre pour ravir définitivement à Paris le titre de **capitale de l'art occidental**. L'émergence du nazisme en Allemagne et son expansion en Europe a provoqué un exode des grands maîtres européens vers les États-Unis : Chagall, Ernst, Feininger, Lipchitz, Masson, Mondrian. La métropole américaine absorbe ces artistes comme elle a absorbé des millions d'immigrés depuis le début du siècle. Quant aux artistes américains, ils accueillent les nouveaux venus avec ouverture et se mettent à leur école.

Alors que la peinture européenne capitalise sur des maîtres qui ont déjà une longue carrière derrière eux — Picasso, Matisse, Dali, Mirò —, les États-Unis offrent, au sortir de la guerre, une **nouvelle génération** de peintres ambitieux et dynamiques. Ce sont eux qui donneront naissance aux courants les plus influents et les plus novateurs de la période de l'après-guerre.

FERNAND LÉGER
DÉCOUVRE NEW YORK

Le plus colossal spectacle du monde. Ni le cinéma ni la photographie ni le reportage n'ont pu ternir cet événement surprenant qu'est New York, la nuit, vu d'un quarantième étage. Cette ville a pu résister à toutes les vulgarisations, à toutes les curiosités des hommes qui ont essayé de la décrire, de la copier. Elle garde sa fraîcheur, son inattendu, sa surprise pour le voyageur qui la regarde pour la première fois.

Le paquebot, au ralenti, déplace doucement les perspectives; on cherche la statue de la Liberté, le cadeau de la France; c'est une petite statuette modeste, oubliée au milieu du port devant ce nouveau continent audacieux et vertical. On ne la voit pas, elle a beau lever le bras le plus haut possible. C'est inutile, elle éclaire un peu comme une veilleuse des choses énormes qui bougent, des formes qui, indifférentes et majestueuses, la couvrent de leur ombre. [...] New York transparent, translucide, les étages bleus, rouges, jaunes! Une féerie sans exemple, la lumière déchaînée par Edison transperçant tout cela et pulvérisant les architectures.

FERNAND LÉGER
New York
Dans Jean-Louis Ferrier, *L'Aventure de l'art au XXᵉ siècle*,
Paris, Chêne-Hachette, 1988.

Le plus important de ces courants, habituellement désigné sous le terme d'**expressionisme abstrait**, rassemble une série d'artistes dont les œuvres ne sont ni toujours abstraites ni toujours expressionnistes, mais qui ont en commun l'usage de toiles de très grande dimension, qui les arrache à la peinture de chevalet, et l'utilisation marquée de la matière ou de la couleur. Ce mouvement, qui ne fut jamais aussi structuré que le cubisme ou le futurisme, se subdivise en fait en deux grandes tendances.

Tout d'abord, l'**action painting**, dénomination proposée par le critique d'art et poète Harold Rosenberg, et dont **Jackson Pollock** est le créateur le plus important. Ce dernier se fait le promoteur d'une nouvelle technique, le **dripping**, qui consiste à laisser égoutter de la peinture sur une toile posée à même le sol, sans usage du couteau ou du pinceau, ces peintures devant êtres exécutées rapidement et apparaître davantage comme un **jaillissement spontané** que comme le fruit d'une préméditation. Autour de Pollock, on trouve des artistes comme Robert Motherwell, Adolph Gootlieb et Willem de Kooning. Ce dernier, bien qu'il pratique une peinture figurative,

---

Sur les « peintres d'action » américains

La nouvelle peinture américaine n'est pas de l'art « pur » : ce n'est pas un souci esthétique qui lui a fait repousser l'objet. On n'a pas chassé les pommes pour faire place à de parfaits rapports d'espace ou de couleur. Elles devaient disparaître pour que rien ne puisse faire obstacle à l'action de peindre. Dans cette manipulation des matières, l'esthétique, elle aussi, est passée au second plan. Forme, couleur, composition, dessin ne sont plus que des composantes dont aucune n'est indispensable; en toute logique, certains peintres ont tenté de se passer de toutes en présentant des toiles vierges. Mais ce qui compte à tous coups, c'est la valeur de révélation que renferme l'acte. Il faut tenir pour certain que dans l'impression finalement obtenue, l'image, quel qu'en soit le contenu, sera une tension.

HAROLD ROSENBERG
La Tradition du nouveau.
Dans Jean-Louis Ferrier (dir.),
L'Aventure de l'art au XXᵉ siècle, Paris, Chêne-Hachette, 1988.

POLLOCK DÉCRIT SA PEINTURE...

Ma peinture ne vient pas du chevalet. Je ne tends pratiquement jamais ma toile avant de peindre. Je préfère clouer la toile non tendue au mur ou au sol. J'ai besoin de la résistance d'une surface dure. Au sol je suis à l'aise. Je me sens plus proche du tableau, j'en fais davantage partie; car, de cette façon, je peux marcher tout autour, travailler à partir des quatre côtés, et être littéralement dans le tableau. [...]

Quand je suis dans mon tableau, je ne suis pas conscient de ce que je fais. C'est seulement après une espèce de temps de «prise de conscience» que je vois ce que j'ai voulu faire. Je n'ai pas peur d'effectuer des changements, de détruire l'image, etc., parce qu'un tableau a sa propre vie. J'essaie de la faire émerger.
Ce qui m'intéresse, c'est que les peintres d'aujourd'hui ne sont plus obligés de chercher un sujet hors d'eux-mêmes. La plupart des peintres modernes travaillent à partir d'une source différente. Ils travaillent de l'intérieur.

JACKSON POLLOCK
Dans Jean-Louis Ferrier, *L'Aventure de l'art au XXᵉ siècle*,
Paris, Chêne-Hachette, 1988.

partage avec Pollock une manière agressive et violente dans l'attaque de la toile.

L'autre tendance, rassemblée autour d'artistes comme **Barnett Newman** et **Mark Rothko**, est celle du **color field painting**, d'inspiration lyrique et méditative. Leurs toiles visent moins l'expression de l'inconscient individuel ou collectif que celle d'**émotions fondamentales** et universelles de l'homme — la tragédie, l'extase, le destin... — par l'utilisation puissante de la couleur. L'importance de ce vaste courant assurera au début des années cinquante le triomphe absolu de l'art abstrait.

JACKSON POLLOCK
Oeuvre sur verre.

« Voice of Fire »

L'œuvre monumentale de Barnett Newmann qui souleva un tollé au moment de son achat au coût de 1,8 million en 1990, par le Musée des Beaux-Arts du Canada.

ANDY WARHOL
Elizabeth Taylor (1964)

C'est également aux États-Unis, en réaction contre la prépondérance de l'expressionnisme abstrait, que naissent les courants appelés à la plus large diffusion : le pop art, l'op art et l'hyperréalisme.

Le **pop art**, qui domine la scène entre 1955 et 1965, constitue une réaction contre toute l'évolution antérieure de l'art contemporain, jugé trop raffiné et intellectuel. Les principaux animateurs de ce courant, **Roy Lichtenstein, Andy Warhol, Clæs Oldenburg**, proposent un **art réaliste et figuratif**, d'inspiration résolument urbaine, qui emprunte ses thématiques sinon ses matériaux à l'imagerie de la culture populaire et de la société de consommation : bandes dessinées, affiches de cinéma, illustrations de magazines, publicité et emballages de soupe Campbell ou de boîtes de Coca-Cola.

L'op art (optical art) et **l'art cinétique**, qui triomphent

RICHARD VASARELY SE MIRANT DANS L'UNE DE SES ŒUVRES

DUANE HANSON,
QUEENIE II
Francfort, Galerie Neuendorf AG,
(1988)

aux États-Unis et en Europe au milieu des années soixante, proposent une peinture qui joue sur les **illusions perceptives** : interférences de lignes, moirages, scintillements, perspectives réversibles et constructions géométriques mouvantes qui provoquent un sentiment de vertige et de malaise. En réaction contre l'expression spontanée de l'action painting, l'art cinétique dont Richard Vasarely constitue sans doute le représentant le plus connu, exige un grand soin et une grande précision dans la réalisation des œuvres.

L'**hyperréalisme**, qui se propage durant les années soixante-dix à partir de New York et de la Californie, est un mouvement **pictural** et **structural** qui effectue un retour à la tradition du **réalisme figuratif** en se basant sur le modèle même de la photographie. Alors que le pop art ne faisait bien souvent qu'intégrer dans ses œuvres le foisonnement des images et des objets des sociétés industrialisées, les hyperréalistes reproduisent ces images avec fidélité, proposent un art de **réflexion véritable**, c'est-à-dire qui tout à la fois **reflète** et fait **réfléchir**. Pour ces artistes, aucun thème n'est indigne d'attention, comme en font foi les personnages de la vie quotidienne représentés par le sculpteur Duane Hanson.

Cette tendance de l'art contemporain qui consiste à puiser des images et des objets dans la vie quotidienne des sociétés de consommation déborde le seul domaine de la peinture : les assemblages du Français **Arman**, les emballages du Bulgare **Christo** en constituent de brillantes illustrations. Parallèlement, une volonté tout aussi ferme d'intégrer l'art à l'environnement urbain se manifeste depuis une vingtaine d'années ; en témoignent la renaissance du muralisme dans les métropoles nord-américaines depuis les années soixante-dix ou les efforts pour conférer un surplus d'âme aux vastes équipements collectifs, comme le métro de Montréal, par l'intégration d'œuvres d'art.

Quoique l'intérêt pour la peinture moderne ait tardé à se manifester au Québec, divers foyers de création artistique se sont ouverts dès les années quarante aux grands courants picturaux qui révolutionnent la peinture dans le monde. Deux grands créateurs, qui ont fréquenté les écoles de Beaux-Arts avant de suivre un stage de perfectionnement en Europe, inspireront ce renouvellement : **Alfred Pellan** et **Paul-Émile Borduas**. Les groupes d'artistes rassemblés autour de ces deux peintres publieront chacun un manifeste en 1948 : *Prisme d'yeux* , qui plaide en faveur de la liberté pleine et entière du peintre, et *Refus Global*, qui prône un art obéissant aux pulsions de l'inconscient. Les options picturales divergentes qu'on y propose, relayées par la rivalité personnelle entre Pellan et Borduas, vont toutefois dans le sens de l'affirmation d'une esthétique moderne, du rejet de l'académisme et de la tradition et de la célébration de la spontanéité de l'artiste.

C'est toutefois dans le sillage de la dispersion du groupe animé par Borduas que s'impose, à la charnière des années quarante et cinquante une tendance très féconde : l'**automatisme**. Influencé à la fois par l'**expressionnisme abstrait** américain et le **tachisme parisien**, ce courant pictural engendre une lignée de peintres qui, de Borduas à Riopelle, en passant par Leduc, Barbeau et Mousseau, explorent une peinture **non figurative** et **spontanée** où domine l'expression des états d'âme et des pulsions de l'imagination en des compositions de plus en plus dégagées de références à des objets identifiables.

Cela dit, au Québec comme ailleurs en Occident, la prolifération croissante de mouvements nouveaux dans le domaine des arts visuels à partir des années cinquante, l'absence d'école vraiment dominante, les efforts déployés par les artistes eux-mêmes pour échapper aux normes muséologiques et aux enjeux commerciaux, rendent difficile toute tentative de recomposition de ce champ créatif complètement éclaté.

P.E. Borduas
Sous le vent de l'Île (1948)

LA MUSIQUE

L'après-guerre marque en Occident une période de profonds **bouleversements** et de remise en question dans les domaines de la composition et de l'écoute musicale. Tablant sur l'utilisation de nouveaux intruments électro-acoustiques et de nouvelles techniques de production et de diffusion, les musiques populaires — rock, jazz, blues — prennent un formidable essor et deviennent le principal vecteur de la mondialisation de la culture adolescente, tandis que la musique dite « sérieuse » connaît une désaffection de plus en plus marquée du grand public.

Les compositeurs contemporains s'engagent en effet, après 1945, dans des systèmes d'écriture de plus en plus **intellectuels** et produisent des œuvres qui ne rejoignent plus qu'un public très spécialisé. Leur production rejette à la fois l'héritage classique occidental et les concessions aux engouements du public.

Cette évolution se traduit par une suite ininterrompue d'**expérimentations** qui semblent avoir épuisé les capacités de renouvellement du système et du langage musical classiques : **sérialisme intégral**, dans la foulée des œuvres de Schönberg, appliqué à tous les paramètres notables sur la partition tels que la hauteur, l'intensité, la durée, le timbre, **discontinuité absolue** et **permanente** par opposition à la consonance et à la continuité caractéristiques de l'organisation tonale classique, efforts divers pour tirer des instruments traditionnels les sons les plus étrangers à leur emploi habituel, **création d'œuvres aléatoires** ou ouvertes avec permutations possibles dans l'ordre d'exécution d'un certain nombre de séquences données et liberté laissée à l'interprète quant au choix et au nombre d'instruments, **préoccupations** enfin pour faire **sortir** l'œuvre musicale de la salle de concert en l'associant à d'autres formes d'art (danse, théâtre, vidéo, lumière).

Les **musiques électro-acoustiques**■, qui exigent en plus des connaissances musicales traditionnelles un nouveau savoir puisé dans le domaine scientifique, apparaissent depuis une trentaine d'années comme le champ privilégié de la recherche et de la composition contemporaines. Un tel phénomène favorise une nouvelle **conception** de la musique, désormais engagée dans l'aventure scientifique et technologique moderne. Alors que la majorité des mélomanes se réfugient dans l'écoute des œuvres du passé diffusées par les médias, les compositeurs contemporains se transforment en **chercheurs** et la musique devient, plus que jamais, **expérimentale**.

L'ARCHITECTURE

La Deuxième Guerre mondiale ne constitue qu'un intermède dans l'évolution du langage architectural, aucune discontinuité ne venant rompre la prépondérance du **style moderniste** avec ses formes, rectangulaires et abstraites, ses toits plats et ses larges surfaces vitrées. En fait, la scène de l'architecture occidentale est dominée

■ **Musique électro-acoustique**
Musique qui acquiert un caractère électro-acoustique par l'emploi des techniques de l'électricité ou de l'électronique pour l'écoute, l'enregistrement et la diffusion ou par l'utilisation d'instruments électro-acoustiques comme la guitare électrique ou le synthétiseur.

jusque durant les années soixante par cette seconde génération de théoriciens et de créateurs du modernisme déjà actifs avant la guerre : le Finlandais **Alvar Aalto** (Centre de concerts et de congrès d'Helsinki, 1967-1975), l'Américain **Frank Lloyd Wright** (Musée Guggenheim à New York, 1946-1975), le Franco-Suisse **Le Corbusier** (centre gouvernemental de Chandigarh, en Inde, 1954-1968) et les deux Allemands du Bauhaus exilés aux États-Unis, **Walter Gropius** et **Ludwid Mies Van der Rohe**.

Avec ses gratte-ciel de verre et d'acier, aux formes très épurées (Seagram Building à New York, Westmount Square à Montréal), **Mies Van der Rohe** devient l'architecte du grand capitalisme nord-américain, qui considère son **esthétisme raffiné** comme un reflet plus souhaitable de sa toute-puissance que l'ornement tapageur et commercial de l'art déco. Mies Van der Rohe, qui prend en main le célèbre ITT (Illinois Institute of Technology) à Chicago, et Gropius, qui dirige la faculté d'architecture de l'Université Harvard, vont faire des États-Unis le plus important centre de formation d'architectes modernistes.

La multiplication de leurs disciples et la diffusion d'un langage fait de dépouillement et de géométrisme vont toutefois mener, dans le contexte de la reconstruction de l'Europe et du Japon et de l'urbanisation croissante des pays en voie de développement, à une banalisation et à une formalisation des principes du modernisme qui aboutiront trop souvent au gigantisme et à l'uniformisation des grands ensembles d'habitation sans âme, les cités-dortoirs.

L'architecture **fonctionnaliste** et **moderniste** avait en effet valorisé des projets anti-urbains comme la maison isolée ou l'immeuble-tour, et nié la rue au profit de la voie de circulation. C'est en réaction à ces tendances que se préciseront les principales orientations des années soixante et soixante-dix. Les **nouvelles constructions**, qui mettent l'accent davantage sur le monument que l'équipement, témoignent du désir des architectes de repenser la question de l'ensemble urbain. Ce souci aigu du rapport à l'environnement se manifeste par la tendance récente à **réhabiliter l'habitat ancien**, à préserver et à récupérer plutôt que de détruire.

**WESTMOUNT SQUARE,
MONTRÉAL, 1964**

**POUR UNE ÉPURATION
DES FORMES**

La détermination de n'exprimer que l'essentiel, à l'exclusion de tout effet accessoire, en un mot de ne faire valoir que l'exacte structure, cela ne limite pas les moyens d'expression; au contraire, c'est la condition essentielle et primordiale. La structure doit manifester l'unité constructive; elle est la construction faite matière.

LUDWIG MIES VAN DER ROHE
Cité dans Werner Blaser, *Mies Van der Rohe*, Zürich, Verlag Für Architektur, 1965.

UNE REMISE EN CAUSE
DU FONCTIONALISME EN ARCHITECTURE

Ce ne sont pas les conditions matérielles qui sont à l'origine de la forme d'un bâtiment. Celui-ci ne doit pas révéler son usage, il n'est pas l'expression de la structure et de la construction, ni une enveloppe, ni un abri. Un bâtiment est un bâtiment.

L'architecture n'a pas de but.

Ce que nous bâtissons se trouvera un usage.

La fonction ne crée pas la forme.

[...] La forme architecturale est déterminée par le particulier. Aujourd'hui, pour la première fois dans l'histoire de l'humanité, au moment où un formidable développement scientifique et une technologie perfectionnée mettent tous les moyens à notre disposition, nous construisons ce que nous voulons et comme nous le désirons, notre architecture n'est pas déterminée par la technique mais se sert d'elle, architecture pure et absolue. Aujourd'hui, l'homme règne en maître sur l'espace infini.

HANS HOLLEIN
Catalogue de l'exposition
Hollein-Pichler, Vienne 1963.

■ **Éclectisme**
Utilisation libre d'éléments de différents styles au sein d'une même œuvre architecturale. L'éclectisme, qui atteint un sommet avec l'historicisme de la seconde moitié du XIXᵉ siècle, joue à nouveau un rôle important dans le postmodernisme.

La **remise en question**, depuis vingt-cinq ans, des principes du modernisme (le fonctionnalisme, le plan libre, la pureté du style, la souplesse de l'espace) par la tendance qualifiée de **postmoderne**, se veut davantage un mouvement de **contestation** qu'une authentique stylistique architecturale ; y cohabitent en effet un ensemble de préoccupations et d'approches multiples et souvent contradictoires : historicisme, enracinement et prise en considération des traditions architecturales, retour à l'ornementation, tendance à l'éclectisme■, utilisation de la syntaxe formelle.

LA CRISE DE LA MODERNITÉ

La notion de **postmodernisme**, d'abord utilisée en architecture, puis dans les autres arts (où l'on parle également de postmodernité), traduit une certaine **crise de la modernité et des avant-gardes**. En effet, le développement d'une esthétique moderne dans la première moitié du siècle comportait l'affirmation d'un progrès, supposait à la fois un rejet des formes antérieures de l'art et la non-réversibilité de l'histoire de l'art elle-même. Si l'on peut parler aujourd'hui d'une époque postmoderne, c'est dans le sens où la légitimité des principes du modernisme n'a plus à se démontrer ni à se décréter, ceux-ci ayant établi leur triomphe absolu. C'est aussi parce que cette volonté de produire toujours du nouveau, elle-même devenue procédé par la négation constante de la tradition et par la répétition des gestes de rupture, a engendré une phase d'**épuisement** et de **déclin** de la **création artistique**, d'où ce mouvement de retour et de recours libre et éclectique aux formes antérieures de l'art.

Conclusion

Les domaines de la science et de l'art ont connu depuis un demi-siècle une explosion, dans tous les sens du terme. Cette explosion s'est d'abord traduite par un essor extra-ordinaire et une présence accrue de ces activités dans la vie quotidienne des sociétés mais également par leur éclatement en une multitude de composantes nouvelles ; il suffit de penser à la multiplication des objets et des secteurs de la recherche scientifique et technique, à la prolifération des courants et des options de l'art contemporain et à la redéfinition constante des formes et du langage de ses disciplines. Le caractère foisonnant et débridé de cette évolution n'a toutefois pas été sans soulever quelques résistances du corps social, quelques inquiétudes sur la maîtrise des avancées de la science et de l'art, quelques questions, enfin, sur leur existence et leur raison d'être.

Questions de révision

1. Quelles transformations la condition du chercheur a-t-elle connues depuis un demi-siècle ?

2. Quelle forme l'irruption de la prépondérance américaine dans le domaine des sciences et des techniques emprunte-t-elle ?

3. Dégagez les principaux apports techniques depuis 1945.

4. Quelles directions la conquête spatiale a-t-elle prises ?

5. Quelles inquiétudes le développement de la science et des techniques soulève-t-il ? Pourquoi ?

6. Expliquez comment ont évolué les sciences humaines depuis la guerre.

7. Qu'est-ce que le fonctionnalisme en sociologie ?

8. Quelle différence y a-t-il entre l'ethnologie et la sociologie ?

9. Pourquoi le marxisme occupe-t-il dans l'histoire des idées une place aussi singulière ?

10. Quels sont les principaux phénomènes qui marquent l'évolution de l'art depuis 1945 ?

11. Décrivez quelques-uns des courants de la peinture contemporaine.

12. Comment l'architecture a-t-elle évolué depuis 1945 ?

13. Dégagez les caractéristiques de l'art moderne.

14. Quelles sont les ressemblances et les différences entre les époques 1900-1945 et 1945-1994 sur les plans de la science et de l'art ?

15. Commentez en une dizaine de lignes la question suivante : « La science et la technologie ont-elles amélioré le sort de l'être humain au XXe siècle ? »

3e

PARTIE

LES INCERTITUDES
DU PRÉSENT

15

UNE FIN DE SIÈCLE À VITESSE VERTIGINEUSE, 1985-1994

JEAN BOISMENU

La fin du système soviéto-communiste

LA PERESTROÏKA ET LA GLASNOST, OU LA RÉVOLUTION PAR LE HAUT

L'ÉCLATEMENT DE L'URSS

LA BASCULE DES SATELLITES SOVIÉTIQUES EUROPÉENS

UNE MARÉE IRRÉSISTIBLE

Le dénouement d'une guerre meurtrière

LA LIQUIDATION DE LA DEUXIÈME GUERRE MONDIALE

LES RÈGLEMENTS ACCÉLÉRÉS DE LA FIN DU SIÈCLE

LES INQUIÉTUDES ET LES PROMESSES D'AUJOURD'HUI

L'ONU : UN RÔLE À REDÉFINIR

La sortie d'une crise économique

UNE ÉCONOMIE MONDIALE EN MUTATION

SOUS LE SIGNE DE LA FRAGILITÉ

L'INTERDÉPENDANCE : UNE SOLUTION ?

1990-1994 : des changements qui font penser à une révolution

SOUS LE SIGNE DE GUERRES INCOMPARABLES

UN SIÈCLE DE RÉALISATIONS IMPRÉVISIBLES

LE XXᵉ SIÈCLE SE TERMINE À UN RYTHME ACCÉLÉRÉ, PRESQUE EN CASCADES DES PROBLÈMES INSOLUBLES DEPUIS DES DÉCENNIES SEMBLENT TROUVER DES ABOUTISSEMENTS INATTENDUS OU, DU MOINS, ÉVOLUER DE FAÇON SURPRENANTE L'ÉCLATEMENT DE L'URSS ET DU SYSTÈME SOVIÉTO-COMMUNISTE MARQUE LA FIN DE LA RÉVOLUTION RUSSE DE 1917 LA RÉUNIFICATION DE L'ALLEMAGNE, LA MARCHE VERS L'UNITÉ EUROPÉENNE, LA REDÉFINITION DES ALLIANCES ET LA MUTATION DE L'EUROPE DE L'EST METTENT VRAIMENT UN TERME À LA DEUXIÈME GUERRE MONDIALE PLUS FRAGILE QU'AUPARAVANT, LE MONDE SORT LENTEMENT D'UNE CRISE ÉCONOMIQUE LA FIN DE LA GUERRE FROIDE MODIFIE LE RÔLE INTERNATIONAL DES ÉTATS-UNIS. L'EUROPE UNIFIÉE ASPIRE AU RANG DE PUISSANCE MONDIALE L'ASIE NE PEUT PLUS ÊTRE IGNORÉE LES IMPASSES DE L'APARTHEID EN AFRIQUE DU SUD, DE LA DIVISION DE L'ALLEMAGNE ET DU PROBLÈME ISRAÉLO-ARABE SEMBLENT PEU À PEU TROUVER LEURS SOLUTIONS LE XXᵉ SIÈCLE SE TERMINE SOUS LE SIGNE DE CHANGEMENTS QUI REVÊTENT UN CARACTÈRE PRESQUE RÉVOLUTIONNAIRE

1989, ANNÉE DE GRANDS BOULEVERSEMENTS

L'opposition au régime de la RDA s'exprime symboliquement dès 1989.

Deux cents ans après la *Révolution française, une révolution dans la révolution a retourné contre le communisme soviétique les principes de 1789. Aux yeux des historiens, 1989 sera bien l'année des Droits de l'homme et de la liberté. Non pas tant parce qu'elle aura marqué le deuxième centenaire de la prise de la Bastille ou de l'abolition des privilèges, mais parce qu'elle aura marqué la révolte des peuples de l'Europe de l'Est asservis par un régime qui leur avait été imposé par la force. Parce qu'elle aura sonné le glas du totalitarisme communiste et abattu les bastilles et les privilèges qui s'étaient édifiés à l'ombre du marxisme-léninisme. Sauf en Roumanie, où la folie du Conducator s'est refusée à toute réforme, le communisme totalitaire a semblé reconnaître sa défaite, et les bouleversements se sont accomplis dans un calme aussi stupéfiant que les bouleversements eux-mêmes.*

La Révolution de 1789 inventait la liberté, la révolution de 1989 la retrouvait. La Révolution française de 1789 s'était placée sous le signe de la rupture. La révolution dans la révolution s'est placée, en 1989, sous le signe de la rencontre: rencontre de l'Est et de l'Ouest, rencontre entre les deux Allemagnes, rencontre des pays dominés et de la liberté. Contre toute attente, la liberté retrouvée a jeté l'un vers l'autre deux mondes étrangers l'un à l'autre et séparés par un mur. Le symbole de ces rencontres reste l'entrevue à Rome du chef incontesté du communisme mondial et du chef de l'Église catholique, du successeur de Staline et du successeur de saint Pierre, de Gorbatchev et du pape. [...]

L'année qui s'achève aura donné avec éclat l'idée d'une configuration historique postmoderne où le rôle des médias [...], la pression pacifique de l'opinion publique, le déclin des idéologies, la libre circulation des idées, une certaine unification des esprits, lourde à la fois d'espérance et de risques, dessinent un paysage nouveau. Une de ses caractéristiques les plus évidentes est le refus des cloisonnements balayés par un vent de liberté. Mais l'enthousiasme du moment, déjà tempéré par la tragédie des Roumains, ne doit pas faire oublier que la liberté n'en finit jamais de devoir être défendue.

JEAN D'ORMESSON
Le Monde contemporain, 1946-1991,
Paris, Hachette, 1992.

CHRONOLOGIE

1985
Gorbatchev, secrétaire-général du Parti communiste de l'URSS
Premières élections à candidatures multiples en Hongrie
Condamnation du terrorisme par Y. Arafat

1986
Proposition par Gorbatchev d'un plan de désarmement pour « libérer la terre des armes nucléaires d'ici la fin du siècle » et proposition de désarmement de Reagan
XXVIIe congrès du PC: Gorbatchev réclame une « réforme radicale et nécessaire » de l'économie
Signature de l'Acte unique européen
Grave incident à la centrale atomique de Tchernobyl

1987
Libération de 140 dissidents soviétiques ; Sakharov participe à Moscou à un forum international pour un monde sans armes nucléaires
Panique boursière à New York et chute du dollar US
Signature, à Washington, du traité sur l'élimination des euromissiles, par R. Reagan et M. Gorbatchev
Début de l'Intifada dans les territoires occupés par Israël, la « révolution des pierres »

1988
Annonce par Gorbatchev d'un retrait prochain des troupes soviétiques en Afghanistan
Légalisation de Solidarité et entrée de l'opposition au parlement polonais
Proclamation par Y. Arafat de la création d'un État indépendant en Palestine
Annonce par Gorbatchev à l'ONU d'une réduction unilatérale de 500 000 hommes (10 %) des forces militaires soviétiques

1989
Manifestations étudiantes sur la place Tien'anmen en Chine et intervention sanglante de l'armée
Élections européennes
Nuit d'allégresse à Berlin pendant laquelle des milliers de Berlinois de l'Est franchissent le mur
Chute des régimes communistes en Europe de l'Est

1990
Libération de Nelson Mandela en Afrique du Sud
Décision par le Conseil européen d'accélérer la construction politique de l'Europe
Réunification officielle de l'Allemagne
Éclatement de la fédération yougoslave et début de la guerre

1991
Opération « Tempête du désert » contre l'Irak
Abolition de l'apartheid en Afrique du Sud
Élection de Boris Eltsine à la présidence de la Fédération de Russie (au suffrage universel)
Dissolution du pacte de Varsovie et fin du COMECON
Accords START (Strategic Arms Reduction Talks), sur le désarmement concernant les missiles stratégiques
Putsch des conservateurs en URSS
Conférence de Madrid sur le Proche-Orient
Réunion du sommet de la CEE à Maastricht ; programme d'union économique et monétaire
Éclatement de l'URSS et démission de Gorbatchev
Guerre civile doublée d'une guerre idéologique entre les Serbes et les Croates, qui ont proclamé leur indépendance dans l'ancienne Yougoslavie

1992
Élection de Bill Clinton à la présidence des États-Unis
Signature du traité de Maastricht
Guerre dans l'ancienne Yougoslavie qui s'étend à la Bosnie-Herzégovine

1993
Reconnaissance entre Israël et l'OLP
Entente sur la tenue des élections en Afrique du Sud
Ordre par Boris Eltsine de prendre d'assaut l'édifice du parlement russe, où se sont retranchés des députés ex-communistes en révolte
Appui mitigé au projet de Boris Eltsine sur la constitution de la Russie et élection de candidats d'extrême droite
Entente entre le Vatican et Israël qui met fin à une discorde de presque deux mille ans

La fin du système soviéto-communiste

L'ACCESSION AU POUVOIR DE MIKHAÏL GORBATCHEV, EN 1985, MARQUE LE DÉBUT DE PROFONDS CHANGEMENTS DANS L'UNION DES RÉPUBLIQUES SOCIALISTES SOVIÉTIQUES, L'URSS. L'AMORCE D'UN PROCESSUS DE MODIFICATION DE CET EMPIRE JUGÉ IMMUABLE PROVOQUE D'IMPORTANTS REMOUS DANS LE MONDE.

LA PERESTROÏKA ET LA GLASNOST, OU LA RÉVOLUTION PAR LE HAUT

L'Union soviétique de l'ère Brejnev donnait encore une impression de puissance qui masquait la réalité d'un pays politiquement et économiquement attardé, ralenti dans son développement par une centralisation et une bureaucratie excessives, de lourds investissements militaires, une agriculture improductive et une main-d'œuvre démotivée. Des changements s'imposaient, mais l'immobilisme du système limitait les chances de succès de toute tentative de réforme. Il y avait peu à faire pour modifier profondément un système trop encrassé où croupissait dans le confort des privilèges le personnel du Parti et du gouvernement, qu'on appelait la *nomenklatura* ou les *apparatchiks*.

Gorbachev, premier dirigeant suprême soviétique à n'avoir pas connu la révolution de 1917, met fin à une longue période de direction traditionnelle du pays. Devant la nécessité d'instaurer des réformes, il décide de sortir l'État de son immobilisme. Il change le discours politique et rompt avec la tradition en rejetant l'usage de moyens cœrcitifs pour régler les problèmes. Gorbachev, en homme pragmatique et flexible, met en marche **une sorte de révolution par le haut qui modifie les relations entre l'État et le Parti**. La *perestroïka* et la *glasnost* fournissent les bases de son action.

La *perestroïka* vise la **restructuration économique**. Conservant les thèses communistes et sans se convertir à l'économie de marché, Gorbatchev insuffle une nouvelle vigueur à l'économie. Il établit des relations commerciales avec les pays capitalistes. Le droit au profit personnel, la flexibilité de l'emploi et l'accession à la propriété privée des terres permettent de moderniser l'économie. Il s'agit d'accroître la motivation à produire mieux et plus.

Ce programme réformiste nécessite et justifie en même temps la **diminution des responsabilités mondiales** de l'Union soviétique. Le retrait des troupes de l'Afghanistan, les négociations sur le désarmement, le bon voisinage avec la Chine, les ouvertures à la coopération avec le Japon et les pays d'Asie du Sud-Est, la fin de l'aide au tiers-monde et de l'appui systématique aux États communistes illustrent bien la *perestroïka*. Les difficultés économiques sont invoquées pour mettre fin à la politique mondialiste instaurée par Staline.

La politique de transparence de la vie publique, appelée *glasnost*, tient à la fois d'une nouvelle image projetée par le régime et d'une volonté de réformer un système vétuste et autoritaire. Il s'agit du **rejet d'un certain passé**. Les crimes staliniens sont dénoncés. Des victimes politiques (Kamenev, Zinoviev, Boukharine et même Trotsky) sont réhabilitées de façon posthume. Sakharov et de nombreux prisonniers politiques sont libérés. Le régime avoue même des crimes de guerre, comme le massacre de Katyn. Des œuvres autrefois censurées (Pasternak et Soljenitsine) sont publiées. Des artistes exilés, comme le violoncelliste Rostropovitch, reviennent au bercail. Socialement, la *glasnost* est d'emblée réformiste, s'attaquant à l'appareil judiciaire ou luttant contre l'alcoolisme. La liberté de presse et de religion et le droit de grève en font partie. La nouvelle transparence ouvre le pays sur la culture occidentale ; les groupes de musiciens rock peuvent s'exprimer publiquement.

LES « VICTIMES » DE LA TRANSPARENCE

Caricature de Serguei, extraite de : A. Jacob, M. Tatu, B. Féron et D. Vernet, « L'URSS de la perestroïka à l'après-communisme », Paris, *Le Monde*, 1991.

La *glasnost*, c'est aussi la **transparence** par la liberté d'expression, l'autorisation du multipartisme et la fin du monopole politique du Parti communiste. En 1989, les citoyens s'expriment dans une élection libre ; c'est le début de la démocratisation. La *glasnost* ne constitue pas un rejet du système socialiste mais plutôt un effort pour le restructurer et le renforcer, en le rendant plus transparent.

Malgré le respect du léninisme, il y a de la **résistance** et de la grogne. Les *apparatchiks* sont récalcitrants et les militaires se méfient de la réduction des dépenses, tandis que certaines républiques menacent de faire sécession. Gorbatchev affronte la mauvaise volonté et le sabotage administratif des piliers du Parti communiste. La population se montre impatiente à constater des résultats, à supporter la pénurie alimentaire, le chômage et l'enlisement dans le marasme économique.

GORBATCHEV S'EN PREND AUX PRIVILÈGES...
.. QUI ONT LEURS DÉFENSEURS...

Vous savez, quand Eltsine a parlé de cela, j'ai été tout simplement étonné. De quels privilèges parlait-il ? De la polyclinique dans laquelle nous sommes soignés ? Comment pourrait-il en être autrement ? Peut-on attendre d'un membre du Politburo qu'il arrive, avec quinze minutes à sa disposition, pour prendre quatre fois plus de temps ? Certainement pas. Une voiture ? Notre direction dispose de voitures. Nous voulons maintenant que ces voitures soient plus petites... Nos travailleurs de l'automobile y travaillent actuellement. Mais de quels autres privilèges s'agit-il ? Que l'on nous donne nos repas ? Oui, nous recevons des repas, mais c'est parce que nous prenons notre petit déjeuner, notre déjeuner et notre dîner au travail. Nos privilèges consistent davantage dans le fait que nous avons un temps de travail illimité, sans heures fixes. Je ne peux jamais m'en aller. Même si je dois partir un dimanche, je téléphone pour demander s'il n'y a pas de documents urgents ou d'affaires à régler. S'il y a des excès, c'est des excès de travail, pas de privilèges.

J'ai un appartement de quatre pièces dans une maison ordinaire. Nous avons aussi une maison à la campagne, mais elle est propriété d'État. Le salaire est suffisant parce que je n'ai pas le temps de dépenser de l'argent. Nous allons au travail, revenons à la maison pour travailler encore un peu, puis allons à nouveau au travail. Laissez-moi vous dire : quand j'étais directeur général dans l'industrie, mon salaire était plus élevé que celui que je gagne maintenant en tant que membre du Politburo.

Entretien de Lev Zaikov, membre du Politburo,
dans *Newsweek*, 4 avril 1988.

ET LEURS DÉTRACTEURS

Le ministère de l'intérieur de l'URSS reçut de l'étranger neuf magnifiques automobiles de fonction. Une Mercedes devint aussitôt la voiture personnelle du ministre, une autre alla à son fils, une troisième à sa fille. Gratuitement bien entendu. [...] La femme du ministre se vit affecter une BMW, et sa belle-fille reçut une Mercedes du modèle de l'année précédente. [...] Chtchelokov avait fait commander aux frais du ministère soixante-deux lustres de cristal importés qu'il avait distribués à lui-même, à ses enfants, parents et amis. Il disposait d'un architecte personnel, d'un masseur, d'un cuisinier, d'un photographe et d'un biographe, qui fit notamment tourner une série filmée en deux épisodes, Pages d'une vie, sur le ministre. Au cours des seules trois dernières années du séjour de Chtchelokov au ministère, son administration acheta pour les besoins de sa famille des fourrures pour 42 000 roubles et près de 7 500 roubles de parfumerie. [...] Les juristes ont pu estimer le préjudice global causé à l'État par l'ancien ministre à 700 000 roubles.

LITERATOURNAIA GAZETA
18 mai 1988.
Cité dans A. Jacob, M. Tatu, B. Féron et D. Vernet,
« L'URSS de la perestroïka à l'après-communisme »,
Paris, *Le Monde*, 1991.

L'ÉCLATEMENT DE L'URSS

Débordé par les forces qu'il a lui-même mises en branle, Gorbatchev ne jouit que d'une étroite marge de manœuvre. Les conservateurs jugent qu'il compromet le régime, alors que les libéraux, tels Boris Eltsine, le rival du président, veulent aller plus vite et plus loin. De plus, certaines nationalités de l'Union réclament leur indépendance.

Gorbatchev veut sauver le pays et organise une **réforme constitutionnelle** basée sur une union d'États

souverains. Après un référendum favorable au projet et au moment où l'entente va être ratifiée par les républiques, des conservateurs fomentent un **coup d'État** en août 1991 et tentent de restaurer l'ancien régime. L'armée refuse de suivre les rebelles. Eltsine et les libéraux, qui jouissent du soutien populaire, condamnent le Parti communiste et bloquent le soulèvement. C'est un Gorbatchev visiblement ébranlé qui revient au pouvoir et tente de maintenir l'intégrité du pays en proposant un nouveau traité d'union. Peine perdue, le gouvernement est au bord de la faillite et certaines républiques rejettent la centralisation économique. **L'entente n'est plus possible, c'est la fin de l'expérience soviétique.** La tentative de renversement aura été un accélérateur historique.

Dans cet empire hérité des tsars, l'URSS comprend quinze républiques dont une, la république de Russie, s'impose à toutes les autres par son espace, étendu depuis la Pologne jusqu'à l'océan Pacifique, par sa population et par ses ressources. Une économie solide lui aurait assuré la loyauté des autres membres de l'Union, mais ceux-ci craignent un retour à la russification. L'impasse des réformes les encourage à choisir l'indépendance, et la menace militaire, de même que de vastes promesses d'autonomie au sein d'une union économique, ne suffisent plus pour bloquer le séparatisme. Les réformes intensifient la lutte ouverte pour se libérer pêle-mêle de Moscou, des Russes et du soviétisme, jusqu'au **grand déchirement de 1989**.

L'Estonie, la Lettonie et la Lituanie, trois républiques baltes intégrées à l'URSS en 1940 par suite du Pacte germano-soviétique de 1939 (voir page 238), proclament leur souveraineté. En décembre 1991, les autres républiques refusent de signer le traité de la nouvelle union. Sous l'impulsion d'Eltsine, on négocie la formation d'une

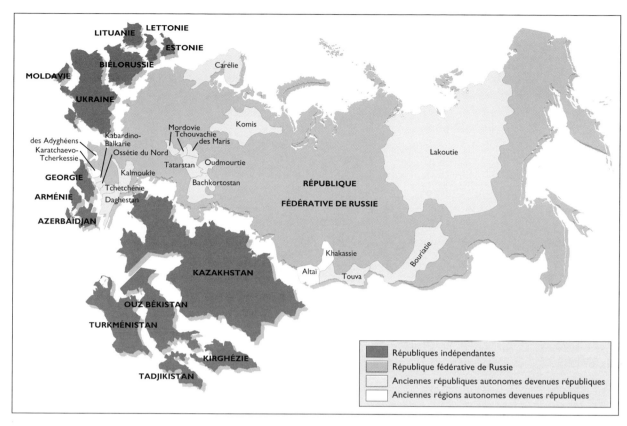

Communauté des États indépendants, avec de faibles liens entre des républiques souveraines. Du même coup, l'URSS disparaît, emportant avec elle la faucille, le marteau, les statues de Lénine et de Staline et l'étendard rouge du communisme. On assiste au retour de la Russie, avec son drapeau, sa capitale rebaptisée Saint-Pétersbourg et ses symboles traditionnels, comme l'aigle bicéphale. Mais la tension reste grande, autant entre les anciennes républiques qu'à l'intérieur de chacune d'elles. Pendant que la Géorgie refuse de s'intégrer à la CEI, des déchirements internes éclatent en Moldavie, dans le Caucase et en Asie centrale.

L'incertitude règne : disputes frontalières, déplacements de populations, menaces de guerre civile, conflits ethniques... Il n'y a pas d'entente sur le partage des forces militaires, des armes nucléaires et des propriétés nationales de l'ancienne superpuissance. Le monde entier

RUSSIE, RUSSES...:
LES DIFFICULTÉS
D'UNE DÉFINITION

Pour éviter les deux écueils, ethnie d'un côté, nation impériale de l'autre, les Russes et leurs gouvernants gagneraient à comprendre la nation comme une notion dynamique, une communauté sans cesse en fabrication qui existe parce que ses membres expriment chaque jour la volonté d'appartenir à l'ensemble. Ainsi, pour l'historien Roman Szporluk, l'État ukrainien n'a jamais existé mais la nation ukrainienne existe, car elle est en construction, comme les autres nations. [...] En comparaison, la « nation russe » dans son sens impérial ne s'est guère endormie durant cinq siècles et n'a cessé de grandir. Mais, ce faisant, elle s'identifiait de plus en plus à l'empire, au tsar et non au peuple russe.

Les communistes ont encore embrouillé les cartes en tentant de substituer à cette construction que j'appellerai — nationale-impériale — une notion fermée et statique de « peuple soviétique » ne laissant aux peuples qui le composent qu'une identité administrative [...]. Qu'un système politique — le régime des soviets qui deviendra le régime de l'État-Parti autoritaire — donne son nom à un peuple revient à nier la construction nationale. L'État décide, et l'État est le pouvoir avant de représenter la nation. En d'autres termes, alors que les tsars avaient tenté de bâtir une nation à travers l'expansion coloniale et le gouvernement impérial, les communistes ont tenté de créer une société unifor- misée (« peuple soviétique ») en divisant les territoires selon des frontières administratives et en brisant la dynamique de « rassemblement » qui avait fait la force de l'empire russe.

Aux deux époques, le pouvoir de « rassembler » ou d'« uniformiser » est venu d'un système administratif fortement centralisé et aux ramifications très denses jusque dans la gestion du village. C'est l'État qui est le bâtisseur de la « nation » et non la nation le bâtisseur de l'État.

Boris Eltsine se trouve à son tour pris dans cette tradition impériale-étatique. Il n'a d'autre choix que de tenter de construire un État, en espérant que cet État servira de support à une construction nationale aujourd'hui impossible.

MARIE MENDRAS (DIR.)
Un État pour la Russie, Bruxelles,
Éditions Complexe, 1992.

s'interroge sur l'avenir de ce géant du XXᵉ siècle, car sa déstabilisation comporte des dangers. En avril 1992, le groupe des sept pays les plus industrialisés, appelé le G-7, annonce la création d'un fonds d'aide aux États de la Communauté. La Russie a donc perdu son empire. Que seront son rôle, son importance dans le monde, l'esprit de sa constitution et de sa voie économique ?

La révolution russe de 1917 a échoué, mais les jeux ne sont pas faits. Le vide créé par l'écroulement de l'empire et par la reconversion chaotique de l'économie favorise les luttes politiques, l'impatience devant la lenteur des résultats et les volontés de retour à l'ancien système. **L'après-URSS est imprévisible.** En 1993, le président Boris Eltsine lance des chars contre l'édifice du parlement, où se sont retranchés des députés ex-communistes en révolte, et annonce une consultation populaire sur la

Une révolte communiste est écrasée en 1991

Le parlement russe est pris d'assaut sur l'ordre de Boris Eltsine.

constitution. En décembre, les résultats du scrutin démontrent l'ambivalence populaire, qui appuie à la fois le projet de Eltsine et une formation politique d'extrême droite.

En même temps, le nouveau discours russe renoue avec l'impérialisme, la centralisation et l'assujettissement des minorités. Le traditionnel « ours russe » ne se réveillera-t-il pas à nouveau ?

LA BASCULE DES SATELLITES SOVIÉTIQUES EUROPÉENS

Historiquement, l'URSS n'a jamais attiré les nations minoritaires qui y vivaient. Les bouleversements de cet État et le relâchement des liens de l'empire suscitent de l'espoir pour des nations assujetties.

Après l'indépendance des États baltes, **le phénomène de libéralisation se répand comme une traînée de poudre à l'Europe de l'Est**. En moins de deux ans, le bloc continental croule, les satellites basculant les uns après les autres, comme des pièces de domino. Des régimes politiques remontant à 1945 et maintenus par la force s'effondrent sous le poids du vieillissement, du courant réformiste et des problèmes économiques. Écrasée jusque-là par un système autoritaire, la ferveur nationaliste refait surface et agit comme catalyseur.

Moscou ne peut plus recourir à la poigne de fer, comme en Hongrie en 1956 ou en Tchécoslovaquie en 1968. L'année 1989 a l'effet d'un gigantesque tremblement de terre dans le monde communiste.

Depuis longtemps, la **Pologne** est un foyer de résistance. Avec le syndicat *Solidarność* (Solidarité) et l'Église catholique comme forces de revendication, le pays affiche clairement sa volonté d'autonomie. Les événements en URSS contraignent le régime de Jaruzelski et le Parti communiste à composer avec l'opposition. L'année 1989 donne le signal de la reconnaissance officielle de Solidarité, que la répression avait tenté de dissoudre précédemment, et la première élection libre démontre la force du syndicat devenu mouvement de masse. Les événements se précipitent; le parlement abolit le monopole du Parti communiste, qui se transforme en Parti social démocrate, et Lech Walesa, le chef de *Solidarność*, devient président du pays. Mais des dissensions surgissent bientôt au sein du mouvement, fruits des tensions politiques, de la lenteur à percevoir l'amélioration économique et de l'apprentissage de la démocratie. Les élections législatives de 1991 et 1993, qui marquent l'émergence d'une droite populiste et la résurgence des ex-communistes, révèlent un certain désarroi.

LECH WALESA, CANDIDAT À LA PRÉSIDENCE DE LA POLOGNE, 1990

LA FIN DU XXᴱ SIÈCLE : L'HISTOIRE REVUE ET CORRIGÉE...

La véritable aspiration à une histoire rénovée apparaît autour de 1976. Elle dure encore au moment où nous écrivons. La constitution du large front des intellectuels, [...] témoignait de l'incohérence fondamentale en vertu de laquelle le marxisme se réclamait du prolétariat. Elle marquait la scission définitive entre le Parti et le Pays. Désormais, une opinion publique, une pensée qui ne serait plus dictée par le pouvoir allait s'exprimer parce que, tout simplement, la peur avait disparu, et parce que l'Occident, par son aide en argent et en matériel de duplication, de photocopie, d'imprimerie, permit enfin l'immense courant des éditions libres, l'énorme foisonnement d'un samizdat qui prit des proportions telles que la censure, débordée, dut le tolérer. [...]

Le besoin d'histoire tel qu'il se manifeste en Pologne depuis quinze ans est suscité par ce qu'on appelle dans ce pays les Taches blanches, c'est-à-dire les zones intactes, les sujets tabous des décennies précédentes. L'immense curiosité qu'éveillent ces plages de silence constitue à son tour un phénomène socioculturel qui ne pouvait naître que dans une ancienne démocratie populaire. [...]

Engluée dans le mensonge, l'histoire éprouve depuis 1976-1980 un besoin inouï de rejet, de révision, de réexamen de tout, elle tente d'exorciser la schizophrénie imposée par un système qui commandait d'écrire le contraire de ce que l'on savait, mais l'arsenal des signes auxquels on s'accroche dans ce naufrage se révèle quelquefois figé et l'imagination créatrice n'est pas toujours au rendez-vous.

DANIEL BEAUVOIS
« Être historien en Pologne :
les mythes, l'amnésie et la vérité »,
Revue d'histoire moderne et contemporaine,
vol. XXXVIII, juillet-septembre 1991.

La **Hongrie** jouit aussi d'une longue expérience de résistance depuis sa révolte réprimée dans le sang en 1956 (voir page 345). Son économie relativement plus libérale et sa situation géographique à la ceinture du bloc communiste lui confèrent une certaine liberté d'action. Le départ du chef communiste, installé depuis 1956 (Janos Kadar), de graves problèmes économiques et la présence d'une opposition organisée favorisent les changements. Devant le nombre croissant de manifestants bravant la répression et de Hongrois quittant le pays, le gouvernement libéralise la presse, réhabilite les insurgés de 1956 et proclame des élections libres. Battus aux élections, les communistes ne peuvent empêcher l'opposition de prendre le pouvoir sous une constitution modifiée. C'est le rejet du communisme à la soviétique.

La **Tchécoslovaquie** vit sa révolution dans la douceur. Gorbatchev n'ayant pu y trouver un représentant local de la *perestroïka* et de la *glasnost*, les manifestations de 1988 et 1989 activent le mouvement réformiste, qui semble même encouragé en sous-main par Moscou. Les aspirations démocratiques s'affirment par l'abolition du rôle dirigeant du Parti communiste, l'élection d'une majorité de candidats du Forum civique et la formation d'un nouveau gouvernement. Dans un climat euphorique, Dubček, l'homme du printemps de Prague en 1968 (voir page 346), accède à la présidence de l'Assemblée nationale et Havel, le fondateur d'un mouvement de défense des droits de l'homme appelé *Charte 77*, devient président de la république.

En Roumanie, rien ne menace le communisme ; toutes les tentatives de s'éloigner de l'orthodoxie sont sévèrement réprimées. À la fin de 1989, l'ouragan déferle aussi sur le régime autoritaire de Ceaucescu, qui semblait à l'abri de tout changement. Mais la crise économique, la pénurie d'aliments et le mécontentement de l'importante minorité hongroise de Transylvanie généralisent un malaise déjà profond. Le dictateur et sa police politique, appelée Securitate, ne parviennent pas à mâter le mouvement populaire. Abandonné par l'armée, Ceaucescu est renversé, jugé sommairement, puis exécuté. D'anciens communistes forment un Front de salut national et mettent en place une démocratie ambiguë. On a évacué un dictateur sous les applaudissements d'un peuple exaspéré, mais rien ne semble vraiment réglé dans cet ancien bastion du communisme.

CHUTE DU RÉGIME AUTORITAIRE DE N. CEAUCESCU

En quelques jours à la fin de 1989, le dictateur Ceaucescu est délogé.

En **Bulgarie**, les manifestations minent le gouvernement communiste. Un groupe réformiste au pouvoir annonce la tenue d'élections libres et la suppression de l'hégémonie politique du Parti communiste, qui se transforme en Parti socialiste. En apparence trop rapproché du communisme à la soviétique, le nouveau gouvernement croule sous le poids des pressions populaires...

La **République démocratique allemande**, la RDA, représente le modèle parfait du pays inféodé à Moscou.

Le gouvernement opte pour la ligne dure et les idées de Gorbatchev sont perçues comme une hérésie pure et simple. On veut plutôt maintenir la police politique, la censure, la répression de manifestations populaires et bloquer l'exode vers l'Ouest. Le régime applaudit les attitudes réactionnaires roumaine et chinoise. Bref, c'est le contre-courant historique. À la surprise générale, les manifestations en faveur de changements profonds prennent de l'ampleur ; elles conduisent à la chute du régime, confirmée par la démission du chef d'État et l'abolition des privilèges des membres du Parti communiste. En 1989, c'est le **démantèlement du mur de Berlin**, le plus important symbole de l'ancien ordre politique. L'année suivante, les deux Allemagnes de la guerre froide sont réunifiées. Euphorique, le monde assiste à l'effondrement du communisme allemand, télévisé en direct depuis Berlin.

Une marée irrésistible

En dehors des satellites immédiats de l'URSS, d'autres modèles communistes subissent les effets du choc.

Les Balkans reprennent l'avant-scène de l'actualité. Dernière représentante de la pureté idéologique stalinienne ou maoïste du communisme, l'**Albanie**, dirigée d'une main de fer par Enver Hodja depuis 1944, s'initie timidement à la détente à partir de 1985. Sous les effets du remous, elle se libéralise par l'entremise du multipartisme et des élections libres.

La **Yougoslavie** représente un cas différent et tragique à la fois. Différent, parce que cet État communiste est en rupture avec Moscou depuis longtemps. La réforme l'atteint tout de même lorsque les communistes sont chassés du pouvoir et que des élections libres sont déclenchées. Tragique surtout parce que ce pays fédéral est formé de nationalités, d'ethnies et de religions diverses qui tentent toutes de s'affirmer. Cette véritable mosaïque devient la proie d'une violente guerre interne.

La **Chine** communiste veut moderniser son économie et atteindre une certaine respectabilité internationale. Elle multiplie les rapprochements avec l'Occident. Sans

MANIFESTATIONS SUR LA PLACE TIEN'ANMEN EN CHINE

En mai 1989, des milliers d'étudiants font la grève de la faim sur la place Tien'Anmen.

changer la dictature traditionnelle, Deng Xiaoping rompt avec le maoïsme économique et satisfait certaines revendications matérielles de la population. La Chine s'éloigne de la planification dogmatique et soutient une forme d'économie de marché. Connaissant des succès économiques, elle établit des relations commerciales avec Hong Kong, le Japon et les États-Unis. Face à ces changements majeurs, le Parti communiste, craignant de perdre son emprise sur le pays, n'hésite pas à réprimer violemment, en 1989, un mouvement étudiant porteur de certains espoirs de liberté et de démocratie. Les images saisissantes de ces événements de la place Tien'anmen, retransmises à travers le monde, viennent ternir l'image de la Chine, faisant probablement échouer son projet de tenir les jeux Olympiques de l'an 2000.

La **Corée du Nord** maintient son autoritarisme politique et idéologique sous Kim Il Sung, en poste depuis 1945. Elle concentre son attention sur le développement industriel. Le **Viêt-nam**, réunifié après 30 années de guerre, tente désespérément de concilier son système politique autoritaire et les exigences d'une économie de

Les dirigeants chinois face à la contestation

On ne gouverne pas un pays de onze cents millions d'habitants, dont deux cent cinquante millions d'analphabètes, comme une démocratie occidentale. Le risque d'anarchie est si grand que le pouvoir sera sans doute amené à abattre bientôt ses cartes. Les dirigeants de Pékin sont, jusqu'aujourd'hui, les otages de leur illustre visiteur[1]. Ils doivent déjà se préparer à se ressaisir.

Deng et ses fidèles ont plus d'un tour dans leur sac. Ils peuvent jouer la Chine profonde contre l'intelligentsia. S'appuyer, contre les citadins, sur les paysans — 70 % de la population —, qui ont connu, depuis dix ans, un spectaculaire progrès. Mettre en mouvement, ne serait-ce que par un bruit de bottes ou de chars, l'armée et la police, curieusement muettes. Avec la subtilité qui les caractérise, resserrer les mailles du filet, diviser les manifestants, désagréger le mouvement, lancer des campagnes d'explications, faire pression sur les familles, sonner la fin de la récréation. La querelle de succession ouverte par son grand âge, Deng peut même en profiter pour retourner la situation, affirmer la nécessité de son maintien au pouvoir et pousser des hommes à la réputation intacte. L'épreuve de force n'a pas eu lieu. Les contestataires n'ont rencontré devant eux que le vide. Il ne serait pas conforme aux leçons de l'histoire chinoise que cette situation se prolonge très longtemps.

ALAIN PEYREFITTE

Le Monde contemporain, 1946-1991, Paris, Hachette, 1992.

1. Les manifestations d'étudiants sur la place Tien'anmen ont lieu presque en même temps que la visite de M. Gorbatchev en Chine.

marché. Le progrès économique lui permet de se remettre de la suppression de l'aide soviétique.

Cuba lance quelques réformes pour sauver le régime de Fidel Castro. En 1985, après avoir maintenu intact l'autoritarisme traditionnel, le chef cubain, abandonné par Moscou, doit tenir compte de la proximité des États-Unis, de son industrie touristique, de la carence des capitaux et du mécontentement généralisé... L'opposition et l'exil vers les États-Unis d'une fille du chef cubain lui-même révèle la fragilité du système. L'impopularité contraint à l'ouverture un régime que beaucoup condamnent à la déchéance.

Le même phénomène se reproduit ailleurs. L'Afghanistan, l'Angola, l'Éthiopie ou le Cambodge représentent autant de régions où le communisme s'affaiblit ou est ébranlé.

Le dénouement d'une guerre meurtrière

A DÉBÂCLE DE L'**URSS** ET DU COMMU-
NISME ENTRAÎNE L'ÉVOLUTION OU LE
RÈGLEMENT DE NOMBREUX AUTRES
PROBLÈMES. LA GUERRE FROIDE DIS-
PARAÎT. LES ÉTATS-UNIS S'ADAPTENT AUX
NOUVELLES CONDITIONS. L'ALLEMAGNE RETROUVE SON
UNITÉ. L'EUROPE TENTE DE S'UNIFIER POUR REDEVENIR UNE
GRANDE PUISSANCE. LE JAPON FAIT MAINTENANT PARTIE DE
L'ÉCHIQUIER MONDIAL ET CONCURRENCE LES ÉTATS-UNIS,
SON ENNEMI DE 1945. VERS 1989, LE MONDE ASSISTE À LA
VÉRITABLE FIN DE LA DEUXIÈME GUERRE MONDIALE.

LA LIQUIDATION DE LA DEUXIÈME GUERRE MONDIALE

Le **désarmement** représente une conséquence directe des
réformes mises en place par la *perestroïka* et la *glasnost*.
Pour Gorbatchev, seule la réduction des dépenses militaires peut sauver l'économie soviétique et le système politique lui-même. Abandonnant le vocabulaire traditionnel
de la propagande, il évoque la nécessité d'un rapprochement avec l'Occident. C'est la seule façon honorable
de renforcer sa crédibilité et, surtout, de ne pas suivre les
États-Unis dans la voie coûteuse de la Guerre des Étoiles
du président Reagan. L'ouverture au dialogue et au désar-

mement est primordiale, car elle fait disparaître la logique de la guerre froide.

Les rencontres américano-soviétiques se succèdent sur le désarmement depuis 1985. Changement capital, on parle plus de **réduire les armements** que de les limiter. Gorbatchev traite de la réduction des armes stratégiques et classiques, des coupures de dépenses militaires et de l'élimination des armes nucléaires avec Reagan, puis Bush. En 1986, trente-cinq pays signent les accords de Stockholm sur le contrôle des forces militaires. Les États-Unis et l'URSS s'entendent sur la destruction des missiles, sur la réduction des forces du pacte de Varsovie, sur le principe de l'égalité des armements non nucléaires entre les blocs et sur la suppression des essais nucléaires. Les membres de l'OTAN et du pacte de Varsovie conviennent de réduire leurs forces militaires en Europe et, en 1991, le traité START (Strategic Armement Reduction Talks) stipule la réduction des missiles nucléaires. Gorbatchev parle même d'une Europe dénucléarisée et neutralisée, d'une « maison commune » en Europe. Les républiques de la CEI qui héritent des effectifs militaires de l'ancienne URSS adoptent le même raisonnement. Le dialogue et le désarmement surprennent après un demi-siècle d'affrontements systématiques ; le **désengagement militaire marque la fin de la guerre froide.**

Tout comme la surenchère militaire démontrait la rivalité des blocs, le **rideau de fer** démarquait les deux Europes de la guerre froide. La disparition de l'URSS et les mutations de ses anciens alliés expliquent l'obsolescence de cette ligne politique, économique et sociale typique d'un monde bipolarisé. Le danger d'invasion, le désir de contenir l'autre bloc dans sa sphère, la méfiance mutuelle disparaissent en même temps que la nécessité de maintenir les troupes et les équipements le long de milliers de kilomètres de frontières communes. Dès 1991, le pacte de Varsovie perd sa raison d'être. L'OTAN se redéfinit puisque d'anciens pays communistes, comme l'ex-Allemagne de l'Est, y sont maintenant intégrés et que d'autres demandent d'y entrer (Pologne, États baltes). La Russie assiste même à des réunions de cet organisme né de la guerre froide. Les deux Corées, les deux Chines... suivront-elles les exemples de l'unification des deux Allemagnes, des deux Berlins, des deux Viêt-nams ? La bipolarité de la guerre froide disparaît, le rideau de fer aussi.

La **réunification de l'Allemagne** symbolise la nouvelle réalité. Au moment où Gorbatchev a besoin de réduire les dépenses militaires, le président Reagan appuie les coupures budgétaires dans son propre pays. Coïncidence heureuse pour le monde ! En juin 1987, le président Reagan visite Berlin-Ouest. Comme pour forcer Gorbatchev à donner des garanties de sincérité face à l'opinion internationale, le président lui lance un défi : « Abattez ce mur, M. Gorbatchev ! » Personne n'y croit vraiment ! L'Allemagne, la grande coupable de 1945, divisée, occupée, démilitarisée et dénazifiée, demeure le symbole le plus spectaculaire de la guerre froide. En peu de temps, la chute de la République démocratique allemande, la RDA, et la démolition du mur de Berlin, le 9 novembre 1989, font ressurgir la question de l'unification du pays. Fort d'un appui populaire important, le chancelier Kohl d'Allemagne de l'Ouest propose un plan de réunification auquel souscrivent ses alliés européens. Après un accord Kohl-Gorbatchev, l'Allemagne est réunifiée le 3 octobre 1990. L'union monétaire des deux Allemagnes, la reconstruction de l'ancienne RDA, les coûts de la réintégration et les effets internationaux des changements représentent des difficultés importantes pour cette nouvelle Allemagne de la fin du XXe siècle. Mais le **monument principal de la guerre froide a été renversé** : même un gouvernement autoritaire ne saurait arrêter le cours de l'histoire...

La disparition de la guerre froide laisse les États-Unis sans rivaux, avec des responsabilités à redéfinir. Le géant américain stabilisera-t-il ce monde en effervescence ?

LA GUERRE FROIDE N'A PLUS DE SYMBOLE !

Des citoyens participent à l'élimination du « mur de la honte » à Berlin.

**L'ALLEMAGNE UNIFIÉE :
LE « MUR » DE L'ÉCONOMIE**

On assiste à une véritable braderie des biens économiques et industriels puisque les recettes tirées de la vente de plus de 50 % des actifs de l'ex-RDA représentent moins de 20 milliards de DM. Le choc social est énorme : près de la moitié des 9,9 millions d'actifs de l'ex-RDA se retrouve sans emploi. Cette crise est telle que la natalité s'effondre de 40 % entre 1990 et 1991. Les mouvements migratoires continuent de dévitaliser l'Est (250 000 en 1991, 150 000 prévus en 1992) au profit de l'Ouest, alors que le travail «frontalier» augmente considérablement et passe de 450 000 à la mi-1991 à 600 000 salariés au printemps 1992.

On assiste en fait à un transfert considérable de dynamique au profit des régions déjà les mieux dotées de l'ouest de l'Allemagne. Dynamique démographique avec un gain de 3,3 millions d'habitants entre 1987 et 1991 et de 2,2 millions d'actifs. Dynamique économique avec un PNB qui y augmente respectivement de 4,5 % en 1990, de 3,1 % en 1991 et de 2,5 % à 3 % au premier trimestre de 1992.

En 1991, l'économie ouest-allemande a créé près de 800 000 emplois nouveaux et perdu 200 000 chômeurs malgré les flux de main-d'œuvre. Au premier semestre de 1992, on y assiste encore à la création de 440 000 emplois nouveaux. Les firmes allemandes préfèrent augmenter leurs capacités de production à l'Ouest pour satisfaire la demande de l'Est plutôt que d'y investir. En définitive, l'unification se traduit par le renforcement d'une fracture douloureuse entre deux sociétés et deux espaces, qui exigera des années pour se résorber.

LAURENT CARROUÉ
« L'Allemagne réunifiée dans l'économie de l'Europe centrale : une hégémonie renouvelée », *Hérodote*, janvier-mars 1993.

Ses difficultés économiques l'amèneront-elles à faire appel à des alliés comme l'Allemagne et le Japon ? L'aide américaine aux anciens pays communistes retardera-t-elle l'appui aux régions sous-développées ?

LES RÈGLEMENTS ACCÉLÉRÉS DE LA FIN DU SIÈCLE

L'évolution de certains conflits localisés et les perspectives de résolution de problèmes accumulés par l'histoire confirment la **fin des affrontements systématiques** sous le parapluie des deux superpuissances de la guerre froide. La surenchère politique ou économique n'est plus de mise ! Des conflits se débloquent ou se règlent à la faveur du nouveau contexte.

Un cessez-le-feu intervient dans le conflit Iran-Irak en 1988. En Namibie, l'affrontement des forces cubaines et des troupes de l'Afrique du Sud prend fin et l'ONU assure le passage à l'indépendance de la Namibie, le 22 décembre 1988. L'URSS se retire d'Afghanistan. Les troupes vietnamiennes quittent le Cambodge, où un compromis ramène le prince Sihanouk au pouvoir en 1993. Les *Contras* du Nicaragua déposent les armes à la faveur d'une élection libre qui porte les libéraux au pouvoir. Le Maroc accepte la tenue d'un référendum sur l'indépendance du Sahara occidental. Des ententes interviennent dans les conflits entre l'Éthiopie et la Somalie, entre le Tchad et la Libye... L'Inde évacue ses troupes de Sri Lanka. L'Éthiopie négocie avec son voisin, l'Érythrée. Le cruel problème de l'apartheid en Afrique du Sud fait des pas de géant vers une solution négociée : William De Klerk et Nelson Mandela obtiennent même conjointement le prix Nobel de la Paix et une consultation populaire ouvre la voie à la formation d'un gouvernement multiracial réflétant la nouvelle réalité. En 1993, la Tchécoslovaquie est scindée en deux États souverains, la République tchèque et la Slovaquie, associés pour l'économie et le commerce. Le dialogue s'amorce entre la Grande-Bretagne et l'Irlande. En décembre 1993, l'État du Vatican reconnaît Israël ; c'est la fin d'une mésentente de presque 2 000 ans.

LES INQUIÉTUDES ET LES PROMESSES D'AUJOURD'HUI

Alors que le monde de la fin du siècle entrevoit certaines solutions heureuses de tensions accumulées, d'autres problèmes s'enlisent.

La disparition de la Yougoslavie provoque une crise profonde et brutale dans une région déstabilisée par la tornade de 1989. Ce pays fédéral, formé après la Première Guerre mondiale et maintenu intact sous un régime communiste, regroupe des nationalités, des ethnies, des cultures et des religions disparates. La crise démontre à la fois le rejet de siècles de domination ottomane, le refus de l'héritage islamique et les difficultés de la coexistence d'ethnies. Une

L'ANCIENNE YOUGOSLAVIE MISE EN PIÈCES

La destruction du pont de Mostar fait disparaître un monument historique médiéval.

556

CHAPITRE 15 UNE FIN DE SIÈCLE À VITESSE VERTIGINEUSE, 1985-1994

LA YOUGOSLAVIE
EMPORTÉE PAR LA VAGUE DES DÉMEMBREMENTS

Yougoslavie signifie «pays des Slaves du Sud». Aux deux tiers, ceux-ci, avant 1918, étaient sujets de l'Empire austro-hongrois. Certains, les Slovènes, relevaient de l'administration autrichienne; d'autres, les Croates, de l'administration hongroise; les Yougoslaves indépendants se partageant entre le royaume de Monténégro et celui de Serbie.

Slovènes et Croates sont catholiques et utilisent l'alphabet latin; les Serbes, orthodoxes, écrivent en caractères cyrilliques; les Musulmans utilisent en majorité la graphie latine. En dépit de ces différences, un puissant désir d'unification s'est manifesté depuis fort longtemps, car Serbes, Croates et Musulmans parlent une seule et même langue: le serbo-croate. Les Slaves de l'empire — Slovènes et Croates —, plus avancés économiquement que les Serbes et les Monténégrins, souffraient d'être humiliés: moins de 1,5 % d'entre eux avaient le droit de vote; et il n'y avait pas une seule université en Slovénie. [...]

Tout redécoupage des frontières, même internes, dans cette région balkanique peut entraîner de fatales conséquences. L'Albanie, désormais démocratique, se déclare «concernée» par le sort des Albanais du Kosovo. La Hongrie suit de près le destin de la minorité magyare de la Vojvodine et regarde d'un œil protecteur d'autres communautés hongroises, en Roumanie, en Slovaquie, en Ukraine...

La Yougoslavie n'est qu'une sorte de tragique laboratoire où l'on peut mesurer les périls qu'entraîne l'effondrement du pouvoir communiste.

IGNACIO RAMONET

« Une régression de la raison politique », dans *Le Monde Diplomatique*, *«Manière de Voir»* n° 17, 1993.

guerre civile meurtrière répand implacablement la mort parmi les collectivités. Le monde reste stupéfait devant la photo de ce couple de fiancés, symbolisant le drame du pays par leurs origines ethnique et religieuse différentes, tués inutilement à quelques pas l'un de l'autre, devant le viol systématique et à répétition de femmes musulmanes ou devant la destruction de la vieille ville de Dubrovnik et du pont de Mostar, joyaux du patrimoine mondial. Même l'ONU ne parvient pas à conduire les vivres et les soins humanitaires à destination. Le pays se scinde selon

SLOVÉNIE
25 juin1991

AUTRICHE

HONGRIE

CROATIE
25 juin 1991

Province
autonome
de Vojrvodine

ROUMANIE

BOSNIE-
HERZÉGOVINE
27 février 1992

RÉPUBLIQUE FÉDÉRALE
DE YOUGOSLAVIE

SERBIE

BULGARIE

Mer

Adriatique

MONTÉNÉGRO

Province
autonome
de Kosovo

ITALIE

ALBANIE

MACÉDOINE
8 septembre 1991

GRÈCE

Nouveaux états héritiers
de l'ex- Yougoslavie

Frontière de l'ex-Yougoslavie

LA YOUGOSLAVIE DE 1945 À 1991

En 1945, la fédération yougoslave distinguait deux statuts distincts. Celui de "nation" s'appliquait aux peuples fondateurs : Les Serbes, les Croates, les Macédoniens, les Slovènes, les Monténégriens et même les Musulmans. Celui de "nationalité" concernait les minorités nationales apparentées aux populations de pays voisins, comme l'Albanie et la Hongrie.

Les Musulmans apparaissaient comme une nation réunissant les groupes islamisés, surtout de Bosnie-Herzégovine, qui ne se reconnaissaient dans aucune des ethnies existantes.

les nations et les religions ; les questions politiques ne viennent qu'aggraver une situation déjà explosive. La fédération yougoslave laisse la place à la Croatie, la Slovénie, la Serbie, la Bosnie-Herzégovine, le Monténégro et le Kosovo. La guerre civile ressuscite la poudrière balkanique de 1914, avec son épicentre à Sarajevo. L'opinion publique blâme respectivement l'Europe et les États-Unis d'intervenir plus timidement dans ce conflit que contre l'Irak, où l'enjeu pétrolier dominait.

Plus anciens que les problèmes yougoslaves, les **conflits du Moyen-Orient** continuent d'alimenter l'actualité. Depuis 1945, des disputes font de cette région l'une des plus fragiles du monde. Le conflit entre Israël et le monde arabe, de même que la question de l'autodétermination des Palestiniens, a engendré quatre guerres successives. Le Liban, longtemps considéré comme la Suisse du Moyen-Orient, est devenu un champ de bataille meurtrier. L'émergence de groupes religieux radicaux et la montée de l'intégrisme musulman influencent les gouvernements et les sociétés de cette région. Le déclin de la puissance soviétique, qui modifie tout l'équilibre régional, de même que le rapprochement de certains pays arabes avec les États-Unis et Israël rendent la situation explosive.

En 1990, le petit émirat du Koweit est annexé militairement par l'Irak voisin, désireux de mettre la main sur d'immenses ressources pétrolières. Une coalition se forme rapidement contre l'agresseur, qui veut assurer son hégémonie dans la région et qui se considère le seul capable de vaincre Israël. Forts du soutien de l'ONU, les États-Unis entendent protéger les États menacés et garantir les approvisionnements en pétrole. Ils dressent un embargo contre l'Irak, positionnent des troupes et des équipements dans la région et adressent un ultimatum au président irakien Saddam Hussein. En janvier 1991, un déluge de fer et de feu s'abat sur Bagdad, transmis en direct par toutes les télévisions du monde, alors qu'une vaste force internationale dirigée par les États-Unis amorce l'opération **Tempête du désert**, destinée à contraindre

Les Balkans : une mosaïque ethnique

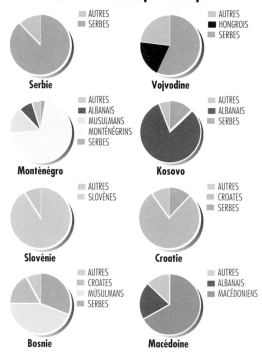

Population de l'ancienne Yougoslavie

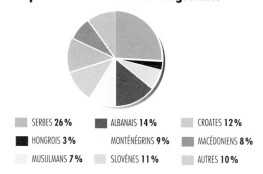

SERBES **26 %** ALBANAIS **14 %** CROATES **12 %**
HONGROIS **3 %** MONTÉNÉGRINS **9 %** MACÉDONIENS **8 %**
MUSULMANS **7 %** SLOVÈNES **11 %** AUTRES **10 %**

1991, LA GUERRE DU GOLFE

l'envahisseur à se retirer du Koweit. Malgré l'issue du conflit, Saddam Hussein camoufle la défaite militaire en se présentant comme la victime innocente d'une agression injustifiée ; il maintient sa poigne de fer sur son pays. La coalition victorieuse a eu bien soin de lui laisser des forces armées suffisantes pour sauver l'intégrité d'un pays dont l'éclatement pourrait faire embraser toute la région. La guerre du Golfe ne règle rien ; elle concrétise plutôt le nouveau leadership américain et la supériorité de l'armement assisté par ordinateur... À la tête d'une coalition de 29 pays sous la bannière de l'ONU, les États-Unis ont agi pratiquement sans le consentement soviétique, nouvelle preuve que la guerre froide est bien terminée !

Les **relations israélo-palestiniennes** évoluent spectaculairement. En 1982, l'attaque d'Israël contre l'Organisation de libération de la Palestine, l'OLP, au Liban transforme le conflit israélo-arabe en affrontement israélo-palestinien. C'est le problème de deux peuples foncièrement différents vivant sur un même territoire. L'attaque israélienne durcit les positions de l'OLP sur le sort des Palestiniens qui habitent les zones occupées par Israël. Depuis les conquêtes, des milliers d'Israéliens s'installent dans les territoires occupés et militarisés, près des Palestiniens refusant la présence de l'armée d'Israël. Ces derniers sont représentés par l'OLP, que ne veut pas reconnaître le gouvernement israélien. Israël est elle-même divisée entre le parti radical du Likoud, qui veut conserver les territoires acquis, et le Parti travailliste, plus modéré. En 1987, le conflit se transforme en *Intifada*, soulèvement généralisé dans les territoires occupés de Cisjordanie et de Gaza. Les Palestiniens manifestent, boycottent et s'en prennent avec des pierres à l'armée israélienne, qui réplique avec des fusils. Le conflit s'envenime.

L'INTIFADA

La « guerre des pierres » fait suite à une attaque de l'armée israélienne contre des camps de Palestiniens.

Mais les changements qui déferlent sur le monde modifient les données. En 1985, Yasser Arafat, le chef de l'OLP, condamne le terrorisme. Trois ans plus tard, il proclame l'indépendance de la Palestine, reconnaît l'État d'Israël et réclame un règlement négocié. Une résolution de l'ONU poursuit dans le même sens en amenant l'État hébreu à accepter l'autodétermination des Palestiniens. Alors que les États-Unis appuient la tenue de négociations avec l'OLP, considérée jusqu'alors comme une organisation terroriste, Israël refuse tout compromis territorial et continue sa répression des Palestiniens ; l'*Intifada* reprend de plus belle !

ISRAËL ET L'OLP NÉGOCIENT DIRECTEMENT
Washington, le 13 septembre 1993.

En 1991, des pressions diplomatiques et financières américaines ouvrent la voie à la **Conférence de paix de Madrid**. Le nouvel échiquier mondial y est pour quelque chose ! Le nœud du problème réside dans la présence palestinienne dans les territoires contrôlés par Israël. Depuis 25 ans, la stratégie de guérilla des Palestiniens répond à la répression d'Israël et accroît le durcissement des positions de chacun. Coup de théâtre en septembre 1993, une nouvelle étape est franchie : l'**OLP et Israël négocient directement**. Les discussions entre les deux ennemis traditionnels ne règlent toutefois pas le contentieux du Moyen-Orient. Plusieurs questions litigieuses persistent : la violence quotidienne, les problèmes de frontières, la cohabitation de populations hostiles, les déplacements de populations, les solutions politiques... Des négociations difficiles aboutissent cependant à l'historique poignée de main entre le chef palestinien et le premier ministre d'Israël. Une lueur d'espoir prend le monde par surprise même si les négociations ne respectent pas l'échéancier de décembre 1993 concernant l'évacuation de la bande de Gaza et le sort de Jéricho. Les discussions se poursuivent, les affrontements dans la rue aussi. Les cicatrices ne disparaissent pas facilement...

L'ONU : un rôle à redéfinir

Formée dans le contexte de 1945 et marquée par les tensions de la guerre froide, l'**ONU œuvre maintenant dans un monde essentiellement différent**. Après un demi-siècle d'histoire, elle doit redéfinir ses priorités et ses structures. Les États membres de l'organisme ne poursuivent plus les objectifs imposés par la guerre froide. Son action est politique et humanitaire à la fois.

Politiquement, l'ONU est plus qu'un forum où l'on débat la paix mondiale. Sur la corde raide de la guerre froide, elle n'a pas assuré une paix durable mais elle a évité des affrontements suicidaires. Ses effectifs de **casques bleus** l'avaient positionnée entre les lignes de feu, comme dans la crise de Suez. Aujourd'hui, certains souhaitent faire jouer à l'ONU un rôle plus actif dans les conflits internationaux à titre de policier du monde. N'ayant plus à se soucier du veto de deux blocs, elle offre maintenant sa médiation dans les grands conflits internationaux.

L'organisme international remplit aussi un **rôle humanitaire** en intervenant dans les domaines de la santé, de l'éducation et du respect des droits humains. Il se préoccupe aussi de dossiers et d'enjeux planétaires, comme ceux de la protection de l'environnement et de la recherche scientifique.

Comme le pacte de Varsovie est disparu en même temps que la guerre froide et que l'OTAN se cherche un nouveau mandat à l'heure de la crise bosniaque, l'ONU parviendra-t-elle à se redéfinir même si elle n'a pas de pouvoir cœrcitif sur ses membres ?

UN NOUVEAU RÔLE POUR L'ONU ?

En 1992, des « casques bleus » de l'ONU s'installent aux frontières de la Serbie et de la Croatie.

La sortie d'une crise économique

ES BOULEVERSEMENTS DE LA FIN DU XXE SIÈCLE CONTRIBUENT AU DÉSÉQUILIBRE ÉCONOMIQUE MONDIAL. DEPUIS 1973, LE MONDE VIT DANS UNE RÉCESSION ÉCONOMIQUE, NÉE EN PARTIE DES AFFRONTEMENTS DU MOYEN-ORIENT, QUI ONT CONVERTI LE PÉTROLE EN UNE ARME ÉCONOMIQUE. LES PREMIERS SIGNES ENCOURAGEANTS DE REPRISE APPARAISSENT TIMIDEMENT VERS 1982, MAIS IL Y A RECHUTE EN 1987.

UNE ÉCONOMIE MONDIALE EN MUTATION

La récession économique et l'insécurité qui l'accompagne provoquent une **mutation fondamentale de l'économie mondiale** et une nouvelle révolution industrielle basée sur l'électronique et l'informatique. Les industries traditionnelles, aussi bien que le secteur des services, subissent les effets de l'apparition de l'ordinateur et du robot, qui remplacent l'être humain à meilleur coût et à meilleur rendement. Les nouveaux instruments se perfectionnent à un rythme fulgurant, alimentant la décroissance de l'emploi et créant même un chômage technologique. Cette révolution industrielle ne remplace pas les emplois perdus et ne crée pas d'emplois nouveaux.

Malgré tout, la technologie active une **certaine expansion** économique. La main-d'œuvre doit s'ajuster et se recycler périodiquement. La sortie de crise s'accompagne donc d'une prospérité quelque peu bizarre qui n'élimine pas le chômage. Les innovations de la fin du siècle engendrent une croissance modérée qui permet aux entreprises les plus florissantes de continuer à investir dans la technologie de pointe. Les pays développés s'en sortent nettement mieux. À preuve, le chômage est en légère régression aux États-Unis et au Japon dès 1982. La situation inquiète davantage en Europe et dans les pays à armature économique relativement faible, comme le Canada.

La crise modifie aussi la **répartition des forces économiques dans le monde**. Les États-Unis connaissent, en général, un certain déclin économique. L'Europe subit la concurrence des pays qui ont accédé à la nouvelle révolution industrielle et celle des pays en voie de développement, avec leur main-d'œuvre peu coûteuse. Des nouveaux centres économiques, en Asie par exemple, surgissent et concurrencent les grands de l'économie. Mais l'endettement nuit au tiers-monde, approfondissant le fossé entre le Nord et le Sud ; avec 70 % de la population mondiale, le monde en voie de développement ne fournit que 10 % de la production industrielle.

Une nouvelle hiérarchie économique s'établit. Des **ensembles multipolaires** regroupent les grandes zones économiques, succédant ainsi aux anciennes puissances. En 1986, les négociations du GATT, dans le cadre de l'*Uruguay Round*, élargissent les ententes économiques internationales. L'ère est aux rencontres mondiales, à la coopération et à l'interdépendance. Il s'agit là d'un héritage que le XXe siècle laissera probablement à l'histoire.

Même les théories économiques s'ajustent. Comme la *Grande Dépression* des années trente a profondément modifié le capitalisme, **la crise économique du dernier quart de siècle provoque une mise en doute des doctrines**. C'est tout le capitalisme qui se redéfinit. Pendant les années dominées par les Reagan, Thatcher et

L'endettement du tiers-monde, 1980-1990

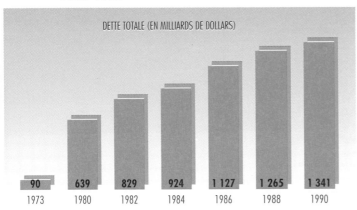

DETTE TOTALE (EN MILLIARDS DE DOLLARS)

| 90 | 639 | 829 | 924 | 1 127 | 1 265 | 1 341 |
| 1973 | 1980 | 1982 | 1984 | 1986 | 1988 | 1990 |

Kohl, le retour à un libéralisme plus traditionnel prend les formes de la lutte contre l'inflation, des compressions budgétaires sociales et administratives, et de l'équilibre budgétaire. Ce traditionalisme économique ne résout pas la crise conjuguée de l'énergie, de la monnaie, de l'emploi et de la production. On mène la guerre à l'inflation sans vraiment relancer l'emploi ni l'investissement dans les secteurs les plus productifs.

Les gouvernements occidentaux optent pour le conservatisme : l'assainissement des finances, le protectionnisme, la restructuration des entreprises et l'aménagement du territoire. La privatisation des entreprises d'État, l'assouplissement des contrôles et réglementations, les allègements fiscaux illustrent bien cette tendance. L'interventionnisme est à la baisse dans les États industrialisés. Devant une crise de cette ampleur, les revendications syndicales se modifient ; la concertation et la participation remplacent l'affrontement.

SOUS LE SIGNE DE LA FRAGILITÉ

La chute des prix du pétrole depuis 1982 active une certaine reprise économique. La Grande-Bretagne et la Norvège deviennent de nouveaux producteurs qui concurrencent l'OPEP. Les énergies de remplacement, la baisse de la consommation et les politiques d'économie d'énergie influent aussi sur la baisse des prix du pétrole.

Depuis 1983, les pays industrialisés font de la lutte contre l'inflation un objectif prioritaire. Le gouvernement américain facilite le crédit, encourage la consommation mais maintient son niveau de dépenses militaires. Les performances économiques s'améliorent, à la faveur de la maîtrise de l'inflation et de la légère baisse du chômage. La reprise américaine se répercute dans le monde et l'économie rejoint le niveau des années soixante. Les

La lutte contre l'inflation à partir de 1983 et une reprise de la croissance en 1976, 1984 et 1988 permettent un certain espoir. À noter que les pays en voie de développement sont plus touchés par l'inflation.

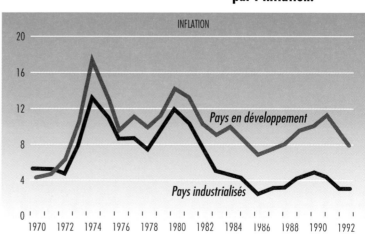

Extrait de : *Perspectives de l'économie mondiale*, Fonds monétaire international, Washington, oct. 1993.

importations américaines soutiennent et activent la relance du commerce et la production industrielle dans le monde. La baisse des prix des matières premières, la stabilisation du dollar, la hausse de la productivité résultant des nouvelles technologies redonnent confiance.

L'économie se redresse jusqu'en 1986 et 1987, sans vraiment garantir une prospérité durable. En 1987, un **krach** aux États-Unis et des difficultés financières au Japon illustrent la fragilité de l'économie mondiale. Les placements spéculatifs attirent plus que les investissements productifs. L'endettement généralisé d'une grande partie du monde nuit à la reprise.

À la fin du siècle, le monde n'est pas vraiment sorti de la crise. Le ralentissement de la croissance coïncide avec la crise du Golfe. Elle se manifeste aux États-Unis, au Japon et en Allemagne par la baisse des investissements et de la consommation, par le ralentissement du commerce et par un taux élevé de chômage. Les prix du pétrole augmentent quelque peu jusqu'à la victoire de la coalition contre l'Irak, victoire qui garantit le maintien des approvisionnements.

Au terme du XXe siècle, le chômage, les paniques financières et le difficile recyclage des anciens pays communistes vers l'économie de marché sont des incertitudes économiques qui coïncident avec les incertitudes politiques et sociales.

L'INTERDÉPENDANCE : UNE SOLUTION ?

Les bouleversements de la fin du XXe siècle conduisent directement à l'interdépendance. Les progrès technologiques, les moyens de transport et les innovations de la télécommunication donnent l'impression d'un **monde rétréci**.

Même si les États-Unis se voient comme un leader naturel du monde, ils doivent tenir compte de l'émergence du Japon, de l'effondrement du système soviétique, de l'influence du monde musulman et des progrès de l'unité européenne. Des associations se forment aux quatre coins du monde : une association commerciale en Amérique latine, l'Accord de libre-échange nord-américain (ALENA), les efforts de rapprochement entre le Japon et la Chine... Les grands ensembles sont de mise.

L'**unité européenne** est un exemple révélateur de ces regroupements. Recherchée depuis le Moyen Âge, l'unité européenne semble se concrétiser, surtout depuis 1992, conférant à ce continent une influence sociale et culturelle unique en raison de l'héritage qu'il a laissé tout au long des siècles. L'Europe communautaire accroît les pouvoirs de son parlement, abaisse les barrières économiques et favorise la libre circulation des personnes. Avec un plus grand nombre d'États membres, elle devient une puissance politique dans un monde en redéfinition. Son poids économique est très important ; elle a la haute main sur 20 % du commerce mondial. Elle gère un budget, perçoit des revenus, nomme des ministres, entretient des liens diplomatiques et définit des règles politiques. Elle établit des politiques communautaires sur le transport, le commerce et même sur la monnaie. En 1987, l'Acte unique européen met en place un grand marché continental et transforme le Conseil européen en véritable gouvernement.

LA COMMUNAUTÉ EUROPÉENNE

L'EUROPE : LES HÉSITATIONS D'UNE GRANDE PUISSANCE

On se souvient encore des grandes manifestations à Sarajevo, aux premiers jours des combats, en avril 1992, de la population bosniaque — Serbes, Croates et Musulmans unis — contre les agissements des milices armées et pour une solution pacifique et unitaire. Qui sait que là-bas ce sont des Musulmans, des Croates et des Serbes qui se battent côte à côte pour un État unitaire? Qui a entendu ces hommes et ces femmes, clamant leur désir de vivre ensemble? Sûrement pas la Communauté européenne, qui, pudiquement, détourne les yeux.

À chaque étape de la crise yougoslave s'est confirmée cette paralysie. Quand l'opposition des nationalismes, serbe d'un côté, croate et slovène de l'autre, a menacé la fédération, la CEE a reconnu le fait accompli et n'a imposé aucun cadre de négociation. Alors que la guerre menaçait en Bosnie-Herzégovine, aucune mesure préventive n'a été tentée. Alors que Sarajevo est sous les bombes depuis des mois, les plans européens confirment le dépeçage de la Bosnie-Herzégovine en cantons ethniques, ce qui va à l'encontre de toute l'histoire de la région et justifie a posteriori la «purification ethnique». [...]

Certes Sarajevo ne risque pas d'être le point de départ d'une troisième guerre mondiale, mais le précédent yougoslave servira de leçon pour tous les peuples, pour tous les apprentis dictateurs, pour tous les adeptes d'États «ethniquement purs» qui morcelleraient à l'infini notre continent. C'est l'identité de l'Europe, ses rêves d'unification, qui risquent d'être enfouis sous les ruines de Sarajevo. [...]

Par son autorité politique, par sa puissance financière, mais aussi par ses moyens militaires, la CEE était la seule force à pouvoir faire reculer la folie nationaliste, à esquisser une unité nouvelle du continent, force de ralliement dans un monde en voie d'implosion. Elle sera sévèrement jugée pour son échec.

ALAIN GRESH
« Les occasions manquées »,
Le Monde Diplomatique, *«Manière de Voir»*
n° 17, 1993.

À Strasbourg, en 1989, la Communauté décide d'aider l'Europe de l'Est et, un an plus tard, au Sommet de Dublin, elle propose l'unification politique. Poussant l'intégration, le traité de Maastricht prévoit même une monnaie unique pour 1999, définit la citoyenneté européenne et établit des mécanismes concernant le transport, les télécommunications, l'énergie, l'immigration et la défense.

Si l'on considère l'histoire de l'Europe depuis l'avènement des États nationaux vers le XVIe siècle, la Communauté représente une réalisation remarquable. La ratification des accords de Maastricht a toutefois soulevé quelques réticences, la construction européenne impliquant l'abandon d'une partie de la souveraineté nationale. Les populations européennes hésitent devant l'idée d'une nouvelle sorte d'État qui transgresse les frontières tracées par l'histoire.

1900-1994 : des changements qui font penser à une révolution

A « BELLE ÉPOQUE » DES ANNÉES 1900 ÉTAIT CELLE D'UN MONDE DOMINÉ PAR L'EUROPE ET ANIMÉ PAR UNE CERTAINE IDÉE DU PROGRÈS ; CELLE DES ANNÉES 1990 DÉPEINT UN MONDE TRANSFORMÉ QUI CHERCHE UN SENS À DONNER AU PROGRÈS LUI-MÊME.

Le XXe siècle avait commencé sous le signe d'une certitude presque arrogante. L'ordre mondial de 1900 représentait un édifice sûr de lui-même et d'apparence immuable. Qui eût dit que l'Europe perdrait sa domination sur le monde, que l'Amérique exercerait une influence déterminante, que l'Asie se taillerait une place importante, que le communisme s'implanterait dans un pays comme la Russie, que l'impérialisme colonial déboucherait sur la décolonisation ou que des guerres comme on n'en avait jamais vu menaceraient les bases mêmes de civilisations ? Le XXe est ponctué par une série de bouleversements qui ont profondément transformé l'ensemble des activités humaines.

SOUS LE SIGNE DE GUERRES INCOMPARABLES

Dans la foulée des révolutions française et industrielle, le XIXe siècle avait légué au monde la conviction d'un

CONTINUITÉ ET CHANGEMENTS

De plusieurs points de vue, l'année 1918 est plus près de nous que nous ne sommes portés à le croire.

Considérons la Cinquième Avenue de New York (ou la rue Regent à Londres, ou les Champs Élysées). Beaucoup de leurs édifices actuels existaient déjà il y a plus de soixante-quinze ans. Les automobiles, les appareils téléphoniques, les ascenseurs, l'électricité, les ampoules électriques et les minuscules avions bourdonnant dans le ciel, tout cela était bien là en 1918. Maintenant, calculons soixante-quinze ans avant 1918. En 1843, presque tout alors apparaissait très différent de 1918. En réalité, tout était vraiment différent: les villes, les édifices, la vie quotidienne des hommes et des femmes aussi bien que leur pensée. Mais plusieurs idées de 1918 sont encore de mise aujourd'hui en 1993: la volonté de bâtir un monde plus démocratique, l'autodétermination des peuples, l'émancipation de la femme, les organismes internationaux, la communauté des nations dans le monde et l'idée que nous nous faisons du progrès. Soixante-quinze ans, cela représente un bien long temps. En même temps, le XXe siècle fut aussi un siècle court... depuis qu'il a surgi de 1914, qu'il a été marqué de deux guerres mondiales et d'une guerre froide qui a pris fin en 1989.

Par ailleurs et de plusieurs façons, l'année 1918 est plus loin de nous que nous ne sommes portés à le croire. Après avoir trouvé réconfortante une image de la Cinquième Avenue de New York... regardons de plus près et essayons de voir plus profondément. Les gens sont différents de nous, et je ne veux pas dire seulement la différence de deux ou trois générations. Ils paraissent différents, parce que leur constitution, leurs habits, leurs manières, leurs attitudes et leurs aspirations diffèrent des nôtres. De la même manière, l'intérieur des édifices et ce qui s'y passait était différent d'aujourd'hui. Oui, la Cinquième Avenue est différente, New York est différente, le monde est différent. Le XXe siècle est terminé.

JOHN LUKACS
« 1918 », *American Heritage*, nov. 1993,
vol. 44, n° 7.
Traduction et adaptation de
Jean Boismenu.

progrès continu, graduel et cohérent. Les dirigeants de l'ordre établi de 1900 croyaient que l'évolution se poursuivrait par leur entremise et sous leur direction traditionaliste. En 1914, ils déclenchaient une guerre qui terminait une époque et qui traçait les orientations de l'avenir.

Le XXe siècle a engendré des guerres, avec des effets pour presque soixante-quinze ans. De 1914 à 1989, deux affrontements militaires séparés par une trêve de vingt ans, puis une période de guerre froide ont mené l'humanité aux portes de l'apocalypse. En 1914, une sorte de longue guerre civile européenne s'est élargie à l'ensemble du monde à cause de la prépondérance de l'Europe, semant la mort par dizaines de millions, renversant des États et des régimes politiques solidement implantés et bouleversant les économies nationales. En 1939 débutait la guerre la plus meurtrière de l'histoire. Combien de jours de paix consécutifs y a-t-il eu, dans le monde, depuis 1945 ?

La guerre a ébranlé la foi dans des institutions aussi fondamentales que la démocratie ; elle a conduit à des idéologies totalitaires débouchant sur le racisme et le génocide ; elle a mis à contribution la science et la technologie pour produire des engins meurtriers capables de provoquer la disparition de l'humanité. **Au XXᵉ siècle, la guerre représente une sorte d'impasse sanglante, sans fin et sans gloire, pour les vainqueurs aussi bien que pour les perdants.**

UN SIÈCLE EN RUINE

La seconde moitié de ce XXᵉ siècle qui est en train de s'achever aura été le plus formidable chantier de démolition de l'Histoire. Tout ce qui avait soulevé l'enthousiasme de millions d'individus, entraînés par leurs dirigeants et par des penseurs patentés, a été détruit. La plupart des constructions politiques et sociales de notre temps, les plus élaborées, les plus sophistiquées de l'histoire des hommes, ont été rasées jusqu'au sol. Nous avons assisté successivement à la chute du national-socialisme qui s'était doté de la plus formidable machine de guerre de tous les temps et qui rêvait d'un règne de mille ans. Nous avons été les témoins incrédules et haletants de la ruine du communisme, appuyé sur un appareil économique et social et sur un système philosophique apparemment inexpugnables et qui ne visaient à rien de moins qu'à ouvrir, dans l'histoire de l'humanité, un âge nouveau, irréversible et définitif. Voici que s'écroule sous nos yeux, en Yougoslavie et en Tchécoslovaquie, un troisième édifice, sans doute moins orgueilleux et moins terrifiant que les deux premiers, mais auquel s'attachaient les espérances de beaucoup d'hommes de bonne volonté : le traité de Versailles. Tout ce qui a été conçu dans les quinze ou vingt ans qui séparent la Première Guerre mondiale de l'avènement de Hitler est en ruine.

C'est une grande leçon de modestie et peut-être de scepticisme. Au moment même où la science et la technique connaissaient leurs succès les plus éclatants et bouleversaient de fond en comble l'existence quotidienne des hommes, leurs rêves d'organisation politique et sociale n'aboutissaient qu'à des échecs.

JEAN D'ORMESSON
« Un siècle en ruine », *Figaro-Magazine*,
27 juin 1992.

À l'approche de l'an 2000, un monde plus riche, plus puissant et plus instruit que jamais cherche encore à retrouver son aplomb, qu'il tenait pourtant pour acquis moins de cent ans auparavant. Rien n'est certain au terme d'un siècle de bouleversements si importants : le sort de la Russie, l'avenir de l'Afrique du Sud sans apartheid, les querelles haineuses en l'Irlande, le brasier du Moyen-Orient, la nouvelle poudrière des Balkans, l'existence du Canada, le drame haïtien, l'avenir du Viêt-nam ou de la Corée... Ces questions ne sont pas vraiment réglées ! Les apparences de solution peuvent être aussi trompeuses aujourd'hui qu'elles l'étaient vers 1900.

Un siècle de réalisations imprévisibles

Tous les siècles apportent des changements importants ; le XXe siècle apparaît comme un grand siècle, caractérisé par un grand développement technologique, par les contrastes de la dictature et de la démocratie, par des conflits inégalés et par l'importance des individus et des collectivités.

Le XXe siècle a vraiment **bousculé** la belle assurance du monde de 1900.

Les colonisés des débuts du siècle ont accédé à l'indépendance. Plus d'une centaine de nouveaux pays se sont ajoutés à l'ONU, où l'équilibre des forces a été renversé et où les véritables intérêts de ces pays ont découvert un canal d'expression. À la fin du siècle, la chute du communisme soviétique, le nouveau rôle des États-Unis, de l'Europe communautaire et du Japon ainsi que les difficultés économiques favorisent la multipolarité des grands ensembles géopolitiques.

Le secteur économique subit le contrecoup des convulsions qui ont marqué le siècle. Les guerres totales typiques de l'ère industrielle et la Grande Dépression ont transformé le capitalisme triomphant de 1900, le dotant de l'**interventionnisme** de l'État. La vision nationale de l'économie s'est modifiée sous le signe de l'**interdépendance** et de la coopération. La décolonisation politique a fait ressortir l'état de **sous-développement** inquiétant des régions exploitées par les anciens maîtres du monde ; les décolonisés ont formé le tiers-monde, souvent le grand oublié de l'aide internationale. L'écart s'est élargi entre le Nord industrialisé et le Sud plus faible.

La démocratie se répand beaucoup au XXe siècle, mais surtout dans le monde industrialisé. En 1900, ce que l'on appelait le « suffrage universel » se limitait aux hommes. À la faveur des guerres mondiales et de l'éducation sociale, les femmes acquièrent le droit de vote. La jeunesse peut mieux faire entendre sa voix aujourd'hui qu'en 1900. **Le XXe siècle a vu un plus grand engagement des masses populaires dans la destinée des nations.**

Cette période historique laisse un **héritage positif** sur le plan de l'éducation, du développement social et de la vie culturelle, mais aussi **un très lourd passif** sous la forme de régimes autoritaires qui ont manipulé les cerveaux, réprimé des aspirations légitimes et éliminé des êtres humains... La liberté et la démocratie ont progressé malgré l'oppression et la répression ; celles-ci ont parfois suscité la lutte du désespoir, le terrorisme, la contestation systématique...

La science et la technologie ont évolué à un rythme trépidant depuis 1900. Alors que les frères Wright ont fait voler leur avion pendant quelques minutes en 1903, un homme a marché sur la Lune en 1969, des cosmonautes soviétiques ont vécu un an à bord d'un satellite en 1989 et des astronautes américains ont réparé un satellite dans l'espace en 1993. L'armement des débuts du siècle semble inoffensif comparativement à la bombe d'Hiroshima de 1945 ou aux missiles intercontinentaux d'aujourd'hui. Le télégraphe de Marconi et le cable transatlantique étaient, vers 1900, des étapes bien humbles vers la télécommunication d'aujourd'hui, qui présente au monde, en direct, les jeux Olympiques qui se tiennent à Montréal, Los Angeles ou Séoul. La radio et la télévision parviennent aux domiciles familiaux ; c'est la démocratisation des communications. Dans les régions développées du monde, l'électricité et des appareils de toutes sortes facilitent la vie quotidienne. L'informatique révolutionne la transmission du savoir, au même titre que Gutenberg et sa presse à imprimer, vers 1455.

Du même souffle, la science et la technologie contemporaines conduisent aussi au paradoxe d'un progrès qui mène aux frontières de la destruction planétaire. Les catastrophes écologiques le relèvent clairement. La prolifération effrénée des armes nucléaires comporte des risques pour l'humanité.

Le progrès scientifique et les innovations technologiques, qui touchent principalement l'Occident industrialisé, provoquent des traumatismes ailleurs dans le monde, où certains y voient une nouvelle tentative d'occidentalisation.

Les changements profonds qui se sont produits durant le XXe siècle fournissent un bon exemple de l'accélération de l'histoire. Cette période sera reconnue pour la richesse de son développement scientifique, culturel, économique, politique et social. Mais les années 1900 lèguent aussi des problèmes importants. À la veille de l'an 2000, l'espoir côtoie l'inquiétude.

« JOURNÉE DE LA TERRE »

La jeunesse du Québec s'exprime sur l'avenir de la planète.

Questions de révision

1. Comment la *perestroïka* et la *glasnost* ont-elles changé les habitudes de l'URSS sur les plans politique et économique ?

2. En vous référant aux chapitres précédents, représentez par un schéma les grandes étapes de l'histoire de la Russie et de l'URSS de 1917 à 1994.

3. En vous référant aux chapitres précédents, représentez par un schéma les grandes étapes de l'histoire des États-Unis de 1917 à 1994.

4. Dressez une chronologie de l'année 1989 illustrant la chute en domino des pays communistes d'Europe. Qu'y a-t-il de constant dans l'évolution de ces pays ?

5. Expliquez le drame qui se déroule dans l'ancienne Yougoslavie. En vous référant au premier chapitre du manuel, comparez la situation d'aujourd'hui avec celle de la « poudrière balkanique » des débuts du XXe siècle.

6. Comment les événements qui se sont produits dans les deux Allemagnes à partir 1989 représentent-ils une sorte de solution à un problème issu de la Deuxième Guerre mondiale ?

7. Expliquez les relations entre l'État d'Israël et ses voisins. Recherchez, dans les chapitres précédents, les origines du problème et faites-en un tableau chronologique.

8. Expliquez la situation du chômage dans la reprise économique de la fin du XXe siècle.

9. Pourquoi la construction de l'unité européenne est-elle un phénomène si important et si surprenant au moment où se termine le XXe siècle ? Pouvait-il être question d'unité au début du siècle ?

10. Interrogez une personne âgée de votre entourage et dressez, avec elle, une liste de 15 nouveautés laissées en héritage par le XXe siècle. Effectuez cet exercice en ne vous appuyant que sur la mémoire de la personne-ressource.

Glossaire

Crédits de photos

Publiphoto : p. 327, 409, 411. Lauzon, Jean/Publiphoto : p. 523, 524. Zimbel, G./Publiphoto : p. 529. Kocsis, Ron/Publiphoto : p. 574. Édimédia : p. 9, 11, 33, 34, 35, 53, 54, 66, 80, 93, 100, 104, 107, 112, 123,125, 139, 166, 169, 170, 175, 188, 194, 207, 208, 211, 212, 218, 219, 224, 234, 236, 239, 241, 246, 252, 256, 258, 265, 270, 273, 297, 310, 475. Snark/Édimédia : p. 95. Adam, G./Édimédia : p. 210. Warhol, A., Taylor, E./Édimédia : p. 524. Explorer : p. 374, 467. Charmet, J.L./Explorer : p. 15, 114. Evans, Mary/Explorer : p. 31, 53, 84, 242. Sygma : p. 50, 90, 154, 294, 314, 329, 345, 346, 356, 387, 398, 410, 413, 424, 441, 453, 480, 488, 525, 545, 556, 560, 561, 567. Keystone/Sygma : p. 94, 301, 351. Pavlovsky, Jacques/Sygma : p. 31. Taylor, Randy/Sygma : p. 447. Chauvel, Patrick/Sygma : p. 450. Keler, Alain/Sygma : p. 451. Pierce, Bill/Sygma : p. 458. Kirkland, Douglas/Sygma : p. 465. Sygma/IBM : p. 496, 505. Révy, J.C./Sygma : p. 502. Langevin, J./Sygma : p. 536, 550, 562. Sygma/Epix : p. 542, 545. Andrews, P./Sygma : p. 546, 554. Bisson, B./Sygma : p. 548. Robert, P./Sygma : p. 560. BSIP/VEM : p. 511.

Archives nationales du Québec, Direction de Montréal, de Laval, de Lanaudière, des Laurentides et de la Montérégie. Du Fonds Conrad Poirier : (P 48) : p. 148, (P 2837) : p. 149. Archives nationales du Canada : (C-63428) : p. 25, (PA-15576) : p. 26, (PA-24436) : p. 58, (PA-108054) : p. 184, (PA-107910) : p. 261, (ANC, C-53641) : p. 331. Archives publiques du Canada (PA-15576) : p. 26. Bibliothèque nationale de Paris : p. 240. Daily Herald, p. 73. Imperial War Museum, London : p. 40, 195. La Presse : p. 61. Musée des Beaux-Arts de Montréal : p. 525. Musée des Beaux-Arts du Canada : p. 527. Photothèque de la ville de Montréal (Office du Film du Québec) : p. 118, 305.